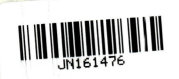

貴志俊彦・白山眞理 編

京都大学人文科学研究所所蔵

華北交通写真資料集成

《論考編》

国書刊行会

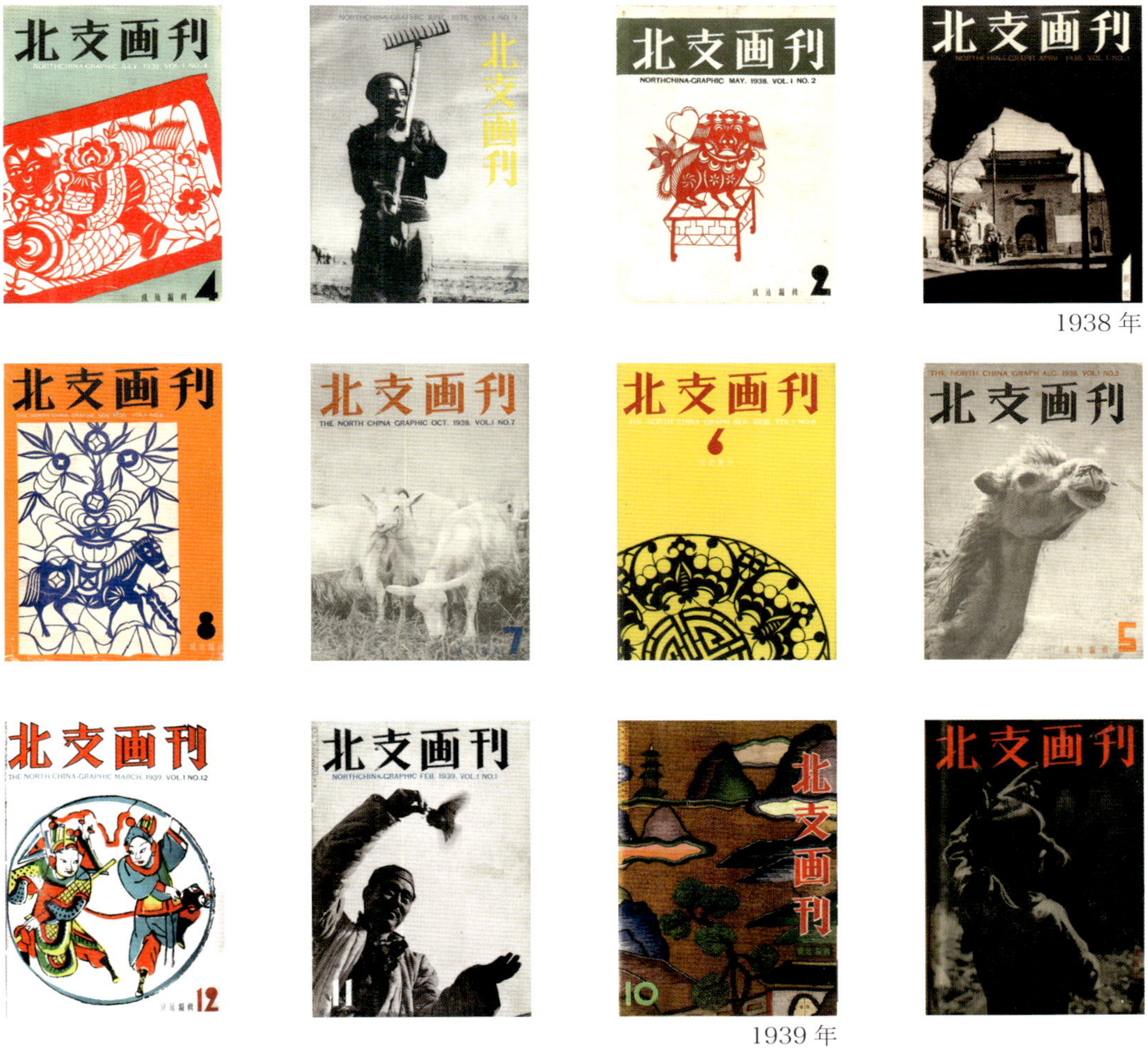

「北支画刊」（全12号）表紙
1938年4月〜1939年3月

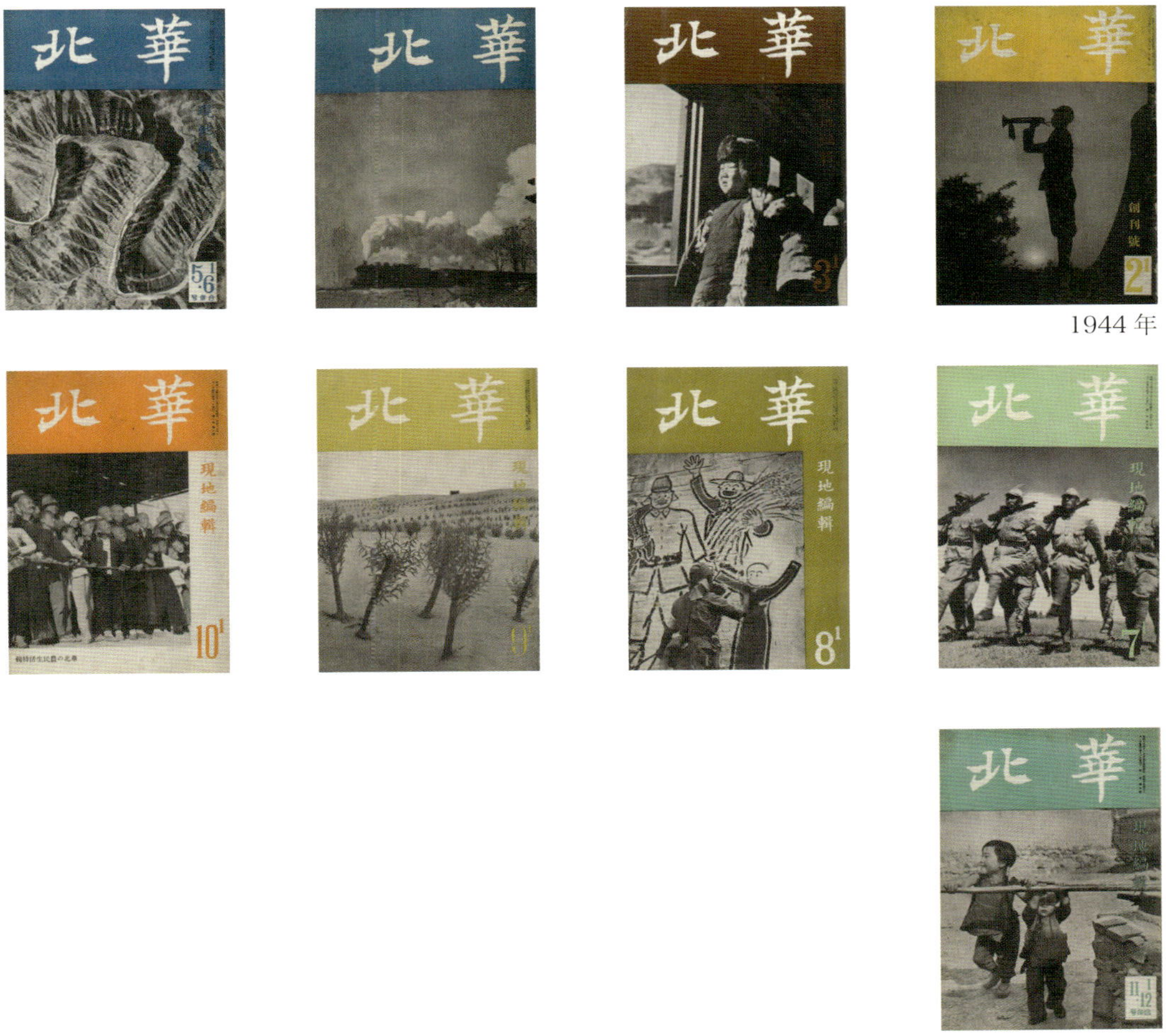

「華北」（全9号）表紙
1944年2月〜12月

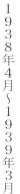

「北支」（全51号）表紙
1939年6月～1943年8月

1939 年

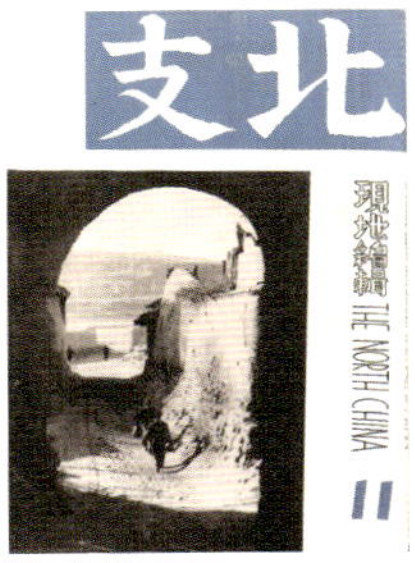

1940 年

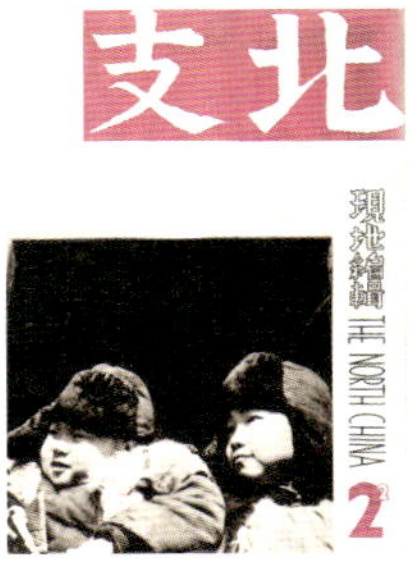

1941 年

北支
現地編輯
THE NORTH CHINA
10

北支
現地編輯
THE NORTH CHINA
9

北支
現地編輯
THE NORTH CHINA
8

北支
現地編輯
THE NORTH CHINA
7

北支
現地編輯
THE NORTH CHINA
6

北支
現地編輯
THE NORTH CHINA
3

北支
現地編輯
THE NORTH CHINA
2

北支
現地編輯
THE NORTH CHINA

北支
現地編輯
THE NORTH CHINA

1942 年

北支
現地編輯
THE NORTH CHINA
11

北支
現地編輯
8

北支
現地編輯

北支
特輯 北京の市民生活
現地編輯
6

北支
現地編輯
5

北支
現地編輯
4

北支
現地編輯
1

1943 年

北支
現地編輯
12

北支
現地編輯
11

北支
現地編輯
10

北支
現地編輯
9

北支
現地編輯
6

北支
現地編輯
5

北支

北支
現地編輯
3

北支
現地編輯
2

北支
現地編輯
8

北支
現地編輯

「華北交通図」（加藤新吉編『華北交通』〈昭和17年版〉より）

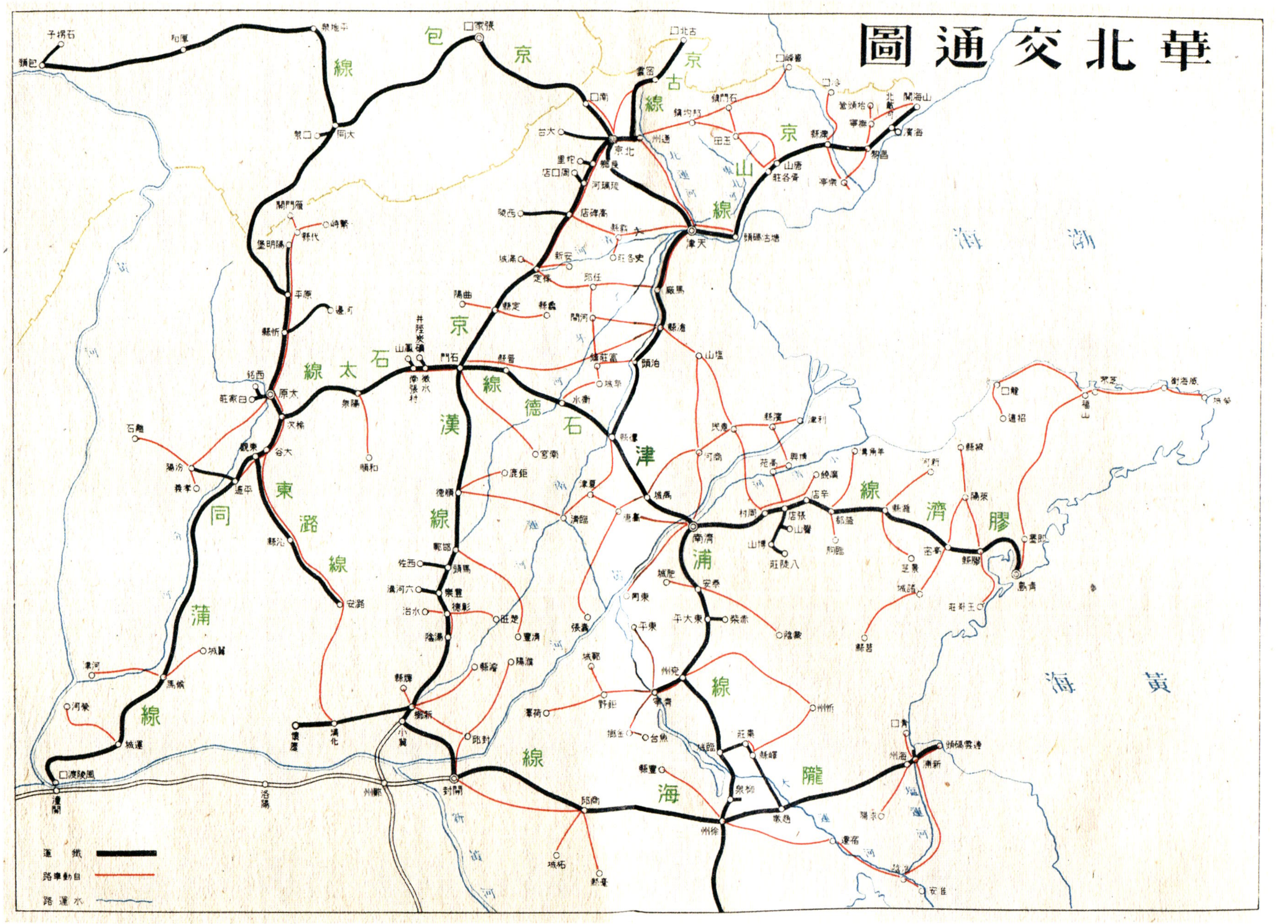

『京都大学人文科学研究所所蔵　華北交通写真資料集成』刊行にあたって

石川禎浩（京都大学人文科学研究所附属現代中国研究センター長）

八十年を越える歴史を持つ京都大学人文科学研究所（人文研）には、貴重な資料が数多く所蔵されている。すでに整理やデジタル化を経て、一般に公開されているものも多い一方、さまざまな理由で死蔵状態のままのものも少なくない。総点数三万五千を超える「華北交通写真」は、その代表的なものということができる。一九三〇年代後半の中国華北の様々な風景、風俗を撮影したこの膨大で貴重な写真群が、このたび京都大学地域研究統合情報センターの貴志俊彦教授率いる共同研究グループと人文研との協力によって、デジタル化され、初めて本格的に紹介されることになった。

撮影されてから七十年以上を経て劣化が進み、このままでは早晩失われてしまうことが確実な資料を救出したことは、それ自体が画期的な成果である。この作業には、貴志教授が研究代表をつとめる科学研究費補助金や、文部科学省の全国共同利用・共同研究拠点経費など内外の様々な資金が充当され、企画から作業完了まで六年の歳月を要した。この作業と並行して貴志教授は、メディア史、中国史、民俗学、写真史など内外の関連分野の研究者を糾合して、「華北交通写真」に関する共同研究を実施し、この貴重な写真資料群が持っている価値と可能性を余すことなくあきらかにしてくれた。いわば、本研究は、華北交通写真を利用した戦後初の総合研究の試みとして特筆すべきであるのみならず、資料の保存と研究利用という二つの学術的要請に見事に応えたプロジェクトでもある。その資料再生と研究利用を微力ながら支援してきた者として、貴志教授の熱意と実行力に最大の敬意を表するとともに、画期的な事業が実を結んだことに心よりお祝い申し上げたい。

人文研に「華北交通写真」なる資料群があることは、ずいぶん前から関係者の間では知られていたらしいが、わたしがその存在と内容を把握したのは、二〇〇八年の人文研本館の移転に伴い、新装なった本館に、北白川にある人文研分館の地理学研究室からその資料群が搬入されてしばらくした二〇〇九年ごろだった、と記憶する。人文研分館に共同研究室を有する東方学部門は、分野ごとの研究手法や資料の継承性が比較的明確で、いわゆる歴代の教授や研究班が収集した資料群については、助手、助教、後継の教員などが、その由来を把握しているのが普通である。だが、この華北交通写真については、そうではなかった。つまり、膨大な量の写真が人文研東方学研究部の所員の受け入れるところとなったらしいこと、また受け入れ後に部分的にその整理がなされたらしいことは確認できるが、その詳細——寄贈の時期や寄贈者（寄託者）の意図など——は、不明なままだったのである。二〇〇八年の運び入れののち、写真の内容からして、現代中国部門がとりあえずの引き受け手となり、今後の利用や公開を考えたらよかろうということで、わたしがその扱いを任された格好とはなったが、正直どう扱えばよいか、途方にくれるばかりであった。

そんなおりにこの資料の存在と価値を見いだし、公開に向けたデジタル化を働きかけてくれたのが、京大に着任して間もない貴志教授であった。貴志教授は劣悪な状態のまま保管されている写真を救うべく、資金を調達してそのデジタル化を進める一方、「華北交通写真」を素材とする研究グループを組織して、共同研究に着手された。こういった場合、同じ大学とは言っても、他部局に所蔵されている資料のために、「自腹」を切ることは容易なことではない。それどころか、他部局の未公開資料に「手を出す」ことは、逆に余計なお節介だと白眼視されることすら覚悟しなければならない。だが、「華北交通写真」を前に手をつかねていたわたしにとって、貴志教授からのアプローチは、願ってもない提案であった。かくて、写真のデジタル化とそれを用いた研究は貴志教授が中心となって差配し、写真資料の公開に向けた人文研側の調整は、わたしが側面からサポートするという協力体制が形作られたのであった。

実際に写真のデジタル化を進め、ネガフィルムの調査をしていくと、それまで不明だった写真の来歴について、新たな手がかりが発見されるなど、資料群自体の生成過程の解明も進展していった。人文研が所蔵するに至ったいきさつには、なお未解明の点が残ってはいるが、今回の共同研究によって、相当に明らかにされたので、本書の菊地暁「むすびにかえて」を是非ご一読いただきたい。

華北交通写真は、重要な歴史記録でありながら、戦後七十年以上も公開されなかった。その大きな理由は、上述のように、それが如何なる経緯で人文研の所蔵するところとなったのか、あるいは写真群は人文研に保管されているとは言え、人文研が所有者なのか（つまり、すでに退職した所員が置いていった個人所有の資料かも知れない）があいまいだったからである。そうしたいきさつゆえに、「華北交通写真」は今日でも、京都大学の資産として、正式には登録されていない。このほか、それら写真群が「華北交通」という日中戦争期の国策会社の企業活動に由来するものであるというある種の後ろめたさが、それを公表、公開することを忌避したいという姿勢につながっていったという面も確かにあるだろう。いわば、人文研の負の遺産という側面をもつ資料でもあるわけである。付言すれば、京大人文研の学術調査といえば、必ず名の上がる「雲崗石窟調査」も、一九三〇年代後半に、華北を占領する日本軍の保護と国策会社・華北交通の協力を得ておこなわれたものにほかならない。むろん、軍や国策会社の協力によってなされたというだけで、それら調査の意義が失われるわけではないが、人文研の研究成果や所蔵資料に、こうした戦争の影を引きずるものが含まれていることは、否定しようのない事実なのである。

一九三〇年代後半の華北のさまざまな情景を切り取った膨大な点数の写真は、この時期の中国の社会生活を知る上で貴重な素材となることはもちろんだが、華北交通という国策会社の活動実態を知る上でも重要な資料である。同じく交通関連の国策会社といっても、従来多くの研究が積み重ねられてきた満鉄に比べて、華北交通はほとんど研究蓄積がない。今回、デジタル化された華北交通写真が公開の用に供されたことは、謎の多いこの企業の全貌を解明する上でも、貴重な一助となるものである。その意味では、今回の論集はこの分野の研究の集大成というよりも、華北交通や占領下華北社会にかんする研究の本格的出発を告げるものだといえるだろう。

写真自体に関していうならば、本書で紹介されるものは、これまで閲覧がかなわなかった「華北交通写真」全体からエッセンス（精品）を紹介したものであり、これまた戦後初の公開となる。撮影されているのは、いわゆるニュース写真のような迫力に満ちたものではなく、どこにでもありそうな平穏な日常の光景、静かな街路、ありのままで生きる人々である。だが、それらを細かく見ていけば、どの写真からも大小様々な情報が得られ、華北での生活を伝えるほのかな息吹が伝わってくる。時には、写真自体がかすかに生きているかのような錯覚さえ覚えるほどである。

「華北交通写真」は主に、台紙貼りされたコンタクト・プリント（あるいは引き伸ばし版）とネガフィルム（プリント版のすべてに対応しているわけではない）からなる。台紙貼りされたプリント版は、すでにデジタル化が済み、公開への準備が進んでいる。本書の刊行につづいて、デジタル化された「華北交通写真」がデータベース化なりの加工を経て、世界に向けて情報発信されれば、歴史認識の共有化をはかる学術的インフラのひとつとして、大きな意義を持つことは間違いない。他方、奇跡的に保存されていたネガフィルムについては、日本カメラ博物館において、もっか保存と研究利用のための関連作業が進められている。この面では、貴志教授とともにこの写真群の価値を見いだし、折々に公開や保存の具体的あり方を助言してくださった同博物館の白山眞理氏に感謝せねばならない。貴志教授と白山氏のリード・助言がなかったら、いわゆる所有権確認やら「負の遺産」意識からなかなか自由になれない我々（人文研関係者）は、その計り知れない価値に目をつぶったまま、「華北交通写真」という宝を朽ちるに任せていたことだろう。

京都大学（人文科学研究所）の先達が、時代の荒波の中、苦労の末に蓄積、所蔵しながら、埋もれたままになっている資料・学術資源は、「華北交通写真」だけではない。それらの価値を判断し、整理・編纂・公開していくことは、単に公的機関における情報公開という観点から求められているばかりでなく、学知の公開・共有という人類的責務の面からも要請されていることである。「華北交通写真」の公開をひとつの契機として、人文科学研究所としても、さらに積極的な所蔵資料の公開を目指し、内外の研究者・専門家と積極的に提携していかねばなるまい。

二〇一六年九月五日

京都大学人文科学研究所所蔵　華北交通写真資料集成《論考編》目次

第二部　資料

【凡　例】

一、本《論考編》の巻頭口絵には、華北交通写真が使用されたグラフ誌のカラー表紙および戦前の「華北交通沿線地図」を収録している。掲載には国立国会図書館の協力を得た。

一、第一部「論考」には、京都大学を拠点に華北交通写真を主たる歴史資料として共同研究した成果である論文及びコラムを収録した。各論文の冒頭には、華北交通写真より論者の選んだ四点を「扉写真」として掲げた。

一、各論文においては最低限の形式と表記の統一を図ったが、「日中戦争」「支那事変」等の歴史用語の統一はおこなっていない。

一、第二部「資料」には、写真読解・研究の手引として、華北交通の弘報用グラフ誌『北支』の編集長加藤新吉の随筆、弘報冊子『華北交通』復刻、満鉄北支事務局・華北交通編集によるグラフ誌の総目次を掲載している。総目次では〔　〕内に編者註を付した。

第一部　論考

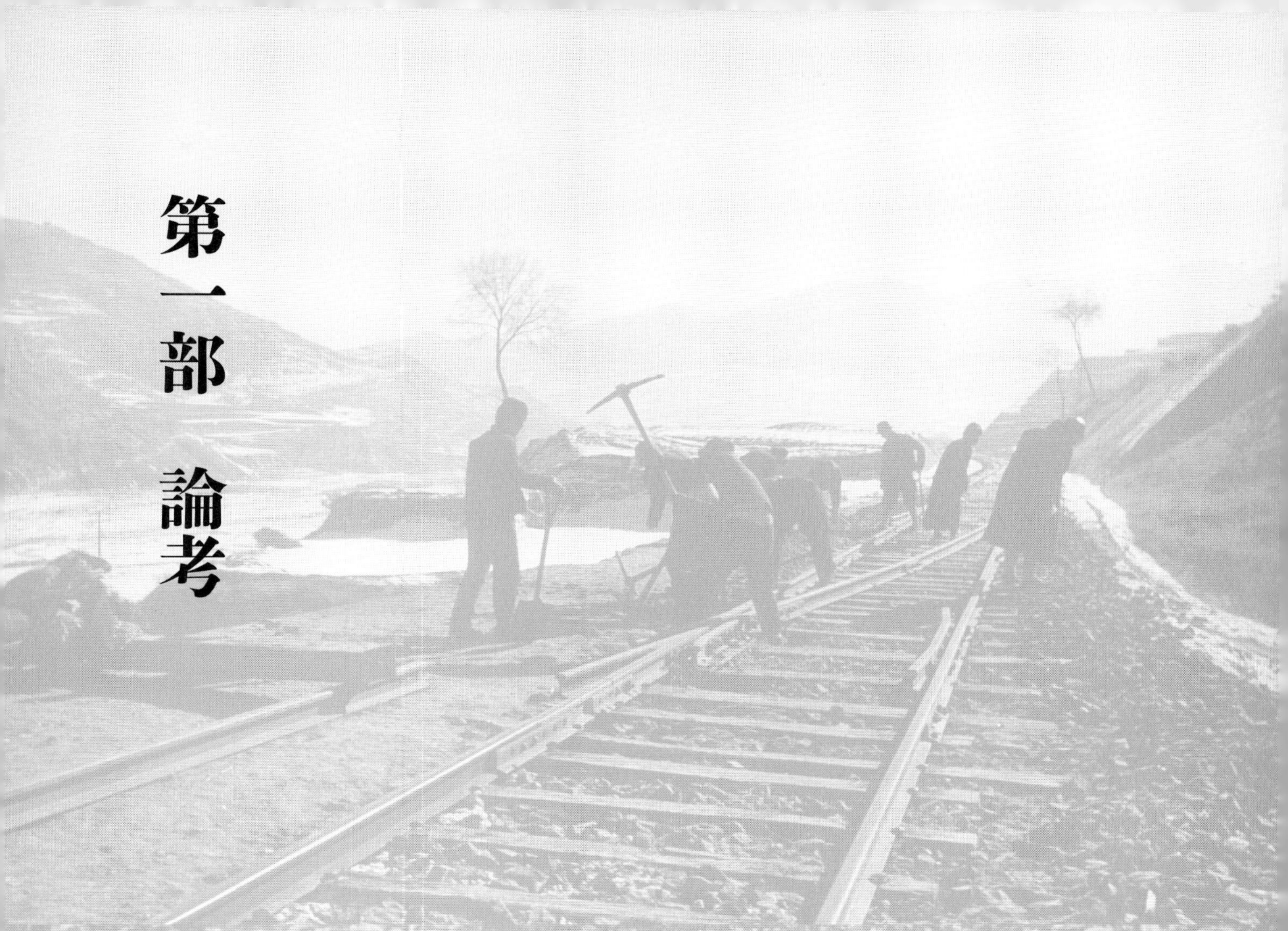

第一章　華北交通写真資料と満洲・華北の写真事情

白山眞理

〈写真1〉撮影者「加藤」は、華北交通済南鉄路局総務処資源科弘報の加藤正之助。［原板番号二八六四七］

〈写真2〉訴えるべき内容を強調するためにトリミングした写真。［原板番号二八六四七、分類番号二六］

〈写真3〉全画面の引き伸ばしプリント。ネガに直接記したトリミング指定線が白く印画されている。［原板番号一〇五七、分類番号五三］

〈写真4〉左辺に「原板在東京」の押印と「在北京日本総領事館」の検印あり。［原板番号六八〇五、分類番号五－二－二］

華北交通写真資料と満洲・華北の写真事情

白山眞理

一　はじめに

本書で取り上げる京都大学人科学研究所所蔵華北交通写真資料（以下、華北交通写真）は、一九三七年から一九四五年にかけて撮影されている(1)。これらは作家性のある作品群ではなく、華北交通株式会社（以下、華北交通）が撮影、保持したストックフォトである。

ストックフォトの構築は、広告や報道などの媒体で繰り返し使うことが前提で、その内容は保有組織の志向や社会状況と密接に関わる。華北交通の成り立ちを見ると、一九三七年八月に天津で南満洲鉄道北支事務局が発足（三八年一月より北京）し、これが一九三八年一一月に日中合弁で創設された北支那開発株式会社の傘下に置かれて、一九三九年四月に中国特殊法人として発展的改組を遂げたという変遷がある（第二章参照）。こうした会社の状況、そして、内地や外地の写真宣伝の状況を踏まえてこの資料を考察すべきであろう。

一九三〇年代に盛んになったグラフ記事は、日本ではドイツ語のルポルタージュ・フォト（Reportage-Foto）の訳語として〈報道写真〉と言われた。新聞などに掲載される事件・事故を伝えるニュース写真とは異なる概念で、報道メディア一般に使われる写真を指す現在の語義とも違うことにご注意いただきたい。文字ではなく写真を使ったグラフ形式で大衆に訴える〈報道写真〉のために様々な組織でストックフォトが設けられ、日中戦争勃発後には、内閣情報部や軍部など体制の対内外宣伝に使われた。満洲・華北では建国や事変によって南満洲鉄道株式会社（以下、満鉄）などが写真宣伝を計っており、華北交通写真もその一環として構築された。

ここでは、残された華北交通写真を具体的にみた上で、一九三〇年代から太平洋戦争が終わるまでの日本における〈報道写真〉と写真宣伝について概観し、これまでの写真史ではまとめられていなかった満洲、関東州、華北で日本が関わった写真状況を明らかにしたい。

二　華北交通写真資料

京都大学人文科学研究所（以下、人文研）の華北交通写真は、大きく二つに分けることができる。一つは写真の密着（コンタクトプリント）などが貼りつけられたカードで、もう一つは写真原版のネガフィルムである。

これまで存在が知られていなかったこれらの資料群を初めて見たのは、二〇〇九年二月。筆者が戦中の写真を研究していると知った京都大学関係者から紹介されて、移転間もない人文研図書室で熟覧した（挿図1）。資料の詳細は不明ながらも、一見して貴重な写真群と感じて、「発見」の驚きと新しい研究への予感に胸が高鳴った。記録撮影も許可されてこれからと思った時に、故人となった某研究者への寄託資料であったこと、人文研として報告等が公表されていないこと、現存の可能性がある個人の写真が含まれていることなどから、現時点での研究その他は許可できないという丁寧なお断りが図書室から届いた。

程なく旧知の貴志俊彦さんが京都大学に赴任したのは偶然だったが、写真群の研究には必然だった。二〇一二年に共同研究が始まり、周囲の賛同を得た貴志さんは、データ公開を目標に密着カードのデジタル化を計った。当初はストックフォトであることが判らず、写真面だけをスキャンして新聞写真や図書館などの分類を適用させることを検討されていたが、カードに記載された情報が大切であることや、当時の分類が残っていることなどを述べて、カード全体を一つの画像としてスキャンする今日の形になった。また、華北交通の機関誌である『北支』に掲載例が多いことが判り、貴志さんと東洋文庫の瀧下彩子さんは同誌全ページのデジタル化を達成し、東洋文庫ＨＰで閲覧できるようになった。

写真群とグラフ誌のデジタル化によって照合が容易になる中で、写された内容を読むことができる研究者各位との共同研究が呼びかけられた。私は同時期の写真について研究を進め、資料群を精査するのが目標だったが、京都は遠く、周辺研究に終始した。二〇一六年二月に資料群中のネガを日本カメラ博物館に移して、状態の確認を行いつつある。

満鉄社員会の機関誌『協和』№241（一九三九年五月一五日）を見ると、北支事務局の写真事業について次のように記されていた。

　北支事務局から紐育事務所、欧洲事務所に送つてゐたところの北支鉄道を中心とする各種建設復興状況およ

挿図1　人文研図書室での収蔵状況。キャビネット上段にカード、下段にネガフィルムが納められていた。（二〇〇九年二月、筆者撮影）

び北支の風景、習俗その他一般に関する紹介、宣伝写真は極めて面白く、欧米人に東亜の正しい認識を与へるには好個の資料であり、また、この種写真は新聞雑誌並に著述家から頻りに要求され、一般の関心とみに揚つてゐる現状であるから今後ドシ〳〵送つてほしいと云ふのである、《ママ》これと同時に北支における重要会社幹部の写真送付依頼もあり、北交資料課ではこの機に乗じて全世界を対手に北支事情の紹介宣伝に拍車をかけるべく意気込んでゐる。[2]

改組したばかりの華北交通がおこなうべき、全世界に「東亜の正しい認識を与へる」事業のために、ストックフォト、すなわち、これらの資料群の充実と整備がなされたと推察される。

まずは、初公開の華北交通写真のカードとネガについて、これまでにわかったことなどを記したい。

密着カードとストックフォト分類　密着写真の貼り付けてあるカード（以下、密着カード）は、縦約一四五ミリ、横約一七三ミリで、上部に台帳項目というべき原板番号、場所、説明、撮影年月と撮影者の記載欄がある（扉写真1参照）。これが、約三万五〇〇〇点、スチールキャビネットの引き出し一六段に二列でぎっしり詰まっている。

原板番号とは、機械的に付す整理用の番号で、現像後のネガフィルムの一コマ毎に直接記載される（挿図2）。ストックフォトでは、サンプル（この場合はカード）を見て目的に合った写真を探し、原板番号でプリントを注文する。後述する同時代のストックフォトでも同じようにネガへの番記があり、整理のために確立していた方法である。原板番号は整理用なので、必ずしも撮影順、テーマ別ではなく、フィルムの現像順に施されることが多い。華北交通写真でも同じテーマが少し離れた番号に飛んでいる例がある。番記やカード作成には手間がかかるので、撮影者とは別に整理作業者がいたと考えられる。

一六段の密着カードは原板番号順に並んでいたが、他の二段分は分類番号順であった。ここでは、前者を通番カード、後者を分類カードと呼ぶ。分類カードは、台帳項目に分類番号が加えられ、項目の下に「この写真御使用の節は必ず華北交通株式会社提供と御記入下さい」と、また、カード下辺に「華北交通株式会社東京調査室」または「華北交通株式会社東京事務所」と印刷されている（扉写真2参照）。分類カードには、裏に詳細な説明や送付（貸出）先を記入する欄を備えた例もある。中には同原板番号でトリミング違いや分類番号違いのカードもあった。外部への写真貸出用閲覧は、テーマ毎に探し易い分類カードを備えていた東京支社で行い、どのようなトリミングで貸出したのかもわかるようにしていたと推察される。

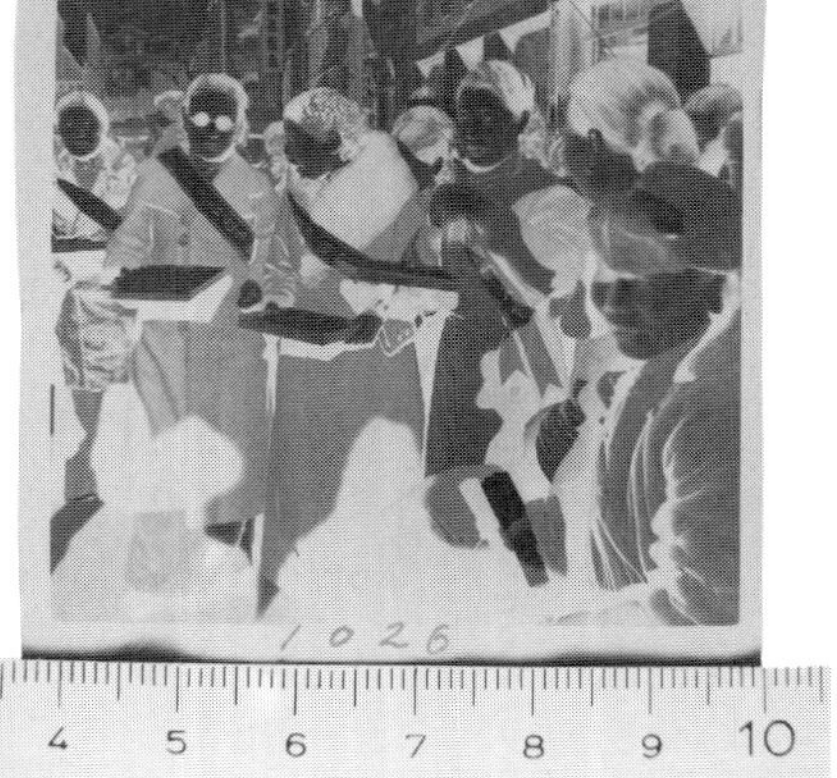

挿図2　ネガの画面外に手書きで番記されている。［原板番号一〇二六］

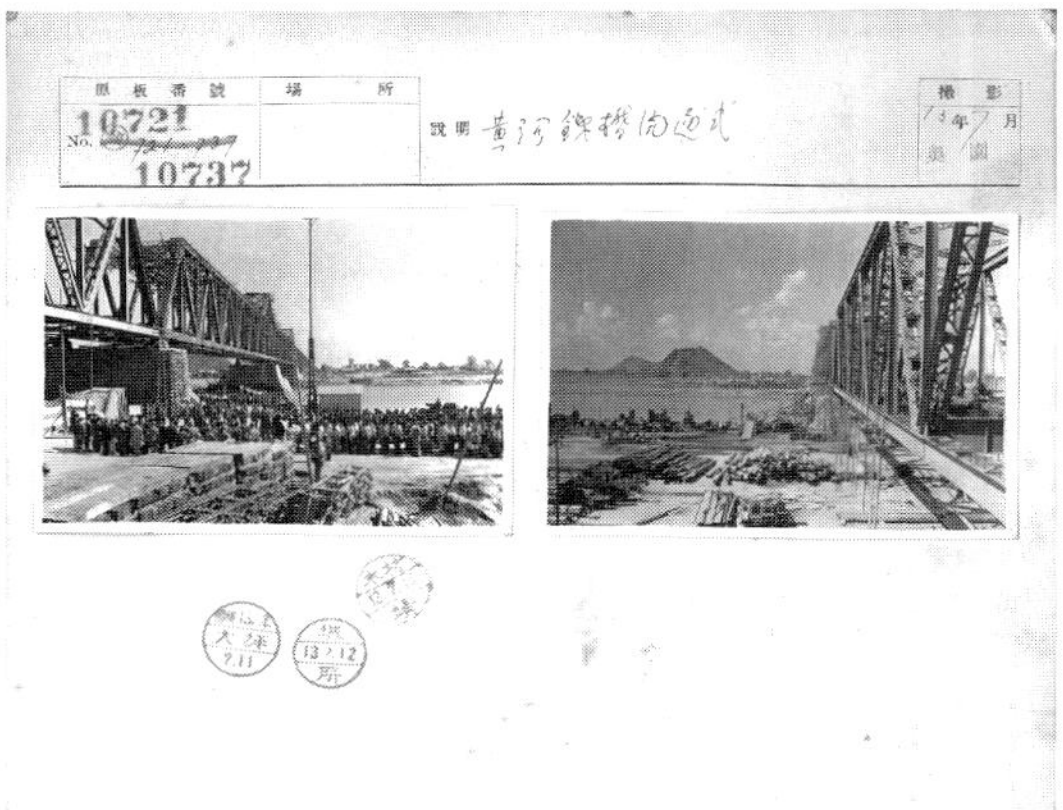

挿図3　「黄河鉄橋開通式」撮影13年7月・奥園［原板番号一〇七二一、一〇七三七］

撮影者名は姓のみが記載されていて、日本名だけのようだ。七章、八章に見られるように「西」は西亨と、また、後述するように「吉田」は吉田潤、「加藤」は加藤正之助と判明したが、ほとんどは個人が特定できていない。密着カードの台帳項目欄レイアウトには多少の変化があり、後には路線欄が追加されている。同じ原板番号の写真が通番カードと分類カードにあるのは当然だが、両カードとも同番が複数枚入っている例や、まれに、同番でありながら違う写真を貼付している例がある。画像違いの場合にはネガとの照合が必要で、今後の課題である。

膨大な量のカードを見ると、台紙の違いに気がつく。時代なりに古色を帯びているものと、比較的新しい白色のカードがあるのだ。古色カードは、密着が一～三枚貼ってあり、記載欄のデータが充実している（挿図3）。白色カードは通番カードにあって、密着一枚と原板番号のみが記載されている（挿図4）。紙質とデータ量から、古色カードが華北交通時代のオリジナルで、白色カードは人文研収蔵後に全ネガのカード作成を計って不足分を整備したと推察される。古色の分類カードが通番カードの中に入っている例も散見されるが、欠番を補うために移動させたのだろうか。通番カードは「3」から「56913」まで、ネガは「1001」から「50900」まで現存し、それぞれ中間に大量の欠番がある。

華北交通写真と同時期の一九三〇年代から四〇年代に構築されたストックフォト密着整理について、筆者の調査経験では、日本工房（後述）はテーマ毎の貼り込み帳形式、財団法人国際文化振興会（以下、KBS）はテーマ毎のバインダー綴り（ルーズリーフ）であった。華北交通写真のカード整理を見て、当初は京大式カードの伝統に従ったのかと思ったが、調べてみると、同様にカードで整理しているストックフォトの例が一九四一年の『宣撫月報』にあった。[3] 満洲事情案内所写真科長・加持正範の「フォトライブラリーの実際」に掲載されている同案内所写真整理用カード（挿図5）で、形式や記載の台帳項目（分類番号、標題、撮影場所、撮影期日、撮影者、原板番号、説明、使用区分）が、華北交通写真のカードと共通している。前述のように、華北交通が満鉄から独立するまで二年弱の年月があり、北支事務局の写真整理には満鉄のノウハウが及んでいたと考えられる。満鉄ストックフォトについては詳らかでないが、華北交通写真の密着カードと満洲事情案内所の整理用カードとの類似性を鑑みれば、満洲国内のストックフォトは一足先んじていた満鉄ストックフォトが基準になっていたと推察される。

また、「フォトライブラリーの実際」では、分類表とその考え方について次のように記している。

写真の分類は、蒐集された写真を単に分類収蔵するのに必要な丈けでなく、実に写真蒐集、言ひ換へれば整備する上の企画に於て絶対必要なことなのである。勿論この場合の分類法の確立と云ふものは、集まるべき写真

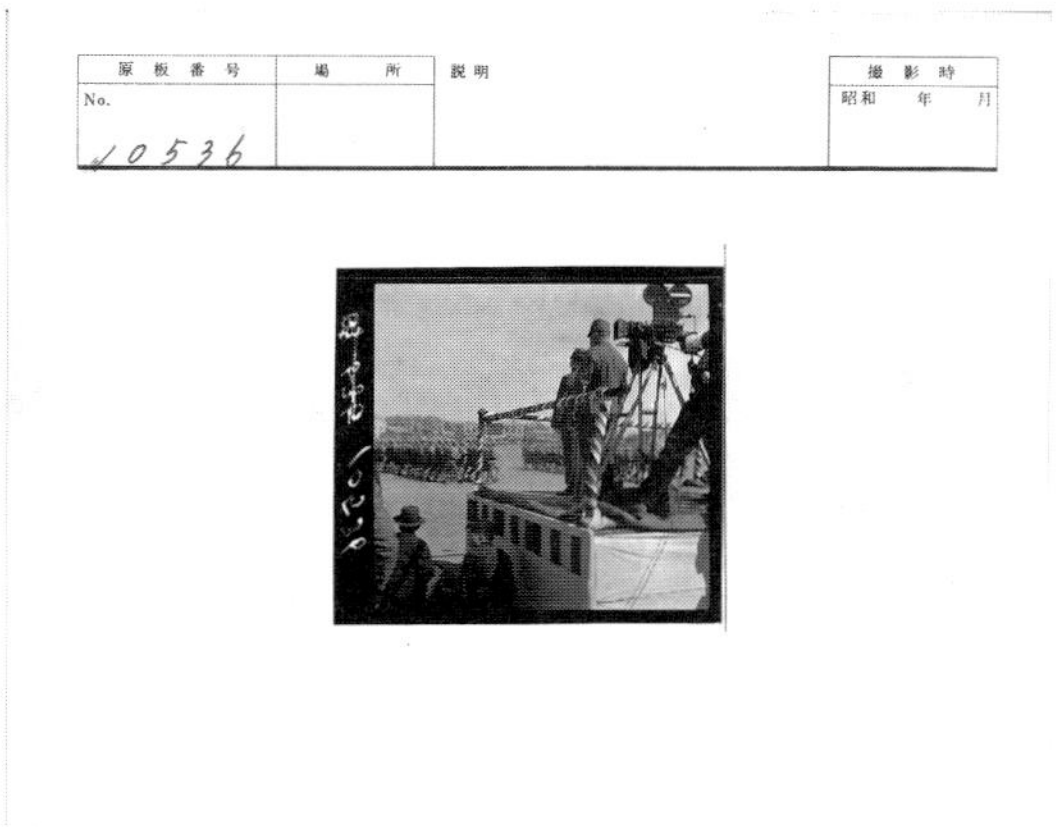

挿図4　説明ほか無記載［原板番号一〇五三六］

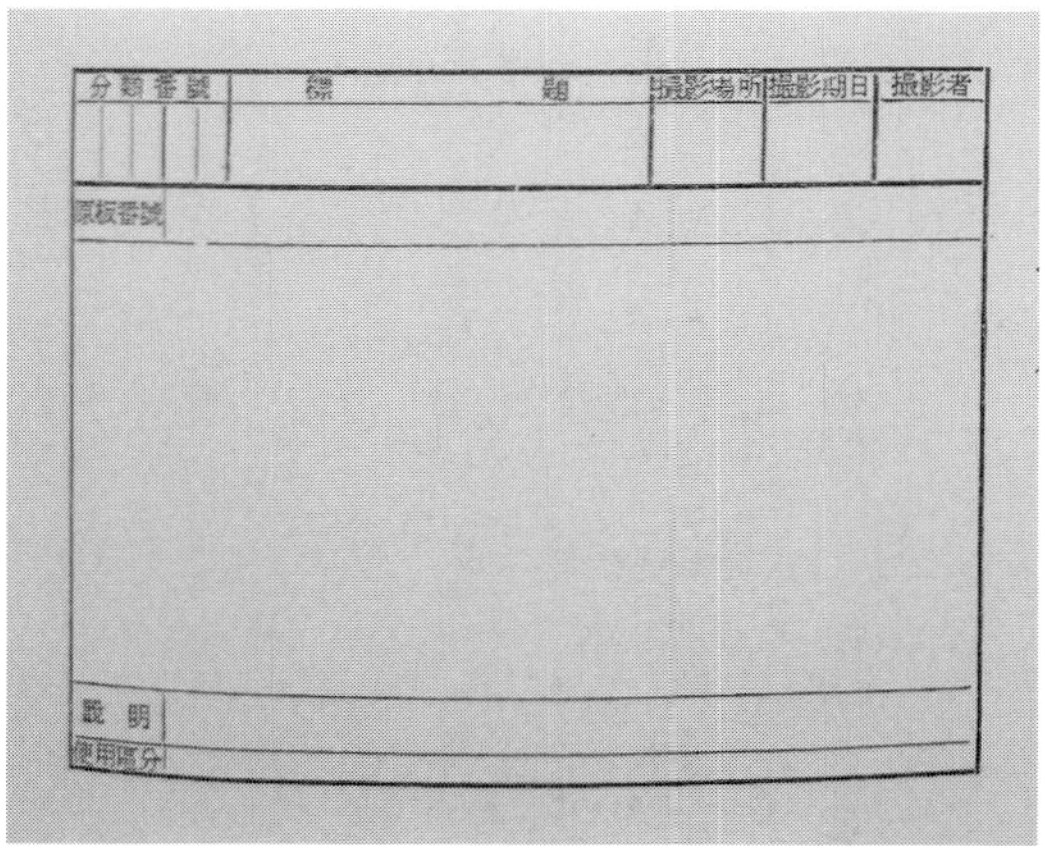

挿図5　満洲事情案内所写真整理用カード　加持正範「フォトライブラリーの実際」『宣撫月報』（通巻第五三号、一九四一年六月）より

を分類するのではなくて、集めるべき写真の分類なのである。即ちかく〱の写真が必要であると云ふ、企画上の整然たる根拠をこの分類に求めるのである。この意味に於て分類法は極めて重要な事項であつて、ライブラリーの最要根幹をなすものと言へる。勿論この場合に於て、写真として蒐集整備出来ない様な分類が、無意味であることは当然である。

分類表には、「一　帝室・政治・経済・軍事」「二　産業・交通・土木」「三　文化」「四　習俗」「五　地理」の大分類とそれぞれの小分類が記されて、満洲事情案内所の「集めるべき写真」がどのような内容であったのかがわかる。

ちなみに、一九四〇年のKBSストックフォトの分類は、「産業」「家内工業・手工芸」「建築」「教育・学校生活」「体育・スポーツ」「交通」「都会生活・社会生活」「四季」「芸術」「趣味」「庭園」で、これもまた、「一は伝統文化の記録保存であり、二は現代文化の創造性の高さの記録ならびに宣伝である」[4]というKBSの収集方針を反映している。

（表1）

［1］	11	11-0	11-1	12	13	14	15	16	17	18	19		
［華北交通］	建設	人物	雑	鉄道	自動車	水運	警務	愛路	教育	農業	厚生		
［2］	21	22	23	24	25	26							
［資源］	石炭	鉄	塩	棉花	礬土	雑							
［3］	31	34		36	37	38							
［産業］	製鉄	農耕	水運・船舶	羊毛・羊皮	水産	市場・集貨							
［4］	41	41-0	41-1	41-2	41-3	42	43	44	45	46	47	48	49
［生活・文化］	衣・人物（女）	外国人	日本人ノ生活	動物	花	食	住	行事	冠婚葬祭	街頭風景	店舗（看板）	趣味	蒙古人
［5］	51	52	53	54	55	56	57						
［各路線］	京山線	京古	津浦	京漢線	同蒲	京包線	石太線						

華北交通写真の分類が如何なるものであったのか、分類カードの引き出しに残っていた見出しを参考に表にまとめた。上一桁の一が華北交通、二が資源、三が産業、四が生活・文化、五が各路線で分類されているようだ。制作年不明の「華北写真（引伸）目録」（「むすびにかえて」参照）にもこの見出しが記載されていたが、欠番は散逸してしまったのだろうか。

挿図6 ［分類番号一一〇］

挿図7 ［分類番号一一〇］

分類カードに貼り込んである写真は、密着にトリミング指定の書き込みがあったり（挿図６）、トリミング済みの引き伸ばしプリント（挿図７）が多い。何を強調し、何を省いたのか、華北交通の「集めるべき写真」「企画上の整然たる根拠」は、この分類カードからも探ることができる。すでにデータ化されているカード画像に台帳項目を加えたデータベースが完成すれば、混在を本来の分類に戻して考察することも期待できるだろう。

ネガから見える写真の扱い　ネガは、一二〇フィルムによるモノクロネガで、フィルム製造会社は不明である。目視によるコンディションチェックでは、ほとんどのコマに銀鏡現象が起こっている。こすれ跡や傷、乳剤剥離も見られ、経年劣化をまぬがれてはいない。

ネガのサイズは六×六、六×八、六×四・五などで、全て一コマ毎に切り離されて一〇〇枚入るネガフォルダーに収められていた（挿図８）。スチールキャビネットの引き出し四段に、ぎっしり隙間なく詰められていたネガフォルダーは三九六冊あり、背には収蔵原板番号が記されている。

個別のネガを入れるサヤ各々に入るべきネガ番号が記されていて、ネガの入っていないサヤには「ネガ欠」と記された短冊が入れられていた。人文研収蔵後に有無のチェックが行われたようだ。キャビネット引き出しにはパラフィン紙の袋に入った数枚のネガが差し込まれていたが、これは、密着作成後に戻しそびれていたものだろう。

ネガの番記には赤、黒、青などのインクが使われていて、筆跡も同じではない。番号の若いネガを見ると、原板番号「１１８３」は「時３９２」を、また、「１１８６」は「時４１２」を消して書き直している。また、これらが入っている「１１０１〜１２００」フォルダーにも「時１０１〜時２００」というメモ書きがあった。当初は異なる番号体系があったと推察されるが、満鉄（北支事務局）ストックフォトの名残だろうか。

一コマずつを見ていくと、直接トリミング指定を書き入れたネガが散見された。枠に近いところに印されている書き込みもあるが、「１０５７」には縦位置トリミングのため画面の中程に印の書き込みがあった（挿図９）。通番カードを見ると、「１００４・１０２８・１０５７」の三枚貼りで、説明：城外風景　洗濯中の住民、撮影：一三年三月（奥園）、同番号下に「北支画刊２号」と記されていた。調べてみると、『北支画刊』二号（一九三八年五月）の「水ぬるむ」（挿図10）に上下トリミングの横位置で掲載されていて、ほぼ同じトリミングの分類カードも残っていた。しかし、ネガへの書き込み指定はより小さい縦位置なのでさらに探すと、『北支』一九四〇年六月号の「山東省　済南」右頁下（挿図11）に同トリミングで掲載されていた。

写真をトリミングして使うのはよくあることだが、挿図６のように、通常は全画像プリントに指定を書き込む。

挿図８　ネガ収蔵状況（二〇一三年二月、筆者撮影）

ネガへ直接書き込むと、後でそれよりも大きく使うことができないからだ（扉写真3参照）。同じ場所で同じカメラマンが撮影しても二度と同じ写真は撮れず、それだけに、使われるネガは大切にされる。まして、くり返し使うことが前提のストックフォトで、ネガを軽視するこんな取扱いは異例と言えよう。一九四〇年の『北支』は写真を手荒に扱う者が編集に携わっていたのだろうか。

ところで、ネガの管理・保管の場所はどこだったのだろう。後述のように、満鉄フォトサービスは広く内外に向けて発信を行っていた。『北支画刊』『北支』への写真原稿入稿（東京の共同印刷）や、「4001」の台紙に記載されている展覧会「大朝 大東亜建設博、横浜 大陸発展展、佐世保 支那事変展」などで使う場合にも、内地（東京）にネガがあった方が便利だったろう。通番カードの中には、「6850」（扉写真4参照）のように「原板在東京」と赤字スタンプが押されたものが少数ある。ほとんどのネガが華北にあって、押印のものだけが東京支社に置かれていたように受け止められるが、それらのネガも人文研の華北交通写真の中に含まれていた。華北交通写真約三万点余は加藤新吉が終戦後に持ち帰ったと記した資料があるが（「むすびにかえて」参照）、それはネガの一部だったのだろうか。いずれにせよ、人文研所蔵の華北交通写真には、東京とそれ以外の地で保管されていたものが集積されているように受け止められる。

三 〈報道写真〉の勃興からグラフ誌の隆盛へ

〈報道写真〉の勃興　華北交通写真は、後述するように、グラフ誌や宣伝パンフレットなど、国策会社の大衆向け広報に使われた。ここに到るまでの道筋をたどるために、まずは、写真が大衆に身近になるまでの一〇〇年を駆け足で振り返る。

一八三九年八月一九日にフランス科学学士院・芸術院の合同例会に於いて、物理学者アラゴー（Arago）によってダゲール（Louid Jacques Mande Daguerre）の銀板写真術発明が公表された。数日後に、世界で初めての市販カメラとしてダゲレオタイプカメラが発売されて、「写真」は産業化された。日本へは、一八四八（嘉永元）年にオランダ船が持参したダゲレオタイプカメラを、上野俊之丞が島津藩主（斉彬）に献上したことで伝わったとされている。以降、幕末明治期には、先端技術であった写真術解明の流れを汲む写真館が発展し、高尚な舶来趣味として富裕層が写真を楽しむ時代が続いた。やがて、一九〇〇年代には大衆向けの国産機材が現れ、一九二〇年代には都市中間層の写真趣味が盛んになった。現在も人気のあるライカ（挿図12）やコンタックスなど、小型で堅牢な金属

挿図9　原板番号一〇五七のネガ。トリミング指定の書き込みあり。

挿図10　「水ぬるむ」『北支画刊』二号、一九三八年五月

製カメラがドイツで発売されたのは一九二〇年代半ばから三〇年代前半で、これらは映画用の三五ミリフィルムを使うことによって四〇枚近い連続撮影が可能になった。優れた機材の輸入と国産機材の発達、そして、印刷技術の発展によって、一九三〇年前後の日本では写真が広告にも使われるようになり、大衆に近づいた。

そんな日本で写真が国際宣伝に使われるようになった素地には、世界的なグラフ誌の流行と、先端写真家の活躍があった。日本からドイツに遊学していた名取洋之助（一九一〇−六二）は、ライカを入手して一九三一年にグラフ誌へ写真を寄稿したことから報道写真家になり、当時二〇〇万部ともいわれる発行部数を誇った週刊グラフ誌『Berliner Illustrirte Zeitung』（挿図13）などで活躍していた。ヒトラーの外国人ジャーナリスト規制で一九三三年に母国へ拠点を移した彼は、在独時同様に「Reportage-Foto」、すなわち、何枚かの写真を組み合わせてその読み方を短い文章で解説するグラフ記事〈報道写真〉[5]の仕事を、日本でも行おうとした。しかし、この頃の日本では、写真を多用したグラフ誌は『アサヒグラフ』（朝日新聞社、一九二三年創刊）が刊行されていた程度で、漸く総合雑誌の中にグラフ頁が設けられるようになったばかりであった。写真のプロフェッショナルは写真館の撮影技師か新聞社のニュースカメラマンくらいで、フリーランスの写真家という概念もまだなかった。趣味的な表現として美を求めるのではなく、また、事件や事故を追うニュース写真でもない、グラフ記事の〈報道写真〉を独立して制作する仕事は全く新しい領域であった。

名取は、新興芸術としてグラフ表現を志向しつつ長瀬商会広告部で撮影に従事していた木村伊兵衛（一九〇一−七四）や東京府立工芸学校教諭で印刷美術（デザイン）を深めようとしていた原弘（一九〇三−八六）らを同人に、制作集団「日本工房」を設立した。そして、日本の諸相を撮影して『日の出』『婦人画報』などのグラフ頁へ寄稿し、ドイツのエージェントへ写真を配信し、報道写真の概念を広めるための展覧会も開催した。が、意見の相違から一年経たぬうちに木村らは分離して、独自に「中央工房」を開設した。

それまでになかった写真制作工房が短期間に二つ立ち上がったわけだが、この頃は、「現在の日本」を写した清新な写真の需要が高まりつつあった。一九三〇年には、外貨獲得のために観光客誘致を計って鉄道省国際観光局が設立されていた。一九三四年には、満洲事変への批判から日本が国際連盟を脱退したことを受けて、日本並びに東洋文化による国威の宣揚を図る外務省の外郭団体としてＫＢＳが創設された。これらの機関は、日本理解を推進するために伝統美と近代国家の両面を諸外国に示す国際宣伝に取り組み、出版、展覧会、映画製作のほか、刊行物作成を計った。

名取の発案で、日本工房は一九三四年に欧米向け文化紹介グラフ誌『ＮＩＰＰＯＮ』[6]（挿図14）を創刊し、ＫＢ

挿図11「山東省　済南」『北支』一九四〇年六月号（日本カメラ財団所蔵）

挿図12　ライカI（A）型。エルンスト・ライツ社製、一九二五年発売（日本カメラ財団所蔵）

Sは同誌に対して一九三五年以降継続的に補助金を支出した。また、同年のKBSは、出版や展覧会に使い、在外公館に備えるための資料として、「現代日本の文化と生活の生きた姿を、あらゆる写真的視角から蒐め、充分に新鮮な写真資料」[7]を必要として、名取、木村らにストックフォト撮影を委嘱していた。そして、鉄道省国際観光局は英文グラフ誌『TRAVEL IN JAPAN』を一九三五年に創刊し、木村らが多数の写真を寄稿した。
対外写真の需要は高まったが、この頃求められた写真の実態がどのようなものであったのか、戦後になってKBSでの仕事を振り返った木村の言葉が参考になる。

出来上がった写真を持って行くと必ず駄目が出る。学生の洋服がきたない。女の先生が眼鏡をかけている。子供がハンケチでなく手ぬぐいをぶるさげている。エレベーター・ガールがハイヒールをはいていない。和服の婦人の頭が日本髪だから野ばんだと誤解される。街を行く洋服の男子が帽子をかぶっていない。物のほしばに洗濯物を干したのが見える。ビルや電車は外国に負けるからいけない。自動車が古い。農夫の田植え姿がきたないし、はだしは野ばんだ。労働者の上半身がはだかはこまる。などなど実に神経質のようなおこごとであった。[8]

KBSのストックフォトは配布先の西洋的価値観を基準にしており、カメラマンに期待されたのは現実を実際以上に見せる宣伝のための写真であった。

日中戦争勃発後の〈報道写真〉 日本を紹介する〈報道写真〉の仕事が活況を呈し始めた一九三七年、盧溝橋事件を契機に日中戦争が勃発した。一九三六年一一月二三日に創刊した米国の週刊グラフ誌『LIFE』は大衆に大きな影響力を持っていたが、同誌にも日本に対する恣意的な記事や中国の対外宣伝に乗った論調が散見されるようになった。名取や木村らが送った写真は同誌で何度も取り上げられていたが、一九三七年八月三〇日号の「日本人：世界で最も因習的な国民」[9]では、彼らの配信写真を巧みに編集して、西洋人のエキゾチズムを刺激するような記事にされた。同年一〇月四日号の見開き二頁記事「海外からの写真：上海南駅のこの写真を一億三六〇〇万人が見た」（挿図15）は、日本軍による空襲後の被災幼児を写した写真がメインイメージだった。これは、中国が演出撮影したニュース映画の一場面であったが、多数の媒体に掲載されたと『LIFE』に取り上げられたことで、さらに多くの人々に強い印象を与えた。同写真は、日本軍が非道であることの象徴になり、「日本の大量虐殺を停止せ

挿図13 名取洋之助撮影「Hotel in Japan」『Berliner Illustrirte Zeitung』（ドイツ）一九三二年六月二六日号（個人蔵）

挿図14『NIPPON』一九三四年一〇月創刊号、日本工房（日本カメラ財団所蔵）

よ」というイギリスのポスターにも掲示された。

この頃、アメリカではグラフ誌が次々に創刊されていて、一九三六年一〇月一〇日号で新装創刊した『Mid-Week Pictorial』は二号目に一〇万四〇〇〇部を、一九三七年二月号で創刊した『Look』は八八万五〇〇〇部を売った。(10) 同年五月には『PIC』『Photo-history』などが創刊され、一〇セントグラフが大流行となっていた。アメリカへの宣伝は写真を使って大衆の興奮に訴えることが効果的であると捉えた内閣情報部は、日本に対する肯定的なキャプションをつけた写真を『ＬＩＦＥ』へ送って反日宣伝に対抗しようという主旨の「写真報道事業」を一九三七年一〇月二〇日に協議した。(11) 同事業は、東京日日新聞記者の林謙一が情報官の清水盛明陸軍砲兵中佐に提案したとされ、一九三八年一月には林が内閣情報部嘱託となって対外宣伝写真を主導している。同年七月には、写真宣伝に関する政府代行機関として東京に「写真協会」が設立され、体制の写真宣伝工作が本格化した。

その傍ら、内閣情報部は、国内向け週刊グラフ誌『写真週報』(挿図16)を一九三八年二月一六日に創刊した。国内大衆への国策周知と対外宣伝用写真の収集を目的とした同誌の第二号(同年同月二三日号)には、「映画を宣伝戦の機関銃とするならば、写真は短刀よく人の心に直入する銃剣でもあり、何十何万と印刷されて撒布される毒瓦斯でもある」「官庁も民間も、作家団体も個人の工房もあらゆるものが総動員」と記されている。世論喚起のために、また、武器としての対外配信写真を綿密な企画によって制作するために、対外配信や『ＬＩＦＥ』掲載の実績がある名取や木村とその組織が同誌の撮影に携わった。そして、彼らのように活躍の場を得たいと考えた新進カメラマンが、この流れに乗った。

一九三八年四月に総動員体制が布かれると、名取は清水中佐の斡旋により中支軍報道部写真班のプレス・ユニオンで撮影と配信の仕事に携わり、日本工房は陸軍や南満洲鉄道の出資による英文の対外宣伝グラフ誌『ＳＨＡＮＧＨＡＩ』(一九三八年創刊)、『ＣＡＮＴＯＮ』(一九三九年創刊)、『ＭＡＵＣＨＯＵＫＵＯ』(一九四〇年創刊・挿図17)などを製作した。また、一九四一年に設立の東方社写真部主任となった木村は、陸軍の意向を受けた大東亜共栄圏向け宣伝グラフ誌『ＦＲＯＮＴ』(一九四二年創刊)に携わった。

カメラやフィルム、紙、印刷、インクなど、グラフ誌制作に関わる全ては近代工業の上に成り立つ。統制下の物資は全て体制に握られ、自らの仕事が注目されて奮い立ったカメラマンやデザイナーは進んで宣伝実行部隊となった。戦時対外宣伝グラフ誌は体制の補助を受けて発展し、写真協会は大東亜共栄圏向けに『現代日本』(鉄道省国際観光局、一九四一年頃創刊)を編集し、新聞社からも『ＳＡＫＵＲＡ』(毎日新聞社、一九四一年九月創刊)、『フジンアジア』(毎日新聞社、一九四二年九月創刊)、『太陽』(朝日新聞社、一九四二年七月創刊)、『ジャワバルー』(朝日新

挿図15 「THE CAMERA OVERSEAS : 136000000 PEOPLE SEE THIE PICTURE OF SHANGHAI'S SOUTH STATION」『LIFE』一九三七年一〇月四日号(個人蔵)

挿図16 『写真週報』一九三八年二月一六日創刊号。表紙写真:木村伊兵衛撮影(個人蔵)

聞社、一九四三年一月創刊）などが刊行された。

　東方社美術部主任として『ＦＲＯＮＴ』に携わっていた一九四四年の原は、「一枚の報道写真は現実の一瞬をとらへたものであつて、その限りに於ては「かくある姿」であるが、それは必ずしも「かくある姿」としてのみは編集されない。時には「かくあるべき姿」として編集されることもある。この戦争が持つ理想とか、戦争遂行の方法の指導とかにあつては、恐らく後の方法がとられるであらう[12]」と記している。演出によって写された写真を、編集やデザインのテクニックによって変容し、現実を装いながら架空の物語を載せる。これが、戦中グラフ誌の実態であった。

四　満洲、関東州、華北在住日本人の写真状況

芸術写真から〈報道写真〉へ　事変以降の外地における写真状況は、内地と連動して変化を見せた。大陸の写真を考察する際は、写真家の淵上白陽（一八八九―一九六〇）が満洲に渡って展開した団体の動きや作品の芸術性をテーマにすることが多い。華北交通写真は作品として撮影されたものではないが、淵上も無関係ではなかったようだ。神戸で写真館を経営していた淵上はモダニズムの写真家で、月刊写真画集『白陽』（一九二二年六月創刊）を主宰し、被写体を画面上で幾何学的に捉えた作風が「構成派」と呼ばれて写壇の寵児となった。広告写真の「赤玉盃獲得写真競技会」や全関西写真聯盟主催の「日本写真サロン」審査委員を務めるなど広く活躍したが、一九二七年には「現実に触れない、無内容な、遊戯的享楽物を排斥する。吾等の生活と没交渉な、無生命なるアカデミズムと吾等は絶縁する[13]」と、芸術への希求だけではない写真を目指すようになった。

　淵上は、『協和』編集長で後に満鉄総裁室情報課広報主任となる八木沼丈夫の招きで、一九二八年に大連へ移住して情報課嘱託となった。翌年には満洲写真美術展覧会の審査員を務め、「鮮満カメラ旅行団」の満鉄招聘を斡旋し、『満洲写真帖』一九三一、一九三二年版の編集にも携わった。一九三二年の満洲建国に際しては、関東軍嘱託の資政局弘報処技術課長として建国宣伝にあたり、同年内に満鉄へ籍を戻して、一九三三年九月に創刊の内地向け広報グラフ誌『満洲グラフ』（挿図18）の編集を担当した。

　公的仕事の傍ら、一九三二年にアマチュア組織の「満洲写真作家協会」を結成して月刊写真雑誌『満洲写壇』を編集し、一九三三年五月の米国シカゴ万国博覧会「革命の一世紀」で同協会の作品百点を満鉄から出品した。日中戦争勃発後で満鉄北支事務局も設立された後の一九三七年一一月に、『満洲写壇』は淵上の薫陶を受けた青山春路

挿図17　『ＭＡＮＣＨＯＵＫＵＯ』第二号、一九四〇年（日本カメラ財団所蔵）

挿図18　『満洲グラフ』一九三六年三月号（個人蔵）

がタブロイド判の月刊紙『満洲カメラ時報』に改編し、淵上は同協会の機関誌として『光る丘』を創刊させた。写真雑誌の情報編と作品編に分かれたと言えよう。淵上は満鉄による建国宣伝・広報活動を担う中心人物の一人であったが、あくまでも作品本意の写真家で、リアリズムとロマンティシズムを融合した大陸的芸術写真へ在住アマチュアを誘うリーダーだったのだ。

　そんな満洲に、一九三八年以降、内地からの撮影旅行者が頻繁に訪れるようになる。一九三八年に大学生の写真団体である関西学生写真聯盟が、一九三九年には同じく東京大学写真聯盟が、また、一九三九年には写真雑誌『カメラクラブ』『アサヒカメラ』『フォトタイムス』の編集者たちが各々渡満し、文部省、陸軍省、満鉄、東京朝日、東京日日、大阪毎日、満洲日日新聞社などが後援、賛同し、便宜を計った。撮影団は、内地に戻って展覧会開催、写真集刊行（挿図19）、写真誌への寄稿、雑誌特集号制作などの機会をもち、異郷の風物や広大な大地、明るく開拓に励む満洲の様子を伝えた。

　長期休暇のある学生やアマチュアへ影響力のある写真雑誌が連動するように訪問したのは、満洲の写真宣伝が内地との連携を求める時期に発展していたことを示している。同時期に、満鉄北支事務局編集による月刊誌『北支画刊』（平凡社、一九三八年四月創刊）が創刊し、華北交通に改組後は『北支』（第一書房、一九三九年六月創刊）に改題して「更正飛躍」[14]した。同誌は、仰角やモンタージュが多用された『満洲グラフ』とは異なって、ストレートな写真を矩形のまま組み合わせていて『ＬＩＦＥ』同様に細工の無い頁構成であった。デザインによって読者の目を奪ったり、芸術的雰囲気で大陸への好感を呼び覚まそうとするのではなく、「カメラとペンの現地報告」（挿図20）として編集されたのだ。

　満洲、華北の写真が頻繁に見られるようになった一九三九年、土門拳（一九〇九―九〇）、小石清（一九〇八―五七）が参加する内地の報道写真家たちの座談会で『北支画刊』が話題になった。

　土門「今あちらには北支画刊、満洲グラフといふものが出てゐますね。あの編輯なり、写真なりに対して、我々内地の者が見て居つて、いろ〳〵不満があるですね。」「どういふ目標だかよく分らないから、不満といふことはいへないけれども、一言にしていふと、報道精神がないことになるですね、全然ない。処が、あれが若し北支画刊にしても満洲グラフにしても、満鉄が内地及外人に満洲に来いといふだけなけれ《ママ》ば、あれはあれでいゝぢやないかといふ気もするですがね。若し北支なり満洲なりについて、内地の人なり、外人の人達に知らして、知識的の啓蒙といふか、投資を促すといふこともないかも知れませんが、いろいろな意味合で関心を喚

挿図19　『カメラ報告・大陸　東京大学写真聯盟作品集』東京日日新聞社・大阪毎日新聞社、一九三九年（個人蔵）

挿図20　「グラフ雑誌「北支」出現」『協和』241号、一九三九年五月一五日（個人蔵）

び起して行かう、満洲に遊びに来てもいゝが、満洲に来ても働けるぞといふ意味、いろ〳〵やつてくれといふことの意味ならば、あの出してゐるグラフでは殆ど無意味だと思ふ。」

小石「第三者に政治的な統制方と云ふか宣伝意識といふかを感情的に愬へるものは何もない。」「観光の意味ぢや組織が立つてゐないですね。あれはお役所の報告書に過ぎないですよ。[15]」

土門の言う「報道精神」とは、すなわち、小石の言う「政治的な統制方と云ふか宣伝意識」であった。二人は、満洲への理解や投資、観光のために、読者を恣意的に導く編集や写真の強さがもっと必要だと感じたようだ。批判の口火を切った土門は、日本工房在籍時に『ＬＩＦＥ』で写真が度々掲載されており、この対談が行われた年にＫＢＳの嘱託カメラマンとなって、万国博覧会で展示する写真壁画の素材など対外宣伝用写真の撮影に励んでいた。小石は広告、観光分野で活躍しており、海外の最新メディアで外国の競争相手としのぎを削って日本を宣伝していた両者ならではの苦言と言えよう。

こうした批判を受けて、華北在住で華北交通済南鉄路局総務処資源科弘報の加藤正之助は、「戦時である北支の今の複雑な情勢の中で、幾多の困難な事情が、カメラの現実的な遍歴をさまたげ、報道する対象のとりあげ方などにも、或る種の制約もあることは、私も実際に体験してゐることなので、今、斯様に、伸びきつた仕事のできない立場にあるであらうグラフに対して、ここできびしく批判的な言語をつらねることは避ける[16]」と事情を記している。そして、「我々北支に在る報道写真家は、今異常な混沌と情勢のはげしいなみのうごきの中に在つて、これらの情勢をカメラに叙述してゆかねばならぬ特殊な立場に立つてゐるのであるが、このことが、写真家としての専門的な技術に対する智識と同様これらの情勢の中に蘊醸する新しい事態への正しい認識と敏感な判断によつて、事実を叙述してゆかねばならぬことに気づくであらう[17]」と、時代に即した写真への意欲を示した。

一方、満洲写壇のリーダーたる淵上が同時期に写真雑誌の満洲特集号に寄稿した「満洲点描[18]」を見ると、「地平線のもつ感傷」「異国情緒豊かなる哈爾浜」「満洲農村の相は、天地悠久平和そのもの」などと、撮影ポイントと写真に盛り込むべき芸術的情緒を解説するだけであった。建国時から弘報担当者でもある彼には、大衆を誘導するビジュアルコミュニケーションとしての写真を指導することが期待されていたであろうが、土門らとは明らかに観点が異なっている。少し後の一九四一年に、満洲国国務院総務庁弘報処長・武藤富男は、「弘報処も自ら写真室をもち数人の官吏たる写真技術者をして撮影せしめてゐた。しかし此の技術者が撮影して来る作品の数は弘報処の要求をみたすに足らず又その作品の傾向も一方に偏しヴアラエティに欠く[19]」と記している。建国前後と日中戦争勃発後は、写真に期待される役割が大きく変化して、満洲全土での施策を多角的に視覚化することが求められつつあったのだ。

華北の写真についてそれぞれの立場で思いを述べた土門と加藤は、一九四一年に東京で対談した。土門は、「いま、かういふむづかしい時代でせう。民族国家の欲求が、国民の一人一人の思想や仕事に、何かを求めてゐる時だと思ふ。ぼくらは素直にさうした欲求に手をかすべきなんだ。写真の仕事でも、充分にさうした欲求に協力してゆけることを、カメラマンは確信をもつていいと思ふんだ」と、報国写真撮影の意義を語った。加藤は、「[芸術写真家は] 満洲の牧歌的な風物や、エキゾチツクな風景を、唯一の満洲的なテーマとして取扱つてゐるように思ふんだがいまの満洲には、別な意味でもつと満洲的なものがある。満洲といふ国家の生成そのもの、政治、経済、農事——なんかを動かしてゆく文明施設、そこに働く人間像、そこに独自の姿があるでせう[20]」と、撮るべき具体的なテーマを語っている。

国造りの奮闘を芸術写真に昇華して内外に訴える役目は終わったということか、淵上は一九四〇年に満鉄を退社した。一九四一年一月に妻を亡くした彼は、同年三月に内地へ引き揚げていく。満鉄東京支社では、『満洲グラフ』を編集していた一色辰夫（達夫）がフォトサービスにあたっていた。一九四〇年の一色によれば、満洲、中国で写真に携わる満鉄の写真関係者は約五〇名で、満鉄フォトサービスは「日本に於ける唯一の大陸写真宣伝機関」として、「満鉄以外との提携は現にマンチユーコウ・フオト・サーヴィス社[21]撮影による写真の内地配給販売の委嘱を受け、南、北アメリカに於ける販売網はパシフイツク・アンド・フオトサーヴィス社に、欧洲に於ける販売網は写真協会ドイツ支部[22]にそれ〴〵委嘱せんとしてゐる[23]」と広範に活動していた。すでにシステムが出来あがったところへ帰国した淵上は、華北交通東京事務所の嘱託となった。東京での仕事は詳らかではないが、それまでの経歴を踏まえて、写真の外部貸出に関わったと推察される。

この後、内地のカメラマン多数が大陸取材に訪れた。一九四二年六月には、土門が満洲や北京で、紫禁城、学校の様子、協和会の活動などを撮影した。土門と懇意だった婦人画報編集者の川辺武彦は、同年八月に彼とKBSの長島喜三に華北交通の局長室で会ったことを回想している。しかし、華北交通写真に「土門」と記載のある写真はなく、この訪問は現地撮影で便宜を得るためであったと考えられる。同年八月には渡辺義雄を班長とする日本報道写真協会撮影班が訪満し、木村、渡辺勉ら東方社同人も加わって、満洲写真家協会（後述）による日満写真家交歓懇親座談会が開催された。東方社の満洲行きは『FRONT』満洲号取材のためで、新京、奉天、ハルビンなどで撮影した木村の写真は、国内向け写真集『王道楽土』（挿図21）にもまとめられた。

挿図21 木村伊兵衛『王道楽土』アルス、一九四三年（個人蔵）

また、東京写真工芸社を主催して『写真週報』などに寄稿していた加藤恭平は、一九四二年末頃に外務省へ働きかけて、北京に置かれた日本大使館の外郭団体として華北弘報写真協会を設立した。同協会について、東京写真工芸社所属カメラマンであった林忠彦が、「当時、外国旅行届を出している期間は兵役を免除されるという制度」[24]があって、加藤と半年交代で現地に滞在したことを振り返っている。同協会は、内地と大陸を取材して互いの地で刊行される雑誌などに写真を配信するのが仕事だった。「華北の五大産業である綿、鉄、石炭、塩、大豆の写真を撮ったり、日本軍の活躍ぶりを中国側に宣伝する仕事」を「それが使命と思い込んで働いていた」[25]という。林の回顧によれば、同会の写真は、北京在住の吉田潤がその頃勤めていた東亜交通公社が買い上げた。[26]

一九四三年夏に『ＦＲＯＮＴ』の取材で木村と華北を撮影した林重男は、この頃の東方社では「当時の日本の占領地、つまり南方から華北全般にわたっての占領地をくまなく撮影に行かされまして、たくさんの資料を持ち帰って、日本の占領地はこれだけうまくいっている」[27]という宣伝用の素材作りをおこなっていたと語った。建国十年を過ぎると、大陸の宣伝写真撮影は現地在住のカメラマンたちだけが携わるものではなくなっていたのだ。

撮影規制　さて、前述のように一九三八年に写真宣伝が強化されたが、表裏一体の方針として、スパイや逆宣伝を防止するという名目の撮影制限も進められた。

一九三七年八月に改正軍機保護法が公布され、要塞地帯、その他軍機上秘密保護の必要ある特定空域・土地又は水面での撮影禁止・制限を強化し、地形を遠望できる高所などの撮影禁止地区が拡大した。一九三九年一二月の軍機保護法改正では、内地外地とも制限が拡大し、保護法施行地域内で二〇メートル以上の高所から水陸の形状や施設物の俯瞰撮影が一切禁止され、違反者は三年以下の懲役または千円以下の罰金（未遂でも処罰）となり、外国に報道したものは七年以下の懲役、又は三千円以下の罰金が課せられた。また、撮影してもよいが出版物や展覧会などに発表することを制限した地区があり、「法規には明示されていないが関係当局で一定の標準、範囲を設けて防諜上の見地から取締つてゐる」[28]と、明確な基準の示されぬ取り締まりもあった。

満洲国内では、「防御営造物又は軍事施設の外周を基線として、これから六粁以内の地域と国境方面は禁止域は制限されてゐて、現場には標識か標杭が設けられてある」[29]と表示があった。また、「国境方面の特別地区へ入るには当局の許可が必要であつて、撮影は勿論、カメラを携帯することすら禁じられてる処もあるし、カメラに封印される場合もある」と規制され、この地域の「写真撮影に関しては、許可願い三通を出発地または該当地の所轄憲兵隊長あるいは警察署長に提出、許可を受けなければならない」[30]と、手続きを求められた。表示や手続きの明確さは、新国家である満洲が如何に管理統制されていたのかを物語っているようだ。

関東州は撮影禁止地域で、「要塞地帯外と雖も、軍機保護法による禁止・制限が発生するわけであるから州内では撮影許可証を所持せずに撮影出来ぬものと見ていい[31]」と厳格であった。許可証の要請が多かったのか、一九四一年には「写真材料店には許可出願用紙が揃へてありますから、それを貰つて要項を記入し、それに身分証明書と名刺型の半身像を添付して大連ならば東公園町にある旅順要塞司令部出張所に提出すれば一週間位で許可証を貰ふことができる[32]」と、手続きが確立していた。しかし、「軍事施設は無論のこと重要交通機関、通信機関、発電所、放送局、水源地と言つたやうなものや、敵の爆撃によつて直ちに統治機能及び市民の生活機能が破壊されるやうな対象物はすべて撮影してはいけない」「戸外で撮影したものはすべて検閲[33]」とされて、制限ばかりの撮影に煩雑な申請をしてまで向かうのは、単に写真を楽しむ者ではなかった。

関東州では一九四一年二月に関東州防諜協力写真聯盟が結成されて、満洲写真作家協会大連支部、新光倶楽部などのアマチュア団体や、関東州写真材料貿易事業組合、富士写真フィルム株式会社など機材関係団体も加盟した。同連盟は、その後名称を関東州報国写真協会と改めて、興亜奉公聯盟文化部組織傘下に入った。

一九四二年六月には、写真材料に対する自主的統制機関として満関写真材料統制組合が創立した。関東州のオリエンタル写真工業大連出張所、小西六大連出張所、富士写真フィルム大連営業所、シュミット商会、満洲国の木村洋行、満洲大澤商会など機材を扱う主要会社がこぞって加入したこの組合の定款には、「監督官庁の方針に従ひ写真機及写真材料の輸出入及配給を統制し以て之が需給の調整、配給の潤滑並に価格の安定を図るを目的とす[34]」とある。内地では、感光材料の公定価格が一九四〇年六月に設定されて日本写真感光材料製造工業会が設立し、翌一二月に日本写真感光材料統制株式会社に改組され、一九四三年一月には卸売り業者を一元化する日本写真感光材料販売株式会社が設立した。林内閣情報官は、「フィルムベースを作る硝化綿は火薬を造るのに絶対必要なもの」、「輸入頼りの」ゼラチンは兵器の塗装用その他カリウム、臭素等も重要な軍需品」で、アマチュアはフィルムなどを「殆ど入手できないといふお気の毒な実情」だが、「今後は全国的に一元的な団体をつくつて配給する[35]」と述べている（挿図22）。内地、外地ともに撮影、機材に大きな制限がかけられる中、宣伝写真の制作が続いた。

ストックフォト計画とカメラマンの組織化　規制の一方で、公募によるストックフォト形成が始まっていた。

一九三九年夏、「満洲日日新聞」と満洲観光聯盟による満洲紹介写真の募集があり、題材は「風景、風俗、行事、産業、各種施設等満洲に取材したもので、躍進満洲を効果的に表現するもの[36]」で、一等当選者には賞金二〇〇万円

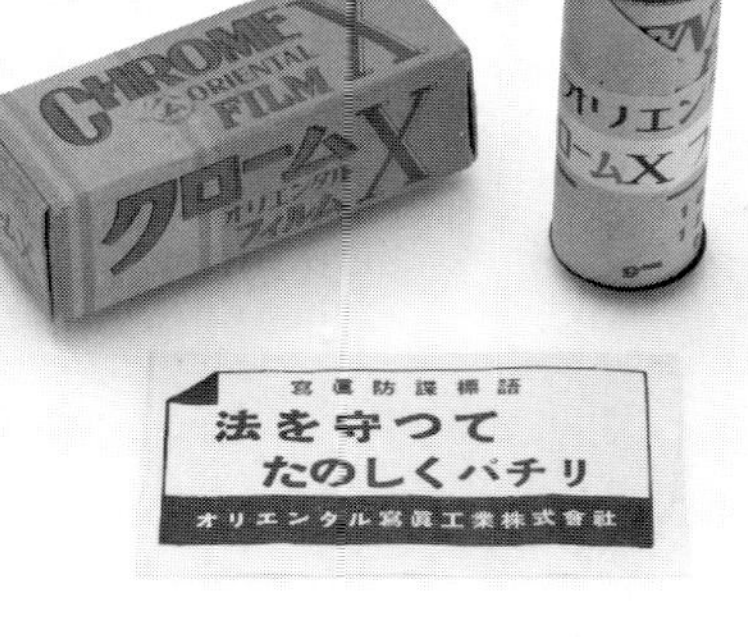

挿図22　注意喚起のため写真防諜標語をフィルムの箱に同封して販売。一九四二年頃発売の一二〇フィルム「クロームX」（日本カメラ財団所蔵）

と満日社長杯の授与が謳われた。募集告知で、応募写真は「一切返却せず当選作品の版権は聯盟の所有」「当選圏内に入りたる作品に対しては原板の提出を乞ふことあるべし(37)」とされた。広大な満洲全土にカメラマンを派遣するのは難しいので、公募によってストックフォトを集めようとしたのだ。

同様に、この頃の公募展入選条件には、応募印画のみならず、版権、原板の提供が謳われているものが多い。一九四一年の『満洲カメラ時報』に掲載されている募集では、「日華蒙　写真交歓展(38)」、「冬のスポーツ(39)」などもこの方式だった。一九四二年にはライカやコンタックスなど軍事使用にも耐える高級カメラについて、「国家的に必要な方面に動員されて然るべきであり、その準備として高級カメラの登録制なども決定されて然るべき(40)」と呼びかけられている。マチュアのカメラと行動力をストックフォトに結びつけようという動きが盛んになっていった。

公募を契機に全満各地の写真家によって満洲観光写真聯盟が結成され、以降、こうした写真整備や写真家の組織化が急進した。そして、一九四〇年一一月には、「満洲に於て、優秀な写真作品を一般より公募し、その中から国家として有用と認むるものを登録し、これを各種機関を通じて活用せしむるといふ制度(41)」として満洲国務院弘報処主催登録写真が制定された。第一回には凡そ三〇〇〇点の応募があり、審査会を通過した作品は四百数十点で、登録写真で編まれた写真集には、満洲写真作家協会に所属する満鉄総裁室弘報課の中田司陽、写真家の三枝朝四郎、事務所を満洲に構えていた建築家の土浦亀城らの写真が収められている。『満洲カメラ時報』は、登録写真制度の意図を、「全満に広く分布されてゐる写真家を国家目的の一線に有機的に動員すること(42)」と解説している。

しかし、「一般より公募」の登録写真は、必ずしも活用に適しているものばかりではなかったようだ。当選写真で一九四一年に編まれた『第一回登録　満洲国写真集』を見た芳賀日出男は、掲載の「総局バス」（挿図23）について、「総局は鉄道密度の低い地方にその補助又は通行機関としてバスを使用してゐるのであるが、此のバスからはさうしたものは毫も感じられず、唯バスが郊外を走つてゐる写真である。総局のマークすらも見えない。華北交通で出してゐる社業案内のパンフレット「華北交通」（華北交通叢刊十五［本書資料編参照］）には同じ使命のバスの写真が数葉出てゐるが、延々長蛇をなしてゆくバスの隊商や、田舎のおかみさん達の先を争つて乗る群衆を巧みにキヤツチしてゐる。かうした写真には壮観さと言ふものが必要だ」と、「素人の安逸な趣味写真と感覚の稚さ(43)」に警句を発している。登録写真の脆弱性に言及したこの言葉は、バスの必要性と意義を表した華北交通の写真への高い評価としても注目されよう。

翌一九四一年に文化指導方針として制定された芸文指導要綱は、文学、音楽、美術、演芸などの綜合的発展をはかるために満洲芸文連盟を結成して政府がその直接指導にあたるとしたが、ここに登録写真制度も含まれていた。

挿図23　総務庁弘報処監修『第一回登録　満洲国写真集』満洲事情案内所、康徳八（一九四一）年（日本カメラ財団所蔵）

登録写真は、様々な刊行物や官製絵葉書に使われたほか、弘報処の定期宣伝印画として各方面に配布されている。

傍ら、一九四一年一二月六日には在新京アマチュアカメラマンの大部分を擁する新京特殊会社一二社（満鉄、興銀、電業、礦発、満拓、日満商事、電々、満炭、生必、満洲航空、満洲新聞、満洲合成燃料）が写真聯盟を結成した。[44] この動きは、「満洲には奥地に働く官吏その他の機関の職員がゐる。この人々が夫々の職場に於て撮つた作品は常人の到ることを得ない土地の実情を伝へ得る[45]」とした武藤の意にかなうものであり、国務院総務庁弘報処は、アマチュア写真を組織化することに力を注いでいたと言えよう。

登録写真は、一九四二年に第二回[46]が公募され、この際、入選者による「満洲写真家協会」が結成された。同制度は、一九四三年の第三回[47]公募まで確認されている。新京国務院弘報処で写真行政の仕事に当たっていた佐藤甫は、「満洲写真家協会を動員して建国十周年興亜国民動員大会や、特別観兵式などに写真家が組織的に動員されて多大なる効果をあげてゐます。なほ東亜競技大会や九月に行はれる建国十周年の晴れの祝典にも写真家の動員が計画されてゐます。かうしたやうに、満洲国に於ては、すべて政府の要請に応じて写真家が動員されてゐるといふことは、写真家自身にとつても真剣な活動舞台であり、絶好の秋といふべきでせう[48]」と語った。

一方、一九四〇年一二月には新京在住の写真家を中心に満洲報道写真家協会が結成された。既に一九三九年の加藤は「総ゆる宣伝工作、文化工作の中に、写真が組織的な機構のもとに、有力に活用されねばならぬ[49]」と写真組織制定を望んでおり、積極的な写真家たちは自ら組織を作って内外宣伝に関与し始めていた。

例えば、北京趣味写真倶楽部は一九三八年に北京光画会に名称変更した後、「春秋二回の展覧会の他に軍献納作品の製作[50]」をおこなった。一九四〇年には同会の会員が過半数を占める北支写真作家集団が立ち上がったが、これは、華北交通のカメラマンであった吉田潤が、退社して現地陸軍報道部のきもいりで結成した集団であった。[51] 吉田潤編集による『大陸の風貌』（北支写真作家集団、一九四一年）を刊行した同集団は、一九四三年の時点で「傷病兵慰問献納写真は第三回を終り、一五〇〇枚を更に進めて第四、五回と之が実践を継続[52]」と、報国写真に勤しんでいた。さらに、「時代的写真人たる集団の事業として大東亜戦争一周年を記念する、防空写真展」を実行し、北支軍の積極的援助を得て空陸の国土防衛の実相を捉えて「日華提携への必要性を如実に民衆に教育[53]」したこともあった。

満洲報道写真家協会は一九四一年一一月に新京三中井百貨店で第一回展覧会を開催し、「開拓地に於ける拓士の奮闘や筋肉労務者の尊き汗の勤務、石炭増産に逞しく挑む黒ダイヤ戦士の採炭状況、青年義勇隊員の活躍などを力強く描出した全紙作品三十余点[54]」を、額縁に入れるのではなく、街頭展も可能な板張り形式で展示した。彼らは意気軒昂であったが、「何らかの方法でテーマの強調工作を施すべきであらう。報道写真が単なるドキュメンタリイフォトと截然と区別される所以はそこにある[55]」とも評されており、演出で強い写真を作りあげる戦時宣伝写真の制作に試行錯誤していたようだ。

こうして制作され、集められた写真は、グラフ誌に使われただけではなかった。一九四三年三月には、大日本興亜同盟・写真協会主催、大東亜省・陸軍省・海軍省・情報局・大政翼賛会の後援、華北交通・北支那開発会社の協力で「躍進する華北展」（挿図24）が開催[56]された。戦時下兵站基地としての華北の重要性を銃後国民に訴える展覧会で、石炭、綿花、鉄、塩、礬土、其他の農業資源、埋蔵資源について「十分に開発された上、日本に対してふんだんに供給されるやうになるならば、大東亜戦争がいよ〳〵資源戦、生産戦の様相を判然と示して来た現在に於て、今後この方面に対して貢献するところは蓋し絶大なるものがある[57]」という見地から企画されている。展覧会を紹介する華北政務委員会情報局の及川六三四は、「今後も私共の方としても、出来るだけ華北の事情を紹介する写真を作り、写真協会等を通じて日本内地は勿論、大東亜共栄圏の全域に行亙るやうにしたいと考へてゐる次第である[58]」と記している。

挿図24「躍進する華北展」パンフレット　於：東京銀座松屋、一九四三年三月二五～三一日（個人蔵）

五　おわりに

写真協会が刊行していた『報道写真』では、一九四三年に掲載の「グラフ雑誌の展望[59]」で、「専ら大陸の事情を写真によつて国民に報道し、その認識を深めんとする画報」として、第一書房『北支』、南満洲鉄道『満洲グラフ』、華中鉄道『呉楚春秋』、大陸建設社『開拓画報』を上げている。これらのグラフ誌も、原が記したように「かくあるべき姿」として編集されていたことは間違いない。現在、大学図書館や東洋文庫などでこれらのグラフ誌を手に取ることはできるが、見比べて編集意図を推し量ることのできるノートリミングの写真や掲載されなかった写真まで見ることができるのは、華北交通写真だけである。

鮮明な画像で華北の風物がよみがえる華北交通写真は魅力的だが、これらは記録写真、ニュース写真ではなく、あくまでも〈報道写真〉として演出などのテクニックを駆使して撮影されたものだ。奇跡的に残されたネガの解析を進めて密着カードと合わせ見ることで、写っている物事の背後にある「企画上の整然たる根拠」、すなわち、戦中の大陸で行われていた写真宣伝の実態が明らかになるであろう。

参考文献

白山眞理『〈報道写真〉と戦争――一九三〇―一九六〇』吉川弘文館、二〇一四年

竹葉丈『淵上白陽研究　写真画集『白陽』解題――時代と表現』名古屋市美術館研究紀要第一四巻、二〇〇六年

註

（1）原板番号74・75・76（場所：豊台、説明：脱線修理、撮影：荒木。三枚を一枚のカードに貼り込み）が昭和一二年一〇月で最も早く、原板番号５６９１３（場所：北京、説明：隆福寺露天、撮影：小針）が昭和二〇年二月で最も遅い。

（2）「米国で引張り凧の〝新生北支〟の写真　紐育から注文急」『協和』241号、一九三九年五月一五日。

（3）加持正範「フォトライブラリーの実際」『宣撫月報』（通巻第五三号、一九四一年六月）『十五年戦争極秘資料集　補巻25　宣撫月報』不二出版、二〇〇七年。

（4）『国際文化振興会事業報告　国際文化事業の七ヶ年』昭和一五年一二月。

（5）名取洋之助「報道写真の勃興」『セルパン』（一九三五年一一月号）によれば、伊奈信男が「Reportage-Foto」を日本語に訳して〈報道写真〉とした。

（6）『ＮＩＰＰＯＮ』、日本工房発行、一九三四年一〇月創刊、季刊、使用言語は英・仏・独・スペイン語。後述の『ＳＨＡＮＧＨＡＩ』ほかのグラフ誌については、『〈報道写真〉と戦争』を参照。

（7）青木節一編集『財団法人国際文化振興会昭和十年度事業報告書』一九三七年。

（8）木村伊兵衛「ＫＢＳ写真資料撮影の頃」『国際文化』一九六四年四月号。

（9）「THE JAPANESE: THE WORLD'S MOST CONVENTIONAL PEOPLE」『LIFE』一九三七年八月三〇日号。

（10）光吉夏弥「氾濫する十仙グラフ―アメリカの写真ジャーナリズム」『フォトタイムス』一九三六年一月号。

（11）「写真報道事業」（調乙二四号、一九三七年一〇月二〇日）『編集復刻版　情報局関係極秘資料　第六巻』不二出版、二〇〇三年。

（12）原弘「報道写真の企画と編輯　戦ふ写真報国講座第七回」『日本写真』一九四四年八月号。

（13）淵上白陽「発刊の辞」『PHOTO REVIEW』一九二七年六月創刊号。

（14）「グラフ雑誌「北支」出現」『協和』241号、一九三九年五月一五日。

（15）小石清、渡辺勉、阿部芳文、永田一脩、今井滋、梅本忠男、土門拳、光墨弘、田村栄、奈良原弘「大陸と写真の座談会」『フォトタイムス』一九三九年六月号。

（16）加藤正之助「文化工作と写真　現地に在る報道写真家の立場」『フォトタイムス』一九三九年一一月号。

（17）前出「文化工作と写真　現地に在る報道写真家の立場」。

（18）淵上白陽「満洲点描」『アサヒカメラ』一九三九年一〇月号。

（19）武藤富男「満洲の登録写真に就て」『報道写真』一九四一年五月号。

（20）加藤正之助「二人の対話　報道写真への課題　土門拳氏との話　東京ヂヤーマンベーカリーにて」『満洲カメラ時報』一九四一年七月。

（21）国際報道工芸株式会社満洲支社の英名。日本工房は一九三九年に国際報道工芸株式会社に改組して、上海、広東、満洲国・新京などに支社を設けた。

（22）写真協会は一九三九年一二月にベルリン支局を開設。

（23）一色辰夫「満鉄フオト・サーヴイスの仕事」『フォトタイムス』一九四〇年一一月号。

（24）岡井輝毅『評伝　林忠彦』朝日新聞社、二〇〇〇年、一〇七頁。

（25）前出『評伝　林忠彦』、一一一頁。

(26) 前出『評伝　林忠彦』一一四頁によれば、『大陸の風貌』第二集刊行計画が頓挫して集団の活動が事実上停止となり、吉田は東亜交通公社に入社した。
(27) 林重男「「トーク・ショー　原爆を撮った男たち」の証言」『日本写真家協会会報』No.88、一九九一年一一月。
(28) 内務省検閲官・大石芳「写真の撮影、公示の禁止、制限について」『写真報道』一九四四年二月号。
(29) 「軍機保護法と写真」『満洲写真読本』満鉄社員会、一九三八年。
(30) 前出「軍機保護法と写真」。
(31) 前出「軍機保護法と写真」。
(32) 「関東州内に於ける　写真撮影心得」『満洲カメラ時報』一九四一年一〇月。
(33) 前出「関東州内に於ける　写真撮影心得」。
(34) 「全満業界雑報　満関写真材料統制組合定款」『満洲カメラ時報』一九四二年七月。
(35) 「写真材料はどうなるか？　林謙一情報官にアマチュア写真の見通しを訊く」『アサヒカメラ』一九四一年一一月号。
(36) 「写真界雑信」『カメラ』一九三九年七月号。
(37) 前出「写真界雑信」。
(38) 「日華蒙　写真交歓展」は、写真文化協会北支総支部主催：陸軍省情報部、北支軍報道部、興亜院華北連絡部、同蒙彊連絡部、華北政務委員会情報局、蒙古聯合自治政府、新民会中央総会等後援（『満洲カメラ時報』一九四一年八月）。
(39) 「冬のスポーツ」は、奉天鉄道総局・東亜旅行者・満洲日日新聞社共同主催（『満洲カメラ時報』一九四一年一一月）。
(40) 「高級カメラの動員」『満洲カメラ時報』一九四二年七月。
(41) 総務庁弘報処長武藤富男「登録写真に就て」『第一回登録　満洲国写真集』満洲事情案内所、康徳八（一九四一）年。
(42) 「社説　カメラの動員と写真趣味普及の意義」『満洲カメラ時報』一九四一年六月。
(43) 芳賀日出男「写真家の書架（二）『満洲国写真集』其他」『満洲カメラ時報』一九四二年四月。
(44) 「職域に立脚して　新京特殊会社十二社が写真聯盟を結成」『満洲カメラ時報』一九四二年一月。第一回聯盟展は四月一日から三日に新京三中井百貨店にて開催。
(45) 満洲国国務院総務庁弘報処長・武藤富男「満洲の登録写真に就て」『報道写真』一九四一年五月号。
(46) 「第二回満洲登録写真　名誉の入選者」（『満洲カメラ時報』（一九四二年二月）によれば、テーマは満洲の農業、各民族の表情、満洲の冬と春、満洲の芸術。応募印画二九七六点、審査通過五五三点。
(47) 「第三回　満洲登録写真審査結果発表」（『満洲カメラ時報』（一九四三年二月）によれば、テーマは躍進一〇年の満洲、自由作品。応募印画三千数百点、入賞二五九点。
(48) 加藤正之助「満洲の国家宣伝と写真の諸問題　新京国務院弘報処にて佐藤甫氏との対話」『満洲カメラ時報』一九四二年八月。
(49) 加藤正之助「大陸写真報道の問題―現地に在つて―」『フォトタイムス』一九三九年一〇月号。
(50) 松原亮「北支の写真界」『報道写真』一九四三年四月号。
(51) 前出『評伝　林忠彦』、一一三、一一四頁。
(52) 前出「北支の写真界」。
(53) 前出「北支の写真界」。
(54) 「満洲報道写真家協会　第一回作品展評」『満洲カメラ時報』一九四一年一一月。
(55) 三好弘光「満洲報道写真家協会　第一回作品展評」『満洲カメラ時報』一九四一年一一月。
(56) 「躍進する華北展」は、三月二五日より同三一日まで東京・銀座松屋で、三月二五日より四月七日まで大阪大丸で開催し、名古屋松坂屋、京都丸物など全国主要都市に巡回。

(57) 及川六三四［前華北政務委員会情報局主席専員］「華北の宣伝と写真」『報道写真』一九四三年四月号。
(58) 前出「華北の宣伝と写真」。
(59) 大竹新「グラフ雑誌の展望」『報道写真』一九四三年四月号。

コラム◉「華北交通アーカイブ」の構築

西村陽子・北本朝展

国立情報学研究所で運営するディジタル・シルクロード・プロジェクトは、二〇一三年に京都大学地域研究統合情報センターの依頼を受け、京都大学人文科学研究所に現存する約三万五〇〇〇枚の華北交通写真を対象とする学術データベース、「華北交通アーカイブ」の構築を開始した。

その目的は、華北交通写真を用いた研究活動全般において、写真群本来の構造を維持しつつ、様々な観点からの検索を可能とし、新たな発見をもたらすデータベースを作成することにある。ところが、写真の撮影対象や撮影地、撮影目的などが未詳で検索に利用できないという問題があることから、まず写真群の地理的な特徴を把握するための分析を開始した。

特に注目したのが「地名」である。なぜなら、地名は資料横断的に使われることが多いため、複数の資料をリンクする基準として使いやすいからである。資料横断的なリンクによって、写真が持つ情報を他の資料から引き出せる可能性も高まる。そこで、台紙の地名欄などに記されている地名を抽出し、所在地が特定できる地名を河北省や山西省等の省別に分類したところ、地名は華北地域の鉄道駅に対応する場合が多いことがわかった。

そこで、華北交通株式会社の元社員有志が出版した『華北交通株式会社社史』（華交互助会、一九八四年）所収の「華北交通所管鉄道図」に基づき、当時の路線図をリスト化して七〇八の駅名をデータベース化した。そして華北交通写真一万四一五八点を対象に、台紙の地名を鉄道駅名等と照合したところ、ほぼ全てを鉄道駅名・長距離バス停、内河水運の沿線地名と対応づけられるとの結果を得た。さらに、写真を地名ごとのフォルダに分類した上で、『北支』などの雑誌記事や『華北交通』などの会社PR誌に利

「華北交通アーカイブ」鉄道駅位置情報

用された写真と比較すると、掲載された写真ばかりでなく同時に撮影された連続写真や関連する写真に辿り着けることも判明した。以上により、華北交通写真の基礎的な構造を把握するには、地名を基準に写真を集約する方法が有効であることがわかった。

これらの成果をもとに、二〇一五年秋から「華北交通アーカイブ」のプロトタイプ版の作成を開始し、同年冬に稼働した（挿図参照）。華北交通写真では、整理のための原板番号が台紙に記載されているが、異なる写真にも同一番号が使われていることがあったり、引き延ばしにも同一番号を用いることから、写真を特定する一意の識別子（ＩＤ）として写真番号をそのまま使うことはできない。そこで、写真が納められているキャビネットのレーン番号を用い、デジタル化時点で附与された枝番を使うことで、一意の識別子を構成した。写真のメタデータとしては、駅名、路線名、位置情報、写真の四項目を作成した。

挿図は華北交通データベースに収録されている情報のうち、華北交通の駅の位置情報（右）と、駅名の下に集約された写真（左）を表示したものである。このように地名を基準に写真を集約することで、どこでどのような写真が撮影されたのかを一覧できる。さらに、ＩＤに含まれる原板番号も分析すれば、本来撮影された写真のうちどの部分が現存し、どこが欠落しているかなど、現存しない部分も含めた全体構造の解明につながる可能性もある。ゆえに本アーカイブは、デジタル化された写真を閲覧するにとどまらず、失われたデータへの手がかりをデータ構造から見出す研究ツールにも発展することが期待できる。

駅名の下に集約された写真

第二章　日中戦争と華北交通の時代

貴志俊彦

〈写真1〉満鉄北支事務局の看板をさげ、あらたに華北交通株式会社の看板を掲示
［原板番号一五二五二］

〈写真2〉華北交通株式会社の北京本社［原板番号二五四七九］

〈写真3〉華北交通三周年記念式典の様子［原板番号五〇二七一］

〈写真4〉全社員による行進のあと、全体体操を実施［原板番号五一五五二］

日中戦争と華北交通の時代

貴志俊彦

はじめに

一九三九年四月、日中戦争のさなか、北京に本社をおく華北交通株式会社（華北交通股份有限公司。以下、華北交通）が成立した。この法人の資本金四億円のうち、日本側（北支那開発、南満洲鉄道両株式会社［以下、満鉄］）は九割近くを出資したが、その性格はあくまで「（中華民国）臨時政府ノ特殊法人」であった。王克敏を首班として成立した中華民国臨時政府は、一九三八年八月に山東省の芝罘で撮影された挿図1の写真をみればわかるように、日本、満洲国との連帯を表明していた政権であった。

華北交通成立の二年ほど前に起こった盧溝橋事変を契機に、中国は群雄割拠ともいえるべき時代を迎えていた。すなわち、一九三七年一一月には張家口に卓特巴札布《チョトバジャップ》らを代表とした蒙疆聯合委員会、同年一二月には上述した中華民国臨時政府、三八年には南京に梁鴻志を首班とした中華民国維新政府が成立した。それらは、重慶国民政府、中国共産党抗日根拠地、満洲国とともに、まさに中国統治の分裂を表わしていた。一方、日本の対中政策は、一九三八年一月に発せられた近衛声明「爾後国民政府を対手とせず」を機として、中国で台頭するあらたな政治勢力との関係構築を図っていた。こうした混乱した政治状況のなかで成立した日中合弁の華北交通は、拡大する運輸交通業務を軸として、自らの組織に人材をいかに確保し、華北でどのように機能し、弘報事業などを通じて内外にその存在を誇示しようとしたのか、それを解明することが本章の、そして本書の課題となる。

さて、従来の研究によれば、華北交通は満鉄に比すべき運輸交通事業を担った日本の国策企業としての側面が強調されている。とりわけ鉄道事業や、華北の主要資源であった石炭、鉄、石膏、棉花、塩などの運輸事業に関心が集中してきた。ところが、人的運用に着眼した林采成《イムチェソン》の研究は、とりわけ社内実態をより深く検証するという点で重要である。(1)また、近年筆者が発表した三編の論文は、これまでほとんど言及されることがなかった満鉄および華

挿図1　日本、中華民国臨時政府、満洲国との連携を謳う政治宣伝［原板番号四四〇〇］

北交通の弘報事業について検証するあらたな研究動向として位置づけられるだろう。[2] ただ、こうした研究が示しているように、関連する資料はごく限定されたものにすぎず、満鉄ほど社内実態が明らかにされたわけではない。実際のところ、華北交通は、鉄道事業のほか、自動車運輸事業、内国水運事業、そしてとりわけ多くの社員が配置された警務愛路事業を重要視していたにもかかわらず、こうした分野の関連研究はいたって少ない。それは、なにより華北交通の社内文書が「終戦と同時に東京支社のほとんどすべての公的記録、資料は軍命により焼却処分されて」いたこと、[3] また残された膨大な社内文書が南京にある中国第二歴史檔案館に所蔵されているため、[4] 現在の諸条件のなかで、それらの利用は容易ではないことなどが起因している。そのため、企業史として華北交通全体を検証する作業にはいまだ限界があるといわねばならない。

こうした社内文書とは別に、本書がとりあげるのは京都大学人文科学研究所（以下、人文研）が所蔵する華北交通（一部は満鉄を含む）の弘報写真（以下、華北交通写真）である。この写真群は、戦後七〇年あまりの間、所蔵権がはっきりしないために非公開扱いされてきた（本書「巻頭言」参照）。そこで、本書刊行の母体となったプロジェクトでは、[5] これら三万五千点あまりの写真群を華北交通の全貌解明の手がかりとすべく、すべてをデジタル化し、人文研での公開の用に供することにした。調査の過程で、華北交通写真は弘報用の写真として撮影されたものであり、新聞社が撮ったニュース写真とはその性格が大きく異なることもわかってきた。本書は、この写真群を全面的に研究利用しようとする初の試みなのである。

一　満鉄北支事務局の成立

盧溝橋事変以前、すでに満鉄は大陸交通の一元化を射程に入れて、華北での活動を開始していた。まず一九三五年一一月に、フランス租界に天津事務所を設置し、「日支提携に拠る北支資源開発、産業振興等、経済工作の現地統制」にあたっていた。天津事務所は、伊藤武雄所長（満鉄調査部）のもと、庶務課、調査課を設置し（のち業務課を増設）、華北各地に社員を派遣して、現地情報の収集に努めていた。[6] 伊藤は、東京帝国大学法学部を卒業後ただちに満鉄入りし、総裁室附参事を経て、経済調査委員会委員との兼任で所長職に就いたのである（のち上海事務所長に異動）。[7]

盧溝橋事変勃発　その約二年後、一九三七年七月七日に盧溝橋事変が勃発した。この事件にすみやかに対応したのが満鉄や関東軍であった。満鉄は、早くもその二日後山海関に五名からなる輸送班を設置し（一一日には三一名に

表1　満鉄北支事務局における元所属別要員の占有率および配置率

従業員別／職場別	満鉄（日本人）			満鉄（中国人）			鉄道省（日本人）			旧従業員（中国人）			合計		
	人員(人)	配置率	占有率	人員(人)	配置率	占有率	人員(人)	配置率	占有率	人員(人)	配置率	占有率	人員(人)	配置率	占有率
本局	1,653	13%	65%	198	6%	8%	102	5%	4%	579	1%	23%	2,532	4%	100%
鉄路局	1,968	15%	37%	78	2%	1%	118	6%	2%	3,091	6%	59%	5,255	8%	100%
弁事処・出張所	301	2%	62%	18	1%	4%	41	2%	8%	125	0%	26%	485	1%	100%
自動車事務所	148	1%	97%	4	0%	3%	0	0%	0%	0	0%	0%	152	0%	100%
用度事務所	93	1%	20%	0	0%	0%	0	0%	0%	373	1%	80%	466	1%	100%
鉄路学院	28	0%	42%	24	1%	36%	0	0%	0%	15	0%	22%	67	0%	100%
医院・診療所	301	2%	43%	63	2%	9%	0	0%	0%	344	1%	49%	708	1%	100%
小計1	4,492	35%	46%	385	11%	4%	261	14%	3%	4,527	9%	47%	9,665	14%	100%
鉄道工廠	397	3%	4%	15	0%	0%	159	8%	1%	10,462	21%	95%	11,033	16%	100%
各路線	7,969	62%	17%	3,126	89%	7%	1,458	78%	3%	35,514	70%	74%	48,067	70%	100%
小計2	8,366	65%	14%	3,141	89%	5%	1,617	86%	3%	45,976	91%	78%	59,100	86%	100%
合計	12,858	100%	19%	3,526	100%	5%	1,878	100%	3%	50,503	100%	73%	68,765	100%	100%

【注】配置率は職場全体における人員の割合、占有率は新しい職場における元従業員の割合を示す。
【出典】林采成「戦時期華北交通の人的運用の展開」『経営史学』第42巻第1号、2007年、7頁。

増員して再組織）、一二日には山海関から天津までの各駅に満鉄からの派遣員一八七名を配置したほか、その後も社員を派遣しつづけ、その数は九月末には日本人三八五二名、中国人七六二名、合計四六一四名に達した。(8)

盧溝橋事変勃発の翌月に、満鉄は、天津事務所と出先の諸機関を統合して北支事務局を設置し、補線、改良、水道、建築など、鉄道および付帯建設物の保守改良を進めた。(9) 満洲から派遣された満鉄社員の多くは、この北支事務局に編入され、本局のほか、おもに鉄道の警務愛路部門に配置された。(10) 北支事務局は、局長に杉広三郎（満鉄輸送委員会委員長）、次長に石原重高（満鉄大連本社人事課長）を就任させ、調査班、弘報班をおいたほか、一年後には調査部も設置した。杉は、東京帝国大学工学部を卒業後、帝国鉄道庁、鉄道院、東京地下鉄道などで勤務した後、満鉄に入社し、鉄路総局次長、輸送委員会委員長を経て、北支事務局長に着任した。(11) このとき設置された弘報班の班長に、城所英一が就任していた。城所こそ、後述する加藤新吉とともに、華北交通の弘報部門を担当したキーパーソンのひとりだった。城所は、早稲田大学卒業後に満鉄に入社してから、総合誌『新天地』や歌誌『満洲短歌』の編集に携わり、また大連の短詩運動の詩誌『亜』の同人にもなり、アジア主義的思想傾向をもつ満鉄の言論人のひとりとして、満鉄、そして華北交通の弘報活動に影響を与えたのである。

さて、表1の北支事務局の構成員をみてみよう。この表を作成した林采成は、「満鉄日本人職員が鉄道管理部署である［華北交通］本局および鉄路局に多く配置され、鉄道運営のイニシアティヴを掌握」したと指摘している。確かに、占有率からみれば、満鉄から派遣された日本人社員は本局、鉄路局に多くを占める一方、中華民国国鉄の旧従業員の多くは用度事務所、鉄道工廠、各路線など現業部門に多数を占めていた。いうまでもなく、内地向けを目指していた弘報部門も、多くは日本人社員で構成された。これらの点だけをみれば、林の指摘は間違いない。路線建設現場をとった挿図2の写真にも典型的にみられるとおり、指揮をとる日本人と、指示を仰ぎ建設に従事する中国人という図式が存在することは否定できない。しかし、企業実態を考えるならば、日本人と中国人という二区分的思考だけでは華北交通の実態把握には及ばない。

実際、この表にみられるように、中国人の旧従業員が本局や鉄路局に少なからずいたことに、林は言及していない。そのうちの高級社員は、満鉄や鉄道省から本局や鉄路局の管理部門に派遣され、そうした部門の人員不足を補っていたのであり、大多数の中国人工員とは違っていた。また、配置率や占有率をみると、同じ日本人といえども満鉄社員と鉄道省から派遣された者とでは立場が違っていた。前者は本局、鉄路局、自動車事務所に多く、後者はむしろ弁事処・出張所という現業部門にまわっていた。これには、盧溝橋事変勃発後の満鉄と鉄道省との対応の違いが起因していた。満鉄北支事務局としては、緊急事態のおり、所属の違った者が混在するよりは、鉄道省から派

挿図2　同蒲線の建設工事風景
［原板番号一四六七一］

遣された者も満鉄傘下に入ることを希望したが、一方鉄道省から派遣された者はあくまで華北で自律的な行動をおこすことを求めていたのである。[12] その結果、鉄道省から派遣された人員は、満鉄や旧鉄道従業員などが占める管理部門に組み込まれず、手薄な各地の現場で指揮をとることになった。このように、日本人社員のなかにも、所属する組織の二層構造ともいうべき状況があったことは見落とすべきではない。

確かなことは、この表の占有率、配置率とも、日本人、中国人に限らず、派遣員、旧従業員とも各路線の警備や建設労働者として派遣された者が圧倒的に多数を占めていたことである。しかし、林が指摘するように、こうした「現業部門に対する日本人の配置が、おもに旧従業員の残留が少なかった部門を補うかたちで行われた」とする判断は危うく、逆に中国人の旧従業員の雇用は日本人人材の不足がみられた現業部門であったと考えるほうが自然ではないかと思われる。

この表でとくに興味を惹くのは、満鉄から派遣された中国人の所属である。その多くが鉄路学院に属しており、こうした人材が華北での交通運輸事業におけるあらたな人材育成という課題に活用されたことがうかがえる。また、年度別に日本人、中国人別の従業員数をみると、華北交通が、旧従業員を再雇用することに積極的であったと指摘するのに十分な数値的根拠がみられることも興味深い。ただし、残された華北交通写真からみれば、中国人社員を頭数だけそろえるというような雇用方法ではなかったようである。挿図3の写真には、旧鉄道従業員の雇用の様子が写されているが、日本人複数名が合議しながら、多くの旧従業員の中から、それなりに厳格に再雇用を決めていた様子がみられるからである（この写真は、満鉄北支事務局のグラビア弘報誌『北支画刊』五号（一九三八年七月二八日発行）の「軍鉄一致」の頁でも使用されている）。

盧溝橋事変後も、津浦線、京山線一帯では運転妨害、線路・通信の破壊、駅舎襲撃などが続いていたため、満鉄北支事務局は、愛路や宣撫班の工作をより重要視していたのである。前者については、のち華北交通総裁になる宇佐美寛爾自らが積極的に満洲から移植したものであった。

> これ（愛路工作は）は曩に私が満洲に於きまして、満洲国有鉄道の経営に当りました際に考究実施した制度でありますが、（華北でも）かなりの成績——実は当初予期した以上の成績を今日挙げて居るのであります。[13]

まさに自画自賛の政策であった。一方、後者の宣撫班の活動は、これまた満洲のモデルをそのまま移植しており、満鉄で宣撫班の発足を先導した八木沼丈夫が、華北でも警務局次長としてその運用の中心的役割を担っていた。た

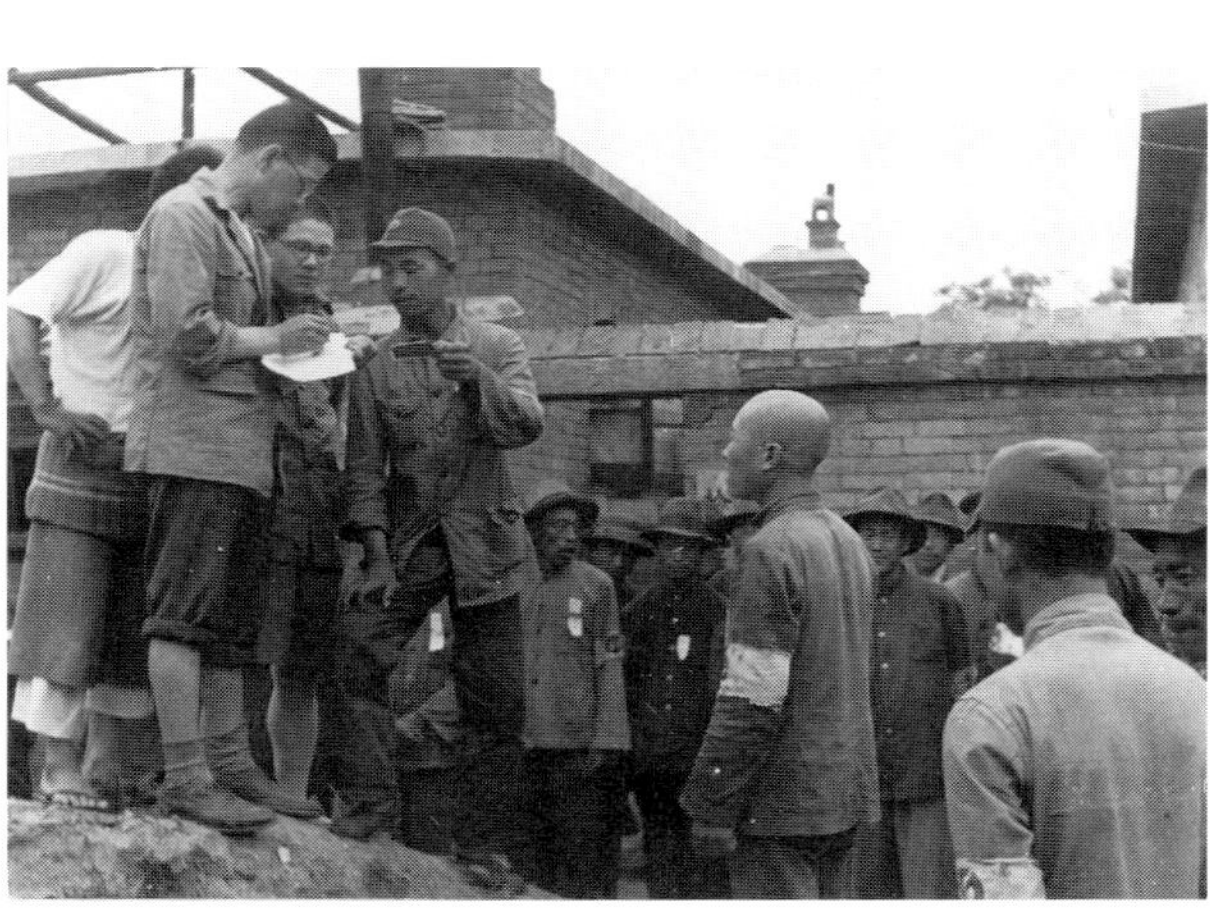

挿図3　旧中国国有鉄道従業員の採用
［原板番号四七四七］

だ、華北での宣撫工作については必ずしも期待通りの成果をあげることはできなかったようで、結局あらたに住民の「内面指導」を担当する新民会に吸収されたという。[14] ただし、こうした愛路工作や宣撫班の活動は華北交通の弘報部門の活動と連動したことには留意すべきである。

事変の「収束」　拙稿で明らかにしたように、一九三八年四月頃には、関東軍や満鉄は、盧溝橋事変の影響は「収束」したと処理したがっていた。[15] ところが、同年七月に徐州で撮影された「満鉄社員の活動」と題する挿図4の写真をみれば、現場は必ずしもそうではなかったと思われる。この写真に写された壁には日本国旗と「駅是」（軍鉄一丸、日支提携、事故防止）が掲げられており、三名の社員が電話応対している。彼らはシャツ姿のままであり、そのうちひとりは中腰のまま電話している。この一枚の写真からも、当時混乱した状況が収束していたとはいえず、駅での仕事がいか臨機応変の対応を迫られていたものだったかがうかがえる。

ともあれ、天津から北京に拠点を移した満鉄北支事務局は、四月一五日に月刊グラフ誌『北支画刊』を創刊する。そもそも、このグラフ誌は盧溝橋事変後の混乱収束を内外にアピールすることを目的とするものだったとも考えられる。『満洲グラフ』をモデルとした『北支画刊』は、編集作業を北支事務局でおこない、印刷および発行は平凡社が担っていた（のち印刷は共同印刷株式会社に移管）。筆者が確認した第一〇号（三九年一月一五日発行）まで、グラフページが一九〇編掲載されたのに対して、記事ページは一七編しかなく、明らかに視覚重視の雑誌であった。『北支画刊』の編集長を務めたのは、上述した弘報班の班長城所英一だったと思われる。時代は日中戦争勃発直後の状況であり、満鉄の主要任務は破壊された交通網を復旧させることであり、一方、政府は軍事の強化、治安・政治の安定を最重要課題としていた。ところが、『北支画刊』の誌面に戦争を刻印した記事が載ることは少なく、鉄道、商業、工業、農業などの建設や開発を示す、いわば「平和」の景観写真が掲載されていた。とくに在華日本人向けとして「郷土化」意識を促すような日常的な生活イメージの形成を促す写真頁が多くみられる。『北支画刊』は、こうしたイメージを謳う写真を掲載することで、「平和」のイメージの扶植とともに、急増する日本人コミュニティの定着を促すことを弘報事業のねらいとしていた。[16]

挿図4　満鉄社員の活動（徐州）
［原板番号四七五九］

二　華北交通の特徴

盧溝橋事変以降、華北の鉄道運営は北支那方面軍が直轄管理しており、満鉄北支事務局もその指揮下に入っていた。一九三七年九月には、戦時下における運輸機関の特殊任務、華北における産業開発のために交通機関の役割などが勘案され、華北と満洲との交通の一体化をはかるべく、北支事務局の職制改正が実施された。その骨子は、従来の班制度を改めて、局長一名、副局長二名のもとに企画局総務部、人事部、経理部、調査部、運輸部、水運部、工作部、工務部、警務部、輸送委員会、自動車事務所を設置するなど、機能別の組織を設置し、運営の効率化を進めることにあった[17]。

翌年、日本側によって華北の政情が安定したと判断されると、北支那方面軍はそれまでのように満鉄北支事務局を直轄とするのではなく、華北および蒙疆における交通事業の一元化をはかるために、自律的な機構の設置計画に切り替えるようになる。ただ、大同炭鉱管理権問題に顕著にみられるごとく、新しくできる鉄道会社に対して、満鉄がどのように関与するのかが争点となった。華北における満鉄の役割に対しては、そのほか港湾所属問題、中国側重役の人選問題などでも議論が噴出した。

華北交通の成立　一九三九年三月、ようやくそれらの問題に決着がつき、陸軍中将喜多誠一を委員長として、華北交通設立準備委員会が発足した。その翌月の一四日に華北交通会社法が成立し、一七日に創立総会が開催されるに至った。調印式は、北京の中南海勤政殿でおこなわれた。挿図5は、このときの写真である。右二人目は満鉄総裁大村卓一、その右隣が中華民国臨時政府行政委員長王克敏、北支那開発株式会社総裁大谷尊由、そして左より二人目が華北交通総裁となった宇佐美寛爾である。「東京朝日新聞」が一九三九年四月一九日付朝刊に「華北交通会社創立総会」と題して掲載した写真とは微妙にアングルが異なっているが、同じ状況を撮った写真であることは間違いない。

このとき総裁に就任した宇佐美に対する個人評は、次のようなものであった。

> 宇佐美総裁は明治四十四年赤門を出て鉄道省の前身鉄道院に入り満鉄の理事となるまで門司鉄道事務所長、満鉄々道部長、鉄路総局長等の要職を経、その間北鉄接収に偉功を樹てて多年紊乱していた全満鉄道の一元的運営を実現せしめるとともに北寧鉄路局との連絡運輸問題に手腕を振い、更に支那事変勃発に際しては北支駐在理事として鉄道運輸の指揮統制に功績を樹て今回の華北交通会社設立に当っても尽瘁せるところ尠からず、満鉄の実質的北支進出の見地からしても同氏の総裁は動かすことは出来ないものがあった[18]。

挿図5　華北交通創立調印式
[原板番号一五二二六一]

華北交通総裁には宇佐美しかないといった書きぶりである。創立総会で決定した華北交通の役員には、宇佐美総裁のほか、副総裁に後藤悌次（元東京市電気局長）、殷同（臨時政府建設総署長兼任）の二名、理事には満鉄北支事務局の杉広三郎（局長）、山口十助（副局長）、太田久作（工作部長兼輸送委員会委員長）、佐原憲次（運輸部長兼水運部長）、鉄道省運輸局長の新井堯爾、中国側からは周培炳（元北寧鉄路局長）、孫瑞林（元北京国立大学学院教授）、陶尚銘（元北京政務整理員会委員）ら、合計八名が就任した。[19] 中国側の代表ともいうべき殷同は、江蘇省江陰県の出身で、日本陸軍経理学校卒業後、陸軍、魯大公司、北平政務整理員会、北寧鉄路管理局をへて、一九三八年に臨時政府建設総長に就任していた。[20] また周培炳は、江蘇省松江出身であり、東京高等工業卒業後、北京師範大学教員、駐日公使館随員など、外交、商務畑で活躍したあとに鉄道分野に移り、洮南鉄路局長、チチハル鉄路局長、ハルビン鉄路局長、奉天鉄路学院長などを歴任し、鉄道、自動車分野における権威と目されていた。とくに盧溝橋事変勃発後に周が京古線建設を立案し、しかも二ヵ月でこれを完成させたことは、日本側にも高く評価された。[21]

もう一枚の写真、挿図6は、控室のソファでくつろぐ宇佐美総裁（中央）、後藤副総裁（右）、殷副総裁（左）の姿である。宇佐美総裁は、一九四四年六月の人事改正のときにも重任となり、終戦に至るまで総裁の地位にあった（このとき後藤副総裁の後任として華北車両社長の村田芋三が就任）。[22] 余談ながら、宇佐美総裁の人望は高かったようで、宇佐美の二三忌法要にあわせて、戦後華北交通の旧社員で組織された華交互助会が一九七六年に小冊子『宇佐美総裁追憶』を刊行している（この冊子からは、戦争経験者には三〇年前の出来事が遠い過去ではなかったことを確認できる）。

華北交通は、満鉄北支事務局の経営線四五〇〇キロを継承するとともに、自動車路線については既存の蒙疆汽車公司、華北汽車公司を子会社として継続運用した。当初の社員は、日本人一万五〇〇〇余名（満鉄派遣一万三〇〇〇名、鉄道省派遣二〇〇〇名）、中国人五万五〇〇〇名（満鉄派遣員四〇〇〇余名、旧各鉄路従業員五万一〇〇〇余名）でスタートがきられた。[23] 華北交通写真によれば、華北交通広場前で開催された創立式の様子が詳細に記録されていたことが確認できる。

なお、華北交通創立とともに、社紋の規格も決定された。挿図7の写真では、講演者の真後ろにある社旗に描かれているのが社紋である。この社紋のデザインには、次のような含意があった。

此の社紋は全体としては車輪を単純化し、翼によつてスピード感を表現したものであつて、尚之を地図上に置けば西進を意味し、更に内円は日章、外円は車輪を、翼は五色旗を象徴し、翼間の四線は線路の複線を暗示せしめる。尚社紋全体を赤色とした為遠望すれば日章旗に彷彿するのである。[24]

挿図6　創立式典における宇佐美総裁らの様子［原板番号なし］

挿図7　社紋と華北交通社員会［原板番号二四七八四］

華北交通社員会のマークは、この社紋を左に一四六度回転させたデザインが使われている。勘ぐりすぎかもしれないが、これを地図上におけば南進を意味することになってしまう。

満鉄との関係　こうして成立した華北交通に対する監督権は、（1）会社法に基づく行政上の監督機関としての中華民国臨時政府、（2）事業上の監督機関としての北支那開発株式会社、（3）軍事上の要求監督機関として北支那方面軍、（4）業務委託契約に基づく業務上の監督機関として蒙疆聯合委員会の五機関が指定された。日本政府内の意向により、満鉄には監督権を与えないことが主眼であった。[25]

ただ華北交通発足と同時に、虎ノ門の満鉄東京支社ビル内に東京事務所が設置された。ここが、興亜院（のち大東亜省）、企画院第二部（のち軍需省）、大蔵省、陸軍省、参謀本部、鉄道省、北支那開発株式会社などとの連絡を担当するとともに、各種の経済研究機関や新聞社と連携しつつ、内地向け弘報の機能を担ったのである。東京事務所のさらなる役割は、会社の資金獲得と、内地における新規従業員の採用にあった。後者については、興亜院、文部省、外務省、運輸省との交渉が重要な業務であった。[26]初代所長は佐藤晴雄、副所長は高橋威夫であった。佐藤は、東京帝国大学法学部を卒業後、一九二四年に満鉄に入社し、東亜経済調査局、総裁室文書課、鉄路総局総務処文書科長、総裁室文書課長などを歴任後、満鉄東京支社次長を経て、華北交通東京事務所長に就任した。また高橋も、東京帝国大学法学部卒業後に満鉄に入社し、鉄路総局、ハルビン鉄道局文書科長、大連本社、奉天鉄道総局文書係主任などを経て、一九三九年五月に副所長に就任している。[27]

華北交通に対する満鉄の監督権は否定されたものの、大陸における鉄道業務を考えると、満鉄と華北交通との間では事業連携ぬきには目的遂行が困難であることは歴然としていた。そのため、以下のような主旨の「満支交通一貫運営ニ関スル覚書」が締結されたのである。

> 両社ノ業務上常ニ密接ナル連繋ヲ保チ相互ニ関聯ヲ有スル重要業務ニ付協議シ人事ノ交流ヲ行ヒ重要ナル規定、重要資材ノ規格ノ統一ヲ図リ以テ実質上満中ニ於ケル鉄道其ノ他交通ノ一貫運営ヲ期スヘキコトヲ約ス[28]

とくに「人事ノ交流」は重要課題であった。ここに規定されている業務内容のほかには、人件費、事業計画、運賃、軍事輸送、建設などの事項についても合同で協議することになっていた。当然ながら、創業したばかりの華北交通からすれば、人材の雇用のほか、車両の運行を含めて、大陸における運輸交通という特殊な業務に対して、満鉄の支援ぬきには遂行できなかったのである。

社員の特徴　表2の「業務別社員数」をみると、日本人と中国人との社員員の割合は二：八、両者とも鉄道業務の従業員が圧倒的に多いが、自動車業務、水運業務以上に警務業務に従業員が配置されていることは注目すべきかと思う。華北交通の幹部には帝大卒業の日本人社員が多く、警務愛路業務には警察あるいは軍隊経験者が求められたほか、一般の社員資格については次のような規定があった。

> 社員制としては、日華の別なく、傭員、雇員、職員の三段制であり、職員中の高級社員には参事副参事の待遇名が与へられる。なほ別に事務囑託と、中国人には工役といふ労働者階級がある。指導的立場にある日本人は比較的上層の職員級が多く、中国人は逆に工役階級が絶対的多数で上層者は少い。採用後の資格は中等学校程度以下の出身者は傭員、専門学校以上者は職員であるが、特に前歴ある者は別に詮議される。[29]

さらに、採用には定期と臨時とがあった。特殊技術者でない限り、男子四〇歳以上、女子二五歳以上はいつでも採用でき、一般人で男子四〇歳以下、女子二五歳以下の内地居住者を採用する場合は、年二回（四月～九月、一〇月～一二月）、厚生省を窓口として募集していた。この雇用システムは、大陸交通として使命を同じくする満鉄会社との共同詮衡によって決められたものであった。[30]

一方、中国人社員の資格は、員司と工役の二階級があった。員司の高級社員は日本人社員と同様に参事または副参事の待遇呼称を与えられたが、のち全社員の資格審査が実施されてからは、職員、雇員、傭員、工役の四階級に分けられた。[31]員司の高級社員は、日本人社員と同等の役割を担い得たのである。

資業局の設置　華北交通には、総裁室に調査業務を担当する部局として資業局が設置され、局内に業務、交通、資料の三課が設けられた。資業局長に就任した伊藤太郎は、東京帝国大学経済学部卒業後、一九一九年に満鉄に入社し、鉄道部渉外課、鉄道部連運課、経済調査会、鉄路総局運輸処、新京鉄道出張所などで経験を積み、満鉄北支事務局調査部長をへて、資業局長に就任した。[32]

また、資業局次長に就任した加藤新吉は、弘報業務を担当した資料課の課長を兼任した。城所英一とともに華北交通の弘報を先導した加藤は、一九二〇年に明治大学法学部を卒業し、翌年に満鉄に入社。人事課、文書課での勤

表2　業務別社員数　［1945年6月現在］

業務別	鉄道	自動車	水運	警務	計
日本人	28,232	952	130	3,552	32,866
（比率）	16%	1%	0%	2%	18%
中国人	125,499	2,704	1,027	18,362	147,592
（比率）	70%	1%	1%	10%	82%
総人員	153,731	3,656	1,157	21,914	180,458
（比率）	85%	2%	1%	12%	100%

【出典】『華北交通株式会社社史』社団法人華交互助会、1984年、109頁

表３　華北交通紹介刊行物

種別	刊行物
定期刊行物	北支（弘報誌） 華北（北支の後続誌） 興亜（社員会誌）
パンフレット	支那事変と日満関係 事変と北支鉄道 新生北支の瞥見 北支蒙疆資源と産業 北支蒙疆ところどころ 北京年中行事 北支蒙疆の経済建設 北支蒙疆旅行の手引 蒙疆路 蒙古民情
リーフレット	津浦線 北京 華北交通スタンプ集 北支旅の杖 天津 華北交通会社一覧 北支蒙疆鉄道案内 旅行心得帖 済南 張家口 大同

種別	刊行物
絵葉書	華北明信片 華人児童向エハガキ 日満支直通列車エハガキ
ポスター	鉄路の黎明 水運開始（済南） 自動車網 天津附近水運開始
地図	華北鉄道略図
時刻表	旅客列車時刻表
団扇	北海と大同石仏風景
華北交通 社員会叢書	北支の農村 中国の風俗と食品 夏季大学講演選集 私のお父さん 黄土の声 支那芝居

【出典】加藤新吉編『北支・蒙疆ところどころ』華北交通株式会社、1940年、41頁
『興亜』40号、1942年10月、10頁

務となったが、入社直後に『新天地』の創刊に携わった。さらに一九二七年四月に社長室情報課に転じて、弘報係主任、満鉄社員会の宣伝部長を歴任した。その三ヵ月後に加藤は社命により欧米留学をするが（弘報係主任は八木沼丈夫に交替）、帰国後に華北交通に転出となり、総裁室資業局伊藤太郎局長のもとで同局次長となり、企画委員会調査役も兼任することになった。そして、城所から、新規発行の『北支』の編集長のバトンが託されたのである。なお、一九四一年一〇月加藤が資業局長になったとき、城所は同局参与として弘報主幹に着任した。[33] このように、華北交通本社の弘報業務の実務面は、おもに城所―加藤ラインで進んだといえる。

華北交通の調査、弘報情報関係業務は、資業局のほか、各鉄路局、東京支社の所管部課が担当した。さらに、内モンゴルには包頭公所、南京や上海には駐在員事務所が設置され、それぞれに現地の調査、情報収集にあたった。その具体的活動としては、「新聞・雑誌の育成活用、各種資料の提供をはじめ、名士招聘による現地事情の認識強化を図るなどのほか、自社編集による単行本、小冊子の出版、ポスター、カレンダー、映画の作成、展覧会・博覧会の開催、講演会、座談会、ラジオ放送など、あらゆる分野にわたる弘報を実施した」といわれる（表3参照）。しかも、それら弘報業務は、その重点を日本内地において実施することが主眼とされたために、東京支社が内地向け弘報の拠点となり、満鉄と共同で運用していた鮮満支案内所も弘報業務の一部を委託された。[34] 一方、中国での弘報活動は、北支派遣軍などの宣撫班がこれをおこなったが、北京案内所（一九一八年三月開設）、北京王府井出張所（一九三八年一一月設置）などにも委託された。挿図8の写真は、臨時政府と日本政府の政治的立場を示すかのよう

挿図8　国共両党の打倒を呼びかける政治宣伝［原板番号一八四五一］

に、壁面に「絶対排撃国共両党」というプロパガンダが描かれている。これは、華北交通写真のカードによれば一九三九年六月に河南省新郷市で撮影されたと思われる。また、挿図9の写真は、同じ頃に徐州で撮られたもので、近衛文麿首相が発表した声明「東亜新秩序」をランドマークらしいビルに装飾したもので、市内中からみてもきわめて目立っていた。

華北交通の刊行物　華北交通の定期刊行物としては、一般の弘報メディアとして資業局が主管となって発行された『北支』（後続誌は『華北』）と、満鉄社員会をモデルとして結成された華北交通社員会が発行する『興亜』とが代表的なものであった。雑誌『北支』は華北交通創立から二ヵ月経った一九三九年六月に発行が始まり、『興亜』はその翌月に発行開始となった。

拙稿で明らかにしたように、グラフ誌『北支』は、満鉄北支事務局発行の『北支画刊』の後継誌であったが、あらたに広告も掲載するようになった。『北支』を刊行した第一書房は、当局から印刷紙の供給を受けるために、「出版国策」を標榜し、華北交通のような国策会社に協力したのである。雑誌の体裁は四六倍版、写真ページは三二ページ、記事ページは一六ページ、毎月一日発行と予告されていた。写真による総合誌の路線をねらっていたと思われ、グラビア印刷の美しさが強調された。『北支』の創刊から停刊に至るまでの五年半弱、華北交通資業局資料課の加藤新吉が編集長として手腕を発揮した。[35]

社員会誌『興亜』のほうは、弘報誌であった『北支』とは違って、社業の動き、社員会のニュース、時事解説、物価動向、文化活動、俳句・短歌、家庭メモ、各種エッセイなどを掲載しており、基本的に社員およびその家族向けの社内誌だった。『興亜』は、創刊号から最終号の五七号（一九四四年一月）まで、毎号約五〇頁には各種の読み物が詰まっており、写真などの図版はほとんどなかった。ちなみに、歌人としての一面をもつ城所英一は『興亜』で短歌の選を担当していた。『興亜』は、読了後に日本内地の親戚縁者に送るように指導されていたため、現在でも日本各地の古書店で散見できる。『興亜』の編集者は頻繁に交代したが、第五〇号（一九四三年八月一日発行）から第五六号（同年一二月一日発行）までの編輯兼発行人は城所英一が担当していた。[36]

このほか、華北交通の弘報係は記録映画なども撮影している。挿図10の写真は、一九四二年二月に北京郊外、同塘線そばにある沿河城で記録映画を撮影している弘報係員を撮った写真である。なお、京都鉄道博物館では、「華北交通創業」（一九三九年）、「華北交通社員生活」（一九四二年）の二本の短編弘報フィルムを閲覧できる。

挿図9　「建設東亜新秩序」を呼びかけるビルの装飾［原板番号二三三一五］

挿図10　華北交通の弘報係による撮影風景（北京郊外の沿河城）［原板番号〇五〇一二四］

輸送系統の一元化　『北支』『興亜』発刊からまもなくして、満鉄と華北交通との間で、あらたに上記の「満支交通一貫運営ニ関スル覚書」の附属協定が締結された。この附属協定には、総務、人事、経理、運輸、整備について、より詳細な規定が示されている。本章がとくに注目している弘報情報業務については、次のような内容が示されていた。[37]

満鉄ノ弘報情報機関ト華北交通ノ弘報情報機関トハ相互ニ緊密ナル連繋ヲ保持シ且両社ノ弘報情報業務ヲ相互ニ委託スルモノトス

一　華北交通経営区域内ノ同社弘報情報機関ハ満鉄ニ於テ之ヲ利用シ、華北交通経営区域外ノ満鉄弘報情報機関（欧州事務所、ニューヨーク事務所等）ハ差当リ華北交通ニ於テ之ヲ利用スルモノトス之カ相互利用ニ当リテハ夫々其ノ本部機関ヲ通シ之ヲ行フモノトシ緊急ノ場合ハ適宜ノ処置ヲ為シ得ルモノトス、両会社ノ弘報情報出先機関ノ新設、廃止其ノ他重要事項発生シタルトキハ其ノ都度相互ニ協議スルモノトス

二　業務連絡ノ円滑ヲ期スル為定期的ニ業務上ノ打合会議ヲ開催スルモノトス

三　重要ナル情報ハ相互ニ交換シ必要アルトキハ一方ノ出先機関ヨリ直接他方ニ通報スルモノトス

こうして満鉄と華北交通との間で一貫運営が計画されたのにつづいて、一九三九年八月には華北交通と華中鉄道との間で、そして一〇月には華北交通と朝鮮鉄道との間で、それぞれ直通協定が締結された。その結果、輸送力増大のために、朝鮮―満洲―華北―華中における輸送系統の一元化が試みられ、貨物列車・客車の輸送時間を短縮し、貨物積替えによる破損を回避させた。[38]しかも、同年九月二〇日から、以下のように、これらの地域の一枚の切符で移動できるような旅行システムが導入されている。

即ち従来は北支において京山線に限られてゐた連絡運輸の取扱駅を北支全線に拡大し同時に満鉄と華北交通会社線との間には回遊団体の取扱ひを行なふこととなり新たに華中鉄道、日本有線大阪商船及び原田汽船の青島航路、日本郵船の大連、上海両航路、大連汽船の青島、上海航路を日満支連絡運輸に参加させるもので〔ある〕[39]

このような日本内地、中国大陸、朝鮮半島における鉄道輸送の一体化により、一九四〇年四月における貨物輸送は、一日あたり一〇万トンを突破し、輸送旅客数も概算ながら三二〇万八〇〇〇人に達したという。これは前年比

約六・八％の増率、前々年比二三・九の増率であったと推計できる。[40]

　こうした措置は、華北の運賃割引方法や小荷物などの取扱方法を日本内地なみに改正し、日本と中国大陸との交通圏の一元化をはかる、画期的な試みであったといえる。その背景には、一九三九年九月に、臨時政府と維新政府による中華民国政府聯合委員会が成立し、華北と華中との地域連携がはかられたことも影響していた。しかしながら、現実には、それぞれの地域の鉄道会社は運転取扱およびこれにともなう運転施設に関する独自の規定に準じており、一元化の試みを成功させるのは容易なことではなかった。輸送能力の確保、増強をはかるためとはいえ、日本、満洲国、中華民国の間で鉄道運転関係規定協議会や大陸鉄道輸送会議が何度も開催されたことは、かえって交通圏の一元化という課題には少なからず困難な問題がともなっていたことを示している。[41]

　一九四〇年七月、近衛文麿内閣が策定した「基本国策要綱」に対する外務大臣松岡洋右の談話で「大東亜共栄圏」構想が表明されるような風潮のなかで、日本政府が考える経済圏のブロック化のためには、鉄道だけが一元化されるのでは十分ではなかった。そこで一九四〇年六月末までに、華北交通の自動車網は一万三〇〇〇キロに及んでいたが、これを江蘇省、安徽省など華中方面に拡大するべく、まず新安鎮―淮陰間（九四キロ）、江蘇省の宿遷―淮陰間（一一〇キロ）など七線六五〇キロを延長させて、貨物、旅客の運輸営業を開始した。これによって、自動車網もまた華北と華中の都市あるいは町を結ぶ役割をはたすことになったのである。[42] 挿図11は、その前年の一九三九年九月に華北交通の自動車路線を描いたポスターを撮った写真である。バス路線は、北京・天津、済南・膠県、徐州、開封、張家口を拠点地として、河北省、山東省、江蘇省、河南省、内モンゴルに広がっていることがイメージされている。「速い、安全、安い」がキャッチフレーズになっていた。

　華北交通が担当する地域が拡大するのにともない、一九四〇年一一月に第一次職制改正が実施された。この改正では、本社の理事部長制を廃止し、あらたに輸送委員会、監察室を設置するほか、総務、主計、資材、資業、運輸、自動車、水運、工作、工務、電気、建設、警務各局を設置することになった。[43] 資業局は総裁室の傘下を離れたが、伊藤太郎、加藤新吉は留任となり、あらたに劉赫南が参与に加わった。設置された資料室弘報係長は中山晴夫が就任した。元信濃毎日新聞の記者であった中山は、満鉄入りした後、書店やハルビン事務所で情報関係の業務に就いており、資料室にくる直近の職務は満鉄北満経済調査所資料係の主任であった。[44]

　時代の変化は、華北交通の職制の改正にとどまるものではなかった。一九四〇年一二月一四日、重慶の蒋介石政権と対峙する形で汪精衛が南京に国民政府を樹立したのである。臨時政府もその傘下に組み込まれて、華北政務委員会に改組されることになる。こうした中国国内における大きな政治変動のなかで、華北交通における弘報の役割

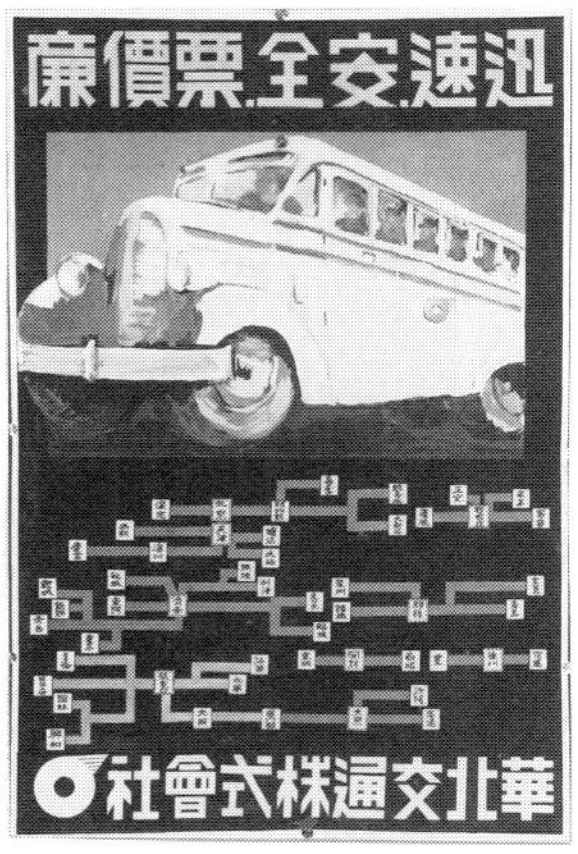

挿図11　華北交通バスの路線図を描くポスター
［原板番号二三九四八］

も急変していく。すでに『北支』は、一九四一年一二月一日発行の一二月号から用紙統制のため一般書店に配本されることはなくなり、直接予約申し込みをする購読制度に変更されていた。

三　太平洋戦争による社運の急変

二回の職制改正　一九四一年一二月八日、太平洋戦争が勃発した。この戦争を機に、華北でも戦時総動員体制が強化されるとともに、物価の高騰、生活用品の不足、経済や言論の統制が顕著になっていった。そして翌年一一月、大東亜省設置にともない、華北交通はその監督下に入る。

　さらに、一九四三年二月のガダルカナル海戦での敗北により、戦局におおきな揺らぎがおこるなかで、華北交通は四月に第二次職制改革を実施し、軍事化、効率化、資材の欠乏と情報統制の強化を促すことになった。資業局の参与局長は永田久次郎（総裁室総務局文書課長兼企画委員会幹事）に替わり、劉赫南参与は留任、資業局弘報主幹は城所英一が着任した。加藤新吉は、資業局からはずれたが、『北支』の編集は継続となった。東京支社は赤坂から麹町に移転し、同年二月に出版統制を規定するために発布された「出版事業令」の影響などにより、『北支』は四一ページに減らされてしまった。そして、同年八月一日発行の第五一号を最終号として、ついに停刊となったのである。

　第二次職制改革実施のわずか七カ月後、すなわち一九四三年一一月に、華北交通は、戦力増強の基礎要件たる輸送機関、とくに大陸の作戦地区における輸送機関としての防衛に万全を期すために、第三次の職制改正をおこなった。この改正のポイントは、作戦地区における輸送機関としての防衛をはかるために、本社に防空総本部、各鉄路局に防空本部を新設する一方で、各鉄路局にあった一〇局前後の部門を総務、経理、運輸、工務、警務の五部制として業務を簡素化させた。このとき、加藤新吉は、『北支』が廃刊になっていたために、生活部の参与部長、錬成部の参与に異動していた。[45]

『華北』の発行　第二次職制改正によって資業局が廃止されたために、弘報業務は総裁室総務部の弘報主幹の城所英一が継続して担当したものの、社外宣伝業務は東亜旅行社に移譲することになった。華北交通の弘報誌については、城所や東京支社長の島一郎ら幹部が、内閣直属の情報局と繰り返し折衝をおこない、各省庁を奔走した結果、とくにグラフ誌の内容や誌面構成に時局色を盛り込むこと、誌名を『北支』から『華北』に改めること、発行所を

挿図12　東京支社長島一郎たち［原板番号なし］

東京の第一書房から華北交通に変更することなどを条件として、後続誌の発行が許可された[46]。東京支社の幹部を撮った挿図12の集合写真の中央にいるのが島一郎である。島は、東京帝国大学法学部卒業後に満鉄ハルビン事務所庶務係主任に着任、その後満洲国黒龍江省総務庁長、興中公司北京支社長、北支那開発株式会社総務部次長などを歴任し、華北交通東京支社長に着任したのである[47]。

一九四四年二月、この東京支社から月刊のグラフ誌『華北』が発行されることになる。行政の縮小化、情報局による写真統制が強化されるなかにあって、大陸でのグラフ誌として先陣をきっていた『満洲グラフ』でさえ、同年一月に停刊したことを考えると、『華北』の刊行は容易なことではなかったと推測される。

さらに、東京支社の社長が島一郎から、総裁室資業局長などを歴任した伊藤太郎に替わった。この伊藤支社長のもとで、『華北』の編集者を担当したのは河瀬松三であった。河瀬は、県立熊本中学校卒業後、一九二〇年に満鉄に入社し、八木沼丈夫、城所英一などと同様、歌誌『満洲短歌』の同人、『新天地』の編集委員を務めた。一九三二年に満洲国が成立すると、河瀬はその文教部庶務科に転任し、国立奉天博物館総務課書記官嘱託、文教部礼教司事務官などを歴任した。そして盧溝橋事変勃発によって、満洲国政府を退職して、華北交通入りしたのである[48]。

『華北』は、その前身誌である『北支』などとは違って、編集作業は北京ではなく東京でおこない、写真ページも減った。また文化関係の記事も減り、鉱工業資源が「戦力資源」であることだけを強調する誌面構成になっていく。華北は、実質的に日本への軍事資源の補給基地へと転化し、弘報機能を必要としなくなったのである。そのため、せっかく発行にこぎつけた『華北』も、第一巻第九号（一九四四年一〇月発行）を最終号として、一年もたたないうちに停刊した。

描かれなかったイメージ　最後に華北交通写真や『北支』『華北』などのグラフ誌に描かれなかったイメージについて言及しておきたい。表4は、一九三九年四月から四五年八月まで華北交通社員で戦死、戦病死した者の統計である。中国共産党の攻撃は鉄道交通網の妨害や破壊を目標としており、年間二〇〇〇件以上の襲撃があった。とくに、京漢線、津浦線などの重要路線に構築されていた土塁や水濠を防壁としていた看視哨で歩哨に立っていた警備段所属の路警は、戦闘で命を落とすことが多かったことは、この表からもうかがえる。華北においてもっとも激しい戦闘として記憶されているのは、一九四〇年八月から一二月までの五ヵ月間、山西省および河北省周辺一帯において、中国共産党の八路軍と、日本軍との間で戦われた、いわゆる百団大戦であった。一晩で石太線（山西省太原と河北省石家荘とを結ぶ路線）の陽泉以西の站（駅に相当する）が総攻撃を受けたほか、一〇〇キロに及ぶ線路が破

表4　華北交通社員戦死、戦病死表（1939年4月－1945年8月）

区分 / 所属別	戦死	爆死	機銃死	地雷死	戦傷病死	抑留中死亡	合計
警務段	186	—	4	2	13	10	215
站	32	11	—	3	4	6	56
機務段	20	20	12	4	6	1	63
工務段	30	4	—	2	5	5	46
列車段	5	1	1	2	1	6	16
電気段	7	3	2	—	1	4	17
検車段	2	—	2	—	—	8	12
自動車営業所	46	3	1	—	2	—	52
その他	52	14	6	—	6	22	100
合計	380	56	28	13	38	62	577

【注】「抑留中死亡」とは、山海関でソ連軍に拉致されウランバートル抑留に死亡した者の数。
【出典】『華北交通株式会社社史』社団法人華交互助会、1984年、173頁。

壊され、軌条が奪い取られたため、その後一ヵ月ほど交通は途絶してしまった(49)。

この激戦のさなかの一〇月二六日、華北交通は、創立以来の日本人、中国人の殉職者三〇五名を追悼する第一回殉職社員追悼会を開催した。北京在住の全社員が参列した大規模な会だった(50)。さらに、第二回の追悼会は、翌年一一月八日に北京の中央公園でおこなわれた。この様子を撮ったものが挿図13の写真である。宇佐美総裁をはじめ北京にいた華北交通の全社員が参列し、写真の画像どおり大規模な追悼会であったことがわかる。

ただ、残された華北交通写真のなかには、こうした追悼会の写真はあっても、戦闘によって死亡した日本人や中国人の写真は含まれてはいない。この点、朝日新聞富士倉庫資料などに含まれる報道写真と質的に異なる（コラム「朝日新聞大阪本社の『歴史写真アーカイブ事業』について」参照）。むろん、華北交通が発行した雑誌『北支』や『華北』には、そうした痛ましい姿の兵士のイメージはまったく掲載されてはなかった。そうした中で、挿図14の写真は珍しい一枚である。一九四二年四月北京で撮影されたもので、台紙の標題には「殉職資業局員樋口氏の遺骨　北京站着、加藤局長の焼香」とある。写真左側の人物が、当時の資業局長であった加藤新吉の姿である。雑誌『北支』の編集者などで活発な活動をしていた加藤だが、華北交通写真のなかで、その姿が写っているのはこの一枚だけである。ただし、この一枚も、『北支』には掲載されていない。

日本側の解釈とは違って、一九四〇年あたりから激化していった中国との戦闘のなかで死傷者が増え、それにともない華北交通の社員はいちじるしく不足していった。とくに、華北交通の中枢で運営していた日本人については、そうした傾向が著しかった。

このことは、表5のとおり、「朝日新聞」をはじめとして新聞紙面に頻繁に掲載する社員募集の広告からも推測できる。新聞紙面での華北交通社員の募集は、一九四〇年九月頃から始まったと思われる。当初は鉄道警務員の応募だったが、太平洋戦争勃発後は男女とも各種の鉄道業務を担当する一般青壮年社員が応募されるようになった。男性は警務員、駅務員、機関車乗務員が中心だったが、女性は看護婦、電話交換手、事務員、タイピストのほか、戦局の悪化とともに寮母や助産婦の募集もおこなうようになり、多様な女性が動員されていったことがうかがえる。また、当初は日本各地にある国民職業紹介所が応募先であったが、一九四四年六月からは福島県や茨城県の警察部や、警視庁保安部などの警察組織も関与するようになっている。一九四五年の二月と六月には、警視庁勤労部も華北交通社員の募集をおこなっていた(51)。これには、同年春から日本軍が実施した大陸打通作戦の影響もあったろう。

華北交通写真には、新採用社員の入社式の写真が含まれているが、なかでも茨城県内原の満蒙開拓青少年義勇軍訓練所で「内地錬成」していたものが目を惹く。挿図15の写真である。茨城県警察部国民動員課が社員募集にかか

挿図13　第2回華北交通殉職者追悼会の様子　［原板番号〇四一‐四五二］

挿図14　資業局の殉職社員に焼香する加藤新吉次長　［原板番号五〇二‐五六］

表5　新聞掲載の華北交通社員広告

新聞掲載日	応募先	募集内容	資格	掲載紙
1940年9月9日	各種職業紹介所	鉄道警務員多数	23歳以上、伍長・軍曹は30歳以下、曹長は36歳以下	「朝日新聞」
1941年9月29、30日	国民職業指導所	鉄道警務員850名	40歳以下の国民学校卒業以上で軍隊のある者、または18～30歳の青年学校卒業者	「朝日新聞」
1941年10月20日	国民職業指導所	生計所要員（社員生活必需品販売業務）160名	17歳～30歳で、商業、中学校または国民学校高等科卒業者	「読売新聞」
1942年3月1日	国民職業指導所	鉄道警務員900名	40歳以下の国民学校卒業以上で軍隊経験のある者、または25歳以下の青年学校卒業者いずれも25歳までの各種学校卒業者	「朝日新聞」
1942年3月3日	国民職業指導所	一般青壮年社員（男子640人、女子800人）	25歳までの各種学校、中等学校、国民学校卒業者	「朝日新聞」
1942年7月14、16日	国民職業指導所	一般青壮年男子550名、自動車運転の技能者男子35名	35歳以下（機関車乗務員は25歳まで）の中等学校、国民学校高等科卒業者	「朝日新聞」
1942年10月6、7日	国民職業指導所	警務員千数百名	35歳以下の国民学校卒業者	「朝日新聞」
1943年7月8、9日	小石川国民職業指導所	男子120名	16歳～30歳で国民学校高等科以上卒業者、軍隊出身者	「朝日新聞」
1943年9月12日	小石川国民職業指導所	助産婦、看護婦および見習い、電話交換手見習い	16～25歳、高等女学校、国民学校高等科卒業者	「朝日新聞」
1944年6月7日	福島県警察部労政課	男子若干名（警務員、駅務員、機関車乗務員）、女子若干名（看護婦、電話交換手、事務員、タイピスト）	いずれも16歳～40歳未満、中等学校、国民学校卒業者で、鉄道業務5年以上の経験者	「朝日新聞」
1944年6月9、11日	警視庁保安部国民動員課	同上	いずれも16歳～40歳未満、中等学校、国民学校卒業者、鉄道業務5年以上の経験者	「朝日新聞」
1944年6月14日	茨城県警察部国民動員課	男子若干名（警務員、駅務員、機関車乗務員）	16歳～40歳未満、中等学校、国民学校卒業者	「朝日新聞」
1945年2月12、16日	警視庁勤労部動員第二課	男子若干名（警務員、駅務員、機関車乗務員、旋盤工、その他）、女子若干名（看護婦、助産婦、電話見習員、事務員、タイピスト）	16歳以上で中等学校、国民学校卒業者	「朝日新聞」
1945年6月18日	警視庁勤労部動員第二課	男子多数名（警務員、駅務員、機関車乗務員、その他鉄道現業員）、女子多数名（看護婦、助産婦、電話員、事務員、寮母）	16歳～40歳で中等学校、国民学校卒業者	「朝日新聞」

挿図15　内原訓練所での新採用社員入社式〔原板番号二〕

わっており、内原での訓練とは深くかかわっている。一九四三年一月に内原で訓練を受けた第三回の新入社員は、事務系統二八名、技術系統二四名、計五二名であった。第二回が二一七名であったのに比べると、ずいぶんと減少している。第三回新入社員について、卒業学校別にみると、一番多いのが南満工専六名、次に京都大、九州大、大阪外語大、大東文化大が各三名、そして拓殖大、大連高商、東京外語大、鹿児島高農が各二名などであった。出身地域別にみると、九州一七名、四国四名、中国地方八名、近畿四名、中部九名、関東六名、東北五名、台湾二名、府県別では東京と福岡が各六名でもっとも多かった。年齢別では、卒業繰上げのためか、二〇歳が二三名ともっとも多く、二一歳～二五歳が計二四名、二六歳～三四歳が計八名だった。平均年齢が低かったためか、徴兵検査を受けていない者が二八名もいたという。内原での三〇日間、早朝六時から訓練所内で軍事教練、柔道、剣道、木刀、日本体操（やまとばたらき）などをおこなったほか、座談会や講習会、鍼灸にも参加し、訓練所外では開墾、肥料や土砂の運搬、行軍などで鍛錬し、午後九時半には寝なければならなかった(52)。

ところが、一九四四年七月サイパン陥落とともに、戦況はいっそう悪化していき、華北交通の担い手として中国人社員にいっそう依存せざるをえない状況が生じていた。グラフ1をみてもわかるとおり、一九三九年三月末の日本人社員と中国人社員との比率が二四：七六であったのに対して、四四年以降日本人社員の数は減っていき、四五年三月末は一九：八一になっている。減少する日本人社員の雇用について検討されただけでなく、中国人社員の養成がいっそう重要になっていたのである(53)。終戦直前の華北交通の社員数をみると、日本人社員は三万二四五九名であったが、中国人社員は、その四・五倍の一五万人余りが働いていたことを確認しておきたい(54)。

一九四五年四月、大陸では敗戦のうわさが出るようになった頃、中国の現地法人である華北交通は軍の機構に組み入れられて、北支那交通団に改組された。その職制は、戦時輸送総司令部、防衛総本部、錬成総隊のほか、第一運輸、第二運輸、愛路など六局がおかれ、東京支社は東京事務局に改称したが、職制じたいはそれほど変わらなかった。日本人従業員全員は宣属扱いとなり、無給となった(55)。加藤新吉、島一郎は、参与としてこの組織に留保されたが、城所英一の名前はみられない。ともあれ、この改組によって、それまでの華北交通の諸事業は停止してしまったのである。

おわりに

一九四五年八月、ラジオで天皇の玉音放送が流されると、国民政府は重慶から南京に遷都し、国内の接収を始め

グラフ1　年度別日本人、中国人社員数の変遷

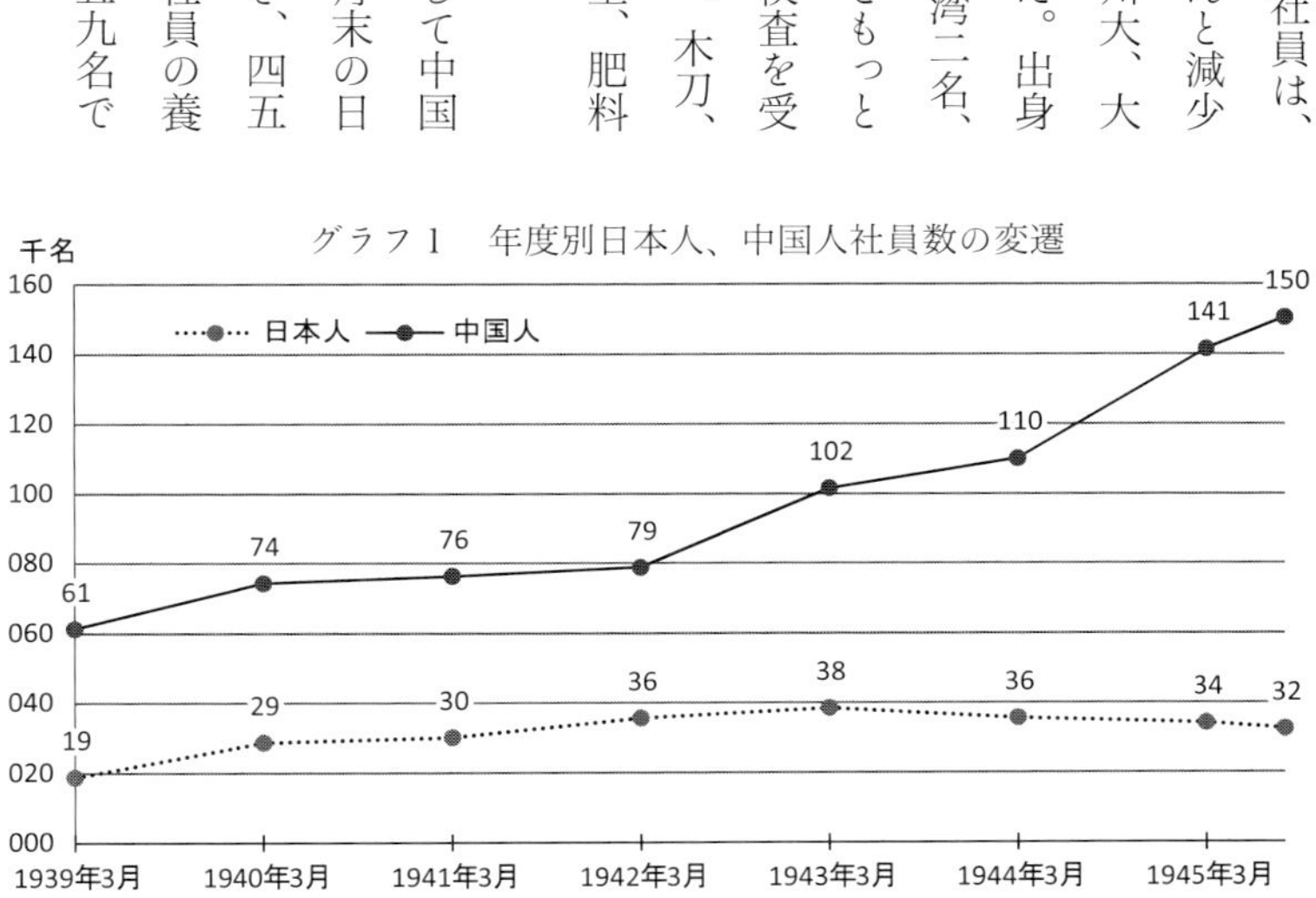

【出典】『華北交通株式会社社史』社団法人華交互助会、1984年、108頁。

た。華北交通については、一九四五年一〇月一〇日から四六年五月三一日まで華北交通特派員公署が設置され、鉄道事業のほか、関連する電信、郵政事業の接収がおこなわれた。この特派員公署の報告によると、鉄道関係で接収したのは、八つの鉄路局、六〇三の駅、五六五六キロあまりの路線、機関車一三三一台、客車一三五八両、貨車一六〇二九両、起重車両一〇両、社員は一八万五三三五名（うち日本人は三万二八四四名）であったという。[56]

一方、日本側の対応としては、一九四六年一一月付をもって大蔵・外務・司法省令第四号によって華北交通は閉鎖機関に指定され、翌年三月に閉鎖機関整理委員会の解散によって日本国内の資産の清算を完了させた。[57]東京、名古屋、大阪、広島、松山、福岡などの鮮満支案内所を改組して設置されていた事務所は[58]、終戦後に華北交通社員の連絡先として重要な役割を果たすことになる。

以上、本章では、満鉄天津事務所から北支事務局への改組、そして華北交通の成立から解体までの過程を、とくに社員の動向、弘報メディアの変化を中心にみてきた。華北交通は、満鉄の影響を排除するために、北支那開発株式会社の子会社にされたわけだが、本章で扱った内容はいずれもが満鉄との関係が強く示された事例ばかりであった。華北交通が、他の子会社と違って運輸交通業務という特殊な事業を担っていたこともあろうが、満鉄から華北に流れる人事関係がもつ意味もまた大きかった。弘報業務も、その例外たりえなかったのである。

参考文献

北支写真作家集団編『大陸の風貌――現地作家写真集』北支写真作家集団、一九四一年
福田英雄編『華北の交通史――華北交通株式会社創立史小史』ＴＢＳブリタニカ、一九八三年
『華北交通株式会社社史』社団法人華交互助会、一九八四年
『華北交通株式会社創立史』全三冊、本の友社、一九九五年
高橋泰隆『日本植民地鉄道史論――台湾、朝鮮、満州、華北、華中鉄道の経営史的研究』日本経済評論社、一九九五年

註

（1）林采成「日中戦争下の華北交通の設立と戦時輸送の展開」『歴史と経済』第四九巻第一号、二〇〇六年。同「戦時期華北交通の人的運用の展開」『経営史学』第四二巻第一号、二〇〇七年。関連して、満鉄社員会の地位、昇進システムに着眼した平山勉「満鉄社員会の設立と活動」『三田学会雑誌』第九三巻第二号、二〇〇〇年も、本章の問題関心につながる。

（2）貴志俊彦「グラフ誌が描かなかった死――日中戦争下の華北」（貴志俊彦他編著『記憶と忘却のアジア』青弓社、二〇一五年）（以下拙稿①）、同「第二次世界大戦画報中有関「事変」與「開発」的媒体表象―以満鉄発行的『満洲画報』、『北支画刊』為線索」『終戦七十年週年――日本帝国及其殖民地的戦争動員與視聴伝播』学術討論会論文集』国立政治大学広告学系＆伝播学院、二〇一六年（以下拙稿②）、同「戦争と平和のメディア表象――満鉄発行のグラフ誌を手がかりとして」（土田哲夫編著『近現代東アジアと日本――交流・相剋・共同体』中央大学出版、二〇一六年一一月刊行予定）（以下拙稿③）。

（3）福田英雄編『華北の交通史——華北交通株式会社創立史小史』ＴＢＳブリタニカ、一九八三年、七〇七頁など参照。

（4）中国第二歴史檔案館には、「日偽華北交通株式会社」（全宗号二〇二三（五））に華北交通の社内文書が整理されている。これらは、一一三四巻にのぼる日本語文書であり、一九八一年一〇月に公安部から、この檔案館に移管された。

（5）この共同プロジェクトは、日本学術振興会科学研究費補助金・基盤研究（Ａ）「東アジア域内一〇〇年間の紛争・協調の軌跡を非文字史料から読み解く」（代表：貴志俊彦）（研究課題／領域番号二五二四四〇二七）を指す。

（6）井村哲郎「拡充前後の満鉄調査組織（Ⅰ）—日中戦争下の満鉄調査活動をめぐる諸問題—」『アジア経済』第四二巻第八号、二〇〇一年、一〇頁。

（7）『満州人名辞典』下巻、日本国書センター、一九八九年、一八〇五頁（底本は中西利八編『満州紳士録』第三版、一九四〇年）。

（8）『華北交通株式会社社史』社団法人華交互助会、一九八四年、六～七頁。

（9）矢沼生「工務局——どんな仕事をするか」『興亜』第三八号、一九四二年八月一日、一八頁。

（10）『華北交通外史』華北交通外史刊行会、一九八八年、五〇頁。

（11）前掲『満州人名辞典』下巻、一八三三～一八三四頁。

（12）「華北交通ここに三年　地方会記念座談会」『興亜』第三五号、一九四二年五月一日、三頁。

（13）宇佐美寛爾「華北交通の創業」『華北交通の創業』（交通研究資料第五四輯）、日本交通協会、一九三九年、一九頁。

（14）石原厳徹「大陸弘報物語」九（『満鉄会報』第五八号、一九六八年一一月一五日、一一頁）。

（15）拙稿②、七～八頁。拙稿③、近刊。

（16）拙稿①、二一九、二二一頁。拙稿②、一〇～一五頁。拙稿③、近刊。

（17）「大阪毎日新聞」一九三八年九月一八日。

（18）「満洲日日新聞」一九三九年四月二〇日。

（19）「東京朝日新聞」朝刊、一九三九年四月一七日。前掲『満州人名辞典』下巻、一六三〇頁。

（20）『華北交通株式会社創立史』第三分冊、本の友社、一九九五年、一三八五頁。本書は興亜院華北連絡部昭和一六年刊の復刻版であり、編纂委員会委員長は加藤新吉であった。

（21）「新副総裁周培炳氏」『興亜』第四七号、一九四三年五月一日、二七頁。

（22）「読売新聞」朝刊、一九四四年六月二二日。

（23）「東京日日新聞」朝刊、一九三九年四月一七日。

（24）前掲『華北交通株式会社創立史』第三分冊、一三二七頁。

（25）福田英雄編、前掲書、七五〇頁。

（26）同上、六九二～六九三頁。

（27）前掲『満州人名辞典』下巻、一二七四、一六六二頁。

（28）福田英雄編、前掲書、七八二～七八三頁。

（29）加藤新吉編『華北交通』華北交通株式会社、一九四〇年九月、頁番号なし。

（30）「問に答ふ」『興亜』第五七号、一九四四年三月、二八頁。

（31）前掲『華北交通株式会社創立史』第三分冊、一三九六頁。

（32）前掲『満州人名辞典』下巻、一五五八頁。

（33）拙稿①、二二八～二二九頁。

（34）福田英雄編、前掲書、一二二、一二六頁。

（35）拙稿①、二二六、二二九頁。

(36) 福田英雄編、前掲書、一二七頁。
(37) 同上、七八五頁。
(38)「東京朝日新聞」朝刊、一九三九年四月一三日、同年八月二日、同年一〇月一五日。
(39)「読売新聞」夕刊、一九三九年九月一三日。
(40)「東京朝日新聞」朝刊、一九四〇年五月一七日。
(41)「読売新聞」朝刊、一九四三年九月一六日、一〇月二四日。
(42)「読売新聞」朝刊、一九四一年七月一五日。
(43) JACAR（アジア歴史資料センター）、Ref. C04122486500、昭和一五年「陸支密大日記 第三八号 1／2」防衛省防衛研究所。
(44) 前掲『満州人名辞典』中巻、一〇八二頁。
(45) 前掲『華北交通株式会社社史』、一九〇、二〇一～二〇二頁。「読売新聞」朝刊、一九四三年五月六日。
(46) 前掲『華北交通株式会社社史』、一二八～一二九頁。
(47) 前掲『満州人名辞典』下巻、一六九四頁。
(48) 拙稿①、二三五～二三六頁。
(49) 前掲『華北交通株式会社社史』、一七三～一七四頁。
(50)『興亜』第一二号、一九四〇年五月一五日。
(51)「東京朝日新聞」朝刊、一九四五年二月一二日、同月一六日、六月一八日。
(52) 小暮光三「闘魂の育み――新しき同僚と共に内原訓練所の三十日」『興亜』第四四号、一九四三年二月、三頁。
(53) 筆者は未見だが、一九四二年五月七日に中国人従業員を教育するための雑誌『新輪』が創刊されたという（『華北』第一巻第三号、一九四四年四月、三六頁）。
(54) 福田英雄編、前掲書、一〇八頁。
(55) 前掲『華北交通株式会社社史』、一〇七頁。
(56)『銀行週報』第三〇巻第二六期、一九四六年七月八日、二四～二五頁。
(57) 福田英雄編、前掲書、一七四、一七八頁
(58)「東京朝日新聞」朝刊、一九四四年四月二二日。

コラム◉朝日新聞大阪本社の「歴史写真アーカイブ事業」について

永井靖二

一八七九年一月二五日から新聞発行を続けている朝日新聞大阪本社（大阪市北区）には、戦時期にアジア各地で撮影された七万枚を超える写真資料が保存されている。この貴重な遺産を未来へ継承するため、写真をデジタル化し、様々な条件で検索を可能にした「朝日新聞歴史写真アーカイブ」を二〇〇九年から稼働させた。アジア近現代史の研究者の方々にご協力いただき、特に価値の高い約一万枚を選び、有料データベース「聞蔵」で一般公開している。その構築作業に、私も担当者として参加した。

これらの写真は、社内では戦後に保管されていた倉庫の名前から「富士倉庫資料」と呼ばれている。敗戦前後、各新聞社は戦犯訴追を恐れて戦争に関係する写真の多くを焼却処分したが、これらの写真はちょうど奈良県に疎開中だったため難を免れたものだ。満洲事変の前後から敗戦までの間にアジア各地へ派遣された特派員の撮影や、通信社から配信された写真からなる。日本が満洲侵略に踏み込んでいく契機となった張作霖爆殺事件（一九二八年）の発生直後の現場や、日本軍がソ連軍の機械化部隊に大敗したノモンハン事件（一九三九年）など、太平洋戦争前の昭和史に登場する著名な事件はほとんど網羅し、「大東亜共栄圏」のスローガンのもと日本が勢力下に置いたアジア各地の市民生活の模様も数多く記録されている。

同資料は七三箱に上る紙製のドキュメントボックスの中に、タイトルごとの小分け封筒に入れられて保管されていた。大阪本社の資料保存担当者らには知られていたが、出稿部門で全容を知る人は限られていた。

公開のきっかけは、二〇〇六年一月に紙面化を始めた、中国・吉林省檔案館が所蔵する旧満洲国時代の文書にかかわる報道だった。満洲中央銀行の写真が必要になったが、社内用の写真データベースを検索しても見つからず、満洲経済史の研究で知られる山本有造京都大学名誉教授に相談したところ、「社内のどこかに、古い写真が多数保管されているのではないか」との示唆を受け、同資料に行き着いた。満洲中央銀行の外観写真を見つけて掲載したほか、続報に使える多数の写真を発見した。同時に、これだけの貴重な歴史的史料が社内でも十分に知られておらず、ほとんど活用もされていない実態が認識された。

膨大な写真資料の価値を的確に評価・検証するには、専門知識をもつ研究者の鑑定を得る必要があった。アジア近現代史をはじめとする専門家約五〇人を本社に招き、資料を閲覧に供した。専門家の評価は一様に高かった。撮影日時、場所などの書誌データがしっかりしているうえ、文献でしか知られていなかったものが豊富な情報量をもつ写真として残されているためだった。

戦時下に当局の検閲を受けたという限界はあるものの、規模、内容、希少性のいずれから見ても重要性が高く、画像を後世に残すことは、新聞社としての責務であるという判断に達した。歳月の経過による今後の劣化に備え、七万枚余の写真すべてを表と裏の両面とも電子画像化する一方、経費の制約から、書誌情報をつけて公開する写真は特に価値が高い一万枚とする方針が決まった。

七万枚余から一万枚を選ぶため、同資料を閲覧した研究者のうち一五人に「写真評価委員」を委嘱した。一〇日間に二〇〇〇枚ずつのペースで、写真の両面を印刷したファイルを委員の方々に送付。各写真の価値を五段階で評価していただき、結果を点数化して得点順に採用する方式をとった。評価作業は二〇〇七年七月から翌年一一月に及んだ。写真のすべてに「通し番号」を付け、表面と裏面をスキャナーにかけて電子データ化、画像のサムネイルを評価委員に送り、得点を計算して選定結果を出し、撮影者や日付、場所、説明などの書誌データを入力する工程に、専従六人を含む総勢一五人前後が従事した。

以上のような朝日新聞社の所蔵写真の公開へむけた事業と同様、今回見つかった華北交通の写真群もきわめて高い文化資源としての価値をもつと感じている。国内にこうした非公開資料はまだ多く、産学官、そして資料に関わる個人が整理と公開へ努力することが求められていると思う。

「大東亜建設博覧会」（朝日新聞社主催、一九三九年）に出展された大同石像の模型。
「富士倉庫資料」から

第三章　華北の鉄道と資源輸送ルート

萩原　充

〈写真１〉正陽門（前門）横の北京駅。駅前には人力車・馬車・バスが集まっている。
［原板番号二二六九］

〈写真２〉通古線を走る汽車。前方には長城がみえる。（古北口）［原板番号五一四八三］

〈写真3〉駅の物売り［原板番号三〇六九］

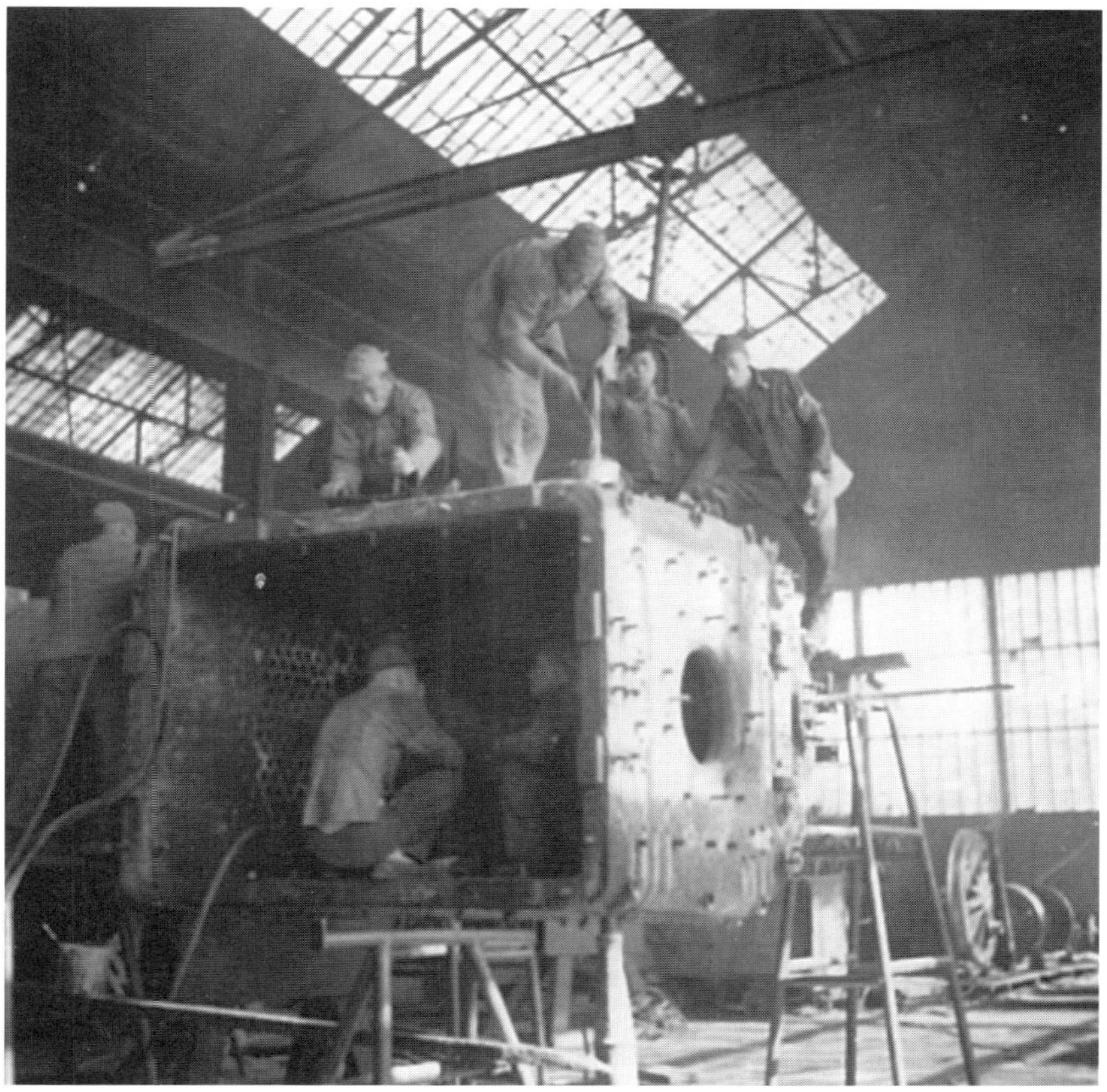

〈写真4〉機関車の製造（長辛店の鉄道工廠、一九四一年一〇月撮影）［原板番号四一一九六］

華北の鉄道と資源輸送ルート

萩原　充

はじめに

本章では、華北交通株式会社（以下、華北交通）の業務の主軸をなす鉄道輸送を対象とする。分析するテーマは、資源の対日供給にあたり、華北交通がどのような輸送体制を確立しようとしたのか、という点にある。

元来、華北の鉄道は運炭鉄道としての性格を有しており、貨物輸送の約三分の二を石炭が占めていた。そのため、日中戦争期に華北の資源（主に石炭）が日本に搬出される際にも、鉄道は港湾に至る重要な輸送手段とされた。

こうした日中戦争期における華北の鉄道に関しては、近年いくつかの研究が出されている[1]。その主な論点は、日本は華北の資源搬出のため、華北の鉄道を支配し、統一的かつ効率的な運営を図ったものの、その恒常的な輸送力不足が、資源の増産と搬出の制約条件となった、というものである。日本の占領地支配の限界性が輸送部門に顕在化し、それが日本の戦争遂行能力を制約したというわけである。

しかし、鉄道輸送の実態についてはなお不明な点が多い。そもそも、日本はどの地域のいかなる資源に着目していたのか、その資源をどのようなルートで港湾へ運ぶ計画であったのか、その際の輸送力は十分だったのか、不十分であったならば、それが資源の対日供給にどのような影響を与えたのか、といった点である。こうした点を明らかにするには、山元から港湾に至る輸送ルートの一環として鉄道をとらえる必要がある。また、輸送力をみる場合、個々の線区に即した実態をみるべきであろう。

以上の点に鑑み、本章では輸送力と輸送ルートの二つを分析視角とすることにより、次の三点を明らかにしたい。第一に、戦時期にいかなる資源搬出ルートが想定されたのか、第二に、そのルートにおいてどのように輸送力増強が図られたのか、第三に、そこで形成された輸送力が、資源搬出においていかなる意味を有したのか、という点である。

以上の分析により、華北の鉄道が日本の戦争経済の遂行にいかなる役割を果たしたのか、という点に接近することが本章の課題である。

なお、使用した資料の多くは、東京大学経済学部資料室に所蔵される華北交通のパンフ・文書類であり、注では資料番号を付してある。

一　華北の鉄道の輸送力と輸送ルート

輸送力の構成要素　華北の資源を対日搬出する際の陸上輸送手段は鉄道が大半を占めており、その輸送力（片道）の大きさが、資源搬出量を決定づける要素のひとつとなっていた。

一般に鉄道輸送力は牽引率・積載率を無視した場合、貨車積載量×牽引貨車数×列車回数×年間稼働日数として計算される。そのため、輸送力を高めるには、列車あたりの輸送量を増やすか、列車回数を増やすかの二通りの方法がとられる。

列車あたりの輸送量を増やす場合、貨車積載量を一定（三〇トン）とすれば、牽引貨車数を増やすことになる。そのためには、機関車牽引力・線路強度・橋梁強度を高める方法のほか、有効長（停車場にある車両接触限界の間の距離）を伸ばすことが必要となる。

一方、単線における列車回数（線路容量）は、二四×六〇（一日の分換算）÷最長閉塞区間の往復通過時間×一日あたりの運行時間比として計算される。たとえば、ある路線の最長閉塞区間が一〇キロ、運行列車の平均時速が四〇キロと仮定した場合、同区間の往復通過時間は単純計算で三〇分となるが、両側信号場での待避などの余裕時間を考慮するならば約五〇分となる。そこで、一日の運行時間を一四時間とした場合、一日の最大列車回数は一六回（一四四〇÷五〇×一四÷二四）、ここから旅客列車の運行回数を差し引くと、一二〜一三回となる。そのため、列車回数を増やすには、信号場を増設して閉塞区間を短くするほか、列車速度を高めることにより閉塞区間の通過時間を短縮することが求められる。

さらに、輸送力を維持するためには、車両（機関車・貨車）の確保と給水・通信といった付帯施設の完備が前提となる。また、飛躍的に輸送力を増大させるには、複線化、狭軌路線の標準軌化、新線建設が必要となる。さらに、沿線の治安確保も間接的に輸送力を規定する。治安が不安定であれば、夜間運行が不可能となる分、列車回数を減らすことになる。また、線路破壊、列車襲撃などの妨害活動は、年間稼働率を押し下げる要因となる。逆に、従業員教育は輸送効率を高める結果につながる。華北交通がおこなった愛路村・扶輪学校などの工作は、すべて鉄道輸送力を高める必要性に基づくものであった。

鉄道・港湾の状況　そこで、日中戦争開始時における華北の鉄道輸送力をみると、平均して一五〇万トン（列車回数七回、牽引貨車数三〇×二五両）、全体の発送トン数は約二〇〇〇万トンである。事変勃発以後は、撤退する中国軍が多くの車両・橋梁を破壊したほか（挿図1）、半分以上の車両を南方に持ち去った結果、輸送力は大きく減退している。そのため、鉄道車両を内地・満洲から補充するなど、鉄道復旧が軍および満鉄北支事務局を中心に進められるが（挿図2）[2]、多くが軍事輸送に振り向けられたこともあり、一九三八年夏の各路線の運行回数は貨物列車で一日二回程度に落ち込んでいた。その結果、一般貨物の輸送量は戦前に比べ二五〜三〇パーセント、石炭は五〇パーセントの減少となっており、石炭の輸送需要の二〇数パーセントを満たせない状況にあった。[3]

こうした戦争被害に加え、華北の鉄道は歴史的に形成された問題点を抱えていた。そのひとつは、路線ごとに鉄道の規格が不統一であったことである。標準軌と狭軌（一メートル）の路線が並存したほか、路線ごとに借款供与国の鉄道規格が適用されたため、路線間の連絡輸送は困難であり、各路線におかれた鉄路管理局が独立した管理運営をおこなっていた。華北交通が実施した施策は、こうした状況に代わる一元的な鉄道運営であり、さらに分断していた華中との連絡輸送の回復、および満洲・朝鮮との直通輸送であった（挿図3、4）。

第二の問題点はその鉄道路線にあった。元来、華北の鉄道は、清末より京漢線（北京—漢口）と津浦線（天津—浦口）の二つの南北縦貫線が建設されたのに対し、東西を横断する路線は、民国期に西方への路線延長が進む隴海線（連雲港—宝鶏）を除けば、京包（北京—包頭）・膠済（青島—済南）・正太（石家荘—太原）・道清（道口—清化）などの短距離路線であった。そのため、石炭を含む物流についても華中との結びつきが強い反面、奥地から港湾に至る物流は貧弱であった。こうした路線上の特徴は、華北の資源を日本に搬出するうえで明らかに不利であった。

次に、資源の搬出を図るうえで、港湾能力もまた重要な要素となる。華北の主要港を北から列記すると、秦皇島・天津（および塘沽）・青島・連雲港の四港である。[4]

秦皇島は、開灤炭鉱の専用積出港として、年三五〇万トンの呑吐能力を有していたが、外国権益の港湾である以上、将来にわたる安定的な積出に不安があった。天津港は華北の中心に位置し、周辺炭鉱からの集散にも便利な位置にあるが、白河に面する河川港のため、土砂の堆積により水深を維持できず、二〇〇〇トン級以上の船舶の遡航が不可能であった（挿図5）。そのため、大半の船舶は大沽沖に停泊し、艀船による中継輸送に頼っていた。[5]この点は天津の下流に位置する塘沽港においても同様であった。一方、青島港は華北最大の一四万トンの繋船能力を有する天然の良港であり、日本への海上距離が最短（阪神まで八一〇キロ）である反面、山東半島の先端に位置する関係上、後背地が狭いことが難点であった。最後に、連雲港は隴海鉄道の東の終点として一九三〇年代に建設が進

挿図1　中国軍撤退の際に爆撃された貨車（津浦線、一九三八年六月撮影）［原板番号三九四二］

挿図2　武装勤務する満鉄社員（正太・同蒲線方面にて、一九三八年四月）［原板番号三〇〇三］

表1 「北支産業九箇年計画」における石炭生産・対日供給計画量

（単位：1,000トン）

	合計	うち開灤	大同	中興	膠済沿線	正太沿線
生産量						
1938	12,850	5,500	1,000	1,500	1,000	1,100
1940	19,700	5,300	2,100	2,400	2,700	2,800
1942	33,950	5,000	10,800	4,800	3,200	4,650
1944	48,900	6,000	21,200	4,900	3,200	7,200
1946	60,000	6,000	30,500	4,900	3,300	8,500
対日供給量						
1938	3,000	2,000	---	550	100	100
1940	5,000	2,000	300	900	200	800
1942	12,000	1,000	4,300	2,500	400	2,500
1944	23,000	2,000	12,700	2,500	400	3,800
1946	31,000	2,000	20,000	2,500	400	4,500

【出典】華北交通株式会社『華北交通終戦記（華北交通の運営と将来）』（1945年）193頁。

められたが、事変に際し埠頭が破壊されたため、応急措置として木造桟橋が建造されたものの、これが完成しても年間石炭積出能力は九五万トンにすぎなかった[6]。

結局、どの港湾も積出に最適な条件を備えているわけではなかった。つまり、資源の搬出には、鉄道輸送の拡充に加え、港湾の整備も必要とされたのである。

華北の石炭とその増産計画　それでは、日本は石炭の搬出にあたりどの炭鉱を重視したのだろうか。表1は一九三八年三月に軍特務部が作成した「北支産業九箇年計画」のうち石炭に関する計画値である。最終年の一九四六年には六〇〇〇万トンの出炭量とその半分にあたる三一〇〇万トンの対日供給量を計画している。一九三六年に日本が中国から輸入した石炭が一〇五万トンであることに鑑みるならば、一〇年間で三〇倍の供給を見込んでいたことになる。

次に、計画値を炭鉱別にみると、開灤炭鉱（河北省）が初期から高い出炭量と対日供給量を予定していた。日本にとって同炭鉱は戦前からの主な輸入元であったが、イギリスとの合弁炭鉱であるため、開戦後も接収することなく、販売協定を結ぶことにより強粘結炭の供給を得ていた。同鉱の利点は、京山線（北京―山海関）沿線に位置し、専用積出港の秦皇島まで一二六キロたらずという距離にあった。ただし、日本としては、外資系の同鉱へは将来にわたる依存はできないと認識しており、計画においてもほとんど伸びを見込んでいない。

戦前から開灤に次ぐ出炭量を有していたのが山東省の中興炭鉱である。同鉱は棗台・台趙支線により津浦・隴海両線と接続し、津浦線から浦口経由、あるいは隴海線から連雲港経由で積み出されていた。さらに、同省の膠済沿線には、日中合弁の魯大公司が経営する淄川・坊子の各炭鉱のほか、博山炭鉱があった。

一方、最も高い出炭量・対日供給量を予定していた炭鉱は、大同炭鉱および正太沿線の各炭鉱であった。大同炭鉱（山西省）は戦前から晋北鉱務局など数企業が採掘にあたっており、年間一〇～二〇万トンを出炭していた。また、正太沿線の井陘炭鉱（河北省）は、戦前よりドイツ側株式の買収交渉が進展し、戦時期には日本が経営権を握

挿図3　北京・南京間の通車が再開（北京駅、一九三九年四月）［原板番号一四二六九］

挿図4　鮮満支直通列車（釜山行）の運行（北京駅、一九三八年一〇月）［原板番号六〇二九］

っていた。同鉱は戦前より華北における提携事業のひとつとされ、隣接する正豊炭鉱、さらに沿線の陽泉・寿陽といった山西省の炭鉱とともに増産が期待されていた。

以上から明らかなように、沿岸に近接し戦前から高い出炭量を有する炭鉱については、それほどの伸びが期待されていないのに対し、大同炭鉱と正太沿線の諸炭鉱が重視されており、とりわけ大同炭鉱は最終年に全生産量の半分、対日供給量の六割が見込まれていた。その理由は埋蔵量にあった。一九三〇年代初頭の調査によれば、中国の石炭埋蔵量（二四三七億トン）の半分を超える一二七一億トンが山西省に埋蔵されており[7]、大同炭鉱の埋蔵量は開灤炭鉱の二〇〇倍にあたる四〇〇億トンに達していた。つまり、急速な増産を図るには、多大な埋蔵量を有する奥地の炭鉱を開発する必要があったのである。

そこで問題となるのが輸送ルートである。開灤炭鉱の場合、積出港の秦皇島から積み出すか、京山線により満洲に至るルートをとる。膠済沿線の各炭鉱についても、同線を経由し青島から積み出すか、逆に津浦線を経由して華中に搬出するか、こちらも輸送ルートは定まっていた。しかし、大同炭および正太沿線炭の場合、新たに輸送ルート（および積出港）を確定する必要があり、さらに増産を図る以上、そのルートの輸送力を高める必要があった。以下では、両炭の輸送ルートがそれぞれ確定されていく過程を辿るとともに、そこでどのような輸送力が形成されたのかをみていこう。

挿図5　白河に沿った天津港の風景
［原板番号三〇九五］

二　大同炭輸送ルート

京包線の輸送力　図1のように、大同炭鉱から最も近い港湾は天津（塘沽）港であり、同港へは京包線・京山線が通じていた。しかし、その距離は六〇〇キロもあるうえ、京包線の輸送力は貧弱であり、京山線は輸送逼迫に陥りやすいという問題を抱えていた。

京包・京山両線は華北のなかで事変による被害が最も少ない路線であった。運行回数も他路線よりも多く、鉄道収入は事変前に比べむしろ増加していた。しかし、中国自らの技術で建設した最初の鉄道とされる京包線には、敷設当初から急勾配が多いという運行上の難点を抱えていた。とりわけ南口―康荘間には最大で一〇〇〇分の三六・六パーミルの急勾配地点（いわゆる南口パス）があった。そのため、南口パスには牽引率を高めるため二組の動輪を有するマレー式機関車が導入されたが（挿図6）、有効長が一六八メートルと短いため、牽引車両数は最大一一両にすぎず、輸送能力は年間一四五万トン程度であった。この数値は、大同炭の増産計画量（表1）から大きく隔たっている。

京山線の輸送逼迫も予想される問題であった。北京で京包・京漢の両線と、天津で津浦線と接続する同線には、各地からの貨物が集中しており、それらが天津を積出港とする限り、輸送力が限界に達することは必至であった。北京―天津間は旅客需要も多かった。

以上の問題を解決する当面の解決策が南口パスの改良であった。列車回数は最大二一回が限度とされ、急勾配の緩和も多大な経費を要するため、有効長の延伸が図られた。有効長を三二〇メートルに延伸すれば、理論上二〇両の貨車の牽引が可能となり、輸送能力は二倍に高まる。しかし、停車場内でも勾配とカーブがきつい同線では、有効長の延伸工事は困難であり(8)、いくら改良を施しても輸送能力は五〇〇万トンが限度であった(9)。そこで出された根本的解決策が、大同炭鉱と港湾とを結ぶ新線計画である。南口パスを迂回する新線を建設すれば、輸送力を格段に高めることができ、あわせて京山線の輸送逼迫を回避することができたからである。

新線計画をめぐって　新線計画に際しまず問題とされたのが積出港の選定であった。最も近くの天津（塘沽）港は、バー水路の改修と横桟橋の追加により呑吐能力を四〇〇万トン、青島港も倉庫などの補充により六〇〇万トン、連雲港もまた新埠頭の建設により三七〇万トンにそれぞれ拡充する計画を有していた(10)。しかし、こうした拡充をしたにせよ、表1の対日供給計画量をまかなうには不十分であった。一九三八年の予想によれば、一九四三年には港湾の積残量は全体で四六〇万トンに達するとしていた(11)。

そのため、大同炭の搬出に際しては、新規に港湾を建設することが必要とされた。その予定地は、大同炭鉱からの距離からみて渤海沿岸が適当とされたが、沿岸には既存の港湾がないため、どこに築港するかをめぐって満鉄と内務省グループとの間で意見の対立が生じた(12)。

満鉄は大清河での掘込式の築港を主張した。大清河は灤河支流の大清河の河口に位置しており、孫文が唱えた北方大港にあたる。土砂の堆積は少なく水深があり、後背地に土地を得やすい利点があった(13)。この新港から唐山・懐柔を経由して大同に至る鉄道が大新線（六〇四キロ）であり、一九三八年二月より満鉄が沿線の実地調査を進めていた。

これに対し、内務省グループは塘沽港の外港として沖合に埋立式の埠頭を新設する案を示した。同案の長所は大同炭鉱からの距離が短い点にあった(14)。大同炭鉱に至る新線は、塘沽からほぼ京山・京包両線に併行して大同に至る同塘線とされ、その総延長は、大新線よりも一〇〇キロ近く短い五一一キロであった。

図1　大同炭輸送ルート　（●は炭鉱、矢印・実線は鉄道（点線は計画線）矢印の向きは石炭輸送方向を示す）

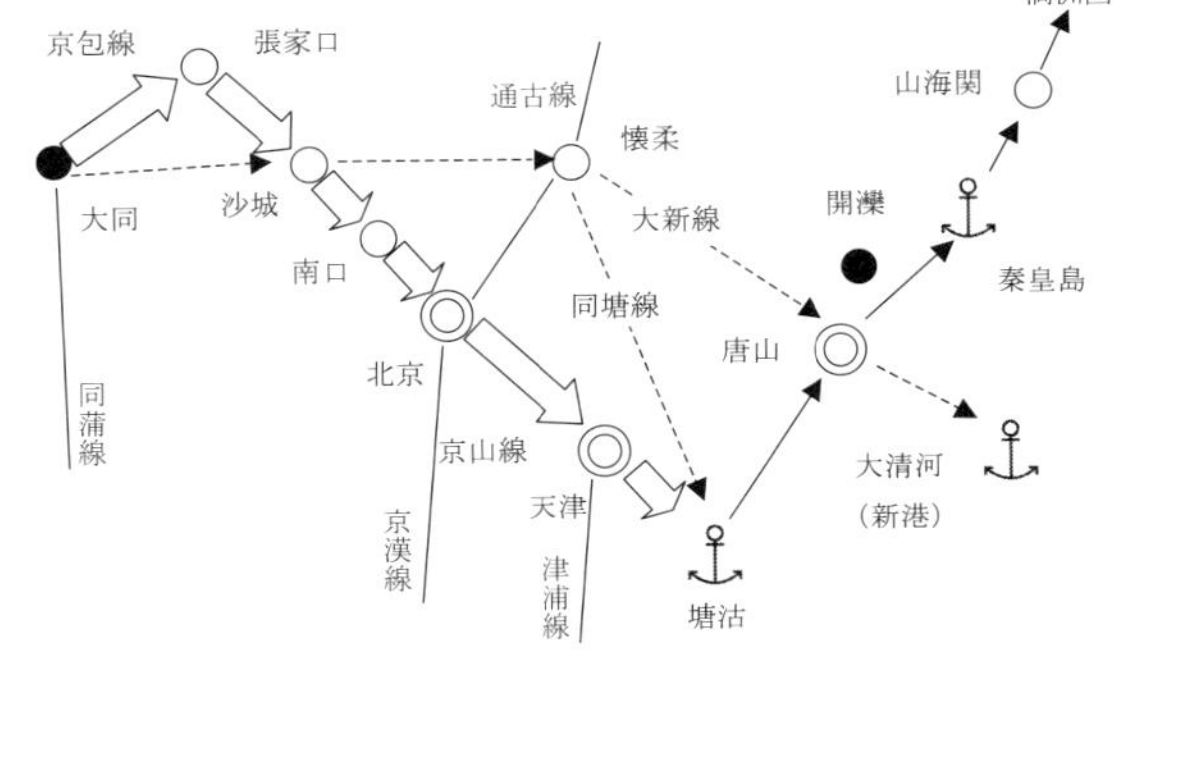

挿図6　東洋第一の重量を誇るマレー式機関車（南口）［原板番号一九九二六］

結局、一九三九年一月、両案のうち塘沽新港が採用され、それに伴い鉄道計画も同塘線に決定された。しかし、その計画は時期とともに縮小されていった。

新線計画の中断　元来、同塘線は大同―沙城間を短距離で結び、沙城から懐柔を経て塘沽へ至る路線であった。しかし、建設決定と同時に、建設区間は大同―北京間（三三〇キロ）へ変更され、北京―塘沽間は京山線の複線化によりまかなうこととなった。その後、三年後の竣工を目指して、沙城―北京間（一〇七キロ）が一九三九年一〇月、大同―沙城間（二二三キロ）が翌年に着工されることが決まるが、この計画も縮小される。大同―沙城間の建設は当面見合わせとなり、沙城―北京間、すなわち南口パスを迂回する部分のみが建設区間とされた。ちなみにこの区間については、八達嶺の南方を迂回する南回線と、牛攔山を経る北回線を比較検討した結果、距離は長いが収益増につながる北回線が選択され[15]、四〇年九月に着工している（挿図7）。しかし、この区間も四四年九月に建設が中止されている。

その結果、大同炭の輸送は既設の京包線と京山線によって賄うことになった（挿図8）。しかし、両線の拡充が十分になされたとは言い難い。京包線の場合、新線の開通を見越し南口パスの改良工事は最小限に抑えられていた（挿図9）。大同―沙城間についても、新線計画を理由に多大な資金を要する改良は控えることとされ[16]、新線計画が中止された後は、輸送増に対応する「一時的便法」として同区間の改良を図るとしたものの、信号場の増設と有効長の延長によって得られる最大輸送能力は六〇〇万トン程度であった[17]。

これに対し、京山線については一定の輸送力強化が図られた。同塘線完成までの輸送逼迫、および他路線からの輸送増に鑑み、複線化が必要とされ[18]、天津―塘沽間は一九四一年度、北京―天津間は四二年度の完了を目指して工事が進められた。信号場も増設され、有効長は五二五メートルに拡大された。この結果、輸送力は牽引貨車数で四〇両、列車回数で三四〜三九回、年間輸送量で最大一四三〇万トンへ増大するとされたが[19]、それでも一九四五年に二一七〇万トン（天津―塘沽）とされる予想輸送量[20]に及ぶものではなかった。

一方、塘沽新港については、一九三九年一月に建設計画が出され、四六年末までに二七〇〇万トンの取扱能力を有する新港建設が開始された。工事は遠浅の海域を掘り下げ、水深六メートル、幅二〇〇メートル、延長一三キロの航道を開削し、さらに延長三二〇〇メートルの岸壁を築造する大規模なものであったが、四四年初頭の実績をみる限り、岸壁延長は五五〇メートル、年間取扱能力は六〇万トンにすぎず[21]、当初の計画からは大きくかけ離れていた。

挿図7　同塘線建設に伴う道路工事（一九四一年一一月）［原板番号四一〇九四］

挿図8　京包線を走る石炭輸送列車（居庸関付近、一九四〇年七月）［原板番号三一五八六］

結局、大同炭の搬出については、新線および新港の建設が進まないまま、既存の輸送設備に依存することになったが、その輸送力は十分なものではなかった。

三　正太沿線炭輸送ルート

正太線の輸送力　正太沿線の井陘・正豊・陽泉等の各炭鉱は、あわせて一五〇万トン以上（一九三六年、表7）の出炭量を有しており、大同炭鉱とならび日本が増産を期待した炭鉱であった。

しかし、ここで問題となったのが正太線の輸送力不足である（挿図10）。一メートルの狭軌で建設された正太線は、十分な貨物牽引力を発揮できず、他線への乗り入れも不可能であった。また、開戦後は戦線に近接しているため、軍事輸送が中心であった。その結果、正太線の貨物輸送力は事変前に比べて極端に減少しており、石炭輸送に関しては、軍事輸送の帰りの空車を利用し、月二万トン程度を輸送するに止まっていた[22]。

そのため、一九三九年に標準軌への改軌をおこなった後、引き続き全線の改築工事を実施し、四三年末までに石家荘―陽泉間における線路容量増大と路線短縮の工事を終えている。この結果、同区間の貨車牽引両数は二〇両となり、井陘炭五五〇万トン、陽泉炭三五〇万トンの輸送能力が期待された[23]。同蒲線（大同―風陵渡）についても、開戦時に建設中であった原平―大同間を完成させるとともに、太原―原平間を標準軌へ改軌している（挿図11）。

しかし、沿線の治安不良が正太線の輸送力を減退させていた。正太沿線は八路軍の支配地に近いため、抗日ゲリラによる襲撃を頻繁に受けていた（挿図12）。一九三八年一二月下旬の同鉄道における事故・襲撃数は全路線のうち最も多い一五件（主に電線切断）に達しており[24]、百団大戦においては同鉄道の線路破壊が集中的に展開された。

もう一つの問題が積出港への距離であった。正太沿線からは塘沽港に直行する輸送手段がないため、石家荘から京漢線に積み替え北京を経由し、京山線で塘沽に至るという迂回路をとらざるを得ず、井陘炭鉱からの輸送距離は四八七キロに及んでいた。

この対策としては、石家荘と津浦線の一地点を結ぶ横断線を建設することにより、塘沽との距離を縮め、あわせて京山線の輸送逼迫を緩和することが考えられた。しかし、ここでも新線の建設をめぐって紛糾が続いた。

横断線の建設をめぐって　横断線の計画については、清末より滄石線（滄州―石家荘）の建設計画が出され、その後も欧米諸国・日本さらに中国の各勢力を交えた運動が展開されてきた。同線を正太線と連結することにより、沿

図2　正太沿線炭輸送ルート（●は炭鉱、矢印・実線は鉄道（点線は計画線）矢印の向きは石炭輸送方向を示す）

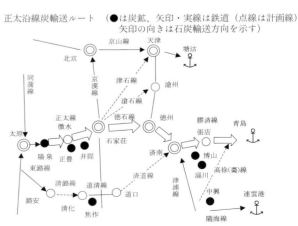

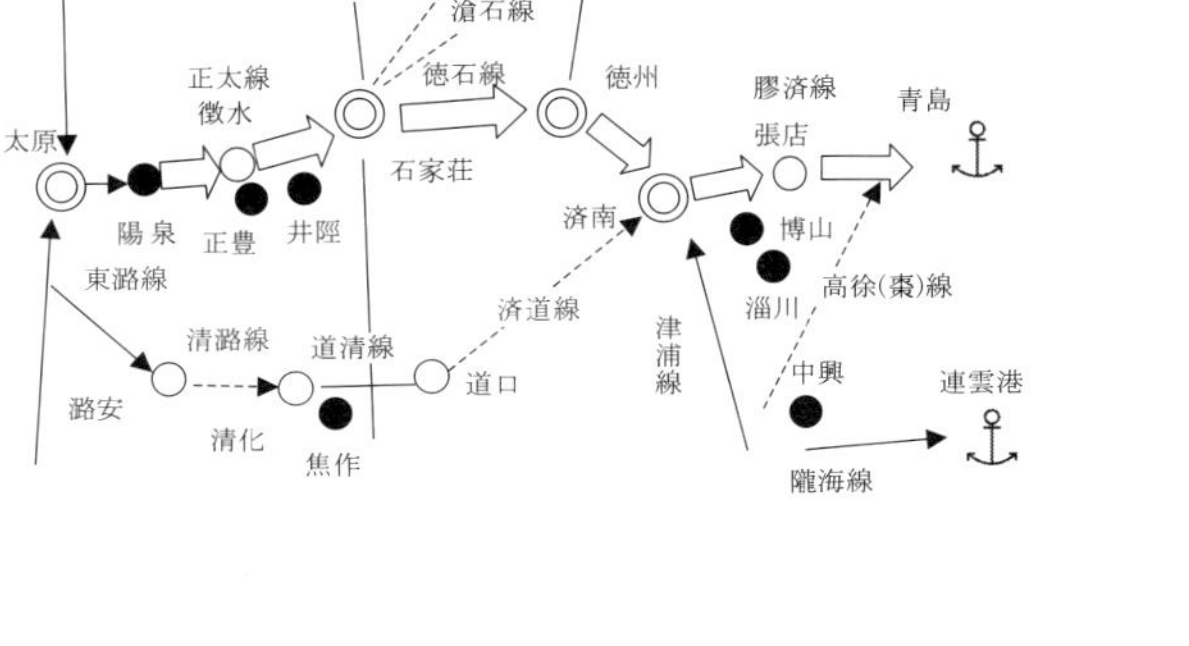

挿図9　京包線の線路改良工事（石佛隧道附近、一九四〇年七月）[原板番号三一五六四]

岸から山西省に至る東西横断幹線が形成され、山西省の資源を搬出することも容易となる。こうした意義を有する路線だけに、各勢力が相互に牽制するなかで、敷設に至らず懸案路線とされてきた。

計画がにわかに具体化するのは、一九三〇年代半ばのことである。日本（支那駐屯軍）が、華北経済進出の一環として、滄石線に代わる津石線（天津―石家荘）を現地（冀察政権）との合弁事業として計画したのである。[25]この計画は中央（国民政府）の反発により実現に至っていないが、事変後も日本（軍特務部）は津石線の速やかな建設を計画していた。[26]

しかし、一九三九年になると、津石線は滄石線へと変更され、四〇年四月の着工、四一年九月の竣工が予定された。津石線は天津西南部の低湿地を通過するため、建設費が嵩むのに対し、滄石線は路盤がすでに完成していた。総延長が津石線（二八八キロ）に比べて二四三キロと短いため、建設費も安価であった。また、滄石線は津浦線南方向（済南方面）への輸送にも便利であった。しかし、京漢・京山両線の輸送力に余裕のある間は、滄石線を建設する必要がないという、建設先送りを主張する意見も出されていた。[27]

その後、滄石線計画が進展しないまま、今後は徳石線が計画される。徳石線（石家荘―徳州）は津浦・平漢両線間を最短距離で結ぶ路線であり、実際に路線延長は滄石線よりも短い一八〇・七キロである。一九四〇年六月に工事が開始され、一一月に竣工し、翌年二月に営業を開始している。沿線が八路軍の根拠地であるため、工夫への襲撃をはじめ、建設参加村の農民が拉致されるなどの妨害を受けており、[28]建設に際し多くの犠牲者を出している（挿図13）。そのなかで、竣工を急いだ理由には治安工作上の必要もあった。

徳石線の意義　滄石線から徳石線へ変更された理由の第一は、路線が短いために工期が短縮され、建設費も安価で済むという戦時特有の事情である。[29]しかし、本質的な理由は、積出港を塘沽から青島に変更することにあった。徳石線への変更により、正太沿線炭を積み出す場合、天津へは迂回を強いられる反面、青島への到達距離は短縮されるからである。満鉄は、井陘・正豊炭の積出港として塘沽と青島を比べた結果、現有施設をそのまま使用できる青島港のほうが有利な点を指摘している。[30]大同炭の積出港が塘沽新港に決まったことにより、石炭積出を青島港に分散する必要があったことも一因であろう。さらに、青島は日本との海上距離が最も近い港であるから、輸送船舶の節約にもなる。

しかし、海上距離と反比例して陸上輸送距離が長くなることも明らかである。実際に、徳石線により青島に近距離でつながるとはいえ、石家荘からの距離（六七五キロ）は北京経由で塘沽に至る距離（四六〇キロ）、徳石線によ

挿図10　大行山脈を横切る石太線（娘子関、一九三九年一二月）［原板番号二五四三二］

挿図11　同蒲線の改軌工事（寧武、一九三九年四月）［原板番号一四八五九］

り済南経由で塘沽に至る距離（四三九キロ）に比べてはるかに長い。滄石線を建設した場合の塘沽までの距離（三九一キロ）に比べると、その差はもっと大きくなる。[31]輸送距離が増大すれば、それだけ燃料・水・貨車の手配といった負担も増えることになる。

青島を積出港とする路線計画は徳石線に止まらない。一つは、中興炭の輸送ルートとして計画された高棗線（高密―棗荘、三三〇キロ）（または高徐線）である。[32]もう一つは、日本が新たに敷設した東潞線（東観―潞安、一七四キロ）の終点（潞安）から清化に至る清潞線である。同路線は、清化から道清線を経て、戦前からの計画路線である済道線（済南―道口）とともに、焦作炭さらに山西省南部の資源の輸送路として新たな横断線を形成するものであり、[33]四一年から四二年にかけて実地測量がなされていた。[34]

徳石線が開通したうえ、こうした新線が敷設されるならば、輸送負担は膠済線、とりわけ張店―青島間に集中することになる。同区間の輸送能力は年間三一〇万トン（一九四〇年）とされるが、沿線炭鉱の出炭量二〇〇万トン（同年）に、徳石線から輸送される一八〇万トン（一九四五年度の推計値）[35]、さらに新線により中興炭・山西炭が加わるならば、膠済線の輸送逼迫は必至である。その対策として、張店―青島間の複線化が計画されてはいたが、実現には至らず、有効長を五五〇メートルに伸ばし、信号場五カ所を新設する増強策もまた、輸送能力を五〇〇万トンに増大させる以上の効果はなかった。[36]

以上のように、正太線沿線炭の搬出ルートにおいては、港湾に連結する新線が建設されたものの、この結果として、鉄道輸送距離はかえって伸びるとともに、他路線の輸送負担も増大させることになったといえる。

四　石炭輸送に及ぼした影響

列車回数　それでは、二つの輸送ルートにおいて、いかなる輸送力が形成されたのだろうか。この点を表2の牽引車数と線路容量（列車回数）からみると、各鉄道ともに戦時期を通じ輸送力を増大させていることがわかる。牽引車両数は戦前の二五両から三〇～三五両へと増加しており、線路容量も二〇回程度まで増大している。路線別では、低位にあった南口パスは有効長の延伸、正太線は標準軌化によりそれぞれ牽引車両数を増やしており、京山線は複線化に伴い線路容量を増大させている。

一方、ルートごとにみると、大同炭輸送ルートにおいて、京山線の輸送力が拡充されているのに対し、京包線では南口パスを除く区間での輸送力はそれほど高められておらず、正太沿線炭輸送ルートにおいても、列車回数はさ

挿図12　ゲリラの攻撃によると思われる貨車脱線事故（正太線）［原板番号九一八三］

挿図13　徳石線開通式（背後に慰霊碑がみえる）（貢家台、一九四〇年一一月）［原板番号三三一五八］

表2　各ルートの輸送力ならびに実際の列車回数（貨物・旅客・混合・軍事列車を含む）

路線（区間）	輸送力					実際の列車回数					
	牽引車数			列車回数		事変前	1938.6	1939.4	1940.9	1943.9	1944.11
	1937	1939	1944	1939	1944						
Ⅰ大同炭輸送ルート											
京包（大同－張家口）	25	30	12	12	17	6	7	9	7-8	16	15
（張家口－康荘）	25	30	16	16	20	9	9	10	9-11	19	18
（南口－康荘）	11	25	31	31	28	19	16	17		26	24
（北京－南口）	25	30	26	26	23	11	9	10		19	17
京山（北京－天津）	25	45	26	26	37	17	15	16	19-20	31	24
（天津－塘沽）		45	34	34	34	15	17	19	18-19	35	27
Ⅱ正太沿線炭輸送ルート											
正太（陽泉－徴水）	10	32	14	14	21	17	5	13	8-9	17	15
（徴水－石家荘）		32	24	24	21		5				18
徳石（石家荘－徳州）	---	40	---	---	10	---	---	---	---	4	4
津浦（徳州－済南）	25	40	16	16	22	8	6	5	6-7	20	17
膠済（済南－張店）		45	16	16	22	*	5	*	8-9	17	16
（張店－青島）		45	22	22	20	*	5	*		19	14-15

【注】＊は資料で空白となっている。--- は開通前を示す。
【出典】輸送力のうち1937年は華北交通『華北交通終戦記（華北交通の運営と将来）』（1945年）180頁、1939年は「北支交通ノ現勢竝其ノ拡充計画」（華北交通、1939年）74～75頁。1944年は「北支鉄道線路容量図」（華北交通、1944.11）、実際の列車回数のうち、1938.6は、北支方面軍司令部「北支鉄道整備要領ニ対スル質疑応答書」（1939.1.18）（C-38）、事変前、1939.4、1943.9は華北交通『華北交通終戦記（華北交通の運営と将来）』46～48頁、1940.9は『北支那方面軍戦時月報』（1940年9月）、1944.11は「北支鉄道線路容量図」（華北交通、1944.11）。

ほど伸びていない。当時、日本国内での線路容量は三〇回であるのに対し、華北では二四回が限度とされており(37)、複線化がなされない限り、この回数を超えることは困難であったとも考えられる。

次に、同表から実際の列車回数をみてみよう。大まかな趨勢としては、事変後に落ち込んだ回数がしだいに回復し、一九四三年にピークを迎えている。路線別では、京山・京包線は事変後の落ち込みが少ないのに対し、戦場に隣接した正太線の落ち込みは大きい。

そこで、今度は実際の列車回数を線路容量と比較してみよう。この場合、両者の数値が近接していれば、輸送力の限界に近い運行がなされており、両者の数値がかけ離れていれば、その路線本来の輸送力が発揮されていないといえる。

まず、大同炭輸送ルートの場合、京包線の実際の輸送回数は

挿図14　道清線の撤去工事（新郷、一九三八年一〇月）［原板番号五二八］

最大列車回数に近い値となっている。京山線についても、一九四三年までは高密度の輸送がなされている。新線の建設が進まないなかで、輸送力の限界に近い運行がなされていたといえる。

同様に、正太沿線炭輸送ルートに関しても、正太線の輸送回数が一九四三年に事変前の水準を回復し、線路容量に近づいている。標準軌化がなされたとはいえ、他線に比べ貧弱な輸送力の正太線において、輸送力ぎりぎりの運行がなされていたのである。他方、徳石線の輸送回数は四回にすぎず、同線の輸送力から大きく隔たっていることから、正太線で石家荘に運ばれた石炭の一部は、依然として京漢線を北上して北京方面に運ばれたと考えられる。他方、膠済線では、張店—青島間が四三年に輸送力の限界に達する運行をしており、沿線炭の青島向だけで輸送量の多くを占めていたことがわかる。

鉄道輸送量　各ルートの輸送量をみる場合、貨物輸送量の推移を路線ごとにみる必要がある。しかし、華北交通が編集する『華北交通統計月報』などの統計には、管見の限り、戦時期の品目別輸送量を路線ごとに示した統計は掲載されていない。そこで本項では、限られた統計数値をもとに、各ルートの輸送実態を概観しよう。

表3は華北交通の輸送実績の推移を示したものである。石炭発送量については、事変前の一二〇〇〜一三〇〇万トンから事変後の落ち込みを経て、一九四二年には一八〇〇トンを超えているが、四三年以降は減少に転じており、その減少分がそのまま貨物発送量の減少分となっている。また、貨物発送量に占める石炭の割合は、戦前から六割を占めており、ピーク年には六五パーセントを超えたものの、その後は比率を下げている。

次に、表4から輸送量を路線ごとにみてみよう。ちなみに、一九四一年度の営業キロは華北交通管轄下の営業路線に限定されており、津浦・京漢両線は華中の区間、隴海線は未占領区間が統計に含まれないため、正確な比較はできないが、他路線は支線建設などの若干の増減があるほかは、戦前（一九三五年度）と営業キロがだいたい同じである。

この点をふまえ、距離当たりの輸送量（C・F）をみると、港湾に接続する京山・膠済線が高い数値を示しており、とりわけ京山線は戦前と比べた増加率（G）も高い。一方、大同炭を運ぶ京包線、中興炭を運ぶ隴海線の伸びは大きいが、新設の徳石線を含め輸送量自体は多くない。さらに運炭線の正太線の場合、輸送量の伸びも低い。つまり、石炭輸送量がピークに近づく一九四一年において、開灤炭を輸送する京山線を除けば、山元からの路線に輸送量の大幅な増加はみられない。

次に、ピーク年と戦時末期（一九四四年一二月）の貨物通過量の変化を示した表5をみると、大半の区間におい

表3　華北交通の貨物発送量（単位：1000トン、％）

年度	A 貨物発送量	B（うち石炭）	B／A
1934	20,483	12,795	62.5
1935	20,837	13,289	63.8
1938	13,953	7,601	54.5
1939	17,462	10,747	61.5
1940	22,567	13,826	61.3
1941	25,935	17,042	65.7
1942	28,067	18,377	65.5
1943	26,412	15,786	59.8
1944	20,573	11,561	56.2

【出典】華北交通（引継文書）『華北交通終戦記（華北交通の運営と将来）』（1945年）193頁。

て通過量が大きく減退している。とりわけ、大同炭輸送ルートにおける減退は著しく、輸送密度の高い豊台（北京近郊）→天津では通過量が半減している。他方、同じ京山線でも秦皇島→山海関の通過量は伸びており、京漢線・津浦線の落ち込みはさほど大きくない。このことは、戦時末期の鉄道輸送ルートに何らかの変化が生じたことを物語っている。その点をさらに検討するため、港湾からの輸移出量をみてみよう。

表4　路線別貨物輸送量　（単位：A・C・D・Fは1,000キロトン、B・Eはkm）

路線	1935年度（同年7月～翌年6月）			1941年度（同年4月～翌年3月）			
	A　輸送量	B 営業キロ	C　A/C	D　輸送量	E 営業キロ	F　D/E	G　F/C
京山	832,471	448.0	1,858.2	2,388,045	433.2	5,512.6	2.97
京漢	1,423,013	1,328.2	1,071.4	1,293,256	936.7	1,380.7	1.29
津浦	1,238,680	1,177.1	1,052.3	1,885,340	1,009.1	1,863.3	1.78
京包	447,251	873.9	511.8	1,026,631	919.3	1,116.8	2.18
膠済	801,543	452.7	1,770.6	1,548,270	448.7	3,450.6	1.95
徳石	---	---	---	128,410	180.7	710.6	
正太	250,850	261.2	960.4	397,675	269.4	1,476.2	1.54
同蒲	---	---	---	392,091	1,134.3	346.7	
道清	96,125	165.7	580.1	26,790	80.4	333.2	0.57
隴海	470,942	1,233.3	381.9	436,156	503.0	867.1	2.27

【出典】1935年度は満鉄調査部『支那交通統計集成　鉄道編』（1938年）198頁、1941年度は華北交通株式会社『華北交通統計月報』5巻9号（1943.1）18、46～49頁。

港湾からの積出量　表6は華北からの石炭輸移出量を示したものである。輸移出量も一九四二年がピークであり、同年の石炭発送量（一八三八万トン）の半分以上が輸移出向であった。海陸送別にみると、当初は圧倒的に海送が多いものの、四一年より山海関経由、四二年より徐州経由の陸送量が急増し、四三年には陸送量が海送量を凌駕している。

次に、海送の内訳をみると、当初から対日輸出量が三分の二以上を占めており、その割合は年とともに高まっている。港別にみると、初期に高い割合を示していた秦皇島が、四一年以降は五割を切っているのに対し、連雲港は著しい伸びを示しており、青島も四一年までは増加している。塘沽も伸びているが、量的には低位に止まっている。

また、炭鉱別の輸移出量では、秦皇島からの輸移出の大半を開灤炭、連雲港からの全量を中興炭が占める構造は一貫している。なお、塘沽には奥地の大同炭・陽泉炭が運ばれているが、対日供給が期待された大同炭はピーク時でも二二万トン程度の対日輸出量にとどまっている。また、徳石線の開通する四一年以降、井陘炭が青島に運ばれているが、その量は限られており、その後も一定量が塘沽に運ばれている。そのため、青島に運ばれる石炭は、膠済沿線炭か中興炭が多くを占めている。

表5　区間別貨物通過量（1日平均値）　（単位：トン）

区間（路線）	1942年度	1944.12	区間（路線）	1942年度	1944.12
A 大同炭輸送ルート			B 正太沿線炭輸送ルート		
張家口方面→西直門（京包）	6,755	3,455	太原方面→石家荘（正太）	7,285	4,225
西直門→豊台（京包）	7,955	4,488	石家荘→徳州（徳石）	1,307	392
豊台→天津（京山）	11,104	5,463	張店→坊子（膠済）	7,944	5,521
天津→塘沽（京山）	9,067	6,982	坊子→青島（膠済）	7,740	4,721
（比較）			（比較）		
石家荘→豊台（京漢）	4,488	4,690	兗州→済南（津浦）	5,352	4,897
秦皇島→山海関（京山）	5,463	12,613	徳州→天津（津浦）	4,682	3,774

【出典】華北交通運輸局「華北主要線区通過量一日平均調」（1945.2.15）（『北支鉄道設備概況』D-4）

表6　石炭輸移出量における炭鉱別内訳（カッコは対日輸出量）　（単位：1,000トン）

	経由地	炭鉱別	1939	1940	1941	1942	1943
陸送	山海関		91 (---)	297 (---)	1,702 (---)	2,110 (---)	2,762 (37)
	徐州		293 (112)	540 (273)	696 (387)	1,888 (246)	1,557 (---)
	小計		384 (112)	837 (273)	2,398 (387)	3,998 (246)	4,319 (37)
海送	秦皇島	計	3,484 (2,213)	3,639 (2,517)	2,974 (2,306)	2,656 (2,486)	1,703 (1426)
		うち開灤	3,401 (2,138)	3,458 (2,390)	2,903 (2,279)	2,648 (2,478)	1,703 (1426)
	塘沽	計	196 (196)	375 (339)	465 (321)	539 (448)	532 (451)
		うち大同	60 (60)	181 (145)	247 (166)	301 (227)	113 (34)
		井陘	136 (136)	102 (102)	10 (---)	11 (11)	81 (81)
		陽泉	--- (---)	92 (92)	135 (135)	227 (210)	306 (304)
	青島	計	1,142 (806)	1,360 (856)	1,616 (855)	1,088 (910)	626 (583)
		うち山東	611 (275)	1,013 (509)	1,079 (321)	438 (260)	149 (132)
		中興	531 (531)	347 (347)	305 (302)	455 (455)	408 (391)
		井陘	--- (---)	--- (---)	232 (232)	195 (195)	47 (39)
	連雲港	計	46 (46)	503 (353)	1,210 (938)	1,309 (989)	916 (807)
		うち中興	46 (46)	503 (353)	1,210 (938)	1,309 (989)	916 (807)
	小計		4,868 (3,261)	5,877 (4,065)	6,265 (4,420)	5,592 (4,833)	3,777 (3,267)
合計			5,252 (3,373)	6,714 (4,338)	8,663 (4,807)	9,590 (5,079)	8,096 (3,304)

【注1】山東炭は博山などの膠済沿線の炭鉱を示す。【注2】徐州経由の対日輸出港は浦口港である。
【出典】華北交通運輸局「北支鉄道設備概況」（D- 4）付表をもとに作成。

一方、陸送については、山海関経由の大半は満洲向け、徐州経由の大半は華中向けである。陸送量の増大の背景には、満洲での石炭需要増、さらに船腹不足による「陸送転嫁」の方針があるが、表にはない四四年以降は、大陸打通作戦の展開により、華中方面から満洲・朝鮮を経由して日本（内地）に至る物資輸送に華北の鉄道が動員され、陸送のウェイトはさらに高まったと予想される。

こうした陸送への転換により、華中に至る縦貫線の津浦線・平漢線、および満洲につながる京山線の三線に輸送が集中したとされる。そのため、華北交通はこれらの三線を一級線と区分して不足気味の鉄道資材や防空施設を優先的に配備する一方、その分だけ二級線・三級線の輸送力を犠牲にすることもやむを得ないとしていた(38)。

また、陸送への転換により貨車走行キロが増加した分、貨車運用効率は低下し、このことが輸送量の減少につながっていた。現地からの視察報告によれば、四三年度の輸送量低下の原因として、「匪族」の襲撃などの治安悪化、枕木・鋼材不足による運転事故の増加に加え、こうした貨車運用効率の低下をあげている(39)。

出炭量　最後に、鉄道輸送力と石炭生産との関連をみていこう。各炭鉱の出炭量の推移を示した表7によれば、第一に、河北の開灤炭鉱が当初より圧倒的なウェイトを維持している点、第二に、膠済沿線炭鉱および同省の中興炭鉱が開灤炭鉱に次ぐ出炭量を有しており、奥地に位置する陽泉炭鉱、大同炭鉱も出炭量を伸ばしている点、第三に、そのなかで、正太沿線の井陘・正豊炭鉱の出炭量は停滞的である点、が明らかである。井陘炭鉱の出炭量が事変直後に加え四〇年にも減少している要因として、同時期に活発化した八路軍による炭鉱襲撃が考えられよう。しかし、同年に井陘炭鉱では車両不足により出炭制限をしており、[40] 陽泉炭鉱でも過重貯炭により自然発火を起こしていることからみて、[41] 輸送力不足が出炭減の要因でもあったと考えられる。実際に、四〇年度の出炭は中興炭鉱を除き成績不良であり、その理由として資材・労働者・電力の不足および「匪害」とともに、奥地炭鉱における輸送力不足が報告されていた。[42]

次に、上述の出炭量を表6の輸移出量と照らし合わせてみると、開灤炭・中興炭は出炭量の四～六割を港湾からの輸移出にあてていることがわかる。さらに、開灤炭は山海関経由の陸送分、中興炭は徐州経由の陸送分が一定量あることに鑑みるならば、[43] この比率はさらに高まるだろう。一方、当初は多くを輸移出に向けていた膠済沿線炭は、陸送の比重が高まるなかで、その割合を減らしている。さらに、奥地の大同炭、陽泉炭の輸移出量は出炭量と大きくかけ離れている。また、こうした実績値を年度当初の計画値と比較した場合、四〇年度の開灤炭の対日輸出量は計画値の二四〇万トンに対し二三六万トン、中興炭は計画値の九七万トンに対し一〇〇万トンであるのに対し、大同炭は計画値の二三万に対し一〇万トン[44]（表6では一四万五〇〇〇トン）であった。大同炭の場合、輸送が逼迫するなかで、増産分の多くは地場消費に回されていたと推測される。

さらに、戦時末期になると、山元・港湾での貯炭量が増大していくが、表7・8をみる限り、奥地の炭鉱のほうが、出炭量に対し山元貯炭量が相対的に多いことがわかる。山元貯炭の増加を鉄道輸送力の不足によるものとみるならば、輸送力不足がとりわけ奥地炭鉱の増産と搬出を妨げていたと考えられる。

おわりに

一九三〇年代の日本では、重工業化の進展に伴い工業原料の需要が激増しており、そのうち石炭の多くは開灤炭鉱から輸入していた。しかし、日中戦争開始以後、急増する石炭需要に対応するため、新たな供給地が必要とされた。その供給地とは、膨大な埋蔵を有する山西省や蒙疆といった華北の内陸地域であった。

問題は、こうした地域から沿岸への輸送ルートにあった。元来、華北の鉄道路線は華中につながる縦貫線が早期

表7　主要炭鉱別出炭量の推移（1936～1943年、1944年は計画値）　（単位：1000トン）

炭鉱（省）	1936	1937	1938	1939	1940	1941	1942	1943	1944
開灤（河北）	4,735	4,402	5,167	6,528	6,492	6,643	6,659	6,378	7,000
正豊（河北）	432	272	101	452	693	744	305	413	450
井陘（河北）	880	720	306	684	371	622	958	855	1,000
博山（山東）	1,716	970	253	963	968	1,813	2,116	1630	2,495
淄川（山東）	755	400	69	564	911	1,362	1,559	1,322*	1,850*
中興（山東）	1,801	1,360	446	1,474	1,934	2,401	2,471	2,240	2,800
陽泉（山西）	350	200	110	401	564	854	1,023	1,008	1,400
大同（蒙疆）	542	523	939	958	1,334	2,223	2,517	2,255	3,300
その他共計	18,021	13,200	10,169	14,802	18,228	23,708	24,872	22,126	29,750

【出典】華北交通「北支蒙疆石炭調査統計及図表」（1944.5）（『北支蒙疆石炭関係資料』120）
＊南定を含む。

から建設された反面、横断線は貧弱な輸送力しか有しない短距離路線が中心であった。そのため、戦時下に設立された華北交通の課題のひとつが、奥地の炭鉱から沿岸に至る輸送ルートの確立、すなわち新線の建設、港湾の整備、さらに既設路線における輸送力の拡充であった。

しかし、こうした輸送ルートは、結局のところ確立するには至らなかった。新線計画はいくつかの短距離路線を除けば、多くが完成に至っていない。山元からの既設路線についても、輸送力の拡充がなされたとは言い難い。そのため、輸送量がピークに達する一九四二〜四三年頃には、輸送能力の限界に達する運行がなされていたが、それでも当初予定された輸送量が実現されたわけではなかった。さらに、海上船舶が逼迫する戦時末期には、陸送転嫁の方針がとられるなかで、華中および満洲国と連結する縦貫線に再び物資が集中する一方、港湾に至るルートの輸送量はしだいに減退していった。

こうした状況は、石炭輸送量および生産量の内訳にも多大な影響を与えていた。港湾から積出される多くは沿岸近くの炭鉱から運ばれており、奥地炭のウェイトは低かった。また、奥地炭鉱の出炭量は一部を除き停滞的であった。戦時期の対日供給が計画通りに進まなかった背景にはこうした要因があったといえる。

従来の研究では、戦時期の資材不足、労働力不足、さらには空襲や治安悪化による設備破壊などを輸送力減退の要因としてきた。こうした要因は事実である。しかし、仮にそうした問題が緩和されたとしても、戦時輸送力は確立し得なかったであろう。華中との物流が中心であった華北経済を日本との物流が中心の経済へ変えるには、港湾につながる輸送ルートが必要となる。華北交通は国策会社として戦時輸送力の拡充につながる施策をおこなったとはいえ、こうした輸送ルートを構築するには至らなかった。この点こそが日本の戦時期占領地区支配の限界というべきものであった。

参考文献

高橋泰隆『日本植民地鉄道史論』日本経済評論社、一九九五年
中村隆英『戦時日本の華北経済支配』山川出版社、一九八三年
華交互助会編『華北交通株式会社社史』一九八四年
興亜院華北連絡部『華北交通株式会社創立史』一九四一年、復刻版・本の友社、全三分冊、一九九五年
華北交通外史刊行会『華北交通外史』一九八八年

註

(1) 代表的な研究として、高橋泰隆『日本植民地鉄道史論』(日本経済評論社、一九九五年)第六章第三節(初出は「日本帝国主義

表8　主要炭鉱別貯炭量(1944年8月31日現在)　(単位:トン)

炭鉱(省)	山元	港湾	地場	合計
開灤(河北)	359,788	---	27,799	387,587
正豊(河北)	28,228	3,352	11,519	43,099
井陘(河北)	34,832	12,316	7,544	54,692
山東(山東)	---	---	250	250
中興(山東)	84,613	123,404	302	208,319
陽泉(山西)	213,091	16,893	36,071	266,055
焦作(河南)	319,083	511	8,098	327,692*
大同(蒙疆)	222,096	5,700	3,709	231,505
磁県(河北)	253,294	790	10,571	264,655
その他共計	1,813,891	163,869	134,815	2,112,575

【出典】「貯炭一覧表」(華北交通『昭和19・20年度輸送計画関係資料』B-9)
＊原表では327,181となっている。

による中国交通支配の展開」浅田喬二編『日本帝国主義下の中国――中国占領地経済の研究』楽游書房、一九八一年）、林采成「日中戦争下の華北交通の設立と戦時輸送の展開」（『歴史と経済』第一九三号、二〇〇六年一〇月）がある。高橋は、華北交通の恒常的な輸送力不足が石炭増産を制約した点を指摘しているが（五一二頁）、その実証は十分になされていない。林の論稿は、華北交通の鉄道運営を詳細に論じた研究であるが、資源調達との関連性の視点は希薄である。

（2）北支那方面軍司令部「北支鉄道整備要領ニ対スル質疑応答集」（一九三九・一）（C-38）。しかし、一九三八年末の車両数は事変前の六三パーセントにとどまっていた。

（3）「北支ニ於ケル輸送状況ト滞貨ニ就テ（閣議説明資料案）」（C-38）。

（4）その他に、山東省の龍口・芝罘（煙台）・威海衛の各港があるが、取扱量は少ない。なお、華北の物資は浦口（南京対岸）からも搬出された。

（5）満鉄天津事務所調査課『北支那港湾事情』（一九三六年）一五頁。

（6）華北交通水運部「北支港湾ノ概況並ニ之カ将来ノ計画」（一九三九・八）（C-17）。

（7）侯徳封編『第五次中国鉱業紀要』（実業部地質調査所他、一九三五年）一～三頁。

（8）満鉄調査部北支経済調査室『大同炭増産ニ対スル京綏鉄道（特ニ南口パス）増強対策』（一九三八年）五三頁。

（9）前掲「北支鉄道整備要領ニ対スル質疑応答集」。

（10）「北支港湾計画ニ関スル説明書（北支那交通株式会社設立準備研究資料）」（一九三八・一一）（B-18）。

（11）「新港ヲ塘沽附近ト想定セル理由（同上資料）」（一九三八・九）（B-18）。

（12）華交互助会編『華北交通株式会社社史』（一九八四年）四八一～四八四頁。

（13）「大清河及塘沽ノ技術上ノ比較」（第二整備分科委員会）（一九三八・八）（B-18）。

（14）前掲「新港ヲ塘沽付近ト想定セル理由」。

（15）岩崎小鹿（運輸部貨物係）「大同運炭南北両線収支比較」（一九三九・一二）（C-22）。

（16）華北交通資業局交通課「第一次北支鉄道新設及主要改良計画要綱（自昭和一四年至同一七年）案ニ対スル検討」（一九三九・九）（C-34）。

（17）華北交通工務部改良課「京包線沙城－大同輸送能力増加ニ就テ」（C-13）。

（18）陸軍省「北支交通整備要領説明書」（一九三八・一一）（C-19）。

（19）華北交通工務部改良課「京山線輸送能力調査書」（一九四〇・七）（C-13）。

（20）「北支蒙疆鉄道網構成ニ関スル調査研究（第一輯）」（一九四一・二）（C-35）。

（21）安部嘱託「華北鉄道ノ概況」（一九四四・一一）（C-25）。

（22）前掲「北支ニ於ケル輸送状況ト滞貨ニ就テ（閣議説明資料案）」。

（23）前掲「北支交通整備要領説明書」。

（24）満鉄北支事務局「北支鉄道状況」（一九三八・一二）（C-38）。

（25）この点については、萩原充『中国の経済建設と日中関係――対日抗戦への序曲　一九二七～一九三七年』（ミネルヴァ書房、二〇〇〇年）第八章を参照。

（26）中村隆英『戦時日本の華北経済支配』（山川出版社、一九八三年）一四五頁。

（27）前掲「第一次北支鉄道新設及主要改良計画綱要（自昭和一四年至同一七年）案ニ対スル検討」。

（28）満鉄北支経済調査所『石徳線ノ特質ニ関スル調査報告』（一九四一・九）一四四頁。

（29）予想建設費は、滄石線が三八七四万円に対し、徳石線は二二六二万円である（同前書、九頁）。

（30）同前書、七頁。

(31) そのため、済南を経由せず、徳石線をそのまま膠済線の張店（または周村）に延長し、距離を七二キロ短縮する案が当初から出されていた（「徳州－石家荘間新設予定鉄道調査報告書」支那駐屯軍司令部乙嘱託版鉄道班『北支予定鉄道調査報告（経済篇其ノ一）』一九三七年、二二八頁）。
(32) 華北交通建設局「膠済線ノ輸送能力　附高密－東大平間新線路ニ関シテ」（一九四一・一一）（C-5）。
(33) 道清線東部線（新郷－道口）のレールは一九三八年一一月に撤去された（挿図14）。その理由は、新開線（新郷－開封）の建設に資材をあてるためとも、中国側敗残兵が撤去・運搬することに対し、先手を打つためともいわれている（安達與助『事変前後ニ於ケル北支鉄道』東亜研究所、一九三九・六、一五頁）。済道線などの膠済鉄道延長線計画については、瀧下彩子「日本の山東鉄道延長構想――踏査報告に見る予定線の推移」（本庄比佐子編『日本の青島占領と山東の社会経済　一九一四－二二年』財団法人東洋文庫、二〇〇六年）がある。
(34) 華北交通（引継文書）『華北交通終戦記（華北交通ノ運営ト将来）』（一九四五・一〇）二二四頁。
(35) 前掲『石徳線ノ特質ニ関スル調査報告』二四頁。
(36) 華北交通工務部改良課「膠済線輸送能力調査書」（一九四〇・六）（C-13）。
(37) 工務部改良課「北支ニ於ケル貨物列車組成駅ニ就テ」（C-13）。
(38) 華北交通「輸送ノ現況ト輸送力確保対策」（年月不明）（C-29）。
(39) 石田参事官「北支鉄道輸送視察報告（其の二）」（一九四四・五）（C-25）。
(40) 北京鉄道局総務処調査課「京漢沿線炭鉱ノ開発ト交通トノ関連ニ関スル調査」（一九四一・七）（D-11）。
(41) 東亜研究所編『支那占領地経済の発展』（一九四四年）三三一頁。
(42) 華北交通東京支社業務課「昭和一五年度北支炭輸移出計画実績比較表」（一九四二・一）（B-17）。
(43) 一九四一年上半期の統計によれば、陸送分（七三万トン）の上位三炭は、開灤炭（一八万トン）、山東炭（一七万トン）、中興炭（一三万トン）となっている（同「昭和一六年度上半期対日輸出北支炭ノ実績ニ就テ」一九四二・二（B-17））。
(44) 華北交通東京支社総務課「昭和一五年度送炭計画実績比較」（一九四二・二）（B-17）。

第四章　占領地の鉱業と華北交通

富澤芳亜

〈写真1〉大同炭鉱の大露頭［原板番号三〇二九六］

〈写真2〉門頭溝の鉱夫（一九三八年五月撮影）［原板番号二〇六八］

〈写真3〉磁県大安坑（一九四一年一〇月撮影）［原板番号四〇八〇八］

〈写真4〉大同炭鉱鉱夫の穴居［原板番号二〇六〇三］

占領地の鉱業と華北交通

富澤芳亜

はじめに

本章では、華北交通の遺した写真を通して、占領地の鉱業と同社の関係と、同社が写真により伝えようとしたもの、そして写さなかった、写せなかったものを考える。

華北交通の親会社である北支那開発株式会社（以下、北支開発と略）は、華北の資源に関する啓蒙書として『北支那資源読本』シリーズを刊行し、その一冊に『石炭』がある。同書では、「北支は良質な石炭を豊富に埋蔵して居りながら採炭技術力極めて幼稚」とし、例外的に中英合弁炭鉱は優れた技術を持つが「我が採炭技術に比較すれば三四十年も旧式なもの」とする。他の中国法人諸炭鉱については「原始的な採炭状況」と断じて、「日本の優秀な技術を必要とする理由は実に此処にある」ともする[1]（傍線は筆者による）。

傍線部は、写真を読み解く際のキーワードでもある。まず扉写真1は、雑誌『北支』一九三九年一一月号にも用いられた大同炭鉱の大露頭であり、「良質な石炭を豊富に埋蔵」することを視覚に十二分に訴える写真である。しかし華北の炭鉱を統轄する立場にあった草場義夫興中公司炭業部長が「支那でも石炭はそんなに面を曝しては居りません。石炭の上層は風化し易い岩石でして、大概の場所は黄土が被って居ります」と述べていることからすれば、被写体が例外的な場所であることを理解できよう[2]。扉写真2は、一九三八年五月に中英合弁門頭溝炭鉱で撮影された少年後山（切羽から石炭を搬出する鉱夫）である。中英合弁でも、機械化の不充分な「旧式な」炭鉱との印象を与えられよう。そして扉写真3は、一九四一年一〇月に磁県炭鉱で撮影された竪坑から石炭を巻き上げる作業であり、扉写真4は大同炭鉱で撮影された鉱夫の穴居住宅である。いずれも「原始的な」中国法人炭鉱を印象づけるに充分である。

先の『石炭』では、こうした華北の諸炭鉱を「日本の優秀な技術的援助」により①機械化、②採炭方法の改善、③労働能率の向上を進めて増産を実現するとしている。表1のように占領期の出炭のピークである一九四二年には、戦前の三六年に比べ一・六倍の増産を実現した。しかし、その前提だった①〜③を撮影した写真はほとんど見当た

表1　華北主要炭鉱の出炭量（1935～45年）

単位：1000トン

			炭鉱	1935年	1936年	1937年	1938年	1939年	1940年	1941年	1942年	1943年	1944年	1945年
北寧線			開灤	4,169.9	4,044.7	4,787.8	5,400.0	6,488.0	6,498.0	6,658.0	6,655.0	6,420.0	5,640.0	2,394.9
			長城					19.7	97.9	246.9	167.8	90.0	80.0	
			柳江				179.3	256.2	243.4	290.0	240.0	70.0		
京漢線			門頭溝		1,250.0		800.0	299.0	1,559.0	2,030.0	1,399.0	1,080.0	1,140.0	
			坨里				10.6	92.5	172.9	193.7	153.3			
			六河溝	554.9	598.1	298.6	253.4	340.5	349.7	343.4	523.7	310.0	240.0	
			磁県	562.9	695.6	346.3[1)]		44.7	162.6	220.5	357.3	500.0	430.0	
			焦作	1,230.1	1,309.6	1,098.6		163.4	721.2	1,212.2	1,364.5	650.0	430.9	
膠済線			坊子（山子）		26.9	4.0	20.0	55.5	73.7	111.8	105.7	27.0	278.0	210.0
	淄川		魯大公司（山子）	429.1	657.9	465.2	90.3	552.0	912.0	1,325.4	1,424.9	1,325.5	1,324.0	381.6
			大倉組南定鉱区	72.9	91.6	39.4			18.4	140.4	103.2	20.7	閉鎖	閉鎖
	博山		黒山（山子）	189.3	201.5	201.0		33.7	158.9	212.8	249.7	256.6	253.6	71.2
			東大（山合）						16.5	31.9	27.4	277.5[4)]	256.1[4)]	64.7[4)]
			博大（山合）				3.0	23.8	25.6	60.6	74.2			
			福大（山合）	133.2	146.6	136.8	36.0	9.0	39.4	51.3	56.0			
		黒山	大成	59.0	61.0	55.2		6.9	20.8	126.1	136.6	116.0	107.6	57.9
			東方	63.0	69.5	67.0	5.0	17.5	18.4	77.2	107.2	87.6	93.6	39.3
			吉成	14.5	15.0	9.0				83.9	82.4	62.8	76.0	28.1
			義泰	38.7	41.5	35.4		7.5	59.5	71.4	75.7	46.3	52.5	25.9
			復豊興		51.0	51.0			8.0	85.0	91.5	66.8	62.8	21.0
			魯興	23.4	21.0	54.0		16.0	10.5	64.8	74.1	41.6	36.0	13.7
			済豊	4.7	4.5	4.1		9.2	2.3	15.9	10.9			
			永和	54.0	54.0	60.0			2.4	42.0	67.8	37.0	20.0	13.8
			隆昌	29.0	29.0	27.9			5.4	23.7	43.9	37.8	41.9	15.7
		西河	悦昇（山合）	337.8	411.9	275.4	95.0	356.0	405.1	520.0	584.1	575.8	599.1	41.8
			利大（山合）	74.4	99.0	62.9		8.6	78.0	78.2	119.0			
			興大（山合）		66.4	108.0	操業停止	操業停止	操業停止	106.6	35.9			
		博山	華東	30.0	30.0	56.5	8.8	53.3	59.7	74.2	96.3	78.5	77.4	37.1
			振業	19.0	15.0	31.5	8.5	65.0	77.6	71.1	118.5	75.9	70.9	27.2
			宝業					5.7	13.4	13.8	9.9	7.8	29.2	16.5
			益成	11.3	15.0	15.0		5.2	6.5	14.7	14.9			
			恒通	90.0	105.0	150.0		6.9	13.0	4.0	5.4	17.8	45.0	15.7
			同興	59.6	70.5	36.1			7.2	22.7	44.6	31.0	47.0	27.6
			その他小鉱合計	20.7	57.5	84.2		376.0	206.8	348.9	252.6			
	章邱		旭華（山子）	45.0	70.0	65.0		9.3	127.1	154.2	121.0			
			官荘（山合）				41.9	72.5	121.4	101.6	30.0			
津浦線			中興	1,303.6	1,735.6	1,714.4	446.0	1,473.6	1,939.8	2,399.7	2,470.5	2,225.0	1,930.0	1,929.1
			華豊	90.9	100.3	39.1	37.8	29.4	58.2	166.2	275.4	103.6[5)]		
			華宝（赤柴）	15.9	19.6	24.6	18.3	21.9	44.5	143.2	216.6	55.2[5)]		
			柳泉	295.7	347.2	266.1	44.4	276.3	358.4	488.0	458.8	364.9	387.2	214.5
正太線			井陘	782.4	882.2	721.8	354.3	683.6	376.3	621.3	958.3	855.2	891.7	810.0
			正豊	353.3	431.9	272.0[1)]	106.8[2)]	451.9	693.3	745.5	304.8[3)]	429.6	520.5	400.0
			陽泉	423.5	400.0	0.3	109.8	406.3	555.9	757.0	991.8	1,010.0	730.0	
			寿陽	26.7	34.4	35.2	26.4	34.5	10.2	50.0	126.4	15.0	12.0	
			太原西山	30.0	120.0	150.0	107.0	200.0	200.0	330.0	300.0	310.0	320.0	
同浦・京包			冨家灘				6.2	43.4	88.2	206.3	214.9	220.0	200.0	
			大同	438.0	541.7	523.4	913.6	952.5	1,336.9	2,213.9	2,517.4	2,272.3	2,260.0	84.4
			軒崗鎮					32.3	69.0	129.2	50.0	40.0	40.0	
			大青山						60.7	126.8	220.0	190.0	160.0	
				12,076.4	14,922.3	12,372.8	9,122.5	13,999.2	18,083.9	23,606.2	24,128.7	20,400.8	18,882.9	6,941.9

【注】（山子）は山東鉱業の子会社、（山合）は山東鉱業の合弁会社を指す。1）は1～6月、2）は5～12月、3）は1～5月の期間の出炭量。4）は東大、博大、福大、利大、興大の五鉱の合計。5）は1～3月の期間の出炭量。

【出典】白家駒編『第七次中国鉱業紀要』経済部中央地質調査所・国立北平研究員地質学研究所、1945年。同書編写組『中国近代煤鉱史』煤炭工業出版社、1990年、巻末附表。淄博鉱務局・山東大学編『淄博煤鉱史』山東人民出版社、290、291頁。大倉財閥研究会編『大倉財閥の研究』近藤出版社、1982年、210頁

らない。それは写さなかったのか、あるいは写せなかったのか、本章の課題はそこにある。

華北占領地の鉱業に関して、これまで優れた実証研究が蓄積されてきた。まず日本帝国主義史の視角からの、鈴木茂や君島和彦による鉱業の研究、中村隆英による華北占領地経済支配の全体像の詳細な研究がある。近年では陳慈玉による日本占領下の炭鉱業全般の研究、柴田善雅による日系企業の全般の研究がある。また井陘炭鉱に関する畠中茂朗、開灤炭鉱に関する吉井文美のような戦時期の個別炭鉱の研究も進展している。そして鉱業と密接な関係のある現地製鉄に関しては白木沢旭児、華北交通の戦時輸送の実態に関しては林采成の研究がある。[3] 本章はこうした研究を踏まえつつ、上記の課題を明らかにするものである。

一　日本と華北交通にとっての華北炭

まず華北交通と鉱業との関係を表2と地図から確認する。日中戦争以前の一九三四、五年において、華北の鉄道輸送量の約六割強を占める石炭を筆頭に、約七割を鉱産品が占めていた。華北交通の設立以降には、軍需輸送の増大や、新たな項目として「軍需品」、「社用品」の設置により、石炭を含む鉱産品の比率は低下した。しかし石炭は常に営業品の首位にあり、輸送量の約四～五割強を占め続けた。華北交通は一九四〇年の「北支蒙古鉄道輸送力増強五カ年計画案」などにより、地図のように各炭鉱への支線、軽便線の改軌などを進め、炭鉱開発に即応する輸送システムを構築しようとした。こうして石炭輸送量は三九年に戦前の水準を回復し、四一年には二〇〇〇万トンをも突破した。[4] 華北の鉄道は、このように「運鉱・運炭鉄道」としての性格を強く帯びていた。

その一方で炭鉱経営も鉄道と不可分の関係にあった。先の草場義夫炭業部長は、石炭価格の大半は運賃であり、「石炭を買っているのではない、運賃を買っている」と述べている。[5] すなわち炭鉱経営とは、消費地までの距離や交通手段に大きく左右されるのである。地図や表3のように華北炭の中でも、開灤炭鉱などの北寧線沿線諸炭鉱は、秦皇島まで一〇〇キロメートル程度と交通条件に恵まれていた。この秦皇島は年間四五〇万トンの石炭積出能力を有したが、元来、開灤炭鉱専属の積出港として一八九八年に築造された港だった。[6] しかし他の華北の炭鉱、例えば正太線沿線炭鉱は積出港の塘沽まで五〇〇キロメートル以上、膠済線沿線炭鉱は積出港の青島まで三〇〇キロメートル以上、津浦線沿線炭鉱は諸積出港まで二三〇～六七〇キロメートルも離れていた。そのため日中戦争以前には、開灤炭鉱以外の華北炭の多くは、炭鉱周辺や鉄道沿線で消費されたのだった。日本はこうした従来の華北炭の流通を再編しようとした。それは先行研究でも夙に指摘されてきたが、「単ニ炭量ノ問題ヨリノミナラス粘結性炭並純

表2　華北交通の品目別貨物輸送量　　単位：1000トン

	年度	1934年	%	1935年	%	1938年	%	1939年	%	1940年	%	1941年	%	1942年	%	1943年	%	1944年	%
営業品	鉱産品	14,407	70.3	14,982	71.9	9,242	42.2	11,997	39.7	16,063	44.9	19,503	50.3	21,090	51.9	18,435	47.2	14,374	41.9
	（うち石炭）	12,795	62.5	13,289	63.8	7,601	34.7	10,747	35.6	13,826	38.7	17,042	43.9	18,377	45.2	15,786	40.5	11,561	33.7
	農産品	3,414	16.7	3,041	14.6	1,994	9.1	2,260	7.5	2,216	6.2	2,075	5.4	1,919	4.7	2,132	5.5	1,518	4.4
	林産品	217	1.1	196	0.9	267	1.2	478	1.6	678	1.9	820	2.1	1,149	2.8	1,175	3.0	916	2.7
	畜産品	285	1.4	300	1.4	143	0.7	209	0.7	256	0.7	226	0.6	172	0.4	172	0.4	127	0.4
	水産品				0.0	160	0.7	258	0.9	574	1.6	465	1.2	714	1.8	958	2.5	621	1.8
	その他	2,160	10.5	2,318	11.1	2,147	9.8	2,260	7.5	2,771	7.7	2,846	7.3	3,023	7.4	3,440	8.8	3,017	8.8
	小計	20,483	100.0	20,837	100.0	13,953	63.8	17,462	57.8	22,558	63.1	25,935	66.9	28,067	69.1	26,412	67.7	20,573	60.0
軍需品						5,379	24.6	7,716	25.5	7,019	19.6	6,787	17.5	6,264	15.4	7,409	19.0	8,289	24.2
社用品						2,551	11.7	5,048	16.7	6,187	17.3	6,057	15.6	6,312	15.5	5,202	13.3	5,454	15.9
合計		20,483	100.0	20,837	100.0	21,883	100.0	30,226	100.0	35,764	100.0	38,779	100.0	40,643	100.0	39,023	100.0	34,316	100.0
（うち石炭）		12,795	62.5	13,289	63.8	8,588	39.2	13,036	43.1	16,900	47.3	20,434	52.7	21,496	52.9	19,023	48.7	11,561	33.7

【出典】林采成「日中戦争下の華北交通の設立と戦時輸送の展開」『歴史と経済』49巻1号、2006年。

表3　華北主要炭鉱の積出港までの距離
および1940年度輸移出計画表　単位：1000トン

	炭鉱	港までの距離	港・陸路	仕向地	輸移出量
北寧線	開灤	111 ～ 136km	秦皇島	日本	2,400
				華中南	1,045
			陸路	満洲	100
	長城	26km	秦皇島	日本	100
	柳江	14km	秦皇島	日本	150
				華中南	60
	門頭溝		陸路	満洲	50
正太線	井陘	498km	塘沽	日本	150
			陸路	満洲	250
	大同	568km	塘沽	日本	235
				華中	35
	陽泉	582km	塘沽	日本	160
膠済	淄川、博山、章邱	325 ～ 339km	青島	日本	600
				華中	550
津浦線	大汶口	502.3km	青島	日本	50
	中興	674.5km	青島	日本	200
		233.3km	連雲港		360
		438.1km	浦口		395
				華中	190
	柳泉	361.1km	浦口	華中	150

【出典】久保山雄三『支那石炭調査報告書』興亜院、1940年、30頁。藤森郡市「膠済沿線に於ける石炭鉱業の現況」『燃料協会雑誌』18巻8号、1939年。

無煙炭ノ炭質ノ問題ニヨリシテモ北支諸炭鉱ヲ開発スヘキハ必須事項」とあるように、華北炭が日本の必要とした優秀な炭質を有するためだった。(7) また単に熱量から比較しても、日本の国内炭の六五〇〇～七五〇〇カロリーに対し、華北炭は七〇〇〇～八五〇〇カロリーと優れていた。(8)

石炭は表4のように炭種により有煙炭と無煙炭に分類でき、有煙炭はさらに粘結性炭と非粘結性炭に分けられる。このうち粘結性炭が製鉄用コークス原料炭であり、日本ではとくに強粘結炭が不足していた。華北ではこれを開灤、井陘、中興、博山などの諸炭鉱で広く出炭していた。無煙炭は熱量の高さ、揮発分の少なさ、火持ちの良さという特徴から、速達列車の運転用あるいは重化学工業の原料として、カーバイド、電極、ガス、練炭、石灰窒素肥料製造、粉鉄鉱石を塊状に焼結する焼結炉で広く用いられ、華北では焦作、門頭溝、陽泉などで出炭していた。日本は無煙炭として仏領インドシナのホンゲイ（鴻基）炭を三〇年代後半の輸入制限下においても年間約八〇万トン、金額にして二〇〇〇万円以上を輸入しており、これの華北炭による代替を意図した。有煙炭の非粘結性炭である大同炭や淄川炭も、燃料炭として優秀な石炭だった。(9) 華北炭は採炭に際しての自然条件にも恵まれていた。炭層は極めて厚く、地表からの距離が近く、坑内ガスの発生や湧水量も少なく、地盤が強固であり坑木の使用量を抑えられるため、日本本土の三分一程度の資金資材での開発が可能だったのである。(10)

日本はこのような華北炭の開発にあたり、炭種による優先度をつけていた。最重点が置かれたのは、「本邦内外地にては絶対に得難き」製鉄用高度強粘結炭の開発であり、次いで化学工業用高級無煙炭、そして燃料炭であった。(11)

また本来であれば、炭鉱の開発は周辺住民の現金収入の機会を増やすものだった。河北省の正太・京漢沿線、山西省、河南省の各炭鉱周辺の農村は、農業の条件に恵まれず、炭鉱での労働は農閑期の収入源の一つだった。そのため日本側は炭鉱の開発を、住民の生活を安定させ「彼らの匪化を防ぎ得るのみならず土匪を帰順せしめ得て生業

表4　1940年の華北炭炭種別供給計画表

単位：1000トン

炭種		炭鉱名	軍用	鉄道用	対日	対満	対華中南	船舶用	軍管工場用	民需用	繰越貯炭	総供給量		1939年出炭実績	
有煙炭	粘結炭	開灤		500.0	2,400.0	100.0	1,045.0	448.0		880.0	660.0	6,033.0	32.7%	6,468.0	47.5%
		井陘		122.0	150.0	250.0		46.0	120.0	116.5	30.0	834.5	4.5%	694.0	5.1%
		正豊	10.0	160.4				20.0	120.8	235.8	30.0	577.0	3.1%	416.0	3.1%
		磁県		60.0					33.0		35.0	128.0	0.7%	64.0	0.5%
		六河溝	25.0	110.0					40.0	159.0	35.0	369.0	2.0%	320.0	2.3%
		中興	20.0	200.0	955.0		190.0	100.0	93.6	116.9	127.0	1,802.5	9.8%	1,473.0	10.8%
		柳泉	20.0	100.0			150.0			45.6	20.0	335.0	1.8%	0.3	0.0%
		華宝華豊		30.0	50.0					16.0	115.0	211.0	1.1%	50.0	0.4%
		孤山								90.0	10.0	100.0	0.5%	15.0	0.1%
		富家灘	11.0	27.0					16.5	85.5	25.0	165.0	0.9%	42.0	0.3%
		軒崗鎮								105.0	25.0	130.0	0.7%	30.0	0.2%
		小計	86.0	1,309.4	3,555.0	350.0	1,385.0	614.0	423.9	1,850.3	1,112.0	10,685.0	58.0%	9,572.3	70.3%
	非粘結炭	大同	425.3	334.5	235.0		35.0			515.2	90.0	1,635.0	8.9%	935.0	6.9%
		下花園								171.5	15.0	186.5	1.0%	169.0	1.2%
		大青山								65.0	15.0	80.0	0.4%		0.0%
		寿陽		21.1					8.0	43.9	15.0	88.0	0.5%		0.0%
		膠済沿線	92.4	142.0	600.0		550.0	120.0	30.0	427.6	260.0	2,222.0	12.1%	1,554.0	11.4%
		小計	517.7	497.6	835.0	0.0	585.0	120.0	38.0	1,223.2	395.0	4,211.5	22.9%	2,658.0	19.5%
	有煙炭合計		603.7	1,807.0	4,390.0	350.0	1,970.0	734.0	461.9	3,073.5	1,507.0	14,896.5	80.8%	12,230.3	89.8%
無煙炭		門頭溝				50.0				450.0	150.0	650.0	3.5%	38.0	0.3%
		長城			100.0					25.0	20.0	145.0	0.8%	37.0	0.3%
		柳江			150.0		60.0			30.0	35.0	275.0	1.5%	255.0	1.9%
		大台								125.0	25.0	150.0	0.8%		0.0%
		章邱								290.0	25.0	315.0	1.7%	164.0	1.2%
		陽泉	34.8	52.5	160.0				6.0	437.7	95.0	786.0	4.3%	380.0	2.8%
		西山	14.0	53.2					121.0	182.8	25.0	396.0	2.1%	201.0	1.5%
		坨里								151.0	29.0	180.0	1.0%	100.0	0.7%
		焦作憑心	29.3						3.0	462.7	100.0	595.0	3.2%	190.0	1.4%
		坊子								20.0	20.0	40.0	0.2%	25.0	0.2%
	無煙炭合計		78.1	105.7	410.0	50.0	60.0	0.0	130.0	2,174.2	524.0	3,532.0	19.2%	1,390.0	10.2%
有煙無煙炭合計			681.8	1,912.7	4,800.0	400.0	2,030.0	734.0	591.9	5,247.7	2,031.0	18,428.5*	100.0%	13,620.3	100.0%

【注】＊は原史料の計算間違いにより、原史料と数字が異なる。
【出典】久保山雄三『支那石炭調査報告書』興亜院、1940年、10、31頁

に就かしめ以て宣撫工作の目的を達する一石二鳥の方法」としていた。[12] 一九四〇年六月の炭鉱長会議でも、北支那方面軍参謀第四課長有末精三大佐は、「炭鉱愛護の精神は『炭鉱に依って俺達は生きて居るんだ』といふ気持ちが支那人自体に非常に影響を及ぼしまして石炭増産にも苦力の募集にも石炭運搬にも、また治安状態にも当然好結果を来すもの」と述べていた。治安に関しては「特に最近に於ける共産党乃至は蒋介石政権の使嗾する所の妨害に」対しても、「苦力等に対しての融和感情、換言すれば『炭鉱依存』――炭鉱が自分達のために必要なんだ――といふ気持を起こさせる、この点を特に炭鉱の方々にはお願ひしたい」とも述べていた。すなわち炭鉱による周辺農村への現金収入の機会の提供が、労働者募集、石炭増産から治安にも好影響を及ぼすとの認識を、現地軍から各炭鉱の日本人職員までが共有していたのだった。しかし、それはあくまで、労働の対価としての現地通貨の価値維持を前提にしたものだった。同会議で松本中佐が「最近非常に聯銀（中国聯合準備銀行）券の価値が低下致しまして之に伴って食糧問題の解決も困難となる」と発言したように、すでに四〇年の時点で、インフレーションにより占領地通貨の価値は下落し始めていた。そのため食糧（小麦粉や粟）を現物支給せねば、労働者を炭鉱につなぎ止められなかったのであり、各炭鉱は食糧確保に汲々とすることになったのだった。[13]

二、各炭鉱について

開灤炭鉱は、表1、3、4のように華北最大の炭鉱で、強粘結炭の六～七割を生産し、その生産量の四〇パーセント程度を日本に輸出していた。しかし華北交通写真の中には、開灤炭鉱自体を被写体としたものは存在しない。これには以下のような理由が考えられる。一つめは、多くの写真の撮影時期は、太平洋戦争開戦以前であり、中英合弁の開灤炭鉱の撮影が困難だったためである。二つめは、前述のように開灤炭鉱から積出港の秦皇島までは比較的近距離であり、輸送も開灤炭鉱を主体におこなわれたためである。三つめとしては、実際には華北炭鉱の中で、最も近代的炭鉱だった開灤炭鉱は、華北交通にとっての被写体としては不適当だったのかもしれない。挿図1は、秦皇島における開灤炭の積出である。貨車の「開」の字に注意されたい。これは開灤炭鉱の所有した六〇〇両の三〇トン積無蓋車の一両であることを示している。こうした各炭鉱所有の貨車は、華北交通の貨車が武装勢力の襲撃や空襲により損耗すると華北交通に移管され、坑内の貨車繰りを困難にして生産に悪影響を及ぼした。[14] 同じく中英合弁の焦作炭鉱の写真が存在しない理由は、一九三八～三九年の鉱権をめぐる混乱により表4のように出炭が激減していたためだろう。[15]

挿図1　秦皇島における開灤炭の積み出し
[原板番号三一一三]

もう一つの中英合弁門頭溝炭鉱は、扉写真2のように多くの写真が撮影されている。同鉱には北支那派遣軍が情報収集のために白鳥吉喬を同社の顧問として一九三八年七月に送り込み、白鳥は四一年八月には同社の共同管理人としてその実権を掌握した。そうした背景から撮影を許可されたものと思われる。太平洋戦争開戦後には、同社株式の四九パーセントにあたる英側出資分が白鳥に無償譲渡され、それを四二年二月に日本軍に引き渡すことで、日中合弁の軍管理炭鉱となっている。(16)

山東省の膠済線沿線には、魯大公司の淄川と坊子炭鉱、大倉組の南定鉱区、博東公司の黒山炭鉱、旭華公司の章邱炭鉱などの日中合弁炭鉱が存在した。日中戦争の勃発により日本人が引揚げると、これらの炭鉱は三七年一一月に中国軍により爆破された。有野学済南総領事によれば、復旧には魯大で約三年、黒山で二年、南定と旭華で各一年半を要す甚大な被害だった。(17)そのため挿図2〜4のように、日中合弁炭鉱の中で被害のなかった坊子炭鉱が撮影されている。これらの写真は、炭坑から搬出した石炭を積み替えるまでの一連の作業を一九四一年八月に撮影したもので、日中合弁であっても小規模鉱であればほとんど機械化されていない様子が見てとれる。

膠済線沿線の中国側諸炭鉱も、その後の治安悪化により操業不能となり、多くが湧水のために水没した。そのため表1のように膠済線沿線の諸鉱は、三八年にほとんど出炭していない。こうした極度の石炭不足への対応として、元々魯大公司への日本側投資機関として設立された山東鉱業が、復旧の容易な悦昇、振業、東方などの中国側炭鉱への融資と技術援助をおこない、出炭を促した。そして表5のように山東鉱業は、復興の過程で博東公司や旭華公司などの日中合弁炭鉱を買収し、その後には博山の中国側の代表的炭鉱だった悦昇公司や、東大、博大、福大などの中国側炭鉱を次々に合弁化したのだった。(18)

日本軍の占領した鉱山などの接収と運営は、表5のように満鉄の子会社である興中公司に委任された。興中は、これら受託軍管理工場の運営のために数多くの技術者などを必要とし、そのために満鉄の撫順炭鉱などに人員派遣を要請するとともに、日本本土の炭鉱各社にも協力を求めた。この要請に応じて派遣された協力各社の職員は、興中の嘱託として各軍管理工場の運営にあたった。ただ蒙疆政権の統治下となった大同炭鉱は、満鉄が接収・運営をおこなっていた。

また、一九三八年一一月七日の北支開発の設立により、興中の資本は満鉄から北支開発へと譲渡され、各事業も興中から分離されて、日本本土の資本が導入された。こうして日本軍が直接管理をした開灤と門頭溝を除く、全ての炭鉱は北支開発の子会社へと再編された。また一九四三年の汪精衛政権の対英米宣戦布告と引き換えに実施された「対華新政策」により、中興、山西炭鉱、大紋口、磁県、柳泉の各炭鉱は日中合弁の中国法人へと改組されたが、

挿図2　坊子炭鉱の坑道からの人力での石炭搬出［原板番号四〇六一六］

挿図3　坊子炭鉱の人力での石炭積みおろし［原板番号四〇六一七］

表5　占領期における華北諸炭鉱の運営

鉱名	占領前		接収時期など	協力会社		事業所名
井陘	中独合弁井陘鉱務局	興中公司	1937年10月接収、11月独側資本の買収。12月に受託	貝島炭鉱	北支那開発株式会社	日中合辦井陘炭鉱股份有限公司［中国普通法人］（1940年7月22日）
正豊	正豊煤鉱公司		1937年11月接収、38年5月受託			
六河溝	六河溝煤鉱公司		1937年12月接収、38年1月受託			
中興	中興煤鉱公司		1938年3月接収・受託	三井鉱山		中興炭鉱鉱業所→中興炭鉱股份有限公司［中国普通法人］（1943年2月9日）
陽泉	保晋公司第一鉄廠		1937年11月接収、38年3月受託	大倉鉱業		山西炭鉱鉱業所→山西炭鉱股份有限公司［中国普通法人］（1943年2月9日）
寿陽	寿陽保晋分公司（石門子）		1938年1月受託、2月接収			
富家灘	桃鈕煤鉱公司		1938年11月接収・受命			
西山	西北実業公司第一煤廠		1937年12月接収、38年1月受託	満鉄撫順炭鉱→大倉鉱業		山西産業株式会社［日本普通法人］（1942年4月1日）
軒崗鎮	西北実業公司第二煤廠		1939年3月接収、9月受託			
華宝	山東省営華宝煤鉱整理処		1938年1月接収、3月受託	三菱鉱業		大汶口炭鉱鉱業所→大汶口炭鉱股份有限公司［中国普通法人］（1943年2月9日）
華豊	華豊合記公司					
磁県	磁県官鉱局煤鉱、怡立煤鉱、中和煤鉱、永安煤鉱		1939年7月接収、38年8月受託	明治鉱業		磁県炭鉱鉱業所→磁県炭鉱股份有限公司［中国普通法人］（1943年2月9日）
徐州柳泉	華東煤鉱公司賈汪煤鉱		1938年10月接収・受託	無し		柳泉炭鉱鉱業所→柳泉炭鉱股份有限公司［中国普通法人］（1943年2月9日）
焦作	中英合弁中福聯合弁事処		1938年3月受託、40年6月焦作鉱区管理施行委員会より引継ぎ	無し		焦作炭鉱鉱業所［日本民法による組合］（1940年11月27日）
憑心	土法小規模鉱		1938年4月受託、1940年4月接収			
大同	保晋公司、晋北鉱務局	満鉄	1937年10月接収、38年2月受託	無し		大同炭鉱株式会社［蒙疆特殊法人］（1940年1月10日）
淄川	南定炭鉱（大倉組請負）	山東鉱業（1923年5月）	1943年9月経営悪化により閉鎖			
	魯大公司		（1923年5月創業時より）			
坊子	坊子炭鉱					
博山	日中合弁博東公司		1939年1月買収→黒山採炭所			
	博大煤鉱		1939年9月合弁化→博大炭鉱			
	利和煤鉱		1939年11月合弁化→利大炭鉱			
	福源煤鉱		1940年3月合弁化→福大炭鉱			
	東魯煤鉱		1940年4月合弁化→東大炭鉱			
	利興煤鉱		1940年10月合弁化→興大炭鉱			
	悦昇公司		1941年9月鉱業合弁化→悦昇鉱務公司			
章邱	日中合弁旭華公司		1940年7月買収→章邱鉱業所			
	官荘煤鉱		1938年8月合弁化→章邱鉱業所			
開灤	中英合弁開灤鉱務総局		1941年12月軍による接収	直接軍管理		軍管理開灤炭鉱
門頭溝	中英合弁中英炭鉱		1942年2月日中合弁門頭溝煤鉱公司［中国普通法人］に改組され軍管理→1943年2月9日軍管理解除			

【出典】実業部地質調査所『第五次中国鉱業紀要』1935年。白家駒編『第七次中国鉱業紀要』経済部中央地質調査所・国立北平研究員地質学研究所、1945年。久保山雄二『支那石炭調査報告書』興亜院、1940年。北支那開発株式会社『北支那開発株式会社及関係会社概要 昭和15年度』1941年。焦作会『再見焦作炭鉱』私家本、1978年、43、85頁。槐樹会刊行会『北支那開発株式会社之回顧』私家本、1981年。淄博鉱務局、山東大学編『淄博煤鉱史』山東人民出版社、1986年、267～297頁。大倉財閥研究会編『大倉財閥の研究』近藤出版社、1982年、197～210頁。

挿図4　坊子炭鉱でのダンプカーへの積み込み［原板番号四〇六一八］

経営は日本側が掌握し続けた。

こうした炭鉱の中でも、製鉄原料として不可欠な粘結性炭を産する中興、井陘などの炭鉱で多くの写真が撮影されている。なかでも中興炭は、表3、4のように開灤に次ぐ出炭量を有するだけではなく、炭質でも華北最良とされ、その半数を青島、連雲、浦口の三港から日本へ輸出されることとなっていた。そのために中興炭の従来の市場を他炭鉱の石炭で置き換える必要が生じ、周辺の華豊・華宝炭鉱などの開発が急がれたのである。こうした構想は、大橋小太郎博東公司技師長が一九三七年一一月に石橋東洋雄興中公司嘱託（後に山東鉱業常務取締役）などに宛てた「北支炭鉱工作ニ就テ」にも記されている。[19] 大橋は、すでに一九三四年に中興炭鉱を視察し、外務省に詳細な報告書を提出するとともに、日中戦争開戦後には中興、華豊、華宝炭鉱の接収を担当し、そのまま軍管理中興炭鉱鉱業所理事として現地の責任者となり、同鉱運営の陣頭指揮にあたった。[20]

挿図5、6は一九三九年四月に中興炭鉱本社と竪坑タワーを撮影したものである。中興炭鉱は、中国資本最大の炭鉱であり、その諸設備も写真のように近代的なものだった。挿図7は、井陘炭鉱の正門と井陘本坑のシンボルである特徴的な煙突を撮影したものである。

日本は華北の龍烟鉄鉱などの豊富な鉄鉱石と粘結炭を用いて、現地での製鉄もおこなった。[21] それは当時の製鉄業では石炭を鉄鉱石の三倍以上使用するため、製鉄所の立地条件は炭鉱に近い方が有利とされたためでもあった。挿図8は一九三八年から採掘を始めた龍烟鉄鉱を、同年の七月に撮影したものである。既設の製鉄所は、石景山、大同、陽泉に存在し、挿図9は、その中で規模の最も大きかった石景山製鉄所の一九三八年一一月の火入れ式を撮影したものである。挿図10と11は、『北支』一九四〇年六月号にも使用された、井陘炭を使った野焼コークスの製造風景で、遠景に石景山製鉄所が見える。そして挿図12は太原製鉄所を撮影したものである。

大同炭は燃料炭として優れた炭質を持ち、表1のように大幅な増産がなされた。同鉱の写真も多く含まれている。挿図13と14は、一九三九年に大同の永定荘坑での撮影で、坑内作業を終えた鉱夫達が、把頭（親方）と思われる人物から作業証明書を受け取るところである。この証明書を食糧と交換するのだろう。鉱夫達が鉱山用手提げカンテラ油燈を手にしていることに注意されたい。多くの写真で、鉱夫が照明器具として手にしているのは安全灯ではなく、こうしたカンテラ油燈だった。写真15は同じく大同炭鉱で少年鉱夫を撮影したものである。

挿図5　中興炭鉱本社　一九三九年六月撮影
[原板番号一五七一一]

挿図6　中興炭鉱の竪坑タワーと積炭ポケット　一九三九年六月撮影
[原板番号一五七一四]

三　増産の実態

表1から出炭量を確認すれば、占領期の出炭のピークである一九四二年に、戦前の三六年比で一・六倍に達した後に減少に転じている。問われるべきは、この増産の内実である。まずは増産にあたっての困難を確認しよう。

まずあげるべきは、治安の悪化や空襲による影響である。炭鉱や鉄道は、常に共産党系武装組織などの襲撃の脅威に直面していたし、戦争の後期には空襲も常態化した。

そして鉄道への被害は、輸送能力の不足を深刻化させた。戦前には鉄道沿線の消費地までの輸送が大半だったが、占領期には日本への積出港まで輸送の遠距離化を強いられた。表1と2から一九三八年と四二年の出炭量と輸送量の伸びを比較すれば、出炭量の二・六倍に対し輸送量は一・九倍でしかない。こうして四二年には山元への貯炭が急増し、自然発火なども生じ、出炭を制限せざるを得ない場合もあったのだった。(22)

華北鉱山地図

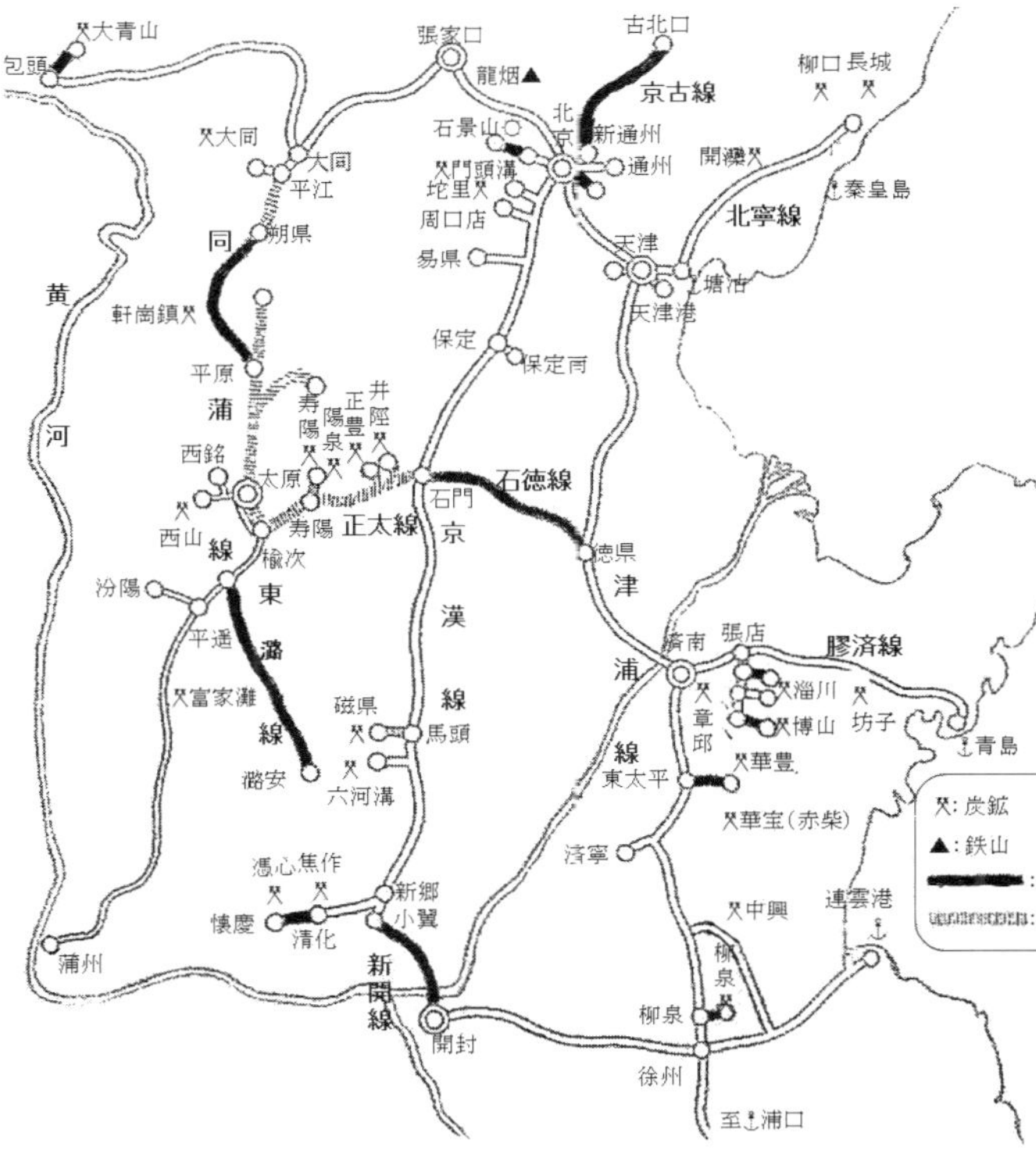

また坑木などの資材の不足も深刻だった。井陘炭鉱は、坑木を近隣の各県から集めていたが、占領期には治安の悪化により不可能となり、同蒲線や京漢線から集めるようになった。ところが地図からも明らかなように、正太線や同蒲線の沿線には正豊、陽泉などの多くの炭鉱が存在し、これらの炭鉱が競合することで一九三九年一一月には、井陘、正豊両鉱とも坑木を入手できずに、坑木を要する切羽での採炭を停止する情況になっていた。(23)

開灤炭鉱の年間の坑木所要量は四

挿図7　井陘炭鉱の正門と煙突［原板番号九二二九］

挿図8　龍烟鉄鉱での鉱石積みかえ　一九三八年七月撮影［原板番号三七九〇］

五万石（〇・二八立方メートル）であり、アジア・太平洋戦争以前には、附近一一県で独占的に収買をおこない、一本当たり一二〜一七銭で年間一〇〇万本程度を入手していた。しかし一九四二年には収買が著しく困難になり、入荷は四万石程度に止まった。四三年には一本当たり六〇〜六五銭まで高騰し、入荷量も三万石程度まで落ち込んだ。物動計画により内地財も供給されたが、船舶不足により滞りがちで、四二年の入荷総量三〇万石の中二六万石は四一年度割当分の繰り越しで、四二年度割当分の実行量は僅かに四万石のみだった。それも次年度には割当残高二〇万石は打ち切りになり、物動計画自体変更後に打ち切りになることがしばしばだった。[24]

すでに一九四〇年六月の炭鉱長会議で、秋田忠義興中公司取締役は「機材の入手は非常に困難であります」と前置きした上で、「物動に依つて割当の切符を貰つたからと言つて直に物が入るといふやうな観念は必ずしも通用しない実情にあるのであります」と各炭鉱に、物動に頼らずに自給自足を計ることを求めていた。[25]

こうした中でも大倉組の運営する山西炭鉱公司所属の陽泉、寿陽、富家灘の三炭鉱は、四三年には「各種資材、機材ハ物動期待見込ナク逐次作業ニ影響ヲ来シツツアリ」としながら、翌四四年には「決戦下資材ノ不足ヲ克服シ計画出炭ノタメ撰炭設備、積込ポケットノ新設」をしていた。実際にはこれらの資材は、後述する山東省淄川炭鉱の大倉組南定鉱区の閉鎖にともない、ここから転売されたものでしかなかった。[26]

炭鉱にとって不可欠な坑木の入手すらままならない情況下で、機械化などは出来るはずもなかったのである。

そして最も重要な問題が、労働力と食糧の問題だった。当時の鉱夫は、基本的に農村からの季節労働者であり、これが「包工」と呼ばれる請負労働者を形成し、炭鉱で坑内採炭、積込、推車、坑外土木建築などの諸作業に充てられた。採炭の場合には、包工公司がトン当たりの価格で請け負い、炭鉱側は包工の最低賃金を定め、これを包工公司に保証させた。[27]戦前には他省で鉱夫の募集もできたが、占領期には治安の悪化により周辺農村の労働力に依存せざるを得なかった。そのため、坑内作業よりも農作物の収入が高くなる六〜八月の農繁期には、労働力の減少が著しくなったのである。[28]

開灤炭鉱では、こうした労働者の移動を抑止するための福利事業として、一九二〇年代から労働者宿舎の建設を進めて、三二年には包工の二八・五パーセントにあたる八一六八人、炭鉱直轄の労働者である裡工の一一・五パーセントの一二八二人、職員の二八・五パーセントの八四〇人、全体の二五パーセントの一万二九〇人が宿舎に居住していた。しかし他の炭鉱では、宿舎はほとんど建設されていなかった。井陘炭鉱では出勤率向上と治安対策から労働者宿舎の建設を求めたが、先述の資材不足により建設は困難だった。アジア・太平洋戦争開戦後の四二年には、開灤炭鉱でも、労働者宿舎の入居者も全体の一一・一パーセントにあたる五四七二人まで減少したとされる。それ

挿図9　石景山製鉄所での火入れ式　一九三八年一一月撮影［原板番号七一八二］

挿図10　石景山製鉄所での野焼きコークス製造　一九四〇年二月撮影［原板番号二七四七二］

でも四四年初頭までは労働力は完全に充足しており、出勤率も八五パーセントと抜群の高さを示していた[29]。

占領地通貨がインフレーションにより急激に信用を失う中で、炭鉱に労働者を集め、つなぎ止める鍵となったのは、食糧の現物支給だった。一九四〇年に正豊炭鉱長は「食糧を工人一人に対し二斤（一キログラム）の粟及小麦メリケン粉を支給するといふ様なことをやりまして工人を釣つて来た」と述べていた。一キログラムの食糧を一日の労働の対価とすることが、「非常に炭鉱に工人が集まる原因になる」と強調したうえで、この量でも激しい坑内労働には「当然不足な数量」とする。そのため増産のために、労働時間を九時間から一〇時間半に延長すると、鉱夫からは「時間を延長しても飯がないから無駄である、労力が減退するのみだから無意味である」と支給の増量を求められ、出来高に応じて食糧を支給したという。井陘炭鉱でも同様の食糧の配給により労働者を募集したが、これに応じたのは「今迄炭坑に下りたことのない素人」で、それが「一、二、三月には相当集まった」のであり、「之等素人の指導には困ると言つても三、四ヶ月で馴れて参りますので工人の払底してゐる折柄之でもまあよろしいやう

表6　主要炭鉱の労働者数

<table>
<tr><th rowspan="3">炭鉱</th><th colspan="3">1933年</th><th colspan="3">1939年</th><th colspan="5">1943年</th></tr>
<tr><th rowspan="2">労働者数</th><th rowspan="2">出炭量（1000t）</th><th rowspan="2">1人当出炭 (t)</th><th rowspan="2">労働者数</th><th rowspan="2">出炭量（1000t）</th><th rowspan="2">1人当出炭 (t)</th><th colspan="2">職員数</th><th rowspan="2">労働者数</th><th rowspan="2">出炭量（1000t）</th><th rowspan="2">1人当出炭 (t)</th></tr>
<tr><th>日本人</th><th>中国人</th></tr>
<tr><td>開灤</td><td>40,985</td><td>4,284</td><td>105</td><td>42,207</td><td>6,468</td><td>153</td><td></td><td></td><td>56,062 3)</td><td>6,420</td><td>115</td></tr>
<tr><td>井陘</td><td>4,200</td><td>706</td><td>168</td><td>5,638</td><td>694</td><td>123</td><td rowspan="3">408</td><td rowspan="3">505</td><td>7,033</td><td>855</td><td>122</td></tr>
<tr><td>正豊</td><td>2,500</td><td>302</td><td>121</td><td>5,650</td><td>416</td><td>74</td><td>4,908</td><td>430</td><td>88</td></tr>
<tr><td>六河溝</td><td>3,150</td><td>520</td><td>165</td><td>2,936</td><td>320</td><td>109</td><td>4,937</td><td>307</td><td>62</td></tr>
<tr><td>長城</td><td>200</td><td></td><td></td><td>750</td><td>37</td><td>49</td><td></td><td></td><td>1,620</td><td>90</td><td>56</td></tr>
<tr><td>中興</td><td>6,940</td><td>1,133</td><td>163</td><td>11,712</td><td>1,473</td><td>126</td><td>513</td><td>732</td><td>25,567</td><td>2,240</td><td>88</td></tr>
<tr><td>淄川</td><td>5,800</td><td>608</td><td>105</td><td>12,532</td><td>565</td><td>45</td><td rowspan="3">261</td><td rowspan="3">59</td><td rowspan="3">48,386</td><td>1,323</td><td rowspan="3">61</td></tr>
<tr><td>博山 1)</td><td>628</td><td>73</td><td>116</td><td>9,644</td><td>989</td><td>103</td><td>1,564</td></tr>
<tr><td>坊子</td><td>400</td><td>75</td><td>188</td><td>574</td><td>25</td><td>44</td><td>84</td></tr>
<tr><td>華豊</td><td>557</td><td>68</td><td>122</td><td>1,224</td><td>30</td><td>25</td><td rowspan="2">359</td><td rowspan="2">480</td><td>5,943</td><td>350</td><td>59</td></tr>
<tr><td>華宝</td><td>229</td><td>20</td><td>87</td><td>845</td><td>20</td><td>24</td><td>2,615</td><td>157</td><td>60</td></tr>
<tr><td>磁県</td><td></td><td></td><td></td><td></td><td></td><td></td><td>175</td><td>102</td><td>4,571</td><td>502</td><td>110</td></tr>
<tr><td>大同</td><td>2,720</td><td>124</td><td>46</td><td>6,669</td><td>935</td><td>140</td><td>1,559</td><td>804</td><td>14,704</td><td>2,272</td><td>155</td></tr>
<tr><td>陽泉</td><td>2,291</td><td>292</td><td>127</td><td>7,470</td><td>380</td><td>51</td><td rowspan="3">359</td><td rowspan="3">1,024</td><td>16,860</td><td>1,008</td><td>60</td></tr>
<tr><td>寿陽</td><td>187</td><td></td><td>0</td><td>434</td><td>37</td><td>85</td><td>1,388</td><td>155</td><td>112</td></tr>
<tr><td>冨家灘</td><td></td><td></td><td></td><td></td><td></td><td></td><td>2,417</td><td>220</td><td>91</td></tr>
<tr><td>焦作</td><td>10,282</td><td>1,139</td><td>111</td><td>4,436</td><td>100</td><td>23</td><td>363</td><td>278</td><td>11,757</td><td>617</td><td>53</td></tr>
<tr><td>柳泉</td><td>1,280</td><td>219</td><td>171</td><td>2,544</td><td>277</td><td>109</td><td colspan="2">370</td><td>6,489</td><td>354</td><td>54</td></tr>
<tr><td>合計</td><td>82,349 2)</td><td>9,563</td><td>116</td><td>115,265</td><td>12,766</td><td>111</td><td colspan="2">8,351</td><td>215,257</td><td>18,948</td><td>88</td></tr>
</table>

【注】1）1933、39年は博東公司、43年は博山炭鉱全体。2）原史料の計算間違いのため原史料と数字が一致しない。
3）1944年の労働者数。

【出典】東亜研究所『支那占領地経済の発展』1944年、191～192頁。北支那開発株式会社『北支那開発株式会社及関係会社概要　昭和18年度』1944年。白家駒編『第七次中国鉱業紀要』経済部中央地質調査所・国立北平研究員地質学研究所、1945年。

挿図11　コークスを窯外に投じて火を消す　一九四〇年三月撮影［原板番号二七四八九］

挿図12　太原製鉄所［原板番号四A四 - 七三］

に思つております」という情況だった。こうした未熟な鉱夫の使用が、後述の炭塵ガス爆発事故の遠因だったと言えよう。[30]

開灤炭鉱でも小麦粉の現物支給は、労働力の移動防止と作業能率維持の決め手だったが、一九四二年五月頃から早くも困難な兆候が現れ、翌四三年には食糧事情は深刻化し、これに輸送事情の悪化も加わり食糧確保は喫緊の課題となった。緊急措置としてトウモロコシ粉を購入して不足分に充当したが、これも大量の一括購入は困難で、一月あたり一万袋程度しか入手できず、総配給量の五パーセントにも満たない状況だったという。[31]

こうした食糧事情の悪化は、労働能率の悪化を招くことになった。表6のように、労働者数は一九四三年には戦前の三三年の二・六倍にあたる二一・五万人にも達したが、一人当たりの出炭量は、三三年から三九年で五トン低下し、四三年には二八トンも低下している。すなわち占領期の出炭量の増加は、食糧で集めた未熟な鉱夫を大量に投入することで実現されたのだった。

また食糧の確保は、吉井卓興中公司業務課長の「現地で出来るだけ、確保していただきたい」というように各炭鉱に任されていた。[32]占領地インフレーションにより、山元で安価な食糧を確保することは容易なことではなく、食糧の確保は各炭鉱の経営を圧迫することになった。

こうした問題から、大倉組が魯大公司から請け負って一九二五年から採炭していた表5の山東省淄川の南定炭鉱は閉山に追い込まれていた。労働力不足とインフレによる諸資材・諸物価の値上がり、そして食糧の高騰による工賃の値上がりにより、一九四一年一二月と四四年三月の作業費を比較すると実に三・五倍にも上昇した。ところが石炭価格は価格統制により抑えられたために、作業費は販売価格の三倍以上に達し、出炭・売炭をするほど損失を膨らませることになった。また警備隊員や坑口書記が「八路匪」（中国共産党軍）と提携して叛乱を企図するなどの治安の悪化も大きなダメージとなり、四二年からの山東鉱業への売却交渉も不調に終わり、四三年九月に閉山を決定し、大半の資材・施設を同じ大倉系の山西炭鉱に転売処分し、日本人職員も同社に転出させたのだった。[33]

資材不足に悩まされながら、大量の未熟な鉱夫を使用した華北の各炭鉱は、常に事故の危険性をはらんでいた。その中でも最大のものが一九四〇年三月二二日の井陘炭鉱での炭塵ガス爆発事故だった。当日の入坑者二四九五名の一九パーセントにあたる四八〇名（うち死者三三六名）が死傷し、救援のための入坑者からも一四名の死傷者（うち死者六名）を出す大惨事だった。[34]事故原因について、宮島庚子郎井陘炭鉱長は不完全な安全灯の使用によるスパークが、対策の不徹底な炭塵に引火したものと推定していた。[35]

また焦作炭鉱でも一九四二年の七か八月に大規模なガス爆発事故を起こしていた。労働者の照明には「安全灯若

挿図13　大同炭鉱永定荘坑口での把頭と鉱夫　一九三九年撮影［原板番号二〇五八六］

挿図14　大同炭鉱永定荘坑での作業を終えた鉱夫　一九三九年撮影［原板番号二〇五八九］

干と豆油灯の裸火」（挿図13、14に見られるカンテラ油灯）が使用され、労働力不足により素人が多数入坑し、入坑に際しては身体検査もしていなかった。爆発の原因は、「危険を知らぬ素人」が煙草や火具をもって入坑し、そこから引火したものと断定された。事故後に対策として、検定器や局部扇風機などの資材が入ってからは同様の事故は起こらなかったため、やはり資材不足と未熟な鉱夫が事故の原因だった。[36]

　また大同炭鉱では、一九四三年六月から食糧不足の中で感染症が流行し、九月上旬にはコレラの発生が明らかになり、「発生日ト共ニ猖獗ヲ極メタルタメ遂ニ採炭作業ヲ休止セシメテ防疫ニ当リ」、九月下旬にようやく終息させたという。[37] 一九六六年の中国科学院による発掘調査により知られるようになった大同炭鉱「万人坑」は、このコレラによる犠牲者を、十分な埋葬をせず坑道に遺棄したものと思われる。[38] 前掲の北支開発による短い報告文からも、防疫の不十分さが多くの犠牲を生んだことが読み取れる。また表1と6からは、コレラの流行にもかかわらず、大同炭鉱が出炭量全体と一人当たりの出炭量について共に高い水準を維持していたことが読み取れる。増産のために防疫が後回しになり、被害を拡大させたのであろう。

挿図15　大同炭鉱永定荘坑での少年鉱夫と炭車　一九四〇年六月撮影［原板番号不明］

おわりに

　華北交通にとって石炭などの鉱産品は、その貨物輸送の中軸にあり続けたのであり、多くの鉱産地の写真が撮影されたのは当然のことだった。これらの写真は、華北の①豊富で良質な鉱産資源を、②旧式の技術、採炭方法、労働慣行しか持たない中英合弁や中国の鉱業資本に代わり、③日本の優秀な技術が華北の鉱業を開発している、ということを画像にて示すべきものだった。

　しかし①においては、実際には例外的な被写体が選択されていた。また②についても、『北支』などの広報誌では、意図的に「旧い」ものを被写体とした写真を選択していたようである。③については、実際は日本は占領した既存の各炭鉱で、それまでの技術、採炭方法、労働慣行によって石炭を掘り続けただけだった。大幅な石炭の増産は、占領地インフレーションの中で、貴重となった食糧で「釣つ」た未熟な鉱夫の大量投入により実現されていた。すなわち日本の優秀な技術による華北の鉱業の開発という事実自体がなかったのであり、ないものは写せなかった。

　実際の占領期の炭鉱は、無理な増産により、事故の発生やコレラなどの感染症の流行する、危険な場所と化していたのである。

参考文献

久保山雄二『支那石炭調査報告書』興亜院、一九四〇年

松代冏次『石炭（北支那資源読本）』北支那開発株式会社、一九四二年

中村隆英『戦時日本の華北経済支配』東京大学出版会、一九八三年

註

（1）松代冏次『石炭（北支那資源読本）』北支那開発株式会社、一九四二年、一八〜二五、三八頁。松代冏次は、一九二八年に東亜同文書院を卒業し、当時は北支開発庶務部弘報課長だった（中西利八編『中国紳士録』満蒙資料協会、一九四〇年、七七〇頁）。

（2）興中公司『炭鉱の概念と北支炭鉱事業の概況』一九三九年、一〜二頁。草場義夫は、一八八六年佐賀県生まれ。一九一〇年に東京帝国大学採鉱冶金科を卒業し、大島炭鉱取締役、貝島鉱業取締役を経て興中公司顧問炭業部長に就任。一九四〇年六月井陘炭鉱株式会社成立とともに同社副董事長に就任していた（前掲『中国紳士録』一九七頁）。

（3）鈴木茂「日本帝国主義下の中国に於ける軍管理工場と資源独占――戦時日本の対中国投資と政府出資法人（一）」『経済論叢』一一六巻一、二号、一九七五年、同「日本帝国主義下の中国北部占領地域開発の『統合調整』と北支那開発株式会社――戦時日本の対中国投資と政府出資法人（二）」『経済論叢』一一七巻五、六号、一九七六年。君島和彦「日本帝国主義による中国鉱業資源の収奪過程」『日本帝国主義下の中国』浅田喬二編、楽游書房、一九八一年。中村隆英『戦時日本の華北経済支配』山川出版社、一九八三年。陳慈玉『日本在華煤業投資四十年』稲郷出版社、二〇〇四年、同「生存と妥協――在華日本資本炭鉱の中国人労働者」『模索する近代日中関係』貴志俊彦、谷垣真理子、深町英夫編、東京大学出版会、二〇〇九年。柴田善雅『中国占領地日系企業の活動』日本経済評論社、二〇〇八年。畠中茂朗「戦時下の華北占領地における大手石炭企業の進出と事業展開――貝島炭鉱の事例を中心として」『エネルギー史研究』二二号、二〇〇七年（後に『貝島炭鉱の盛衰と経営戦略』花書院、二〇一〇年に所収）。吉井文美「日本の華北支配と開灤炭鉱」『戦時期中国の経済発展と社会変容』（日中戦争の国際共同研究五）、久保亨、波多野澄雄、西村成雄編、慶應義塾大学出版会、二〇一四年。白木沢旭児「日中戦争の経済的特質――華北現地製鉄問題を中心に」『環東アジア研究センター年報（新潟大学）』六号、二〇一一年。林采成「日中戦争下の華北交通の設立と戦時輸送の展開」『歴史と経済』四九巻一号、二〇〇六年。同「戦時期華北交通の人的運用の展開」『経営史学』四二巻一号、二〇〇七年。

（4）前掲「日中戦争下の華北交通の設立と戦時輸送の展開」。清原清人「華北の山野かけある記②」『地質ニュース』一二六号、一九六五年。

（5）前掲『炭鉱の概念と北支炭鉱事業の概況』三頁。

（6）堀内文二郎、望月勲『開灤炭鉱の八十年』啓明交易、一九六〇年、一七〜一九頁。

（7）興中公司『炭鉱関係引継調書総論』一九三八年、四頁。

（8）久保山雄二『支那石炭調査報告書』興亜院、一九四〇年、六〜七頁。前掲『石炭（北支那資源読本）』一二〜一四頁。

（9）前掲『支那石炭調査報告書』六〜七頁。前掲「日本帝国主義による中国鉱業資源の収奪過程」一九七頁。前掲『炭鉱関係引継調書総論』三頁。

（10）槐樹会『北支那開発株式会社之回顧』槐樹会刊行会、一九八一年、三頁。

（11）前掲『支那石炭調査報告書』六〜七、二二〜二四頁。東亜研究所『支那占領地経済の発展』一九四四年、一八五頁。

（12）前掲『支那石炭調査報告書』八頁。

（13）興中公司『炭鉱長会議議事録』一九四〇年、六、五七頁。

（14）前掲『開灤炭鉱の八十年』二八〜二九頁。

(15) 前掲『支那石炭調査報告書』四〇三～四〇五頁。

(16) JACAR(アジア歴史資料センター)Ref. C04123829600「旧中英公司接収工作人白鳥吉喬に功労金支給に関する件」Ref. C04123791100(二〇～二五コマ目)、一九四二年「陸支密大日記 第二五号」防衛省防衛研究所。

(17) JACAR Ref. B02130137500「執務報告 昭和一三年度東亜局第一課(東亜二三)」外務省外交史料館。

(18) 前掲『支那石炭調査報告書』一七〇頁。淄博鉱務局、山東大学編『淄博煤鉱史』山東人民出版社、一九八六年、二六七～二九七頁。

(19) 大橋小太郎「北支炭鉱工作ニ就テ」(東京大学東洋文化研究所E104：144『山東省関係資料』一九三七年)。前掲『炭鉱関係引継調書総論』一三、二一～二四頁。

(20) JACAR Ref. B09041913000「中興公司(嶧県炭鉱)」外務省外交史料館。JACAR Ref. C04123357600「中興炭鉱職員表彰に関する件」防衛省防衛研究所。大橋小太郎は、一八八六年生まれで熊本高等工業学校卒、中興炭鉱での業績により一九四一年に土橋一次第一二軍司令官(中将)より表彰されていた(前掲『中国紳士録』一九四頁)。

(21) 前掲「日中戦争の経済的特質」。

(22) 前掲『支那占領地経済の発展』一九〇頁。前掲「日中戦争下の華北交通の設立と戦時輸送の展開」。前掲『炭鉱長会議議事録』一九頁。前掲『戦時日本の華北経済支配』三一四頁。

(23) 前掲『炭鉱長会議議事録』一四～一九頁。

(24) 前掲『開灤炭鉱の八十年』二九頁。

(25) 前掲『炭鉱長会議議事録』五九頁。

(26) 北支那開発株式会社『北支那開発株式会社及関係会社概要 昭和一八年度』一九四四年、一三〇頁。北支那開発株式会社『北支那開発株式会社及関係会社概要 昭和一九年上期』一九四四年、一〇一頁。

(27) 前掲『開灤炭鉱の八十年』二〇頁。

(28) 前掲『炭鉱長会議議事録』一四～四九頁。

(29) 郭士浩主編『旧中国開灤煤鉱工人状況』人民出版社、一九八五年、一四六～一四八頁。前掲『炭鉱長会議議事録』一七頁。前掲『戦時日本の華北経済支配』三一七頁。

(30) 前掲『炭鉱長会議議事録』一七、一九、二二頁。

(31) 前掲『開灤炭鉱の八十年』二八頁。

(32) 前掲『炭鉱長会議議事録』五五頁。

(33) 大倉財閥研究会編『大倉財閥の研究』近藤出版社、一九八二年、一九七～二一〇頁。

(34) 前掲『支那石炭調査報告書』三三九～三四七頁。

(35) 宮島庚子郎「井陘時代」『石炭研究資料叢書』三一号、二〇〇九年。

(36) 焦作会『再見焦作炭鉱』私家本、一九七八年、一〇一～一〇四頁。

(37) 前掲『北支那開発株式会社及関係会社概要 昭和一八年度』一〇二～一〇三頁。

(38) 温鋭光『日偽時期煤鉱坑的故事――山西煤鉱万人坑発掘記事』商務印書館(香港)、一九九五年。

第五章　宣撫官と愛路運動

太田　出

〈写真1〉愛路厚生列車　キャラメルを配る宣撫官［原板番号五四八四］

〈写真2〉愛路旗を掲げる［原板番号二〇四五五］

〈写真3〉愛路厚生列車　演芸によろこぶ愛護村民［原板番号二九二三四］

〈写真4〉鉄道愛護週の標語［原板番号二三九三九］

宣撫官と愛路運動

太田　出

はじめに

一九三一年に満洲事変、一九三七年に支那事変がそれぞれ勃発すると、日本軍は満洲や華北の地を次々と占領していった。こうした占領地には人心収攬のために大日本軍宣撫官が設けられた。宣撫官とは、日本側からすれば「砲弾を越えて進む第一線の人道の戦士」であり、皇軍占拠の日章旗が上がる戦禍の生々しいあとに、戦争の恐怖に慄いている民心にまず安心を与え、平和への希望を持たせる「救世主」であったといわれている。

こうした宣撫官が現地の中国大陸において住民の帰還や治安維持などの諸任務に当たっていたことは夙に指摘されてきた。本章で取り上げる鉄道など交通路の警備に関わる任務、すなわち愛路運動（愛路工作）についても主導的な役割を果たしていたことは、すでにいくつかの先学の論考のなかで若干の言及がなされている。

たとえば遠藤興一は、宣撫官（宣撫班）が満洲事変・熱河作戦後に満鉄総局愛路局の八木沼丈夫を中心として組織され、その後、華北へと拡大されていったこと、宣撫官は当初多く満鉄社員から構成されていたこと、宣撫工作の主な内容は、現地住民の日本軍への帰順、難民救済、疾病治療に関わる民生行政のほか、さらに進んで治安維持会の結成、保甲の編成など占領地における治安維持業務が含まれていたこと、満鉄のみならず華北交通もが宣撫官と協力して「愛路運動」に乗りだし、沿線の一定の範囲内の聚落の農民を組織して鉄道の実際の保護活動に従事させていたことなどを指摘している[1]。

日本現代史（昭和史）の断面を描出したねずまさし（禰津正志）は、占領地には日本人や中国人・満洲人の宣撫班員（宣撫官）が一五〇〇人ほど配置されており、その援助のもとに華北交通が愛路運動（愛路工作）を進めたものの、八路軍の報復を恐れる現地住民は二の足を踏んだと述べている[2]。また自らの満洲体験を書き残した筒井五郎は、満洲国では鉄路沿線の両側五キロメートル以内にある聚落を「鉄路愛護村」に指定し、宣撫・管理を加えながら、鉄道の防備を担わせていたと語っている[3]。

これら先行研究を回顧すればわかるように、満洲国や華北諸省に配置された宣撫官と、満鉄・華北交通によって展開された愛路運動（愛路工作）とのあいだには密接な関係が容易に推測されるわけであるが、史料上の制約から具体的な記述はなされてこなかったようである。そこで本章では、満鉄や華北交通と深い関わりを有した宣撫官の活動のうち、愛路運動（愛路工作）を取り上げ、京都大学人文科学研究所所蔵の華北交通写真や他の図版を用いながら、その実態を解明し、日中戦争下の日本軍による占領地行政の一部を担った宣撫官の存在意義について検討を加えることにしたい。

一　大日本軍宣撫官の任務と愛路運動

大日本軍宣撫官と八木沼丈夫　満洲事変以来の宣撫官の成立・展開過程の詳細については未解明な部分が少なくなく、今後の本格的な研究が俟たれている。[4] ただし満洲国・華北各省に設けられた個々の宣撫官の果たした役割に関しては次第に明らかにされつつある。『日寇太原第一〇宣撫班組織資料』という珍貴な史料を用いながら、板垣征四郎（第五師団）付きの山西軍第一〇宣撫班の活動を検討した内田知行によれば、当該宣撫班の主要な任務は以下のとおりであった。①秩序維持や政治宣伝の活動（ビラ・ポスター貼付、宣撫のための薬品配布）、②商務会など傀儡組織の結成、③日本の仏教団体が設立した日本語学校に対する支援、④占領政策を宣伝する演劇・講演などの活動、⑤「進城証（通行証）」の発行、⑥村公所の設立、⑦愛路村の設立、⑧情報員（スパイ）を利用した諜報活動、など。[5]

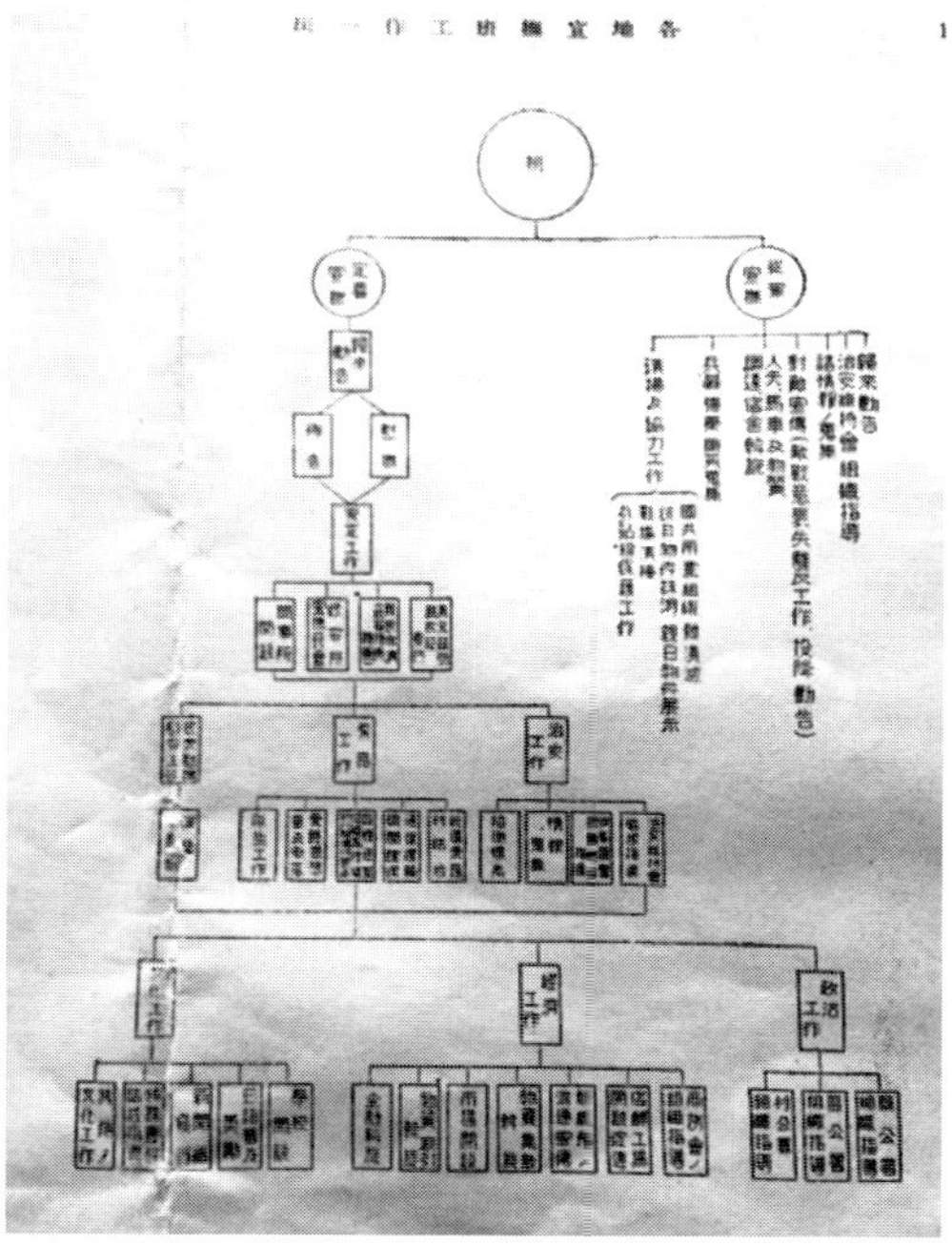

挿図２　各地宣撫班工作一斑（筆者蔵）

これら諸任務を北支宣撫班長であった八木沼丈夫（挿図1）が示した「各地宣撫班工作一斑」（挿図2）のなかで読み替えてみると、従軍宣撫と定着宣撫に区別される宣撫官の任務のうち、①の一部を除く、他の任務すべてが後者に含まれることがわかる。やはり宣撫官の主な任務は占領地における対中国民衆工作にあったといってよい。たとえば、①のビラ（伝単）やポスターの散布・貼付は従軍宣撫の「対敵宣伝（敵戦意喪失離反工作、投降勧告）」に、薬品配布は定着宣撫の「難民救済

挿図1　八木沼丈夫（八木沼伸子氏所蔵）

（収容施療施薬）」にあたる。以下はすべて定着宣撫の一部に位置づけられており、②は経済工作中の「商務会ノ組織指導」、③は文化工作中の「日語普及奨励」、④は民衆慰撫・慰安工作中の「演芸催物」、⑤は安定工作中の「身元証明・良民証発行」、⑥は政治工作中の「村公署組織指導」、⑦は愛路工作、⑧は治安工作中の「情報蒐集」にそれぞれ該当すると考えられる。すなわち宣撫官の任務は一言で占領地の民衆宣撫といっても、政治・経済・文化・慰撫慰安・安定・愛路・治安など極めて多様な内容を有していたことが判明する。

以下、ここではこれら諸任務のうち愛路運動について掘り下げて検討してみよう。八木沼丈夫によれば、愛路運動にも多様な内容が含まれており、「鉄道愛護村結成」に始まり、「通信運輸機関確保」「路線巡察・沿線高稈植物刈取・植付禁止」「愛路思想普及徹底」「厚生工作」に及んでいた。八木沼は自ら書き記した「北支宣撫班の活躍」のなかで次のように語っている（傍点は引用者による。以下同じ）。

宣撫班担任地域が拡大されると、更に大きな仕事が始まる。鉄路愛護村の結成である。高粱実る頃には、匪賊の列車襲撃に悩まされたものだが、今では各沿線に鉄路愛護村が結成され、鉄道線路若干米以内には高粱のやうな高稈植物は殆ど影を失ひ、車窓からの視野は前後左右に開けてゐる。そして、「一人愛路万人享福」の標語の下に常に交替で巡察し、怪しい者があると数里の夜道を厭はず宣撫班に急告する。この愛護村に包まれて華北の各大動脈は支障なく軍事輸送の大任を果してゐるのである。また愛護村民は一般的な匪賊情報をも持ち来つて、軍と宣撫班との行動を容易ならしめてゐる。かかる仕事には危険も伴ひ、元氏駅附近の如きは共産ルートにあつた関係上、しばしば善良なる村民が魔手に仆れたのである。[6]

この八木沼の文章には宣撫官による鉄路愛護村の結成が如何に重要であったかが述べられている。鉄路愛護村が設定されるのは、さきの筒井の語りのとおり、沿線の帯状地帯に限定されていたと考えられ、すべての宣撫官の任務に愛路運動が含まれていたわけではない。ただし当時鉄道が交通上・軍事上に果たす役割の大きさを考慮すれば、鉄道運輸の保護を目的とした愛路運動の重要性は敢えて指摘するまでもなかろう。具体的には、匪賊による線路の爆破や襲撃（挿図3）に有効な対応が求められるなか、鉄道愛護村に指定された聚落の住民と宣撫官の協力のもと、背丈の高い植物を刈り取って視界が広げられ、敵の急襲を不可能とするとともに、さらに不時に巡邏を実施して行動の怪しい者があれば宣撫官にただちに通報させていた。かかる鉄道愛護村の住民の任務には、当然ながら多大な危険性を伴っており、ときには敵（ここでは共産軍）の凶弾に斃れるなど犠牲者が出ることもあった。

挿図3　「北寧線に於ける列車転覆の現場」
［原板番号七八七］

鉄道愛護村と華北交通　宣撫官との連関については後に検討を加えることとし、ここでは今少し鉄道愛護村それ自体について整理を試みておきたい。まず一九四〇年版『華北交通』の「愛路村」の記事では、

> 日支事変勃発直後、満鉄が占領地の鉄道沿線に、逐次鉄道愛護村を組織したのは、満洲に於ける経験と実績に基くものである。華北交通も之に学んで鉄道路線ではその両側各十キロ、自動車路と水運路線とはその両側各五キロの地帯内に在る村落を網羅して愛路村を設定してゐる。而して現在指導しつゝある愛路村の総数は八千箇村、その人口は三千万に達してゐる。……駅を中心とする数ヶ村が集つて地方愛路区を結成し、その区長は駅長である。村長の補佐役となつて一切の指導訓練に当るのは華北交通社員たる警務段員である。「以民護路」或は「一民愛路　万民享福」等の標語を掲げて行はれる愛路工作は、直接には民衆自体の手によって交通路を防御せしむるのを目的とするが、抗日意識を打破して親日に転向せしめ、併せて民生の利福向上を計り、延いて沿線の産業開発に資すべき遠大な理想に根ざしてゐるのである。このため交通会社は、村民の思想善導に努むる旁ら、無償で多量の優良種子や樹苗を配布したり施療施薬班を巡回せしめたり、或は廉売品と演芸班を満載した愛路列車を運転し、或は農業実験区を設けて農事の改良指導を、問事処を置いて村民の日常万般の相談相手になるなど、村民の福祉厚生のため凡ゆる手を尽してゐる。

と見えるほか、その効果についても「之等の愛路工作は実施後未だ日が浅いに拘らず、その効果は著しいものがある。線路の巡察や警備警戒等に積極的に奉仕協力する者は一ヶ月実に八万人に上り、過去一ヶ年間に彼等が齎した匪賊情報は一万五千件鉄道事故を未然に防止したもの七百五十件を算へ、華北交通からその篤行を表彰された者二千余名に上つてゐる。これこそ現実に民路の合作、日華提携を実践しつゝある注目すべき実績である」[7]と記されている。この冊子は華北交通の概要を記したパンフレットのようなものであるから、当然ながらプロパガンダ的な要素を含んでいることにも注意せねばならないが、そこに書かれた自己評価はともかく、自社の業務内容については実際におこなっているものを単純に列挙したと考えてよかろう。

　まず鉄道愛護村設定の範囲であるが、さきの筒井の語りとは異なって鉄道沿線では両側各一〇キロ、自動車路・水運路線では両側各五キロと見え、鉄道の場合、二倍の範囲を含むことになっている（筒井がいう満洲国の事例と華北とでは状況が異なる可能性もある）。一九四二年版『華北交通』の「愛路村」では、文章自体がかなり口語調に改められたうえ、「鉄道、自動車路、水運路線のそれぞれ両側各十キロの帯状地域内にある村落は悉くこれを愛護村

と指定し組織するのである」と修正されており[8]、自動車路・水運路線でも両側各一〇キロにまで拡大されている。かかる変容をいかに解釈するは慎重な判断が求められるが——単なる編集上のミスも含めて——、日本軍占領地の拡大に伴う鉄道愛護村の増加を想定することも可能かもしれない（実例については後述）。実際に愛路村の総数は八〇〇〇カ村、人口は三〇〇〇万にも達すると謳っている。この巨大な数値の根拠は残念ながら明示されていないが、愛護村の総数とその人口数について検討を加えた内田知行によれば、各報告によって数値にはかなりの齟齬があって、どうも正確な数値を示すことは現実的に不可能なようであり、村落数は四〇〇〇カ村から一万カ村、人口数は七〇〇万人から三〇〇〇万人と極めて幅の広い数値しか得られない[9]。現在のところ、こうした数値の増減の意味を十分に読み解くことはできないが、占領地下に数千にも上る鉄道愛護村が設定され、そこで少なくとも七〇〇万人にも達する人口が愛路運動に何らかのかたちで従事させられたことは間違いなかろう。

愛路恵民研究所と愛路青年隊　愛路運動の具体的な内容としては、華北交通社員の警務段員との協力による線路巡察、警備警戒、匪賊情報といった鉄道保護に関わる直接的な任務のほか、種子・樹苗の配布（挿図4）、施療施薬班の巡回（挿図5）、愛路厚生列車の運転（挿図6）、農業実験区の設定と農事の改良指導（挿図7）、問事処の設置と日常生活の身上相談など、さまざまな福祉厚生を含んでいた。さきに引用した一九四二年版『華北交通』では、

> 愛路工作の内容は多岐多様にわたつてゐるが大別すれば思想の善導と生活の向上に大別し得る。先づ農村更生のための施設としては主要地十一ヶ所に愛路恵民研究所があり、五百箇所の愛路塾と附設農園がある。これらは華北交通の他の農事施設と共に愛護村の農産改良の唯一の指導機関であるが同時に、交通愛護思想即ち親日思想の養成所、人物の錬成場たる機能をもち、愛路工作推進の拠点となつてゐるのである。すなはち之等の施設は一般村民に対して農事指導を行ふだけでなく、併せて鉄道知識を与へ剿共思想を鼓吹し、また簡易日語を会得させる。更に愛路恵民研究所の訓練部では十八歳から二十五歳までの愛路青年隊を三ヶ月間収容し、愛護村の指導者たらしむべく日本人の指導員が起居を共にして親しく晴耕雨読の訓育を施すもので愛路工作の真髄をなすものとしてその成果を期待されてゐる。四ヶ年に二万人を養成する意気込みである[10]。

とも記され、一一ヵ所の愛路恵民研究所があり、訓練部において一八歳から二五歳までの青年を愛路青年隊として収容・訓練せしめたこと、他に五〇〇ヵ所におよぶ愛路塾があって交通愛護思想を施し日本語を習得せしめたこ

挿図4　農民に種子を配布する宣撫官
［原板番号一〇三九八］

挿図5　施薬施療に活躍する愛路婦女隊
［原板番号二五六四〇］

と、さらに附設農園では農事指導をおこなっていたことなどが紹介されており、より詳細な運動内容が判明する。愛路運動のなかでも特に交通愛護思想の養成が親日思想と直結して考えられていたこと、実際の愛路運動の担い手として愛路青年隊が組織されつつあったことの二点に注目しておきたい。

なお、愛路恵民研究所の実態については残念ながら詳細はほとんど不明であるが、たとえば、『北支』一九四二年七月号の「支那事変五周年　鉄路愛護村一」には次のような一節がある。

> 新中国建設の基底をなすものは、農村振興の問題である。華北交通の中央鉄路農場（通州）は此の要望に応へて設立された綜合研究機関で農産、畜産、林産、農林化学、農産昆虫の各科に分れてそれぞれ専門的研究を進めてをり、既に土地に適する数十系統の優良棉花種子を得、これを農村に配給して、北支棉花の改良を促進する等、着々と実績を上げつつある。京山線の昌黎に右農場の分場があり、さらに鉄道沿線主要地十二箇所に愛路恵民研究所及び附設農場がある。この愛路恵民研究所は愛護村民の中から有為な青年達を選び出し、これに農事に関する革新的な教育をさづける機関で中国農村の自力更生を念願する華北交通の意図がよく現はれてゐる。この他、十一箇所に鉄路苗圃と、張家口に林業所があり、かくの如く、華北交通は巨額の資本を投じ、優れた技術を動員して農村の復興に尽瘁して居る。(11)

この記述によれば、通州の中央鉄路農場のほか、鉄路沿線の一二ヵ所に愛路恵民研究所・附設農場が存在したこと、それらが農村の青年を対象として農業技術の改良を教育・指導する機関であったことなどが判明する。

また一九四二年四月九日の『中外商業新報』の「清化鎮に愛路恵民研究所設置」と題する記事には「開封鉄路局では農村経済の振興、農民教育の徹底を図るため徐州、彰徳に愛路恵民研究所を設け愛護村青年を収容、各種指導と訓育を施し農村の中堅人材を育成しつゝあるが、更に現地食糧増産計画の一たる清化鎮水田一千町歩開始するとゝせに《ママ》同地に愛路恵民研究所を新設、百名の愛護村優良青年を収容、水稲栽培方法の研究訓練を行ふことゝなつた、同所修業者中成績優良なるもの五十名は更に高等教育を与へ鉄路局に採用愛護村食糧の増産に当らせることゝなつてゐる」(12)とあって、農村経済の要である農事の改良指導や村内の優良青年を中心とした中堅人材の育成などの事業に関わる施設であったことがわかる。

かかる点に注目すれば、以下の記事に見える「愛路農民道場」も同様の施設なのかもしれない。一九四〇年一二月四日の『朝日新聞』東京、所載「愛路農民道場——中堅指導者育成」には「北支蒙疆の水陸交通網を綜合経営す

挿図6　愛路厚生列車の到来［原板番号二九一九九］

挿図7　模範愛護村農作物品評会の開催（密雲県檀栄村関帝廟）［原板番号二五〇六三］

る傍愛路村八千村を結成して鉄道、自動車水運、路線一帯の治安確立、三千万同村民の産業指導、民生向上等等に顕著な実績を収めつゝある華北交通の愛路運動は世界各国に類例を見ない珍しい文化宣撫工作として各方面から注目期待されてゐるがこの程新たに愛路勤農場規定を制定三千万農民の愛路農民道場を天津、泊頭、北京、保定、坊子、太原、承徳、徐州の八個所に設け新生中国に活躍する中堅指導階級の農民の育成を図ることゝなつた[13]」とあり、文脈から判断するかぎり、前出の愛路恵民研究所と愛路農民道場はやはり同一の施設、あるいは類似した施設をさすとの推定も許されよう。

またここに「華北交通の愛路運動は世界各国に類例を見ない珍しい文化宣撫工作」と強調されている点にも注意しておきたい。なぜなら筆者は、愛路運動がいずれかの国家――たとえば後述するドイツの膠済鉄道など――においてすでに実施されたという前例があり、華北交通がその有効性を認めて踏襲したのではないかと推測していたが、かような推測を否定するとともに、むしろその独自性を示唆するものだからである。もし愛路運動が日本軍の占領地行政に特有のものであったとすれば、それがいかに発案・実施されたかなど、満洲国にまで遡及して検討する必要があろう[14]。

愛路少年隊と婦女隊　一方、愛路運動の担い手には愛路少年隊や婦女隊も想定されていた。『朝日新聞』東京、一九四一年四月一三日「鉄道を守る少年隊」には「山西にある愛路少年隊は鉄道を警備する少年団で、華北交通公司が指導して、鉄道沿線に愛路村をつくつてゐます[15]」とあって、山西省では華北交通の指導下に愛路村が成立し、愛路少年隊が組織されていたことがわかる（挿図8）。さらに内閣情報部編輯『週報』第七六号、陸軍省新聞班「武器なき戦士・宣撫班」には次のような記載がある。

いま皇軍恩威の及ぶ各地区には多くの愛護村が組織されてゐるが、愛護村民は愛護村長の命を受け、皆一様に鉄路、自動車路、通信線を愛護する義務を負ひ日夜この尊き愛路奉仕に従事し匪賊などの速報にも当る。その代り当局は村民の危急が迫った場合、優先的に保護するばかりでなく欽乏物資や菓子、日用品、雑貨の配給を行つてやつたり、優良種子や苗木を分譲したり愛護村民の教養の為村塾を開設し文化の恩恵に浴させるなどの特権を与へるので、村民は我が真意を次第に理解し宣撫班をしたひ匪賊が襲来した時民衆が「宣撫官にもしものことがあつたら大変……」と自分達の家にかくまつてくれたうるはしき情景も見られた。民衆の友になり切つてゐるだけに宣撫班には犠牲が殆どない。又班員が村を去るときが来ると、村民はこぞつて班員と共に退

挿図8　愛路少年隊［原板番号四八三五］

去しようとするなど涙ぐましい場面も生れる。鉄路愛護村には村内の青少年男女を以て鉄路愛護村青年隊、少年隊、婦女隊などが編成され将来の確固たる愛護村の指導者となるための訓練を受けてゐる。[16]

ここでは愛路運動の担い手としての愛護村民と宣撫官の関係はもちろん、青年隊・少年隊・婦女隊の組織化とその人材育成にまで言及がなされているほか、さらに引用箇所以外にも河北省の石家荘を事例としながら少年隊などが隊員数百名にのぼり、清掃や宣撫工作の手伝いを担っていたことが紹介されている。

一方、満鉄・華北交通社員会共編『支那事変大陸建設手記』所載の小澤隆「宣撫官の日記」を繙くと、

彼等のある者は主として鉄道、電線等の破壊を企て、京漢線長辛店—良郷間は彼等が常に狙ふ場所になつてゐた。故に各沿線には鉄路愛護村を組織し、情報連絡網を設定、担任区域内の線路巡察には愛護村民中の少年隊をもつてその日課の一つとなさしめてゐる。かつてある夏、折柄高梁の繁茂期を隊員の一人が旗を手に沿線を巡察中線路の一部が無惨にも破壊されて多数の枕木に火が放たれ、危く附近の高梁畑にも燃え移らうとしてゐたのを発見直に分遣隊に走り、速刻皇軍の出動を仰ぎ各駅に急を告げて事故を未然に防止したこともあつた。[17]

とあり、鉄道愛護村で組織された少年隊が線路の巡察や、線路の破壊に伴う事故の未然防止に一定の役割を果たしていたことが確認できる（挿図9）。

またさきに引用した一九四二年版『華北交通』には「愛路青少年隊と婦女隊」という次のような一節も見える。

愛護村の中核として将来に望みをかけられるものは少年隊と青年隊であり、現に彼等は村民の先頭に立ってめざましく活躍してゐる。十一歳から十七歳までは少年隊、十八歳から二十五歳までが青年隊である。カーキ色の制服と樫の隊杖に身を固め颯爽と行進する彼等の有様は微笑ましく頼もしい。彼等は現実に兇器を持つ敵に対抗するのでその訓練も軍隊式に厳格である。匪賊情報の通報連絡、歩哨、線路巡察、さらに手旗信号や電話機の操作にいたるまで、すべて用語は日本語によって華北交通の若い警務段員から熱心な指導を受けてゐる。……愛護村の指導員とこの青少年隊との間にはすでに温い師弟の情愛が芽生えてゐて日本人の先生を思ふ少年隊の可憐な心根には胸を打たれるものがある、……模範少年隊は一定の合同訓練を受けたり見学旅行に出かけたりする。また現在わが愛媛県には十名の少年隊員が派遣されてゐて熱心に勉学してゐる。これらの青少年隊

挿図9　手提げ電話機で急報する愛路少年隊
［原板番号二三三九一］

は現在六百七十二隊二万六千五百余名に達する。華北交通の愛護村工作において最も力を注ぎまた将来を期待されてゐるものである。

愛路村の青少年隊の育成、担った役割、指導員との温かい師弟関係が縷々述べられているが、愛路運動の将来的な担い手として青少年に期待が集まっていたこと、なかには日本（愛媛県）にまで派遣され、先進的な国家として誇示された日本に赴いて勉学する機会を与えられた者がいたこと、かような青少年隊が六七二隊・二万六五〇〇名にも及んだことなどが強調された内容となっている。

さらに婦女隊についても言及されており、「青少年隊のほかに婦女隊の組織もある。労働をいとひ屋内に閉ぢこもつてゐた農村の若い女性たちを集めて手芸や料理の講習会をひらき或は家庭看護の仕方や日本語を教へる、……かうして彼女たちは、進んで華北交通の施療施薬班の手助をしたり施米の世話をするほか、時には危険を冒して敵情の通報に協力するやうにさへ目覚めてゐる」[18]と、中国農村の女性に手藝などの講習会、日本語の勉強会の機会を提供し（挿図10）、可能であれば施療施薬班で医療行為の手伝いをさせたり、さらに進んでは敵情の通報にも協力させたりしたと述べている（挿図11）。

かかる青少年や婦女の動員の背景に日本軍、宣撫官、華北交通のいかなる意図・真意があったか、これをいかに評価すべきかは難しい問題であり、筆者の手に余る課題であるが、まずはこうした事実が存在したことを一つ一つ明らかにし、強制労働や青少年の徴兵といった、すぐれて現代的な脈絡ではなく、当時の中国大陸と日本をめぐる世相、さらに世界史のなかの日中戦争という大きな枠組みで検討する必要があるのではないかと考えている。

この婦女隊については『北支』一九四三年三月号の「愛路　婦女団」にも「古来労働を厭ふて屋内深く閉ぢ籠つた農村の若き女性を以て組織し日語、手芸其他の副業、料理法、看護法等を修得せしめ、新華北の母として又妻として恥かしからぬ女性を養成するのである。現在団数四十九、人員一千七百二十人に達してゐる」[19]と記され、日本軍の指導下に「新華北の母」の育成がめざされ、その数も婦女隊（婦女団）四九、参加者人数一七二〇人に上ったことが指摘されている。青少年隊・婦女隊ともにただちに依拠・信頼できる数字ではないが、一定程度の参考に供することはできるのではなかろうか。

愛路運動の成果　最後に、愛路運動の成果を簡単に振り返っておこう。昭和一七年版『華北交通』の「愛路村」の末尾では「かうして、村民は次第に鉄道側に帰服し、やがてこれに協力し、これを擁護するところまで進むのであ

挿図10　日本語を学習する愛路婦女隊
［原板番号二五六〇八］

挿図11　急報する愛路婦女隊
［原板番号二五六三四］

る。昭和十五年度の成績を見ると、会社側に協力して線路の巡察や情報蒐集などに活躍した村民は延べて六百二十万人、彼等が齎した匪賊情報は二万二千件、是によつて被害を未然に防止し又はその程度を軽減し得たもの実に一千三百四十三件に達し、会社から篤行を表彰されたもの九百五十人の多きに及んでゐる[20]」と語って、愛路運動の成果を誇示している。

ここでもある程度、具体的な数字を上げながら愛護村民の活躍ぶりを伝えているが、この数字をすぐさま鵜呑みにするのはあまりに早計にすぎよう。それでも少なくとも日本軍や宣撫官、華北交通にとって鉄道愛護村の設定と青年隊・少年隊・婦女隊の組織化が極めて重要な意味を有し、現実にはかなり限定的であったとはいえ、それなりの成果を上げつつあったことは間違いない。史料上の制約から愛路運動の実態や統計的な数字を掲げることは不可能事に近いが、日本軍に特有の文化宣撫工作の一つとして位置づけながら、歴史学的に考証を進めていくことが、現在の我々に求められている必須の作業であろう。

二　小島利八郎『宣撫官』――愛路運動に携わった宣撫官の詳細な記録

宣撫官・小島利八郎　宣撫官と愛路運動の関わりの具体的な事例の一つとして、宣撫官自身が執筆した回顧録のなかの記載を紹介してみよう。ここで取り上げたいのは小島利八郎宣撫官が著した『宣撫官』である。本書を利用した研究は寡聞にして知らない。本書は一九四二年一〇月に錦城出版社から上梓され、総頁数三六〇頁に及ぶ。残念ながら、著者である小島利八郎なる人物についてはほとんど情報が記載されておらず、筆者が入手した宣友会名簿（戦後結成された元宣撫官の懇親団体）にその名前を確認できないため、本当に当人が宣撫官であったか否かも確たる証拠がないのが現状である。しかし本書冒頭の口絵写真のなかに宣撫工作の様子を撮影したもののほか、「著者」と記した軍服姿（宣撫官の腕章はない）の著者の写真が掲載されていることから（挿図12）、とりあえず小島は宣撫官であったと見なしておきたい。

本書の内容によるかぎり、小島は北京から天津、済南、徐州へと移動し、徐州で第九一宣撫班に配属され、最初の任地は安徽省宿遷県に決定する。その後、第一四五宣撫班勤務を命ぜられ同省亳県へと転任、さらに江蘇省徐州宿県夾溝集へと転勤して新設の第一七八宣撫班に所属した。そしてこの第一七八宣撫班での主要な任務が愛路運動であった。その冒頭では次のように述べる。

挿図12　『宣撫官』の筆者・小島利八郎（筆者蔵）

北支全般に亙る作戦計画が遺憾なく遂行されて、目ぼしい区域から敵匪が一掃されると、逃げのびた敵は其処彼処に屯して執拗なゲリラ戦を開始した。徐州を中心として南北に跨つてゐる津浦線にも、最近此種の匪賊が蠢動して線路破壊による列車事故が頻発しだした。鉄道警備にあたつてゐる兵士達は殆ど不眠不休で警備に当つてゐたが、長い鉄道線路を少数の人員で昼夜間断なく警戒することは至難なことであつた。今までさして重要でなかつた鉄道愛護村工作が重視せられ、いくつかの宣撫班がその任務に服するやうになつた。(21)

小島が赴任した徐州には天津―浦口間をむすぶ津浦線が通っており、線路破壊による列車事故などゲリラ的な抵抗が続いていたが、結果として鉄道愛護村工作が重視され、宣撫班が任務に当たったとする。鉄道沿線の長大な範囲を日本軍の兵士のみで警備することは不可能であり、鉄道保護のためにも愛護村の設定・組織化は急務であった。

監視小屋の設置　さらに小島の所属する第一七八宣撫班と愛路運動について以下のように語っている。

私達の宣撫班の主目標は鉄道愛護村工作であつた。鉄道愛護村工作は、一口に云へば、鉄道沿線の村々を組織して列車通過の無事故を図り、その代り鉄道による利便と恩恵をそれらの村民に遍く与り知らしめ、それらと平行して東亜新秩序建設の現実を彼等に周知せしめることにあつた。先づ所定区域の村長を召集して愛護村長会議を開催し、東亜の現実を周知徹底せしめると同時に、各自の村の責任分担区域を設定し、その区域に各自監視小屋を設置すべきことを命じた。(22)

第一七八宣撫班の主な任務はまさに鉄道愛護村工作であり、それによって東亜新秩序建設を図ることにあった。具体的には宣撫班自らの管轄区域内の愛護村村長を召集して愛護村長会議を開催し各愛護村の管轄すべき路線を決定、具体的な方法として監視小屋の設置が命ぜられている。さきに検討したように青少年隊の巡察も一つの有効な方法であったろうが、監視小屋を設けて常時監視するこの方法はより現実的かつ効果的であったと推測される。
この監視小屋の具体的な状況について小島はさらに次のように続けている。

日ならずして、鉄道沿線のあちこちに土で固めて作つた監視小屋が出来上つた。各村の村から輪番で勤務する監視人が、私達の巡視の姿を見かけると旗を振つて合図した。私達が敵匪が線路を破壊に来た際には、如何なる処置を採るべきかを質問すると淀みなく答へる者もあれば何も解らない連中もゐた。解らない連中には村長会議に話したことを繰返して説明してやらなければならなかつた。村長に依り、その処置の徹底してゐる監視人と、徹底してゐない監視人とゐた。私達はその監視人達に煙草や燐寸やキャラメル等の慰問品を与え、次々に小屋を巡視して廻つた。もしも監視人の居ない小屋があつたりすると、その小屋の番号を控へて、責任村の村長を喚びつけて厳重に説諭したりするので、一ヵ月も経つたころには監視人の居ない小屋はなくなつた。[23]

ここに見える創設期の監視小屋に関する記載はかなり詳しい。沿線に簡素な土壁の小屋を建てて（挿図13）、常時一定数の人員を配置して線路を監視させた。しかし命令の不徹底や愛護村民の尻込みもあって必ずしも順調ではなかった。小島はかかる状況にあっても決して居丈高に振る舞うのではなく、村長と協力しながら丁寧に教えて、うまく行くよう取り計らったらしい。その結果、約一ヵ月後にはほぼうまく機能するようになった。

監視小屋が順調に機能しはじめると、次に獲得した情報をいかにして日本軍や宣撫官に報告するか、すなわち連絡網の整備が問題となってくる。

監視小屋が完成すると共に、それらの村々に情報網を完備させることが急務になつた。実際、線路間際にある監視小屋で敵匪を発見し、それから報告するのでは遅いので、その後方にある各愛護村に情報網を完備して、事を未然に察知しなければならなかつた。そのために各村に青壮年を以て自衛団を結成せしめ、その中に情報班を設けて毎日情報を夾溝にある宣撫班まで持つてこさしめた。……若し報告を齎らさない村でもあると、私達は態々その村まで出かけて行つて、その自衛団を手酷く訓練し、情報班長は特に喚び出して厳重な説諭を加へた。さうすると翌日からは必ず持つて来るやうになるのであつた。[24]

この記述を勘案すれば、小屋の監視人員から村長および愛護村に設けた自衛団の情報班へ、そして情報班から宣撫班へという連絡網（情報網）（挿図14）が構築されたらしい。こうした連絡網を用いる場合、問題となるのは愛護村長ないし村民が日本語で報告できるか、或いは中国語でも読み書きができるか否か――当時ほとんどの農民が非識字層であった――が問題となろう。そこで重要な働きをしたのが中国人宣撫官ではなかったか。たとえばかつて宣撫官であった張成徳[25]は次のように回顧している。「鉄道沿線の宣撫班はまず「愛護村」を組織し、線路の保護、破壊活動の防止を行う。沿線両側一〇キロメートル以内の聚落はすべて愛護村に設定された。毎朝、愛護村長は必

挿図13　監視小屋（『鉄路愛護村実態調査報告書・南権府荘』所載）

ず一つの情報を送らねばならず、もし何も異状がなければメモに「平安無事」と書く。送られてきた情報は専門人員が登録する」[26]。つまり張によれば、愛護村長は毎朝報告を行う義務があり、それは基本的にメモによる文字で遂行されていた。「平安無事」程度の文字は書けるように教育されたのかもしれない。ただしそれはあくまで平時の「平安無事」のときのことであり、有事に詳細な情報を齎さねばならなかった場合には、文字表記による情報の伝達は難しかったであろう。そうしたときに重要な役割を担ったのが張のような中国人宣撫官ではなかったか。推測にすぎないが、愛護村情報班からの情報の処理は中国人宣撫官の協力が不可欠であったと考えておきたい。

かかる情報伝達の代償として宣撫官は愛護村民に物質的な援助、福利の増進を施してやったようである。小島は次のように書き記している。

斯様に愛護村民の負担は大きかつたが、それと平行して彼等の福利も増進してやらなければならなかつた。何か鉄道による恩恵を施してやらなければ、彼等の負担は単に肉体的のみならず、精神的に不満を増長させることになるであらうと思はれた。そこで私達は、民衆の喜びさうな品物や、支那芝居や医者を載せた厚生列車が来ることを希望し、種々問ひ合はせてみたが、早急に来さうな様子もなかつた。それで協議した結果、とりあへず昨今民衆が困つてゐる塩や石油等の民需物資を斡旋することになつた。班長が徐州に行つて軍当局と交渉し、必要な塩の量と石油鑵を列車に満載して帰つて来た。それを各村に割当てて配る日には、各村から集つて来た牛車が夾溝の町に満ち溢れた[27]。

宣撫官にも愛護村民にも期待されていたのはすでに言及した愛路厚生列車の到来であった。さまざまな品物や劇団、医者を運んでくる愛路厚生列車を手配することは愛護村民の愛路運動に対する大きな「見返り」となったであろう。実際、華北交通写真や『写真週報』に掲載された写真には愛護村民と思われる多数の人々が群がるように愛路厚生列車に殺到して品物を買い求めているシーンが写し出されている（挿図15）。しかし小島も述べるように、実際にはいつでも愛路厚生列車を手配できるわけではなかった。むろん華北交通写真や雑誌に掲載された写真がプロパガンダにすぎなかったと断言するつもりはないが、右のように塩や石油など僅かな必需品を準備することが現実的だったのではないだろうか。それでも多くの村民が期待していたことが窺われる。

宣撫官と愛護村民

こうしてようやく実現される愛路運動は宣撫官にいかに認識されていたであろうか。日本軍と

挿図14　愛護村匪賊情報連絡図解
［原板番号二四五四三］

挿図15　愛路厚生列車に群がる愛護村民
［原板番号二九二一三］

愛護村民のあいだの微妙な立場にある宣撫官の心情を小島は次のように語っている。

斯様な情勢のうちに愛護村は次第に固まつて行くやうに思はれた。隣りの班の分担区域では列車事故が突発したけれども、私達の班の分担区域には未だ一度も起きなかつた。……各愛護村がかつちりと手を組んでゐることが無言の示威となつて敵も潜入し難いのであらう。さう思ふと私達は村民に無限の感謝の念を覚えるのであつた。私達は列車事故の起きるのを極度に恐れた。若し起きるならばそれは私達が責務を怠つてゐるやうな気持に惹き込まれるからである。事故は実際はどうにも手のつけられない情況下に突発するのであるが、然し事故が起きればその分担区域の宣撫班の責任にもなることは確かであつた。……夜の九時頃、浦口発北京行の国際列車が私達の分担区域を通りすぎるのであつたが、それが通りすぎるまでは眠る気なんかしなかつた。無事に通過したといふ知らせがあると、ああこれで今夜も無事であつたと大きく安堵するのである。もし何か不吉な情報でも入手すると、それが心配になつて、遂には自らその場所に出向いて警戒兵と共に警戒に任ずることすらあつた。そのやうな際に監視小屋を覗くと、監視人が寒さに震へながらうづくまつてゐる。「辛苦」「辛苦」と声を掛けてやると、彼等は嬉しさうにほほるむのであつた。……やがて列車の車輪の轟きが聞え始めると、各監視小屋の人々は一斉に小屋の前に出て、線路に異状がないことを知らせる合図に次々とカンテラを振るのが、闇の中に丸く輪を描いて次々と移つて行く。その様子を見てゐると、眼の前を地響き立てて走り過ぎる列車の食堂車に酒を飲んでゐる人々を思ひ浮かべて、恐らくはこの警戒兵や村民達の苦労も知らないだろうと急に憤懣の情をおぼえたりするのであつた。(28)

鉄道保護という重責を担い、列車事故を恐れながらも、愛護村民の協力を得ることでようやく責任を果たし愛護村民に無限の感謝の念を覚えていた小島。監視小屋で寒さに震える杜民へのいたわりと感謝の念を表しながら「辛苦」と声を掛けてやる小島。そんな苦労も知らないであろう列車の食堂車の人々に憤懣の情を覚える小島。現場で任務に従事する宣撫官はもはや愛護村民に同情し、彼らの立場にたつて憤りすら感じていた。宣撫官をファシズムの手先としてだけ理解し糾弾することの不十分さがここにも垣間見える。

また青年隊の編成と訓練をめぐる愛護村民の態度について、小島は宣撫官という立場を超えて以下のように締め括っている。

斯様な愛護村工作と平行して、私達は宣撫班本来の使命の達成にも努めねばならなかつた。そしてそのためには、各愛護村から優秀な青年を集めて之を訓練することに重点が置かれた。第一回の青年訓練が開始されて、各村から集つた優秀青年といふ、折紙づきの青年達を眺めて私は失望せざるを得なかつた。どの青年にも才智の閃めきがなく、皆そこらあたりにごろごろしてゐる苦力と異なるところがなかつた。……日本軍が初めて開く青年訓練とは何か解らずにゐて却つて、そのまま兵隊に連れて行かれるのかも知れないといふやうな馬鹿げた疑惑を起して、……。私は呆れて暫くは物も言へなかつた。然し段々落着いて考へて来ると、それは無理もないことのやうに思はれて来た。支那では実際この青年訓練と同じやうな方法で強制的に兵隊を徴募してゐるのであるから、日本軍が青年訓練を始めると聞いて、さてこそと思つて皆恐れ拒んだのも無理はないと思はれた。[29]

召集に応じて集合した愛護村の青年たちを見た小島の失望と呆然、冷静さを取りもどした後の了然、ここにも宣撫官小島の複雑な心境がよく表現されている。任地において愛路運動に主体的な役割を担わざるをえなかった宣撫官の愛路村民に対する〝哀れみ〟の感情が僅かながら吐露されているといっても過言ではなかろう。

三 『鉄路愛護村実態調査報告書』――華北交通が調査した愛護村の実態

鉄路愛護村実態調査　次に『鉄路愛護村実態調査報告書』という華北交通の手になる報告書から愛護村と愛路運動の実態について分析を加えてみよう。管見のかぎり、愛路運動を主体的に展開した華北交通による愛護村の実態調査は、僅かに二ヵ村にすぎない。いずれも膠州と済南をむすぶ膠済線沿いの聚落である安邱県峠山荘と済南市近郊の南権府荘であり、その報告書が華北交通株式会社総裁室資業局によって一九四〇年一〇月に整理・出版された①『鉄路愛護村実態調査報告書――膠済線峠山愛護区（安邱県）峠山荘』と②『鉄路愛護村実態調査報告書――膠済線黄台愛護区（済南市近郊）南権府荘』である。

これら報告書の「序」には「〔華北交通〕会社は創業と同時に交通路線の確保を期し、幾多の犠牲を忍び愛路工作に努力しつゝあるが、工作の対象は疲弊せる農村であり農民である。従つて之が更生対策の実施には、先づ農村社会の実態を調査究明するの必要を感じ、昭和十四年九月より本年四月に亘り、資業局業務課員を中心とし警務部愛路課員の参加を得て七班を編成し、昌黎、安定、泊頭、黄台、峠山、保定、太原の各愛護区管下に於て夫々一部落を選定し、愛護村実態調査を実施した」[30]という資業局長・伊藤太郎の言を載せており、七ヵ村で実態調査がおこなわれたことがわかる。しかし現時点で確認しうるのは峠山と黄台の二点に止まっており、今後、他の報告書がないか、筆者にはさらなる博捜が求められる。これら二つの報告書の目次を見ると、ほぼ同じ構成となっており、調査部落の概要、自然条件、部落の沿革及村行政、戸口、土地、産業、小作慣行、農業労働、農舎及び農具、役畜、農耕事情などの項目に分かって記述されているが、以下では、村概況や村行政の項目に記された愛路運動関係の事項にのみ対象をしぼって検討を進めていきたい。

峠山荘愛護村の成立と「我関せず」の態度　まず①は江波戸勘司・牧内潔・倉田勇治の調査者三名、趙徳春・曾憲功の通訳二名で実施された。うち本報告書の執筆を担当したのは江波戸で満洲国立熊岳城農事試験場技士であった。「凡例」によれば、峠山荘は総戸数四七八戸を数える大部落で、全戸を個別調査することは不可能であったため、二〇〇戸を選定し、その数値に二・三九倍することで全村分として掲げることにしたという[31]。本書で愛護村に言及するのは第二編第一章第四節「治安及び今次事変勃発後の諸工作」の項目においてであり、冒頭に「次に特記すべま《(※ママ※)》ことは、本村が駅の近くに存在し、何かにつけて便利なる関係上峠山街に本部を置く警備隊、鉄路愛護区公所、鉄道、農村振行会等に賦役として徴発される人夫が莫大な数に達して居ると云ふことである」[32]と記している。

峠山街は峠山荘の東方約一キロメートルの峠山駅附近の一小街で、総戸数一五五戸のうち、五〇戸が商業、八五戸が織布業、一〇戸が農業などに従事していた。愛路運動を専門とし複数の愛護村を統轄する鉄路愛護区公所も当然に駅に近い峠山街に設けられたようで、賦役としての莫大な数の人夫には鉄道警備や鉄道工事も含まれていた[33]。愛路運動の実際については次のような記載が見える。

昭和十三年二月皇軍の占領後間もなく本村は鉄路愛護村に指定され、峠山街に宣撫班が一個月内外滞在して、数回に亘つて巡廻無料治療を行ひ、又鉄路愛護講演会等を催したが、当時の村民は講演に関し何等の関心を寄せなかったと云ふ。その後警備隊及び鉄道関係者の指導の下に鉄道警備及び部落の防衛に当ることになった。即ち昨年二月より昼夜を通じて二十名宛の村民を派し鉄道警備、情報の蒐集に当りつつある。……又本年三月に至り、警備隊の指導の下に峠山愛護区に興国青年隊が結成され、本村よりは二十五名を派遣し警備隊に協力して治安維持に当りつつある。更に本年七月峠山鉄道愛護区に愛路青年団が結成され、鉄道警備員の指導の下に訓練を行ひつつあるが、本村よりは既に三名此の訓練に参加せしめて居る。……尚最近峠山鉄路愛護区の婦女団が結成され、本村よりは十数名の参加者があり、鉄道関係者が中心となつて精神的訓練に当りつつある。……以上の如く各種の工作を行ひつつあるのであるが、未だ我関せずの態度を保持して居る者が多く今後の諸工作には尚相等の困難性を蔵して居る如く見られる。……峠山駅長の語るところによれば、日本人の当地に入つた昨年の春頃に於ては、日本人に好意を有する農民とては一人もなく、今日迄の諸工作によつて漸くその二〇%が日本人に対する認識を改め思想的に幾分なついて来たに過ぎずその他は未だ我関せずの態度に出て居るとのことであったが、実際農民に接して其の実情を窺ふことが出来たのである。[34]

この記載は愛護村の実態を如実に伝えていて誠に興味深い。簡単に整理を試みれば、以下のとおりとなろう。第一に、一九三八年四月に日本軍が当地を占領すると、峠山荘はただちに愛護村に指定され、附近の峠山街に宣撫班が駐屯・滞在するようになり、巡回無料治療を行ったり鉄路愛護講演会を開催したりするなど愛路運動を積極的に展開した。第二に、無料施療はともかく、愛護村民は講演などには全く関心を示さず、愛路運動に積極的な姿勢を示すことはなかった。愛護村の実態がこのようであったことは容易に想像できる。第三に、それでも鉄道警備・情報蒐集は警備隊や鉄道関係者の指導のもとに行われ、興国青年隊、愛路青年団、婦女団などが次々に組織された。しかし村財政の逼迫から必ずしも順調に進まず縮小する場合も見られた。第四に、峠山駅長の話によれば、当初日本人に好意を有する者は皆無で、その後の諸工作によって若干の改善は見られたものの、いまだにほとんどの者が「我関せず」の態度を取ったという。

かかる状況は調査者の江波戸にも感じられた。宣撫官や華北交通社員の積極的な働きかけがあったとしても、愛護村民にとって施療施米など福利に関わる事柄以外はまさに外来者による押しつけにすぎず、仮に当初は新たな支配者の方針に積極的に関わる姿勢を見せようとも、次第に実状を知るにつれて熱意は急速に冷め、無関心の態度を決め込むようになった。これまで紹介・分析を続けてきた史料の多くは華北交通をはじめ施政者側の史料であったため、あたかも愛路運動が順調に村民に受け入れられ浸透していったかのように強調されているが、現実を認めねばならない調査者の目には多数の「我関せず」的な村民が印象強く残ったのであろう。ただし江波戸も必ずしも愛護運動自体の現状・限界を直視できなかったようで、ドイツの膠済鉄道敷設以来の五回もの支配者の交替が「何れ又別な支配者が来る」という「消極的態度」「無関心」の原因であると締め括っている。[35]

南権府荘愛護村の成立とその変遷　次に②は江上利雄、片山英夫、柳元正義、岩淵春海の調査者四名、片山英夫

（兼）、杜全毅の通訳二名によって遂行され、執筆は資業局業務課員の江上によっておこなわれた。第四章「戸口」によれば、調査当時、南権府荘の戸数は二三四戸であったが、うち一二戸は一九三九年以降に移住してきた者であったため、本書ではこれらを除く二二二戸を調査対象としたとする。[36] 南権府荘愛護村が成立するまでの過程について本書は以下のように書き起こしている。

> 其の後皇軍の済南入城と共に直に宣撫班の活動を見るに至り地区警備隊の粛正工作が進展すると共に部落民は漸次帰村し治安は漸次良好となり、其の後宣撫班に代り新民会の工作が始まり、民国二十七年六月には警備隊指導の下に南権府愛護村が設立せられ、次いで七月には自衛団が組織せられ治安維持の任に当るに至つた。斯くて当部落附近一帯は急速に治安の回復確立を見るに至り調査当時に於ては殆ど事変前の状態に回復してゐた。[37] ……当部落に於ては現愛護村長が其の職に就く以前から荘長と称せられる部落の代表者となり……部落の有力者（閭隣長）を補佐役として部落行政を司り部落行政上必要なる費用は之を土地及建物所有の状況に応じて徴収してゐる。[38]

戦時下の混乱のなか南権府荘の村民は離村四散したが、日本軍の入城、宣撫班の登場（後に新民会に統合）をへて次第に帰村するようになり、その結果、一九三八年六月に愛護村に指定され自衛団が組織されている。愛護村長は荘長が当たった。部落の有力者＝閭隣長が補佐していることから、愛護村は完全に新たに設けられたのではなく、旧来の自律的な権力関係を承認するかたちで編成されていたと判断できる。

南権府荘愛護村のその後の変遷についても詳しく解説されている。

> 当部落は黄台愛護区に属し一部落を以て南権府荘愛護村を組織してゐる。本愛護村は民国二一七年の初、皇軍が鉄道警備隊を配置すると同時に其の指導下に成立したもので黄台愛護区中最も早く組織された愛護村の一つである。愛護村長は所謂荘長が之に当り皇軍の指導下に克く村民を統制指導し愛護村設置の目的と其の任務の重大性に鑑み率先窮行、鉄路の愛護は元より匪賊情報の蒐集、各種団体（後述）の指導等に任じ、昨年（民国二十八年）九月遂に膠済沿線に於ける模範愛護村として指定せらるるに至つた。之より先昨年三月に黄台愛護区公署が当部落に開設せられ愛護区長に黄台站長就任し其の下に七名の副区長を置き管轄愛護村の指導育成に当りつつある。管轄愛護村は愛護区公署開設当時は三十六箇村（一部落一愛護村）を数へる程度であつたが、

四月には五十八箇村に増加し六月には八十一箇村を算するに至つた。……愛護区公署に於ては其の開設以来毎月一回乃至二回の愛護村長会議を開催し情況聴取、意見開陳懇談をなし一方必要なる指示を与へ之が指導を行ふ外、毎日匪賊情報の報告と鉄路の警備に遺憾なきを期せしめてゐる。(39)

ここから黄台愛護区と南権府荘愛護村の関係を中心に以下の状況が判明する。第一に、黄台愛護区のなかで南権府荘愛護村が最も早期に指定された愛護村の一つであったこと。第二に、南権府荘愛護村は線路保護、匪賊情報の蒐集、各種団体の指導などに重要な役割を果たした結果、一九三九年九月に模範愛護村に指定された。すなわち愛路運動の一拠点と見なされていたこと。第三に、さらに複数の愛護村を管轄する上位単位=愛護区が本村に設置され、黄台愛護区公署を建設、愛護区長に黄台站長を任命して下部愛護村の指導育成にあたったこと。第四に、愛護区下の愛護村は三六ヵ村から五八ヵ村、さらに八一ヵ村にまで増加した。つまり南権府荘愛護村を中核とする愛護運動が拡大し、多数の愛護村を傘下に入れた愛護区が成立したこと。第五に、南権荘愛護村では毎月愛護村長会議が開催され、情報の共有、命令の伝達などが行われ、制度上のみならず機能上でも重要な役割を担ったこと。

このように見てくると、黄台愛護区――南権府荘愛護村は模範愛護村として愛路運動上、特別な地位に在ったことがわかる。同じ鉄路愛護村実態調査の対象聚落とはいえ、さきの峠山荘愛護村とはかなり異なっていた。極めて多くの愛護村が沿線上に設定されたことを想起するとき、この南権府荘愛護村は特殊な事例であったと考える方がよいであろう。それは「南権府荘愛護村は民国二十七年の始、日本軍の地区警備隊配置と共に其の指導下に組織せられたもので黄台愛護区愛護村の中で最も好成績を挙げて居り、愛護村設置の目的をよく理解し其の任務遂行に多大の努力を払つてゐる(40)」と評価されている点にも表現されている。

模範愛護村の実態　最後にやや長文ではあるが、南権府荘愛護村に設けられた民衆団体――防共自衛団、黄台愛護区青年団、黄台愛護区少年団、黄台愛護区振興婦女団、黄台愛護区排英委員会――について一瞥しておこう。まず防共自衛団、青年団、少年団については、

（一）防共自衛団　一昨年（民国二十七年）八月十四日当時の黄台地区警備隊長の指導に依り当部落、外四十六荘の荘丁を以て組織せられた……昨年度に於ては六、七月の二個月に亘り一週間に一、二回招集し団体訓練、匪情速報訓練、集合、解散、精神訓話、親日防共思想の普及等各種の訓練を行つてゐる。（二）黄台愛護区青

年団　黄台地区警備体長指導の下に昨年（民国二十八年）九月に成立したもので、警備隊で行ふ青年訓練を終了したる者を以て組織せられ現在団員百一名を擁してゐる。青年団を組織した目的は……治安維持に遺憾なからしむると共に新時代思想に普及し以て東亜新秩序の建設を促進せしむるにある。……（三）黄台愛護区少年団　昨年五月青年訓練の開始と共に、他方に於ては黄台站を中心とする約十粁以内の愛護村内より一部落数名宛の少年（十五歳未満）を招集し少年団を組織して警備隊に於て之が訓練指導に当つてゐる。少年団員は調査当時百二十名であつたが将来漸次之を増加することになつてゐる。

とあって、南権府荘愛護村を中心に組織されており、極めて順調かつ厳格な運営がおこなわれているかのようであり、さきの華北交通関係の記事とも符合する部分が多い。逆にいえば、華北交通の発表内容はかような模範愛護村の事例を下敷きに作成されたといえるかもしれない。

ただし、かような模範愛護村にあっても婦女団や排英委員会はほとんど機能していなかったらしい。

（四）黄台愛護区振興婦女団　昨年七月二十九日黄台愛護区管内の婦人を以て組織せられ団長には黄台站長夫人、副団長には黄台愛護区副区長夫人が就任、調査当時現在団員三十名を有してゐた。設立の目的は中国家庭の婦女に新時態を認識せしむるにあるが、中国婦人の性質乃至は習慣上外出集合等を好まず従つて其の活動は殆ど見るべきものがない。（五）黄台愛護区排英委員会　昨年七月二十九日に結成せられたもので南権府荘愛護村長を委員長とし、……本委員会設立の目的は済南市に於ける排英運動に参画すると共に管内部落民に排英思想を普及するにある。……昨年八月四日……排英大会を挙行したが……其の後は全く活動を停止して居り実質的には殆ど存在意義を有しない。[41]

文言にもあるとおり、婦女団と排英委員会は実質的に活動を停止していたといって過言ではない。執筆を担当した江上は「幾多の部落民に其の感想を聞いた所に依ると殆ど異口同音に最初は其の目的は愚か集合して如何なる事を行ふかに就てすら理解を持たず徒に労力を空費する如く考へられたが、訓練指導を受け、実際に活動を開始して見ると其の目的も明瞭となり各種団員も之に興味を持つに至り結局今後は斯の如き団体的活動が必要であることを悟るに至つたと称してゐる」[42]と書き残しており、模範愛護村といえども現実にはかなりの限界が存していたといえよう。[43]日本軍が相当注力した模範村ですら実態はかかる状況であったから、他の愛護村は推して知るべきであろう。

おわりに――日本軍、華北交通、宣撫官、愛路村民のそれぞれの愛路運動

本章では、大日本軍宣撫官の任務の一つとしての愛路運動に日本軍、華北交通、愛護村民との関わりから迫ってみた。また華北交通写真を中心に図版を用いながらビジュアル的な接近も試みてきた。そこでおぼろげながら浮かんできたのは、愛路運動の報道を通じて占領地行政が順調に進んでいることを日本国民に伝えたい日本軍や華北交通、日本軍と国民党軍或いは八路軍のあいだに挟まれ日々の生活にすら戸惑う愛護村民、それらのパイプ役として中国大陸で否応なしに上意下達を命じられつつも現場の民衆への哀情に心を揺さぶられる宣撫官、それぞれの姿であった。華北交通写真は完全にプロパガンダとしての性格を払拭できるものではないものの、そこにはこうした現実がはっきりと写し出されていた。写真中の宣撫官や華北民衆の明るい笑顔のなかに一抹の〝虚しさ〟を感じるのは筆者だけではあるまい。

参考文献

内田知行『黄土の大地　一九三七～一九四五　山西省占領地の社会経済史』創土社、二〇〇五年
同「日本軍占領と地域交通網の変容――山西省占領地と蒙疆政権地域を対象として」エズラ・ヴォーゲル、平野健一郎編『日中戦争の国際共同研究3 日中戦争期中国の社会と文化』慶應義塾大学出版会、二〇一〇年
遠藤興一『一五年戦争と社会福祉――その両義性の世界をたどる』学文社、二〇一二年
白戸健一郎「中国東北部における日本のメディア文化政策研究序説――満鉄弘報課の活動を中心に」『京都大学生涯教育学・図書館情報学研究』九号、二〇一〇年
孫佳茄「日本占領下における満洲国愛路少年隊の役割」『早稲田大学教育学会紀要』一二号、二〇一一年
筒井五郎『鉄道愛護村――私説・満洲移民史』日本図書刊行会、一九九七年
ねず・まさし『現代史の断面・戦時総動員体制』校倉書房、一九九四年
若林宣『帝国日本の交通網　つながらなかった大東亜共栄圏』青弓社、二〇一六年

註

(1) 遠藤興一「日中戦争下の占領地における宣撫工作――占領と救済の間から」『一五年戦争と社会福祉――その両義性の世界をたどる』所収、学文社、二〇一二年。
(2) ねずまさし「中国人民を抗戦においやる日本軍」『現代史の断面・戦時総動員体制』所収、校倉書房、一九九四年。
(3) 筒井五郎「鉄道自警村」『鉄道愛護村――私説・満洲移民史』所収、日本図書刊行会、一九九七年。
(4) 筆者も別稿にて大日本軍宣撫官の歴史を網羅的に論ずる予定である。
(5) 内田知行「「周縁植民地」としての山西省占領地」『黄土の大地　一九三七～一九四五　山西省占領地の社会経済史』所収、創

土社、二〇〇五年。

（6）八木沼丈夫「北支宣撫班の活躍」『偕行社記事』七七八号、一九三九年、九四頁。

（7）昭和一五年版『華北交通』、愛路村。

（8）昭和一七年版『華北交通』、愛路村。

（9）内田知行「日本軍占領と地域交通網の変容――山西省占領地と蒙疆政権地域を対象として」エズラ・ヴォーゲル、平野健一郎編『日中戦争の国際共同研究3　日中戦争期中国の社会と文化』所収、慶應義塾大学出版会、二〇一〇年。

（10）昭和一七年版『華北交通』、愛路村。

（11）『北支』昭和一七年七月号「支那事変五周年　鉄路愛護村一」。

（12）昭和一七年四月九日『中外商業新報』「仏印のクローム開発」。

（13）『朝日新聞』東京、昭和一五年一二月四日「愛路農民道場――中堅指導者育成」。

（14）満洲国の愛路工作については白戸健一郎「中国東北部における日本のメディア文化政策研究序説――満鉄弘報課の活動を中心に」（『京都大学生涯教育学・図書館情報学研究』九号、二〇一〇年）、孫佳茄「日本占領下における満洲国愛路少年隊の役割」（『早稲田大学教育学会紀要』一二号、二〇一一年）がある。

（15）『朝日新聞』東京、昭和一六年四月一三日「鉄道を守る少年隊」。

（16）陸軍省新聞班「武器なき戦士・宣撫班」（内閣情報部編輯『週報』第七六号、一九三八年）、一二～一四頁。

（17）小澤隆「宣撫官の日記」（満鉄・華北交通社員会共編『支那事変大陸建設手記』、満鉄社員会、一九四一年、所収）、三七一～三七二頁。

（18）昭和一七年版『華北交通』、愛路村、三二頁。

（19）『北支』昭和一八年三月号「愛路　婦女団」。

（20）昭和一七年版『華北交通』、愛路村。

（21）小島利八郎『宣撫官』（錦城出版社、一九四二年）、二七五頁。

（22）同書、二八〇頁。

（23）同書、二八一頁。

（24）同書、二八二～二八三頁。

（25）山東省政協文史資料研究委員会編『山東文史資料選輯』第二五輯（山東人民出版社、一九八八年）、張成徳「日軍侵華的特殊工具――〝宣撫班〟」、一五〇頁によれば、張成徳は寧津県双碓公社張紙房村人で、一六歳のときに父親が奉天（瀋陽）で鉄匠鋪を開いたため、付いて行って手業を学ぼうと考えていた。しかし父親は勉学させようと日満書院、すなわち日本人が経営する私立の日本語専門学校へ送った。二年たたないうちに、新聞紙上で宣撫官募集の広告を見たので受験したところ採用された。一九三八年、張が一九歳のとき、日本軍の山東侵略にしたがって、膠済線の普集車站・龍山車站・藺村車站・城陽車站と即墨県・海陽県の宣撫班で宣撫官となったという。

（26）同書、一五一頁。

（27）小島利八郎『宣撫官』、二八三頁。

（28）同書、二八四～二八六頁。

（29）同書、二八六～二八七頁。

（30）華北交通株式会社総裁室資業局編『鉄路愛護村実態調査報告書――膠済線峠山愛護区（安邱県）峠山荘』（昭和一五年一〇月）、「序」。

（31）同書、「凡例」。

(32) 同書、第二編「村概況」第一章「概要」第四節「治安及び今次事変勃発後の諸工作」、三四頁。

(33) 同書、第一編「県概況」第六章「峠山街概況」第一節「戸口」、二四頁および第二編「村概況」第一章「概要」第四節「治安及び今次事変勃発後の諸工作」、三五頁。

(34) 同書、第二編「村概況」第一章「概要」第四節「治安及び今次事変勃発後の諸工作」、三五頁〜三六頁。

(35) 同上

(36) 華北交通株式会社総裁室資業局編『鉄路愛護村実態調査報告書――膠済線黄台愛護区（済南市近郊）南権府荘』（昭和一五年一〇月）、第四章「戸口」第一節「戸数」、一四頁。

(37) 同書、第一章「調査部落の概要」第五節「治安状況」、三頁。

(38) 同書、第三章「部落の沿革及村行政」第二節「現行政機構」、九頁。

(39) 同書、第三章「部落の沿革及村行政」第四節「愛護村の沿革」、一一〜一二頁。

(40) 同書、一二頁、写真（二）下。

(41) 同書、第三章「部落の沿革及村行政」第五節「民衆団体」、一二〜一三頁。

(42) 同上、一三頁。

(43) 若林宣『帝国日本の交通網　つながらなかった大東亜共栄圏』（青弓社、二〇一六年）、二〇四〜二〇八頁では、愛護村には過重な負担がかけられていた。もちろん負担軽減の方策も図られたが、現地の民衆に負わせるという方針は維持されたとする。

コラム◉『ピクチャー・ポスト』に掲載された華北交通写真

杉村使乃

『北支』に掲載された華北交通写真と全く同じものが、イギリスの『ピクチャー・ポスト』という雑誌に掲載されている。『ピクチャー・ポスト』（一九三八〜一九五七）は、ナチス政権下で迫害を受けたステファン・ローラントがイギリスにもたらしたフォト・ジャーナリズム誌で、アメリカの『ライフ』誌に匹敵する写真週刊誌である。

『北支』の一九四二年七月号において、この写真は愛路婦女隊の活躍を示すために掲載されている。彼女らの任務は、鉄道を中心とした交通網を「匪民」と形容される中国人ゲリラの破壊から守ることである。同じく鉄道周辺の愛護村から動員された愛路少年隊は「日本人警務員の指導のもとに、匪情の通報に或は線路の巡察に、その純粋の情熱を傾けて八面六臂の活躍」、「個人主義的、退嬰的な支那農村社会に革新の気を吹き込みつつある」とある。少女たちから成る愛路婦女隊は「施療、施薬、施米等の手助けはもとより、時には進んで匪情の通報に敢然と挺身する等、目覚ましい働きをつづけている」と称えられ、日本軍に協力的な彼らは「新生支那の輝かしい象徴」と評されている。

『北支』に先立つ一九四〇年五月四日号の『ピクチャー・ポスト』では、同じ写真に全く異なるキャプションがつけられている。

　同胞を殺すための訓練。日本の交通・通信回路をいまだに悩ませている愛国的な中国のゲリラ軍に対抗するよう教育されて、中国のまさに心臓部へと機関銃を向けるよう仕向けられている。

「日本の中国人徴兵」と題されたこの記事では写真の出典は明らかにされていないが、同じ折に撮影されたと思われる線路を護衛する少女たちや、死亡した日本兵を讃える列に交じる中国人女性の写真が華北交通写真に存在する。

『ピクチャー・ポスト』は一九三七年七月の盧溝橋事件以降、中国側の被害と抵抗を伝えることによって日本に批判的な立場をとってきた。抗日運動の中心人物として蒋介石夫妻をクローズアップし、グラビア記事や論説で中国大陸の平和とイギリスの既得権益を脅かす存在として日本軍を非難している。また一九四〇年九月に日独伊三国間同盟が締結される以前の一九三九年七月一五日号でもすでに、枢軸国が地理的なトライアングルを形成することを懸念している。

また一九三九年三月二五日号では「中国人ゲリラの生活」と題し、土地を奪われた農夫たちが武器を手に日本人への抵抗に立ち上がっていることを伝えている。こちらの記事では、日本軍は少女たちを力ずくで従属させ、技術的に訓練し、政治的に教育し、日本兵の死を悼む式典に大日本国防婦人会の割烹着の女性たちと共に参列させ、同胞に銃を向けるよう訓練していると伝えている。少女たちへの仕打ちを伝えることによって、日本軍の占領の残酷さと卑劣さを際立たせている。

日本の中国大陸における生命線である鉄道へ、ゲリラ軍は攻撃の手を止めない。こうした攻撃を監視する人員を割くことができない日本軍は、一七〜二三歳の若い中国人女性たちを動員し、応急処置、鉄道の操作、銃や機関銃の扱いを教え込み、イギリスの国防軍女性補助部隊と同じような役割を、侵略者である日本軍において担わせている。レールに耳を当てる少女の写真は以下のように説明される。

　征服され、迫害され、破壊される。この中国人少女が忌み嫌う任務は、日本の増援部隊が無事に通るのを見守ること。彼女の任務は、祖国を侵略者にとって安全な場所にすること。

トリミングやキャプション、またページ全体のレイアウトによって、写真は被写体が必ずしも伝えてはいなかった複数のストーリーを語り始める。かたや東亜新秩序の確立と自衛、かたや自由と民主主義の擁護。少女たちの表情は異なる大義によって、都合よく解釈される。

軽機関銃射撃見学　愛路婦女隊［原板番号 25624］

. . . Trained to Mow Down Their Blood Relations . . .
Teach them to deal with the guerilla bands of patriotic Chinese who still harass Japan's communications. Force them to point their machine-guns towards the very heart of China.

第六章　扶輪学校設置とその教育活動

山本一生

〈写真1〉「高級女生徒　東城扶輪学校」［原板番号二四六五六］

〈写真2〉学芸会［原板番号三〇〇一九］

〈写真3〉卒業式［原板番号三九二四七］

〈写真4〉シーソー遊び［原板番号二四六五〇］

扶輪学校設置とその教育活動

山本一生

はじめに

日中戦争勃発後、軍の宣撫工作や宗教団体による日本語教育など、日本側は華北占領地で様々な教育活動を展開した[1]。華北占領地の鉄道経営は華北交通株式会社（以下、華北交通）がおこなったが、鉄道経営に留まらず、医療や教育事業なども進めていた。そこで本論では、華北交通がおこなった教育事業の実情について、同社が経営した扶輪学校を通して明らかにする。

扶輪学校とは、のちに見るように鉄道従業員の子弟を教育する初等学校のことである。槻木瑞生によると、中国大陸で鉄道経営をおこなっていた南満洲鉄道株式会社（満鉄）が経営した現地人学校である公学堂では、「教育の基本を中国側に置きながら、日本の公学堂の特色を出そうとしたのが日本語教育と職業教育であ」り、満洲事変までは中国側の意向に対応することが日本側に求められたと指摘している。そのため、現地住民を惹きつける「日本文化のショウウインドウ」としての役割が満鉄公学堂に求められた[2]。では、華北交通が経営した扶輪学校は、地域住民をどのように惹きつけようとしたのか。この課題に応えるためには、地域での位置づけや教育活動など、扶輪学校の多様な姿をできる限り追究することが求められる。

華北占領地において教育に関する研究は必ずしも多くないものの、日本語教育を対象にした研究がなされつつある。この領域で先鞭を付けたのは駒込武である。華北占領地では占領地支配政策に一貫性がなく、最後まで新学制が実現されなかったことから、学校教育や日本語普及政策は優先順位が低いままだったのではないか、と駒込は推察している[3]。小野美里は日中戦争後の華北での教育行政を日本側がどう支配したのか、日本人による「内面指導」という観点から分析している[4]。あくまで現地政権が自主的に行政を担うという体裁が取られるが、交戦状態を根拠に教育行政においても軍の意向が最優先となったという。このように、これらの研究は華北占領地の統治に学校教育がどう関わったのか、という観点から進められている。そのため、教育方法など具体的な教育実践についての分析は検討の余地がある。

そこで本章では、主に以下の三つの史料を用いて扶輪学校の実像に迫る。第一に『北支画刊』（平凡社発行、一九三八年四月～一九三九年三月）およびその後継誌『北支』（第一書房発行、一九三九年六月～一九四二年八月）と『華北』（日本出版配給、一九四四年一月～一二月）といったグラフ誌である。第二に、それらに掲載された写真資料である。[5] 第三に、興亜院政務部『調査月報』（一九四〇年一月～一九四四年四月）である。[6]

京都大学人文科学研究所にはこうしたグラフ誌に掲載された写真のプリントとネガが約三万五〇〇〇点あまり収められており、それら「華北交通写真」の中には多くの教育現場を撮影した写真が含まれている。[7]

以下では、まず華北交通による扶輪学校経営がいかなるものであったか制度面から分析し、次に華北交通扶輪学校での教育実践について考察する。

一　扶輪学校の制度

扶輪学校の開設　華北交通が扶輪学校を経営する以前から、扶輪学校は中国側で経営されてきた。一九一八年二月に鉄路同人教育会が成立すると、各鉄道沿線主要地に扶輪中学・小学を設立して鉄道従業員指定を就学させた。学校運営費は各鉄道収入の一〇分の一を共立学校経常費に支出した。[8] 興亜院『調査月報』によると、華北交通が経営する以前の扶輪学校について、以下のように述べている。

> 扶輪学校は北支鉄道沿線に於ける鉄道従業員の子弟を主として収容すべく鉄道部に於て経営せられたる私立学校なり。／事変前沿線扶輪小学校に収容せる児童は全線約八〇校二万数千の多数に上り、彼等父兄をして何等後顧の憂なく鉄道業務に専念せしめ来りたる処、日支事変に依り休校中なりしを可及的速かに復興するは啻に従事員の福祉たるに止まらず多数の土着従事員を容する北支鉄道自体に於いても必要不可欠要事とし直ちに復旧に着手せり。[9]

鉄道従業員子弟のための私立学校として鉄道沿線に八〇校、生徒数は二万人以上という大規模な学校系統で、従業員の福祉のためだけでなく鉄道経営上必要不可欠であったため日中戦争勃発後に復旧を急いだという。鉄道従業員の子弟を教育する学校としての機能は、事変前後でも変わらず引き継がれたと言える。

では、華北交通開始後の扶輪学校はどのように経営されたのだろうか。華北交通の扶輪学校の開設状況を表1にまとめた。表を一瞥して分かる通り、日本軍の侵攻と共に北から南へ扶輪学校が広がっている。一九四三年末には三九校の扶輪学校が開設され、生徒数は一万三千人を超えていたという。[10] しかし華北交通による経営以前と比べると八〇校から半減し、生徒数も一万人ほどが減少している。華北交通が経営しなかった他の元扶輪学校がどうなったのかは不明である。

『北支』昭和一四年一一月号の「扶輪学校」では、以下のように紹介している。

> 扶輪学校は華北交通会社が北支の沿線各地に巨費を投じて中国人鉄道従業員子弟の為に経営した学校である。（……）現在までの開校数は二十三校。本年中に四十一校になる予定である。／初級扶輪学校は満十歳から十二歳までの子女を収容して普通国民教育を授け修業年限は四ヶ年。高級普通学校は初級修了者中満十四歳から十六歳までの男子を収容、鉄道業務に関する実務教育を施して修業年限は二ヶ年。／事変以来閉鎖されてゐた各地の扶輪学校が次々と開校されるや、子女の教育に途方に暮れ、手をつかねてゐた父兄達は忽ち定員の何倍といふ有様で、子を愛する親心には何処も変らぬ風景を各地に点出した。／設備の完全、教師の優秀、授業料全免といふ好条件で各地とも模範校となつてゐる。／嘗て幼い心に植えつけられた抗日意識も新らしい車輪の響に打ちけされ、いま校舎よりもれるものは日本語の勉強の声である。[11]

日中戦争勃発後、華北占領地の国有鉄道が華北交通によって経営されるようになると、戦争勃発によって閉鎖された扶輪学校も華北交通によって経営されることとなった。扶輪学校は初級四年制と高級二年制に分けられ、特に高級では鉄道業務に関する実務教育をおこない、「設備の完全、教師の優秀、授業料全免」のために各地の模範校になっていたという。さらに初級四年高級二年という修業年限から、中華民国臨時政府教育部訓令・令字第二四六号第三条「中小学ノ学制年限ハ暫時中学三三小学四二ノ旧制度ニ依リ取扱フヘシ」に準拠していると考えられる。[12]「旧制度」とは、一九二二年に中華民国北京政府が公布した「学校系統改革令（壬戌学制）」のことで、中華民国臨時政府成立宣言に抵触しない限りで暫時適用することとした。[13] 扶輪学校は各鉄路局の管轄であったが、学制は教育部の壬戌学制に拠っていたと言えよう。

扶輪学校の教育目的と学科課程

『北支』では「嘗て幼い心に植えつけられた抗日意識も新らしい車輪の響に打ちけされ、いま校舎よりもれるものは日本語の勉強の声である」と記されていたが、扶輪学校の教育目的は何だったのだろうか。「北支に於ける日語教育の状況」では以下のようにある。

表1　扶輪学校開設状況一覧表

	天津	北京	張家口	済南	太原	開封
1939年度まで	天津第一、天津第二、新河、塘沽、唐山、古治、秦皇島、山海関（1937年12月）	北京西城(1938年3月) 北京東城(1938年6月) 長辛店(1938年10月) 保定(1938年11月) 南口(1938年4月)	張家口、宣化(1936年11月) 康荘、大同、平地泉、厚和、包頭(1938年4月)	青島（1939年4月） 済南（1939年6月） 四方（1939年1月）	太原(1938年11月)	
1940年度		石門(1940年2月) 順徳(1940年6月)			陽泉（1940年8月） 臨汾（1940年7月）	開封（1940年7月） 彰徳（1940年7月）
1941年度					太谷（1941年10月） 楡次（1941年3月） 忻縣（1942年2月）	
1942年度			豊鎮（1942年6月）	張店（1942年9月）		新郷（1942年5月） 徐州（1942年10月） 臨城（1942年10月）
1942年度						

【出典】『華北交通株式会社史』1984年、pp.116–117より作成。和暦は西暦に変更した。

教育目標は積年の中国教育方針を一擲し皇軍出師の目的たる赤化防止と東亜の新秩序に対する的確なる認識と純正なる思想への倫理化対策を講ずることを眼目とし、之が教育実施上の指導要項としては精神教育の重視、実学教育の強調、完成教育及日本語の正科設置等なり[14]

共産主義化防止、東亜新秩序への理解を目的とし、具体的な指導要項は精神教育・実業教育・日本語教育の重視だという。こうした点は、槻木が指摘した満鉄公学堂の教育目的と重なる。

では、こうした教育目標を具体化する学科課程はいかなるものだったのだろうか。そこで以下では扶輪学校に留まらず、河北省でおこなわれた日本語教育に注目し、教科書と教育方法について考察を進める。

まず、冀東道地区について、『調査月報』を用いて分析する。同地区では一九三五年一一月に冀東防共自治政府が成立し、その一カ月前の一〇月に遷安県立簡易師範学校で日本語教育が始まった。[15] 一九三七年までに冀東地区二二県のほとんど全ての中等学校で日本語課を加え、また唐山、盧龍、通県などでは私立の日本語学校ができた。しかし教科書や教授時間が不統一であったため一九三八年一月から統一する方針を定め、一九三七年一二月に奉天と天津で日本人教員採用試験をおこない、約三〇〇人の応募者から三四人が採用された。その後、直轄および県立の師範学校、簡易師範学校、職業学校、中学校などの中等学校に配置された。

同地区で扶輪学校が開設されたのは寧河県で、同県内で日本語教授をおこなう施設は簡易師範一校、中学校一校、職業学校一校、小学校二一校、新民教育館一処、日語学校一校の合計二六校である。日本語教員は塘沽と新河の扶輪小学校以外は中国人教員で、半年から一年の日本語学習をした者で、日本語の程度は低かったという。教科書も『速成日本語読本』（南満洲教育会教科書編輯部編）に統一され、簡易師範と中学校では『速成日本語読本』を使用し、職業学校と小学校では主に『正則日本語読本』か『小学日本語読本』を使用した。「各学校毎週の日本語時間は、高級一、二年及び初級三、四年は二時間乃至三時間にして、唯二扶輪小学校は高級八時間、初級三、四年六時間、初級一、二年は三時間の日本語」があった。[16] このように、扶輪学校では初級一年から日本語の授業があり、日本語教育が重視されていたことが冀東地区における他の学校と異なる特徴である。挿図1のように、冀東道地区の小学校一六九校における日本語教科書の割合は『正則日本語読本』が約五五パーセントを占め、約一五パーセントが『小学日本語読本』であった。[17]

次に河北省保定道の日本語教科書の割合を見ると、小学校六四校での割合は『正則日本語読本』が約五二パーセ

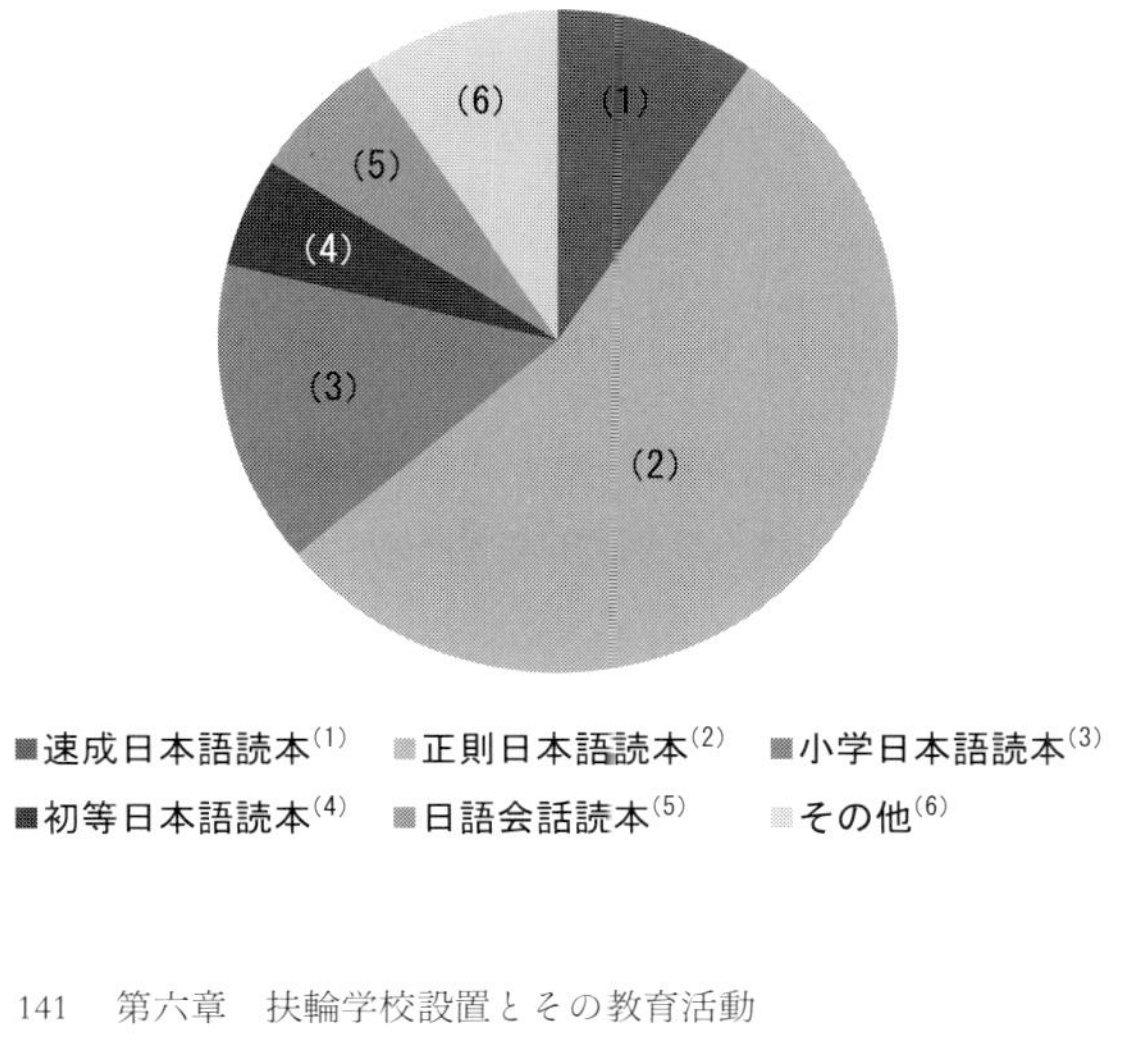

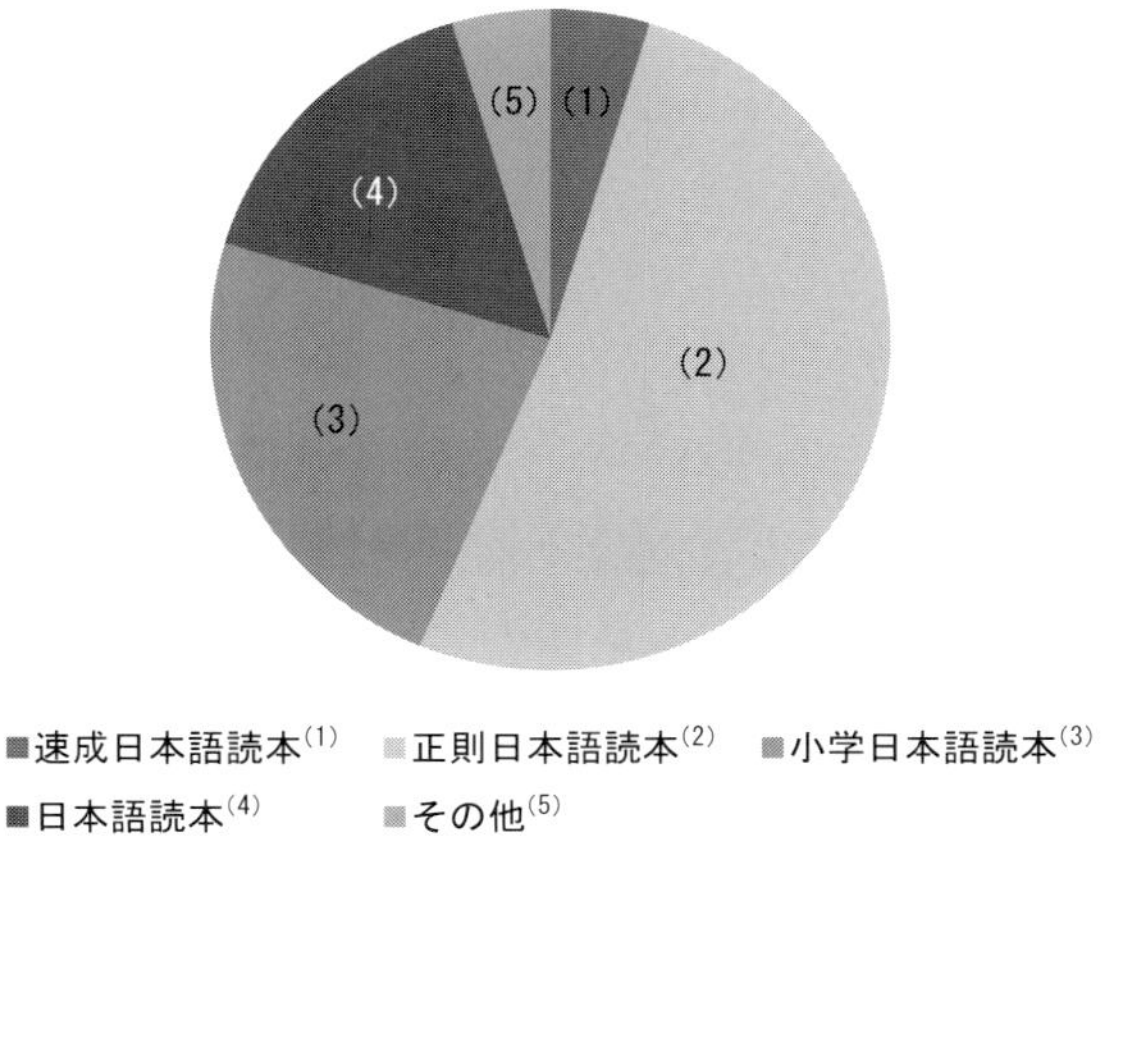

挿図1　冀東道地区（左）と保定道地区（右）の日本語教科書の割合

ント、約二三パーセントが『小学日本語読本』であった。[18]『正則日本語読本』は大きなシェアを占めていたと言える。

　では、この『正則日本語読本』とはどんな教科書だったのだろうか。一九三八年に北京で新民印書館が日中合弁会社として設立されると、同社の教科書の一つとして『正則日本語読本』は発行された。新民印書館の設立には平凡社社長であった下中弥三郎が関わった。彼が教科書の印刷販売に関わったのは、発行部数が多く安定しており、利益を得やすかったためだという。[19]『正則日本語読本　巻一』（挿図2）は、総頁数八九頁（うちカラーが六頁）の教科書である。この教科書は巻一から巻四まで編纂され、他に日本語教科書は『小学日本語読本』が同じく巻一から巻四まで編纂された。[20]駒込武によると、この教科書は南満洲教育会教科書編輯部が作成した『初等日本語読本』を一部改訂したものだという。[21]つまり満洲での日本語教育の経験が華北占領地に転用されたと言える。

　この教科書の特徴は、カラー頁では文字がなく、教員が日本語のみで口頭で説明する形式だったことである。華北占領地でおこなわれていた日本語教授法は、①直接式教授法、②対訳式教授法、③直接対訳併用式教授法の三方式であった。[22]『正則日本語読本』は対訳がないために①の直接式教授法であった。同教科書の元となった『初等日本語読本』初版は一九二四年に発行され、「普通学堂・公学堂等デ日本語教授ヲ開始スル当初ノ学年ノ前半期用トシテ編纂」された。[23]開始ページは絵から始まっており、対訳がない。そのため『初等日本語読本』も直接式教授法であった。一方河北省で統一的に導入された『速成日本語読本』は一九三一年に初版が発行され、「緒言」から日中両語で記されており、②の対訳式教授法に基づいて編纂されている。[24]『調査月報』では『速成日本語読本』に統一されたと記されていたが、挿図1のように結局大きな割合を占めることはできなかった。華北占領地では対訳式教授法が大きなシェアを占めることができず、直接式教授法が約半数のシェアを占めていたのである。

扶輪学校と周辺学校との関係　扶輪学校を取り巻く他の中国側学校との関係がいかなるものであったか。そこで各地での学校の中に扶輪学校を位置付けることで、この課題を考察する。ここでは地方都市の例として張家口、大都市の例として天津を取り上げる。

　張家口を中心都市とする察南の私立学校について、表2にまとめた。調査時期が明記されていないが、表に用いた『調査月報』の発刊時期が一九四〇年三月であるため、一九三九年中に調査がおこなわれたと思われる。

　張家口扶輪小学校は教員数一二人、生徒数二二六人という規模の学校であった。同じ張家口の回民小学校は一校あたり教員数約四人、生徒数約九一人、ロシア人学校は教員数不明、生徒数一九名だった。宣化では扶輪小学校の

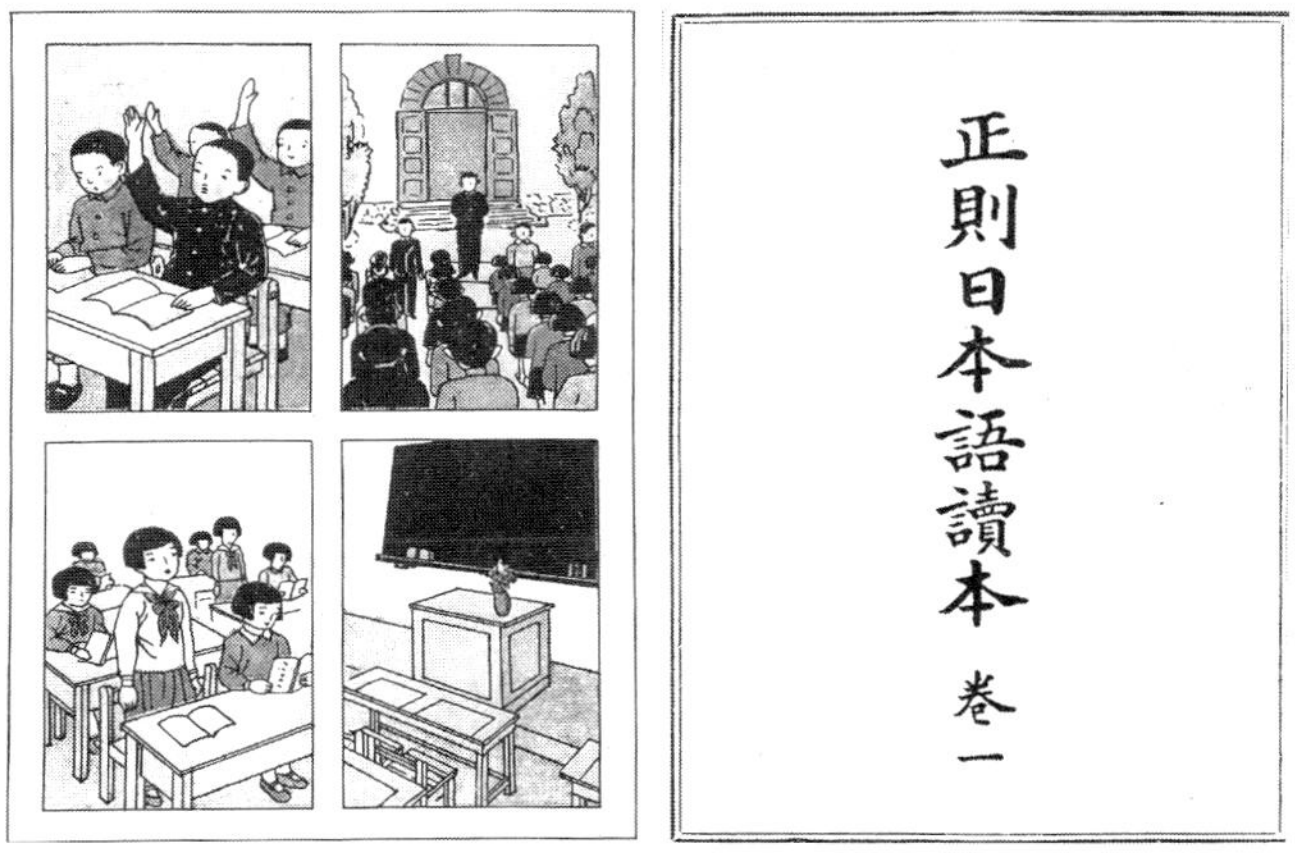

挿図2　『正則日本語読本　巻一』新民印書館、一九三八年

表２　察南における私立学校の教員数および生徒数

県市別	学校名	教員数			生徒数			備考
		男	女	計	男	女	計	
張家口	扶輪	7	5	12	165	61	226	
	回民	11		11	202	70	272	3校合計
	露人						19	
宣化	扶輪	3	1	4	55	12	67	
	天主教会	5	2	7	125	106	231	
延慶	扶輪	6	1	7	148	40	188	
蔚県	天主教会	3	0	3	98	86	184	

【出典】「蒙疆に於ける教育状況」『調査月報』第1巻第3号、1940年3月、pp.166-168

教員数が四人、生徒数六七人に対し、天主教会小学校では教員数七人、生徒数二三一人と、教会学校の規模が大きい。一方で公立小学校と比較すると、事変後の学校数六七四校、教員数一一四〇人、生徒数四万一九七一人で、単純計算して一校あたりの教員数は約二人、生徒数は約六二人である。以上を踏まえると、張家口扶輪小学校は同地域においては比較的大規模校だったといえる。

次に、天津について見よう。「市立及私立小学校日語教育状況調査表（昭和一七年四月調査）」に拠ると、天津第一扶輪学校の生徒数は二五七人（男一五五人、女一〇二人）、天津第二扶輪学校は二一〇人（男一四〇人、女七〇人）であった[25]。市立小学校は七四校、生徒数は合計二万一二七五人（男一万七〇九八人、女四一七七人）で、一校あたり約二八八人である[26]。最大規模校は市立第一一小学（西頭慈恵寺）で、一二一三人（男八二七人、女三八六人）である。私立小学校は一五五校、生徒数は合計四万二六三〇人（男三万九五五二人、女三〇七八人）で、一校あたり約二七五人である。最大規模校は私立進益小学（南市榮吉大街）で、一三〇〇人（男一二〇八人、女九二人）である。天津において、校数は私立の方が公立よりも多かったが、生徒数は公立の方が多かった。公立・私立の平均生徒数と比較すると、第一扶輪、第二扶輪ともにやや少なかった。これは天津では他の私立学校という選択肢が多かったためと考えられる。

扶輪学校の教員　扶輪学校にはどのような教員がいたのだろうか。大きく分けて、日本語などを担当する日本人教員と、その他の科目を担当する中国人教員に分けられる。ただし、扶輪学校教員の全体像を把握することは難しい。『調査月報』で判明した扶輪学校教員を表3にまとめたが、日本人教員のみであり、中国人教員については不明である。

ただ、断片的ではあるが、扶輪学校での教員経験者による回想録が残されている。そこで、ここではどのような教員が扶輪学校に採用されたのか、その一端を分析する。

青島扶輪学校に一九四一年に赴任した青沼武によると、「華北交通株式会社より「職員を命ず　教員を命ず　月俸六〇円を給す　済南鉄路局青島扶輪学校勤務」なる辞令を受けたのは昭和一六年三月二五日、山梨県日下部小学校の卒業式の当日であった」という[27]。また水口毅一は「昭和十四年十一月七日、私は長辛店扶輪学校副校長を命ぜ

表３　扶輪学校の日本人教員

学校名	日語教員						
	姓名	性別	年齢	原籍	出身学校	教員免許状	月俸
保定扶輪小学校	和田東司	男	30	日本	不明	不明	不明
塘沽扶輪小学校	佐藤将	男	34	広島県	関西大学法学部	無	230円
	佐藤万了	男	26	岩手県	岩手師範学校	小学校正教員	150円
	松尾繁實	男	34	福岡県	福岡師範学校	小学校正教員	兼務
新河扶輪小学校	同上						180円

【出典】「華北に於ける日本語普及状況（其の一）」『調査月報』（第1巻第8号、1940年8月、p.301）及び「華北に於ける日本語普及状況（其の二）」『調査月報』（第1巻第12号、1940年12月、p.224）より作成。

られた。北京鉄路局で辞令を手にするとその足で前門站より長辛店に向った」という。[28] 二人の回想録から、現職教員に華北交通から各鉄路局を通じて辞令が発せされたと見られる。

また天津日本人学校から教職や教職以外の職を経て中央鉄路学院東城分校に勤務し、一九四三年一〇月二五日に秦皇島扶輪学校に転出した松本正雄は、天津日本人学校から新河扶輪学校に転出していた同僚教員より勧誘を受けて扶輪学校に勤務することとなったという。[29] 松本の場合は同僚という縁故によって扶輪学校教員として採用された事例と言える。

扶輪学校教員の身分は、各鉄路局に属する華北交通社員であった。そのため他の日本側の学校教員と異なり、教員身分が連続する勤続年数は通算されなかったと見られる。というのも、一九五七年二月に衆議院において「海外同胞引揚及び遺家族援護に関する調査特別委員会」において、小林信一が以下のように発言しているためである。

（扶輪学校教員は‥引用者註）外務省で派遣をした形でなくて、一会社が何ら政府と関係なく先生を採用したというような形に扱われておるのです。従って、この扶輪学校に奉職した先生は、この期間というものは、前に満鉄に奉職するとか、あるいは内地の学校に奉職した者と違って、また内地の学校に奉職するというような場合に、その間の年限というものは恩給に該当しないような形になっているのです。[30]

この発言に対して恩給局長の八巻淳之輔は在外指定学校に勤務した教員には恩給法が適用され、引揚後の再就職では勤務年限が通算されるが、華北交通といった機関が解体されて債権が消滅した教員に対しては、今後処遇問題を考えなくてはならない、という発言をおこなった。「在外指定学校」とは外務大臣と文部大臣によって「在外指定」を受けた学校のことで、その学校に勤務した「外地」の日本人教員は勤続年限が通算された。[31] 委員会は引揚者への就職支援策を検討していたが、そこでは扶輪学校教員は勤続年数が通算されず、待遇面で不利にあったことが指摘されており、扶輪学校教員の教員としての身分は不安定であったと言える。前述したように、扶輪学校は華北交通の各鉄路局に所属する私立学校であり、「在外指定」の対象ではなかったため、こうした待遇面での格差が生じたと考えられる。なお、松本が秦皇島扶輪学校へ赴任する前に在職していた中央鉄路学院については、次節で見る。

上級学校との関係　華北交通は扶輪学校の上級学校として鉄路学院と中央鉄路学院を設置した。鉄路学院は「北京、天津、張家口、済南、太原の各鉄路局所在地にあり、鉄路局管内の従業員の養成にあたつてゐる。普通科と速成科とに別れてゐて普通科は十五歳から二十歳迄の会社社員の中から試験をして採用し修業年限は一ヶ年半、速成科は主として中国人であつて日本語の習得に力を入れてゐる。期間は四ヶ月」であった。[32] 一方、中央鉄路学院は「北支に於ける鉄道従事員の養成を目的とし修業年限予科一年本科二年」の教育機関である。[33] 一九三九年八月に開設された。なお、華北交通写真には「朝陽門鉄路学院分院」というキャプションが付された焼付写真がある（挿図3）。先の松本の回想によると、中央鉄路学院には東城分院があったという。[34] 朝陽門は東城に位置するため、「朝陽門鉄路学院分院」とは東城分院のことと考えられる。このように、鉄路学院は従業員子弟の教育機関であった扶輪学校と異なり、明確に従業員養成機関として位置付けられていた。

中央鉄路学院の教育内容に関して、『北支』では以下のような記述がある。

> 科は多数に分れ修業年限も科によつてそれぞれ違ふが交通に関する専門的知識とあらゆる技術を与へ将来の中堅社員を作る最高学府である。生徒は全部附属の寄宿舎に入れられ良き自治制の下に生活してゐる。／教室からひびく電信機を打つ音、日本語読本を読む声、校庭の元気な教練、倶に大陸に於ける将来の理想的交通戦士を偲ばせてたのもしい。[35]

中央鉄路学院は交通に関する専門知識と技術を教育する「最高学府」と位置付けられ、寄宿舎制であった。「日本語読本を読む声」とあるが、挿図4のように用いている教科書は山口喜一郎著『日本語話法入門』であった。山口喜一郎は台湾をはじめ朝鮮、関東州など「外地」での日本語教育を歴任し、先に見た日本語教育の分類では直接式教授法を推進した代表的な人物であり、日中戦争勃発後に新民学院教授を務めた。[36]『調査月報』によると、直接式教授法は年少者に対しては最も効果的だが、中等学校入学以後は言語を直観的に捉える能力が衰えて母国語に翻訳して意味を正確かつ速やかに捉えるようになるため、この年代には直接法は不適格だという。[37] 中央鉄路学院の学生は中等学校入学以後の年齢だったため、この教科書がどれだけ効果的だったのか、そもそも実際に同教科書を用いた授業がおこなわれていたのかについては不明である。

挿図3　中央鉄路学院［原板番号二三五二二］

挿図4　中央鉄路学院東城分院の日本語教育［原板番号三三六五九］

二　扶輪学校の教育実践

授業実践　ここでは華北交通写真とグラフ誌、『調査月報』を用いて、扶輪学校での教育実践がどうなされたのか、具体的に見ていく。『北支』昭和一五年六月号「支那の小学生」では、以下のように扶輪学校の授業の様子を記している。

> 小学校を参観してさすがに支那だと思ふのは教室に墨のにほひがして試験の答案を毛筆で書いてゐることである。国語でもあのむづかしい漢字しかないのであるから字翻を覚えるのにお経の様な抑揚をつけて一斉に歌つてゐる。北京の小学生だけで約五万人。これらが事変前まで排日教科書により徹底した抗日教育をうけてゐたのであるが現在は毎週少なくとも六時間の日本語の授業を受けてゐる。外人経営の学校も又同じである。これらの小学校の中、最も特色の有るのは華北交通会社が中国従業員の子弟のために経営してゐる扶輪学校であらう。(38)

華北交通写真には、この号に掲載された写真のプリントが収められている（挿図5）。それによると「毛筆で試験の答案を書く女生徒　東城扶輪学校」とあり、場所は北京、撮影時は昭和一四年九月、撮影者は吉田とある。華北交通写真には北京東城扶輪学校の写真が一二四枚収められている。表1によると、北京東城扶輪学校は一九三八年六月に設立された。校地の周りには淮文学校など、教育機関が多くある（挿図6）。

華北交通写真の別の写真（原板番号二四六四二）では、校舎に貼られた掲示物を見ている女生徒が写されている。また「高級女生徒　東城扶輪学校」（原板番号二四六五六）では、女生徒が手を上げる写真や『正則日本語読本　巻一』を読む女生徒（挿図7）が撮影されている。服装と髪型から見て同一人物であり、彼女は高級科の生徒と推定できる。二枚の写真を比較すると、毛筆を用いている時には背中を丸めているが、教科書を読む時には背筋を伸ばし、あごを引いている。ちょうど挿図2右ページ左下の口絵に見られる、前列右側に着席して教科書を読む女生徒と同じ姿勢を取っている。こうした姿勢が、模範として求められていたと考えられる。

これらの写真の撮影者は吉田、撮影時期は一九三九年九月とある。前述したように『正則日本語読本』は冀東道と保定道では約半数のシェアを占めた教科書であり、北京東城扶輪学校で採用されていたとしても不思議ではない。

挿図5　毛筆で試験の答案を書く女生徒　東城扶輪学校［原板番号二四六三九］

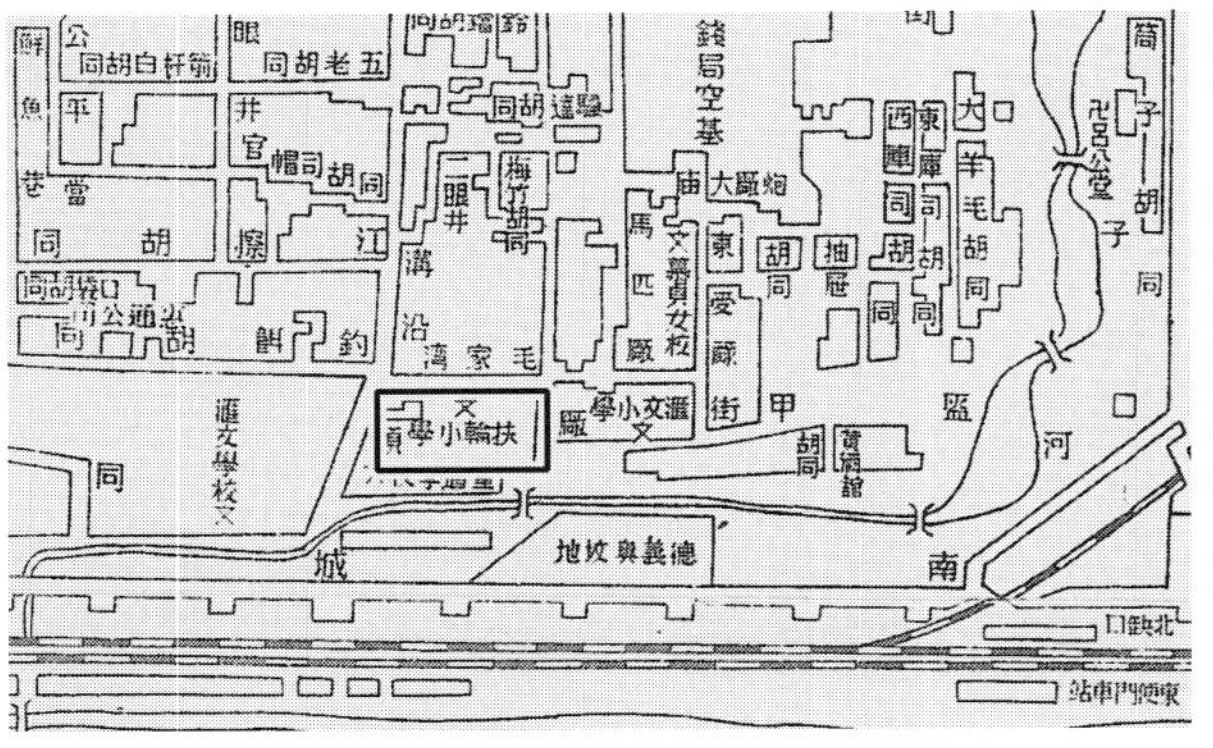

挿図6　北京東城扶輪学校の位置

『最新北京市街地図』（春明堂書店、1938）。枠線で同校所在地を囲んだ。

また次に、扶輪学校の生徒が用いる筆記用具について見てみたい。『北支』「支那の小学生」では「試験の答案を毛筆で書いてゐる」とあるが、他の写真によると試験以外では毛筆ではなく、原板番号二四六三八の写真のように鉛筆を用いている。筆記用具について、『華北』創刊号（一九四四年発行）所収の「小学校Ⅲ」では、「高等科一年生（国民学校五年に当る）高淑英（女生徒）さんのかばんをちょっと拝借してのぞいてみませう」とキャプションが付いた記事がある。この記事の元になったと考えられる焼付写真が挿図8で、算盤、弁当箱、筆記用具や地理教科書が掲載されている。日本の算盤の上辺は一珠だが、中国の算盤は明代より上辺に二珠、下辺が五珠であった。それは中国の重量制が一六進法だったためだという(39)。このように、在来の筆記用具が扶輪学校で採り入れられていた。

地理教科書には「高小地理一冊　高淑英」と書かれている。なお焼付写真には、『華北』には掲載されていなかった『日本語読本　巻三　華北交通株式会社』という教科書が写されている。華北交通が独自に編纂した教科書である可能性があるが、写真では表紙だけが写されているに過ぎず、内容は分からない。そのため先に見た『正則日本語読本』や『初等日本語読本』と内容を比較検討することはできない。

実業教育　実業教育は、日本語教育と並んで扶輪学校が重視した教育であった。『北支』昭和一四年一一月号では機関車、車輌の見学をおこなう高級生の実習の様子が掲載されている。挿図9のように、華北交通写真には掲載写真のプリントが収められており、それによると一九三九年九月に吉田というカメラマンによって長辛店で撮影されたことが分かる。前述の北京東城扶輪学校の女生徒も同時期に吉田によって撮影されていることから、同じカメラマンが北京東城と長辛店の扶輪学校を訪問して撮影したと考えられる。長辛店は北京近郊の南西に位置し、盧溝橋の西側にある。長辛店駅は北京と漢口を結ぶ京漢線にある。さらに豊台と長辛店をつなぐ豊長連絡線は、山海関から満洲国へと至る京山線と京漢線を結ぶ重要路線であった(40)。また前述の鉄路同人教育会によって一九二〇年九月に長辛店駅において長辛店第一小学が開設され、校地総面積四二二五方尺、校舎教室一、教員室二、受付一、炊事場一という造りであった(41)。さらに長辛店には京漢鉄道管理局所属機関として下級従業員を養成する車務見習所（一九〇五年設立）と芸員養成所（一九一三年設立）、総務処所属の長辛店職工学校（一九二一年設立）、警務処所属の長辛店巡警教練所（一九一三年設立）があった(42)。このように長辛店は、実業教育機関が集中した地域であった。

『調査月報』第一巻第八号（一九四〇年八月）に拠ると、「日語を教授するは県立長辛店中心小学校、長辛店鎮立小学校、豊台鎮立小学校、私立華北三育学社、県立盧溝橋小学校の五校」であったという(43)。ただし同史料では長辛店扶輪学校が日本語教授をおこなった学校として含まれていない。

挿図7『正則日本語読本』を読む女子生徒
［原板番号二四六五七］

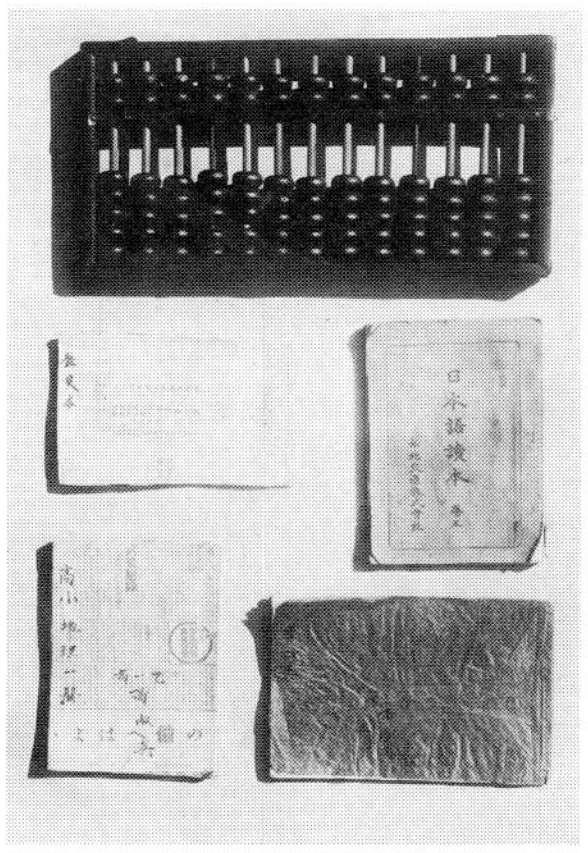

挿図8　筆記用具
［原板番号無記載、分類番号一七］

長辛店第一小学と長辛店扶輪学校との関係は現在のところ不明であるが、長辛店では鉄道従業員養成とその子弟教育が長年続けられていたことは確かだろう。先に引用した水口毅一の記述によると、長辛店扶輪学校は長辛店駅のすぐ裏の丘の上にあり、校舎は古枕木を使用して作られた段祺瑞時代の鉄道警備隊の建物を使用していたという。(44) 挿図10は一九三九年九月の長辛店扶輪学校校門の様子である。「北京鉄路局長辛店扶輪高級学校扶輪初級学校」と書かれた看板が掛けられ、制帽と制服に身を包み、背筋を伸ばし、右足と左腕を交互にして歩く生徒が出てきている。こうした動作から、歩行訓練を受けていたと考えられる。

表1によると、長辛店扶輪学校は一九三八年一〇月に開校している。撮影されたのは開校からちょうど一年後であった。華北交通写真には長辛店扶輪学校の写真九〇枚が収められており、データ記載がない写真があるものの、同じ月に吉田が撮影した。開校後一年を経て、扶輪学校の教育が順調におこなわれている様子をフィルムに収めたかったのではないかと思われる。とはいえ、華北交通写真に見られる日本語学習の授業の様子ではなく、体操や実習の様子を写した写真が『北支』には掲載されていた。

課外活動　本節では、授業外の生徒達の活動内容を華北交通写真から明らかにする。まずは、子供達の遊びについて見よう。挿図11写真のデータには「休み時間に踢毽をして遊ぶ女生徒　東城扶輪学校」とあり、場所は北京、一九三九年九月に吉田が撮影した。旗袍とスカートの女生徒が中庭で「踢毽」を楽しんでいる様子が窺える。「踢毽」は日本に伝来した蹴鞠に似ているが、毬ではなく鶏の羽が付いたシャトルを用いる。女生徒は在来の遊びを扶輪学校に持ち込んでいた。関連写真は紙幅の関係で割愛するが、華北交通写真では「踢毽」の他に、北京東城扶輪学校においてシーソーで遊ぶ女生徒（原板番号二四六四九～二四六五二）が収められている。

華北交通写真には、生徒の遊びだけでなく、学校劇（原板番号三〇〇一八～三〇〇二〇）、花園の耕作（同三〇〇二一～三〇〇二三）、販売部の実習（同三〇〇二四～三〇〇二五）など、様々な特別活動の様子が撮影されている。こうした特別活動は生徒が自由におこなったというより、教育指導の一環として学校側が計画したものと考えられる。このように学習活動だけでなく、課外活動を学校内でおこなったところに、扶輪学校の特徴がある。

運動会と卒業式　学習活動以外の活動として、他に特別活動がある。まず、扶輪学校の運動会について見よう。挿図12写真のデータには「球運び　東城扶輪学校　運動会」とあり、撮影場所は北京、一九三九年一〇月に橋爪というカメラマンが撮影した。北京東城扶輪学校と考えられる。華北交通写真の他の写真によると、日章旗と五色旗の

挿図9「機関車、車輌の見学　扶輪学校」
[原板番号二三四五三]

挿図10　長辛店扶輪学校の校門
[原板番号二三四一一]

下で、生徒達は徒競走やくす玉割り、大玉転がし、綱引きなどの競技をおこなっている。こうした競技には日本の運動会スタイルが導入された。扶輪学校では、運動会や遊戯などを通して日本式学校教育を普及させようとしていたと考えられよう。

日本では日中戦争勃発後、国民精神総動員の旗印の下で体操の地位は高まり、一九三八年一月に厚生省が設置されて国民体力管理制度などを推進し、同年七月にオリンピック東京大会の返上が決定されると、競技スポーツよりも国民体育という流れが決定的となった。国民精神総動員が叫ばれる一九三七年から四〇年代前半は体操の創出が「乱立」した。こうして時局は「体操の時代」に入った[45]。新民体操もまたこのような文脈で創出されたと思われるが、詳細は不明である。挿図13の写真データには「朝会　新民体操　東城扶輪学校」とあり、撮影場所は北京、一九四〇年五月に吉田が撮影した。写真では女教師が初級学校生徒を指導している。他の生徒は腕の位置がバラバラだが、指導によって型を身に付けさせている。こうした身体訓練を受けた結果、挿図14のように男女問わず全ての生徒が姿勢を揃えることができるようになったと考えられる。しかしこの写真をよく見ると、腕を上げすぎたり下げすぎたりで身体訓練が行き届いているとは言い難く、必ずしも訓練が徹底されてはいなかったと考えられる。

日本では一八八六年に森有礼文部大臣による「中学校令」「師範学校令」の発布によって男子中等学校で兵式体操が正式に採り入れられ、服装の洋装化が全国一斉に図られるとともに体操の内容や方法が体系化され、総合的に身体訓練がなされた[46]。扶輪学校での体操による身体訓練は、こうした日本式学校教育の伝播の一形態であったと思われる。先に見た背筋を伸ばして教科書を読む女生徒や、校門から行進する男生徒のような姿勢は、こうした訓練によって培われたと思われる。

次に特別活動としての卒業式の様子を見よう。『北支』昭和一七年四月号では、扶輪学校の卒業式が取り上げられている。

> 「仰げば尊し我が師の恩」と澄んだ子供の声が講堂にひびき渡る。幼年時代の思い出に胸をしめつけられ日本にゐるかのやうな錯覚を起させる。而しその辺の子供と違つて顔はきりつとしまつてゐるが確に中国の子供である。緊張にふるへる声で答辞が日本語と支那語で読まれる。「蛍の光」が歌はれ、父兄席の青い支那服をきた親たちを涙ぐませる扶輪学校の卒業式である[47]。

「仰げば尊し」や「蛍の光」といった、日本の卒業式での定番曲が扶輪学校の卒業式で唄われていたという。一

挿図11　休み時間に踢毽をして遊ぶ女生徒　東城扶輪学校［原板番号二四六四七］

挿図12　球運び　扶輪学校運動会［原板番号二四七〇一］

方で答辞が日本語と中国語で朗読されたことが指摘されており、扶輪学校が中国の学校であることを印象づけている。華北交通写真には昭和一六年六月二六日、場所は北京、撮影者は木崎と記されている。撮影日から四月始まりの日本の学事暦ではなく、七月修了九月始まりの中国側の学事暦であった。『北支』では四月号に掲載されたため、中国側の学事暦の事情を知らない日本人は、日本と同じ三月に卒業式をおこなうと考えてしまったかも知れない。先の表1が示すように、北京には東城と西城の二箇所の扶輪学校があり、掲載された卒業式がどちらの学校でおこなわれたのかについては不明である。

『北支』の記事では合唱と答辞について触れているものの、合唱している写真は掲載されていない。しかし華北交通写真の中には合唱写真が含まれている（原板番号三九二四七）。他に「卒業証書を手にして　扶輪学校卒業式」（挿図15）と題する写真もある。女生徒が歯を見せて、目を伏せて笑っており、卒業の喜びが表現されている。こうした感情を写した写真は、『北支』には採用されなかった。

挿図13　朝会　新民体操　東城扶輪学校
［原板番号三〇〇〇六］

おわりに

以上、華北交通コレクションを中心に扶輪学校について分析してきた。扶輪学校は華北交通が経営した私立学校で、鉄道従業員の子弟を収容した。文献史料を用いることで扶輪学校の学校数や生徒数、使用した教科書などを分析できた。さらに華北交通写真という写真史料を分析することにより、扶輪学校では日本語教育と実業教育だけでなく、課外活動や特別活動、さらに身体訓練などといった教育実践の具体的な様子が明らかとなった。

こうした教育実践こそが、現地住民を惹きつけるために扶輪学校がおこなった日本式学校教育の一側面だったのではなかろうか。ただし、中国式そろばんや踢毽が扶輪学校で採り入れられていたことから、在来の学習文化全てを排除した訳ではなかった。様々な学校文化が入り交じって展開されたのが、扶輪学校での教育実践だったと考えられる。

参考文献

駒込武『植民地帝国日本の文化統合』岩波書店、一九九六年
華北交通外史刊行会『華北交通外史』一九八八年

挿図14　朝会　新民体操　東城扶輪学校
［原板番号三〇〇〇五］

註

(1) 東亜研究所『日本の在支文化事業（未定稿） 昭和十五年七月印刷』（『中国占領地の社会調査Ⅰ 12 教育・文化④』近現代資料刊行会、二〇一〇年）所収の「第七表 日語学校一覧表」では、日本語学校の設置主体として個人経営、宗教団体、警察や水道部といった行政機関、銀行、軍宣撫班といった様々な存在を挙げている。

(2) 槻木瑞生「満洲における公学堂の位置づけ――四平街公学堂を中心に――」『同朋福祉』六号、二〇〇〇年、一一～一二頁。

(3) 駒込武『植民地帝国日本の文化統合』岩波書店、一九九六年、三一六～三一七頁。

(4) 小野美里「「事変」下の華北占領地支配 教育行政及び第三国系教育機関との相克をてがかりに」『史学雑誌』第一二四巻第三号、二〇一五年。

(5) 華北交通写真と『北支画刊』『北支』『華北』との関係は、松本ますみ「モンゴル人と「回民」像を写真で記録するということ――「華北交通写真」から見る日本占領地の「近代」――」（楊海英編『交感するアジアと日本』静岡大学人文社会科学部・アジア研究センター、二〇一五年、三五～三七頁）に言及がある。

(6) 本論では龍渓書舎発行の復刻版（一九八七～八八年）を用いた。

(7) なお、華北交通写真には学校教育など他に教育に関する写真が多数含まれるが、紙幅の都合から検討は別稿に譲る。

(8) 青島守備軍民政部鉄道部『調査資料第二十八輯 支那国有鉄道従業員ノ養成及其子弟教育ニ関スル調査報告』八五～九〇頁。

(9) 「北支に於ける日語教育の状況」興亜院『調査月報』第一巻第二号（一九四〇年二月）二一八～二一九頁。

(10) 華北交通外史刊行会『華北交通外史』一九八八年、二三四頁。

(11) 『北支』昭和一四年一一月号、一九頁。

(12) 興亜院華北連絡所『昭和十六年七月 北支に於ける文教の現状』新民印書館、一九四一年、三三頁。

(13) 同上、三八頁。

(14) 前掲「北支に於ける日語教育の状況」興亜院『調査月報』第一巻第二号、二〇九頁。

(15) 「華北に於ける日本語普及状況（其の二）」『調査月報』第一巻第一二号、一九四〇年一二月、二九二～二九八頁。

(16) 前掲「華北に於ける日本語普及状況（其の二）」二九九頁。

(17) 前掲「華北に於ける日本語普及状況（其の二）」三八〇～三八一頁。

(18) 「華北に於ける日本語普及状況（其の一）」『調査月報』第一巻第八号、一九四〇年八月、二六七～二七四頁。

(19) 黄漢青「新民印書館について」『慶應義塾大学日吉紀要 言語・文化・コミュニケーション』No．41、一三六頁。

(20) 黄前掲論文、一四三頁。

(21) 駒込前掲書、三一三頁。

(22) 「華北に於ける日語教師養成状況並に天津、済南、徐州、開封の各地学校に於ける日本語教授法調査」『調査月報』第二巻第六号、一九四一年六月、三五三頁。

(23) 南満洲教育会教科書編纂部『初等日本語読本 巻一』大正一三年四月八日初版発行／昭和八年四月五日一四版発行、東京大学教育学部図書館所蔵。

(24) 南満洲教育会教科書編纂部『速成日本語読本 上巻』昭和七年一〇月一〇日初版発行／昭和八年五月二〇日三版発行、東京大学教育学部図書館所蔵。

(25) 「天津特別市教育宗教の現状」大東亜省『調査月報』第一巻第三号、一九四三年三月、二二〇～二二一頁。

(26) 前掲「天津特別市教育宗教の現状」、二三五頁。

(27) 前掲『華北交通外史』、二三四頁。

(28) 前掲『華北交通外史』、二四〇頁。

挿図15 卒業証書を手にして 扶輪学校卒業式［原板番号三九二五一］

(29) 松本正雄『誰か忘れん――私と中国と中国人――』象文社、一九七三年、一五三頁。

(30)「第二十六回国会衆議院海外同胞引揚及び遺家族援護に関する調査特別委員会議事録第五号」一九五七年二月一九日、http://kokkai.ndl.go.jp/SENTAKU/syugiin/026/0012/02602190012005.pdf（二〇一六年二月二八日アクセス閲覧）

(31)「在外指定学校」とは、一九〇五年の「在外指定学校職員退隠料及遺族扶助料法」によって法的根拠が与えられ、一九四六年の「恩給法」改正によって法的根拠を失った学校制度である。教育課程はほぼ「内地」の学校に準拠した、海外の日本人学校職員の待遇に関わって規定された学校制度であった（渡部宗助『在外指定学校に関する歴史的研究』昭和五六年度文部省科学研究費一般研究(C)、一頁)。扶輪学校教員にはこの制度が適用されなかったと考えられる。

(32)『北支』昭和一五年三月号、二五頁。

(33) 前掲「北支に於ける日語教育の状況」、二一四頁。

(34) 松本前掲書、一二七頁。

(35) 前掲『北支』昭和一五年三月号、二六頁。

(36) 山口喜一郎の直接式教授法の経緯については、木村宗男「山口喜一郎の日本語教授法について――対訳法から直接法へ――」(早稲田大学語学教育研究所『早稲田大学語学教育研究所記念論文集』一九七三年）で紹介されている。また新民学院は一九三八年一月に設立された中華民国臨時政府の官吏養成機関である（島善高「国立新民学院初探」早稲田大学社会科学部学会『早稲田人文自然科学研究』五二号、一九九七年、一五～一七頁)。

(37) 前掲「華北に於ける日語教師養成状況竝に天津、済南、徐州、開封の各地学校に於ける日本語教授法調査」三五六頁。

(38)『北支』昭和一五年六月号、一九頁。

(39) 鈴木久男「中国における算盤の起源（二）」国士舘大学政経学会『政経論集』四〇号、一九八二年、八五～八六頁、九五頁。

(40) 前掲『華北交通概観』二〇二頁。

(41) 前掲『調査資料第二十八輯』一〇五、一〇八頁。

(42) 前掲『調査資料第二十八輯』四〇～四三頁。

(43)「華北に於ける日本語普及状況（其の一）」『調査月報』第一巻第八号、一九四〇年八月、二八一頁。

(44) 前掲『華北交通外史』二四〇～二四一頁。

(45) 佐々木浩雄『体操の日本近代　戦時期の集団体操と〈身体の近代化〉』青弓社、二〇一六年、一八六、一八七、二二八頁。

(46) 安東由則「身体訓練（兵式体操）による「国民」の形成」『武庫川女子大学紀要　人文・社会科学編』第五〇巻、二〇〇二年、八七頁。

(47)『北支』昭和一七年四月号、二五頁。

第七章　華北交通写真にみる日中戦争期の史跡調査

向井佑介

〈写真1〉雲岡石窟　第一三窟本尊東側 ［原板番号三四八五］

〈写真2〉雲岡石窟　第五窟主室南西 ［原板番号三四九三］

〈写真3〉五台山　喇嘛の墓塔と大塔院寺の白塔［原板番号三〇八〇六］

〈写真4〉五台山　顕通寺門前から大塔院寺をのぞむ［原板番号三〇八一〇］

華北交通写真にみる日中戦争期の史跡調査

向井佑介

はじめに

京都大学人文科学研究所に保管される華北交通写真には、考古学的な遺跡や宮殿・寺院建築など、各種の史跡を写したものが数多く含まれている。それらのなかには、満鉄北支事務局のもとで撮影された一九三八年にさかのぼる写真が一部に含まれるものの、大半は華北交通株式会社が成立した一九三九年四月から一九四二年頃までの写真で、おおよそ日中戦争の期間中に撮影されたものである。

一連の写真をみると、当時北平と称された北京一帯では、故宮、頤和園、長城、明陵など、現在も主要な観光コースに含まれる史跡はもちろん、一九二〇年代に発掘のはじまる周口店の遺跡や、一九四三年に建築史学者の村田治郎らが調査した居庸関など、主要な史跡を網羅している。撮影対象とされている史跡の分布地域は、華北交通の路線がおよぶ範囲に限られるものの、雲岡石窟や響堂山石窟などの仏教石窟寺院、大同や厚和（フフホト）といった地方都市の古建築群などの一九三〇年代後半から一九四〇年代前半のようすを伝える貴重な写真資料である。

それらの写真は、満鉄北支事務局が編集した『北支画刊』（一九三八年四月創刊）やその後継誌として華北交通資業局が編集した『北支』（一九三九年六月創刊）といったグラフ誌に掲載され、占領地下における文化事業を宣揚する目的で利用されたと考えられる。しかし、太平洋戦争突入後の出版統制や物資不足の影響をうけて、『北支』は一九四三年八月の第五一号を最後に停刊することとなる。華北交通の写真群に一九四三年以後の撮影が少ないのは、そうした状況と関係するのであろう。

華北交通写真のなかで史跡を撮影したものは多数あり、そのすべてに言及することはできないため、以下では撮影時点において日本人が調査に関与していた史跡のみをとりあげる。具体的には、東方文化研究所が調査した雲岡石窟、鳥居龍蔵が調査した下花園石窟、小野勝年と日比野丈夫がめぐった五台山、東亜考古学会が発掘した邯鄲と万安北沙城、山西学術調査研究団が発掘した漢代陽曲県城の写真が対象となる。それらが撮影された背景とその学術的意義を明らかにしたうえで、日中戦争期の文化事業および史跡調査の歴史のなかに華北交通写真を位置づけることが本章の目的である。

一　日本人による中国史跡調査のはじまり

個々の写真資料について検討する前に、一九世紀末から二〇世紀前半の中国における日本人の史跡調査について概略を述べておく。華北交通写真が成立した一九三〇年代後半から一九四〇年代前半という時期が、近代中国における史跡調査の歴史のなかで、いかなる段階にあったのかを明確にするためである。なお、戦前・戦中における大陸考古学の調査研究史については、水野清一『東亜考古学の発達』[1]が詳細にまとめており、考古学に限らず史跡調査全体の歴史を概観するうえでも有益である。

明治・大正期の中国史跡調査　日本人による中国の史跡調査としては、東京美術学校校長であった岡倉覚三（天心）が早崎稉吉とともに清国を視察した一八九三年の調査旅行がはやいものの、本格的な調査は日清戦争後に開始する。日清戦争直後には、人類学・考古学などの分野で先駆的な業績をのこした鳥居龍蔵が、一八九五年、一九〇五年、一九〇九年の三次にわたり遼東半島の新石器から漢代遺跡の調査を実施し、一九〇六年から一九〇八年には東モンゴリア一帯を調査している。

考古学の方面では、ややおくれて一九一〇年、一九一二年に濱田耕作が中国東北地方をおとずれ、遼東半島の漢代遺跡や塼室墓などを調査している。その後、濱田はヨーロッパへと留学し、帰国後の一九一六年、京都帝国大学において日本最初の考古学講座を開設することになる。

建築史学者としては、東京帝国大学の伊東忠太の調査がはやい。一九〇一年に初めて北京をおとずれて紫禁城などを調査し、さらにその翌年から三年あまりをかけて、中国からユーラシアを横断してヨーロッパ、アメリカへと旅し、世界の建築をめぐる。とりわけ、一九〇二年に雲岡石窟をおとずれ、その石仏を「推古式」の源流として日本に紹介したことは、つとに著名である[2]。

伊東が中国各地の建築を巡検していたころ、同じく東京帝国大学において建築史学の基礎をうちたてた関野貞は、朝鮮半島へと派遣されて建築調査をおこない、ややおくれて一九〇六年から翌年にかけて中国山東省の史跡調査を実施した。以後、朝鮮総督府のもとで建築調査をおこなう一方、たびたび中国をおとずれて古建築や遺跡を調査し、東アジアの建築史・考古学に大きな業績をのこした。

これら明治・大正期の史跡調査は、その成果が日本に紹介されて先駆的な業績として評価される一方、調査の方法はまだ確立されておらず、その記録も個々の研究者によって精粗があった。こうした、いわば調査旅行の枠組みを大きくこえて、組織的な調査がはじまるのは、東方文化事業が開始する昭和期になってからである。

東方文化事業と史跡調査　大正末から昭和初期における中国の史跡調査の特徴は、日本による実効支配を背景として中国東北地方と華北地方の調査が進展する一方、外務省の管掌下に東方文化事業が進められ、史跡調査もそれを背景として組織的に展開していく点にある。

東方文化事業とは、義和団事件の賠償金を財源として構想された日中共同の文化事業である[3]。一九〇一年の北京議定書にもとづき清国から各国に支払われた巨額の賠償金のうち、アメリカは一部を返還して渡米留学生の支援・育成費用にあて、一九一一年に清華学堂（のちの清華大学）を創設した。日本はその例にならって日中共同の文化事業を提案し、一九二三年に対支文化事業特別会計法を公布、一九二五年に東方文化事業総委員会を設立し、北京人文科学研究所と上海自然科学研究所を拠点とした事業が開始する。

ところが、一九二八年の済南事件を契機として東方文化事業総委員会の委員長をはじめ中国側の全委員が離脱すると、北京と上海の研究所を中心として構想されていた東方文化事業は大幅な転換をせまられ、日本国内の拠点が必要とされるにいたった。こうした状況をうけて、一九二九年四月、東京と京都において東方文化学院が発足する。

東方文化学院の東京研究所では、一九三〇年から一九三五年にかけて、関野貞と竹島卓一らが中国の古建築や陵墓を調査し、その成果を『遼金時代ノ建築ト其佛像』『支那文化史蹟』などにまとめている[4]。一方の京都研究所では、ややおくれて一九三四年から史跡調査や資料収集を目的とした所員の中国探訪がはじまる。とりわけ一九三六年に水野清一・長廣敏雄が実施した河北省と河南省の仏教石窟寺院調査は、『響堂山石窟』『龍門石窟の研究』として公刊され[5]、学史上重要な位置を占めている。

しかし、日中戦争が一九三七年にはじまると、外務省の所管である東方文化学院には、時局に沿った現代中国の研究がもとめられる。これに対し、従来の研究方針を維持しようとした京都研究所と、外務省管轄下に存続することを希望した東京研究所は分離し、一九三八年四月、東京研究所は（新）東方文化学院、京都研究所は東方文化研究所と改められる。新体制の東方文化研究所において、一九三八年から開始されたのが、水野・長廣らによる雲岡石窟の調査である。一九四四年まで七年にわたって継続した調査の成果は、終戦後、大部の報告書として公刊されることになる。

東方文化事業の本流というべき東方文化学院の調査と時期を同じくして、中国東北地方を中心に各地で発掘調査を実施していたのが東亜考古学会である。その調査に対しては、外務省文化事業部から助成金が交付されていたことが記録から確認できる。[6] 東方文化事業運営のため外務省に置かれたのが文化事業部であるから、その助成をうけた東亜考古学会の調査も、広義の東方文化事業に含めることができる。こうした文化事業の一端を撮影したのが、華北交通株式会社の写真資料である。

二　華北交通写真のなかの史跡調査

三万六〇〇〇点をこえる華北交通写真のうち、史跡を直接的な主題とした写真は一割に満たない。それでも、各種産業にかかわる写真とならんで、多数の史跡が撮影されていることにちがいはなく、それらすべてについて論及することはできない。以下では、日中戦争の時期に日本人が調査にたずさわっていた雲岡石窟、下花園石窟、五台山、邯鄲、万安北沙城、漢代陽曲県城の写真から主要なものを選定し、調査の背景や華北交通との関係とあわせて検討をおこなう。

東方文化研究所の雲岡石窟調査　華北交通写真のなかで、雲岡石窟に関係する写真はおよそ三〇〇枚があり、史跡関係写真のなかでもとくに多い。雲岡石窟は中国を代表する仏教石窟寺院の一つで、五世紀に北魏が都とした平城（現在の山西省大同市）の西郊に所在する。四六〇年に沙門統曇曜が文成帝に建議して開鑿がはじめられてから、孝文帝が平城から洛陽に遷都する四九四年までに第一窟から第二〇窟の大窟がひらかれ、洛陽遷都後も西方の崖面を中心に小窟と小龕の造営が継続した。半世紀にわたる造像活動の結果、武周川北岸の崖面には、大小の石窟が東西一キロにわたってならぶこととなった。

二〇世紀はじめに伊東忠太が雲岡石窟の像容を紹介して以来、日本人の雲岡石窟に対する関心はたかく、関野貞、常盤大定、小野玄妙、濱田耕作、鳥居龍蔵らもこの地をおとずれている。雲岡石窟の全面的な調査は、東方文化研究所の水野清一と長廣敏雄が中心となって、一九三八年から一九四四年まで七次にわたって実施され、その成果は全一六巻三二冊におよぶ大部の報告書として、戦後まもない一九五一年から一九五六年に京都大学人文科学研究所から公刊された。[7]

華北交通写真のなかには、一九三八年六月に雲岡石窟を撮影したものがあり、撮影時期から華北交通の前身であ

挿図1　雲岡石窟　第二〇窟大仏前の少年
［原板番号七一二八］

る満鉄北支事務局のもとで撮影されたことが明らかである。水野らによる第一次の雲岡調査は一九三八年四月一四日から六月一五日までであったから、満鉄北支事務局のカメラマンは、調査の終盤もしくは終了後に現地をおとずれて撮影したことになる。このときに撮影された写真は、『北支画刊』一九三八年六号（九月一五日発行）に「大同の石佛」という六頁の特集を組んで掲載されている。掲載写真一二点のうち、扉写真1（第一三窟本尊東側）、扉写真2（第五窟主室南西）、原板番号三四九七（本書「写真編」収録、第二〇窟本尊）など五点が、華北交通写真中に含まれることが確認できる。

『北支画刊』に掲載された原板番号三四九七の写真カードには「四月一日大朝大東亜建設博、横浜大陸発展々、佐世保支那事変展」の注記があり、また原板番号三五〇二（「写真編」収録、第九窟から第一三窟前面）のカードにも「14・4・1 大朝主催大東亜建設博覧会使用」の注記がのこる。これらの注記により、大阪朝日新聞社が主催して一九三九年四月一日から五月三一日まで阪急西宮大運動場（西宮球場）で開催した「大東亜建設博覧会」[8]に二枚の写真が展示されたことが判明する。前者の一枚は、同年四月一〇日から五月四日まで横浜商工奨励館開館一〇周年を記念して開催された「大陸発展大展覧会」[9]および四月二五日から五月二七日に佐世保鎮守府開庁五〇周年を記念して佐世保商工会議所が開催した「支那事変大博覧会」[10]にも出展された。『北支画刊』一九三八年六号の特集に「今度の事変によって大同の雲崗石佛寺はあらためて世人の視聴に上って来た」というように、日中戦争開始後に日本が実効支配した地域を特徴づける代表的な史跡として雲岡石窟は認識され、日本国内において大々的に宣伝されたのである。

『北支画刊』の後継誌として華北交通資業局が編集した『北支』にもしばしば雲岡石窟に関する記事が登場する。『北支』一九三九年一二号には巻頭から六頁の「雲崗石窟」特集が組まれ、同一九四一年五号と六号にも彫刻の写真が掲載されている。一九四二年一一号にいたっては、表紙から三二頁までのグラビアすべてが雲岡の写真で占められ、さらに読みものとして「大同石佛に就いて」と題する小野勝年の解説が附された。このように雲岡石窟の写真が『北支』にしばしば掲載された背景には、その造像の魅力もさることながら、華北交通が水野らの雲岡調査に対し多額の助成をおこなっていたという事情もあった。

京都大学人文科学研究所図書室が保管する簿冊「自昭和十三年度至昭和十六年度　雲岡石窟調査」には、第四次までの調査にかかわる文書類がまとめられている。それをみると、第二次調査（一九三九年）以降は毎年、調査費として外務省文化事業部（第四次以降は興亜院）と華北交通にそれぞれ三〇〇〇円の助成を申請し、実際に援助がなされている。第四次調査に際しては、大阪朝日新聞社からも一〇〇〇円の寄付をうけているものの、華北交通が調査費用の半分ちかくを助成していることにちがいはない。ほかにも、調査員に鉄道乗車証を支給するなど、華北交通からさまざまな面で援助がなされた。『北支』一九三九年一二号の冒頭には「我が東方文化研究所で計画された大同一帯の石窟調査は……外務省並に華北交通会社後援の下に大々的研究調査が現に進行中である」と記され、雲岡石窟の調査は、まさに華北交通が支援した文化事業として『北支』に掲載されていったのである。

鳥居龍蔵の下花園石窟調査　河北省北部の張家口市下花園区東南に、雲岡石窟と同時期（五世紀後葉）の小さな石窟がある。石窟は鶏鳴山北側にひろがる丘陵の西端に位置し、その西から南へと洋河が近接して流れる。造営当初は洋河をみわたす丘陵先端にあったものが、次第に土砂が堆積し、石窟門口は現在の地表面より八メートルほど低い場所に埋没している。門口とその上の明窓は西側に開口し、窟内は幅約四メートル、奥行約三メートル、高さ三・八メートルをはかる。明窓両側に四臂の護法神、主室奥壁には楣拱龕の坐仏像があらわされ、両側壁から前壁にかけて千仏を中心とした構成をとり、天井には二重の大蓮華と飛天が配されている。

この石窟をはじめて調査したのが、燕京大学（現在の北京大学）の客座教授であった鳥居龍蔵である。燕京大学に招聘された一九三九年五月、下花園における石窟発見の報をうけて鳥居は現地の予備調査をおこない、さらに同年一〇月三日から一一月六日までの一か月あまり、燕京大学から正式に派遣されて本格的な調査を実施した。下花園石窟調査後には大同の雲岡石窟を三週間かけて調査し、一二月七日に北京へと帰着している。

華北交通写真には、まさに鳥居による調査中であった一九三九年一〇月に下花園石窟を撮影したと考えられる写真四枚が存在する。そのうち挿図2は石窟内部の写真で、ベレー帽をかぶりコートを着て彫刻を模写する女性の後姿が写っている。この調査には、妻きみ子と次女緑子が同行し、劉選民と凌大珽の両名が助手をつとめた。きみ子夫人が食事などの世話をし、次女緑子が模写、劉・凌両名が写真撮影を担当したという[1]。緑子は一九一〇年五月生まれで当時二九歳、ちょうど写真の女性の年格好とも符合する。鳥居はしばしば妻子をともなって各地を調査したことが知られており、そうした調査風景を写した貴重な写真である。

鳥居が調査を開始した時点で、石窟内には深さ二・五メートルにおよぶ土砂の堆積があり、奥壁本尊の如来坐像は首もとまで土に埋もれていた。石窟外観を写した挿図4と挿図5の二枚からは、丘陵崖面の西側に門口と明窓が開口しているようすがみてとれる。しかし、周囲の地表面は門口の上部に達し、さらに門口前面はくぼんで水がたまっているため、明窓に木の板をわたして窟内に出入りしていたようである。挿図4には明窓から窟内をのぞきこむ二人の人物が写っている。また挿図5には、この二人に加えて助手あるいは人夫らしき二人が写り、土砂掘削の

挿図2　下花園石窟　石窟内部の模写
［原板番号二五五三八］

挿図3　下花園石窟　本尊頭部
［原板番号二五五四〇］

ためのシャベルもみえる。この調査では、石窟内外の発掘のため、現地政府からおよそ五〇人の人夫が提供されており、この写真は石窟外部の発掘状況を撮影したものであろう。ただ、窟外の発掘では「掘り下げるにつれて湧水がはげしくなり、発掘続行のための排水作業が困難をきわめた」[12]といい、まさに掘削した部分から水が湧いて池状になっているようすがこれらの写真からもわかる。

一方、この段階において、窟内の発掘は未着手であったらしく、先にみた窟内の写真（挿図２）では、なかば埋もれた石窟内で緑子が模写をおこなっていた。この写真には奥壁上部南半が写りこんでおり、飛天を配した楣拱龕の拱額と内側の帷幕、その向かって右側には供養天人、さらに右側は三段の坐仏列像と花弁紋帯があらわされ、上には天井の蓮華と飛天がみえる。この写真の左側部分をやや拡大して撮影したのが挿図３で、奥壁本尊の如来坐像が頭部をのこして埋没している状況がうかがえる。拱額の中央区画に香炉をささげる一対の天人があらわされ、その左右の区画には飛天が配されること、また本尊側頭部には波状頭髪が確認でき、前頭部の螺髪は後世の改作らしいことも、この写真からうかがえる。

鳥居による調査ののち、石窟は再び埋没し、一九八八年に張家口市文物保管所が土砂の除去と整備をおこなってようやく石窟内への立ち入りが可能となった。その後、一九九六年にいたって、石窟の実測や写真撮影など全面的な調査がおこなわれた[13]。ただ、一九三九年の写真に記録されている奥壁上部は、一九九六年までに著しく損壊しており、香炉や天人を配した楣拱額は完全に失われ、その周囲にあった彫刻も摩損しているものが少なくない。したがって、華北交通写真に含まれるこの四枚の写真は、すでに失われた彫刻の記録として、鳥居の調査写真とならび学術的に貴重な資料といえるであろう。

日比野丈夫と小野勝年の五台山調査　華北交通写真のなかに、一九四〇年七月に五台山一帯で撮影された写真約二八〇枚がある。そのうち、およそ半数にあたる原板番号三〇七九二〜三〇九二七が六×六センチサイズのフィルムであるのに対し、のこる原板番号三二〇八〇〜三二二二四は六×四・五センチフィルムで、使用した写真機が異なる。撮影者を記載したカードをみると、前者の一群には「橋爪」とあり、後者の一群には「小野」と記されている。ここにいう「小野」とは、華北交通株式会社嘱託であった小野勝年と考えられる。

小野勝年は、東洋史を専門として考古学や美術史にも造詣がふかく、一九三七年一〇月から一九四〇年三月まで外務省文化事業部が派遣する特別研究員として北京に留学し、一九四〇年四月から一九四五年六月まで華北交通嘱託あるいは華北綜合調査研究所研究員として、中国史跡の調査研究に従事した。

挿図４　下花園石窟　明窓と窟門
［原板番号二五五三九］

挿図５　下花園石窟　石窟外景
［原板番号二五五四一］

このとき小野勝年とともに五台山を調査したのが、歴史地理学を専門とする日比野丈夫である。日比野は一九三六年から東方文化学院京都研究所に嘱託として勤務し、一九三九年から二年間、やはり外務省文化事業部の特別研究員として北京に留学し、その間に五台山をはじめ各地の史跡をおとずれている。

日比野と小野による五台山の調査は、日中戦争の混乱で中絶していた六月大会の復興を契機として計画されたものである。調査の実施にあたっては、華北交通の協力があり、また華北交通の一行と行動をともにしている。一九四二年にこの調査旅行の成果をまとめて刊行された『五台山』[14]は、単なる調査旅行記ではなく五台山のすぐれた概説書となっている。その自序によれば、華北交通資業局長加藤新吉と参与城所英一の厚意により、出版に際して資業局弘報課の写真・資料類を自由に利用することができたという。

五台山は山西省北東部の五台県に所在し、河北省と山西省の境界を南北に走る太行山脈の奥にあって、その最高峰を擁している。海抜三〇〇〇メートルをこえる北台をはじめ、東台・中台・西台・南台の五峰にかこまれた盆地の内外に多数の寺院が営まれ、その中心をなすのが盆地中央の台懐鎮である。別名を清涼山と称し、文殊菩薩の霊場として、中国のみならずアジア全域から信仰をあつめた。日本からは唐代以降、慈覚大師円仁をはじめ、霊仙、慧運、宗叡、奝然、成尋らがこの地に詣でたことはよく知られている。

現在みる五台山の寺院は、「黄廟」と呼ばれる喇嘛教（チベット仏教）寺院と、「青廟」と称される中国仏教の寺院とに大別され、後者のほとんどは禅宗（臨済宗）によって占められている。こうした状況は、喇嘛教を崇拝した清朝皇帝らの五台参詣と、清朝末期における普済禅師の五台復興を反映したものである。五台山最大の行事というべき六月大会（大誓願会）は、喇嘛教に関係する大法会で、文殊菩薩をはじめ諸仏諸菩薩を供養するとともに、天下泰平や除災招福を祈願するものである。旧暦六月六日から一五日に開催され、それを機にモンゴル、チベットをはじめ各地から入山する人びとによって、厖大な量の家畜が取引され、五台山寺院の経済基盤ともなっていた。日比野・小野らはその六月大会の見学を第一の目的として、調査を計画したのであった。

日比野・小野らは、七月七日に北京を出発、列車で太原から忻県を経由し、一五日に五台県に入り、一八日に台懐鎮へと到着した。翌一九日が六月大会の最終日で、その日から一週間かけて台懐鎮を中心に台中の主要な寺院をめぐっている。二五日に五台山を出て帰途につき、定襄、寧武、朔県をへて、七月二九日に大同の雲岡石窟調査に合流し、調査旅行は完結した。

この調査の成果として、先述した旅行記『五台山』があるほか、『北支』一九四〇年一〇月号に小野勝年が「五台山由来記」と題する文章を掲載し、翌一一月号にはグラビアで四頁にわたって五台山の特集が組まれている。た

挿図6　五台山　大塔院寺の経筒をまわして礼拝する女性［原板番号三〇八四一］

挿図7　五台山　跳鬼（奏楽）［原板番号三〇八七九］

だ、『北支』に掲載された写真はいずれも小野撮影の写真ではなく、『五台山』にも小野写真に含まれないものが多数使用されている。華北交通写真と照合すると、橋爪撮影と記される五台山関係の写真約一四〇枚のなかから、これらが選ばれていることがわかる。撮影年月は一九四〇年の六月と七月とが混在するものの、写真の内容と順序からみて、日比野・小野と行程をともにした華北交通のカメラマンが撮影した写真とみてまちがいない。六月の注記が混入しているのは、六月大会が旧暦にもとづく呼称であることを理解せずにカードを整理したためであろう。本書写真編の原板番号三〇七九九、三〇八一二、三〇八二一および本章に掲載する写真は、いずれも橋爪が撮影したものである。

本章扉写真3は喇嘛の墓地からみた大塔院寺白塔の遠景、扉写真4は顕通寺門前から白塔を写したもので、すでに失われた古い街並を記録している。挿図6は大塔院寺白塔の周囲を経筒をまわしながら礼拝する二人のチベット女性を撮影したもの。挿図7は日比野・小野らが宿泊していた羅睺寺において七月一九日に撮影されたもので、六月大会の「跳鬼」にともなう喇嘛僧による奏楽の写真である。挿図8は同じく羅睺寺でおこなわれた「跳鬼」のうち、閻王の舞を撮影したもの。いずれも、現在みることのできない古い景観、行事、風俗を撮影した貴重な写真である。

挿図8　五台山　跳鬼（閻王の舞）
［原板番号三〇八九九］

東亜考古学会による邯鄲の発掘　東亜考古学会は「東亜諸地方ニ於ケル考古学的研究調査」（「東亜考古学会々則」第二条）を目的として一九二六年三月に設立された学会で、常務委員として創立にかかわった原田淑人と濱田耕作をはじめ、東京帝国大学と京都帝国大学の考古学関係教員を中心に構成されていた。当初より中国側との連携を想定して設立され、その提携先が馬衡らを中心とした北京大学考古学会で、この両学会の協同により東方考古学協会が組織された。

一九二八年、遼東半島において濱田らが手がけた貔子窩、原田らによる牧羊城の発掘を皮切りに、中国北方の各地で遺跡の調査を展開し、一連の成果は『東方考古学叢刊』甲種全六冊、乙種全八冊として公刊された。こうした東亜考古学会の活動に対しては、植民地考古学あるいは文化侵略との批判もあるとはいえ、学問的・技術的には当時として高い水準の発掘調査がおこなわれ、『東方考古学叢刊』がその後の東アジア考古学に一定の影響をおよぼしたことも事実である。

東亜考古学会による一九三〇年代までの調査は、旧満洲と内蒙古の地域に限定され、希望していた殷墟などの調査が実現することはなかった。しかし、日中戦争期になると、日本による実効支配を背景として、華北地域におい

挿図9　邯鄲梳粧楼遺跡　石敷発掘状況
［原板番号三一三五一］

ても若干の発掘調査がおこなわれた。その一つが、東亜文化協議会の委嘱をうけて東亜考古学会が実施した邯鄲（河北省邯鄲市）の発掘調査である。北京留学中であった関野雄が一九三九年に現地を踏査したのを契機として本格的な調査が計画され、翌一九四〇年に東京帝国大学の原田淑人と駒井和愛をはじめとする東亜考古学会関係者と北京大学の姚鑒、賈恵定が参加して調査がおこなわれることになった。

邯鄲は戦国時代趙国の都であり、その宮城の遺跡は「趙王城」と称されて、巨大な基壇と城壁が邯鄲市街地の西南に現存している。趙王城の城壁は東城・西城・北城の三区画が結合した「品」字形を呈し、なかでも最大規模の基壇である「龍台」を擁する西城が、趙王城の中心的な宮殿区画であったと考えられる。東亜考古学会による趙王城の調査は、一九四〇年八月二六日から九月一八日までおこなわれ、龍台北側の土壇を発掘して礎石列と戦国時代の走獣紋瓦当などを発見している。

さらに九月一九日から二六日にかけては、邯鄲市街地の西側において、梳粧楼・挿箭嶺の遺跡を調査している。趙王城の北東には「大北城」と称される郭城がひろがり、その北部に分布する建築址の一つが梳粧楼の遺跡であった。発掘では、方塼と玉石を敷きつめた散水と直径七三センチの円形礎石が検出されており、華北交通写真に含まれる挿図9と挿図10はまさにその散水と円形礎石の発掘状況を記録したものである。この遺跡の西南隅からは焼土にまじって漢代の「千秋萬歳」瓦当や雲紋瓦当、また大泉五十・半両銭・三翼鏃などが出土し、漢代の建築遺構であることが確認された。調査最終日の二六日午後には、梳粧楼の南にある挿箭嶺の遺跡を試掘し、灰陶と銅鏃六六点を発見している。その試掘風景を撮影した写真が挿図11で、先の梳粧楼の発掘風景写真などとあわせて『北支』一九四〇年一二号に掲載されている。

なお、駒井が中心となって刊行した報告書が記載する「調査の顛末」には「城郭全体の地図を作成するため、華北交通株式会社加藤新吉氏の厚意により、司社の下守・小濱両氏が応援されることとなり、九月五日から一週間帯在された[15]」と記されており、華北交通からも測量のために人員が派遣されていたことがわかる。しかし、この両名はもっぱら測量にあたったらしく、写真カードに記載された撮影者名は「安福」とあって、写真撮影のための人員は別に派遣されていた。というのも、下守・小濱両名が測量のために滞在したのが九月五日からの一週間であるのに対し、写真は梳粧楼・挿箭嶺の調査風景と出土遺物を撮影したものが中心で、九月一九日から二六日の間に撮影されたと判断できるからである。いずれにしても、邯鄲の調査は東亜考古学会がはじめて中原にちかい地域で実施したものであるがゆえに調査への期待も大きく、華北交通からの人員派遣や『北支』への写真掲載は、その期待を反映したものといえるであろう。

挿図10　邯鄲梳粧楼遺跡　礎石発掘状況
［原板番号三一三五二］

挿図11　邯鄲挿箭嶺遺跡　試掘風景
［原板番号三一三五八］

東亜考古学会による万安北沙城の発掘　東亜考古学会に関係する写真として、邯鄲のほかにも、一九四一年一〇月に万安北沙城の「古墳発掘」現場を撮影したものが二枚ある。河北省北部に存在した「万安」という県名は、一九四一年四月に万全県と懐安県とが合併して成立し、一九四五年まで存在したもので、現在の行政区分では張家口市に属する。北沙城は張家口市の西方およそ三六キロ、万全県の西南端に位置し、東洋河が南洋河へと合流する地点の北岸に分布していた漢墓のうち三基がこのときに発掘された。

北沙城の漢墓発掘調査は、一九四〇年の予備調査をへて、翌一九四一年九月二五日から一一月三日まで一カ月あまりをかけて実施された。雲岡石窟を調査していた東方文化研究所の水野清一・長廣敏雄・北野正男・岡崎卯一・羽舘易らを中心に、北京から華北交通嘱託の小野勝年が加わり、張家口の蒙古政府（蒙古自治邦）からは小林知生・稲生典太郎が参加した。

一九四六年に刊行された報告書によれば、調査は蒙古政府が出資し、大同石仏保存協賛会が主催するかたちで、実際の作業はすべて東亜考古学会に委嘱されたという。[16] 羽田亨が寄せた報告書序文には、「諸事混乱の事変中において、かかる貴重なる学術資料の保存並に本書の刊行などについては、当時の万安県参事官上田勤氏はじめその政府当局並に華北交通会社員諸氏の機宜に適した処置と学術文化に対する理解援助などに俟つところ頗る大なるものがある」と記され、具体的な内容は明確でないものの、華北交通からも何らかのかたちで支援がなされたことがうかがえる。

このときの調査では、洋河北岸に点在する墳丘のうち、第五・第六・第七号墓が発掘された。そのうち、埋葬施設や副葬品の内容が明確になっているのは第六号墓である。第六号墓は高さ約六メートル、直径約二〇メートルの墳丘下に、深さ約六メートルの墓壙をうがち、東西五メートル二〇センチ、南北二メートル五〇センチの木槨を構築し、槨外には瓦片がつめこまれていた。槨内には二棺がならんで安置され、棺内から銅鏡や装身具類、棺外からは青銅容器類・博山爐・帯鉤、漆器片、土器片などが出土した。

第六号墓の北側に位置する第七号墓は、墳丘北半が削平されて高さ四メートルほどが残存していた。墳丘下の発掘は湧水のため難航し、鉄器や瓦の破片がえられたのみで、埋葬施設の構造は明確にしえなかった。また、第六号墓東側の第五号墓の調査では、高さ三メートルの墳丘の下にトレンチを設けて発掘をおこなった。墳丘の下と周辺の広い範囲からは、用途不明の多数の竪穴が検出される一方で、墓壙についての手がかりは一切えられなかった。竪穴内部から「木亭」印をもつ前漢代の土器片が出土したことから、漢代の遺構を含むと推測されるものの、埋葬施設の有無や竪穴の性格は不明確なままであった。

挿図12　万安北沙城　五号墓発掘状況
［原板番号四〇五六六］

挿図13　万安北沙城　七号墓発掘状況か
［原板番号四〇五六八］

華北交通写真に含まれる写真二枚のうち、挿図12は第五号墓の発掘状況で、墳丘を南北に分断するトレンチを北側から撮影したものである。また、挿図13は墳丘下の発掘状況を撮影したもので、おそらく第七号墓の写真と考えられる。多数の遺物が出土した第六号墓の写真は確認できないものの、二枚の写真の前後に数枚の欠番があることを考慮すると、あるいは第六号墓の写真も当初は存在したのかもしれない。『北支』一九四二年六号には、水野の「北沙城考古記」という文章とともに、第六号墓の発掘状況と出土遺物が見開きの写真頁で掲載されていることから、その過程でネガが欠落してしまった可能性も考えられよう。

山西学術調査研究団による定襄の発掘　最後に、一九四二年六月に山西学術調査研究団が調査した定襄の漢代土城址の写真をとりあげたい。山西学術調査研究団とは、太平洋戦争開始にともなって東京に設置された資源科学研究所を核として、地質・地理・動物・植物・人類学の専門家ら約三〇名から構成された大調査団で、一九四二年四月下旬から七月上旬までの七五日間にわたって、山西省の五台地区と晋南地区の総合学術調査を試みたものであった。

定襄は、太原から忻県をへて五台山方面へとむかう途次に所在する。漢代には陽曲県と呼称され、後漢末にいたって定襄と改称された。この漢代陽曲県城にあたると考えられる土城址を発掘したのが、山西学術調査研究団に人類学部の一員として参加していた小野勝年であった。小野は一九四〇年の五台山調査の帰途、七月二五日に定襄で宿泊し、翌朝に土城址を踏査しており、おそらくその知見をもとに、一九四二年の発掘調査を計画したのであろう。

ただ、一九四二年の発掘については報告が公刊されておらず、報道部として調査団に加わった朝日新聞社社員の宮本敏行による『山西学術紀行』[17]にごく簡単な記載がある。それによれば、小野勝年が定襄の発掘責任者であったこと、宮本が現地をおとずれた六月一三日に小野らは定襄駅前で漢代土城の一部を発掘していたこと、その数日前から小野ら人類班が定襄の調査を開始していたこと、などがわかる程度である。これについて、水野清一は「鳴物入りでおこなわれた山西学術調査研究団の調査はそのわりに収穫をあげなかった」[18]ときびしい評価をくだしている。もっとも、山西学術調査研究団は本来、鉱物資源の調査を主たる目的として計画されたものであり、遺跡の発掘調査が期待されたほどの成果をあげなかったのも無理はない。人類学部を構成する五名のうち、発掘調査を含めて史跡調査を担当できる歴史学・考古学の専門家は小野しかいなかった。

華北交通写真には、この調査に際して撮影された写真八枚がある。写真カードには撮影者「西」とあり、これは『山西学術紀行』八頁に記された陣容のなかに「その他現地に於ける参加」としてあげられている「華北交通株式会社　西亨」のことであろう。挿図14は西城壁の版築状況を撮影したものである。挿図15は土城内の発掘風景で、

挿図14　漢代陽曲県城西城墻　定襄
[原板番号五〇六八三]

挿図15　漢代陽曲県城発掘状況　定襄
[原板番号五〇六八八]

出土した大量の瓦・土器片がみてとれる。調査そのものに対する評価はひとまずおき、未報告のままとなっている七〇年あまり前の発掘現場を撮影した写真として、これらが学術的に貴重な記録であることは疑いない。

三　華北交通の文化事業と史跡調査

華北交通写真を通覧すると、当時華北でおこなわれた史跡調査と華北交通との関係性がうかびあがってくる。東方文化研究所の雲岡石窟調査をはじめ、当時の華北交通沿線でおこなわれた史跡調査に対しては、資金援助のほか、交通・宿泊の手配、人員派遣、資料提供など、多方面にわたって支援がなされた。以下では、前段であつかった事例を中心に、日中戦争期の史跡調査と華北交通との関係を整理し、さらにそれらが『北支』においてどのように伝えられていったのかを検証する。

日中戦争期の史跡調査と華北交通株式会社　史跡調査に対し、華北交通株式会社が直接的な資金援助をおこなったことがわかるのは、東方文化研究所の雲岡石窟調査である。一九三九年の第二次調査以降、華北交通株式会社が調査費のほぼ半額にあたる三〇〇〇円の助成を毎年おこなっていたことは、既述のとおりである。長廣敏雄の『雲岡日記』[19]によれば、一九四四年の第七次雲岡調査に際しても、やはり華北交通から三〇〇〇円が援助されており、第二次調査から一貫して毎年三〇〇〇円の助成がなされたことがわかる。なお、この年には雲岡調査の助成金三〇〇〇円だけでなく、東亜考古学会の陽高漢墓発掘と山西南部調査費として五〇〇〇円が華北交通から助成されている。

また、雲岡石窟の調査隊に対しては、華北交通から大同駅所管の配給所をつうじて食糧の配給と日用品の供給がなされ、また鉄道の切符も支給された。日比野丈夫・小野勝年による五台山の調査では、華北交通の一行と行程をともにしただけでなく、同社鉄路局の協力によって鉄道の切符はもちろん自動車・トラックや宿所などを手配してもらうこともあった。そして、調査旅行記出版に際して、同社資業局弘報課の資料や写真類を自由に使用することも許可されていた。

人員派遣の面では、華北交通嘱託であった小野勝年が東方文化研究所の雲岡石窟調査、東亜考古学会の万安北沙城調査に参加し、山西学術調査研究団の調査には小野のほか社員の西亨が現地参加して写真を撮影している。また、東亜考古学会の邯鄲調査には、測量のための人員二名が華北交通から派遣されている。

もっとも、燕京大学から派遣された鳥居龍蔵の調査のように、華北交通との関係が確認できない例もある。おそらく鳥居の下花園石窟調査は、華北交通の鉄道沿線で調査がおこなわれていることを聞きつけ、取材がなされたものと考えられる。しかし、その一例をのぞけば、この時期に日本人が華北において組織的に進めた史跡調査には、何らかのかたちで華北交通による支援がなされたことが確認できる。

日中戦争期の史跡調査と『北支』　華北交通株式会社において、雲岡石窟などの史跡調査を強力に支援したのは、資業局長の加藤新吉であった。加藤は華北交通の創立にあたって満鉄から移籍してきた人物で、『北支』の編集長をつとめ、自身も毎号「可園雑記」と題する随筆を掲載している。長廣敏雄は北京でしばしば加藤の自宅に招待されたことを記しており、その人物について「豊富な蔵書をもち、美術愛好の文化人」であり「北京を訪ねた内地の有名画家、学者、有識者はたいてい加藤さんの世話になった」[20]と述べている。

『北支』には、水野清一が「大同石佛問答」「北沙城調査記」「徐州石佛寺」「同蒲線をゆく」などの文章をよせているほか、小野勝年が「京漢沿線史跡ところどころ」「五台山由来記」「津浦鉄道沿線の歴史景観」「長城行」「北京夕照寺の壁画」など、日比野丈夫も「京包沿線史跡ところどころ」「禹門口の思ひ出」などの文章を掲載している。華北交通嘱託であった小野はともかく、水野や日比野が『北支』掲載の文章を執筆した背景には、華北交通から調査費の提供をうけていたという事情があったと考えられる。戦後、加藤新吉が華北交通の写真ネガをひそかに京都大学人文科学研究所に寄託した[21]というのも、こうした関係にもとづくものであろう。

『北支』に寄稿している人物をみると、水野とならんで多いのが、建築史学の村田治郎で「支那建築の話」と題する文章をシリーズで掲載している。村田はもともと南満洲鉄道株式会社において南満洲工業専門学校教授をつとめ、一九三七年には京都帝国大学の講師をへて教授となっている。それ以降も、中国での建築調査を継続的に実施し、一九三八年から一九四〇年に華北の建築調査、一九四三年には居庸関の調査を実施した。こうした調査に際して、華北交通からさまざまな援助をうけていた可能性はたかく、『北支』への寄稿もそうした事情によるものと推測される。

すでに指摘されているように、満鉄北支事務局が編集した『北支画刊』や華北交通資業局が編集した『北支』は、華北の産業・資源・交通・歴史・文化・芸術・風俗などを発信するメディアとして発刊されたグラフ誌で、戦争の悲惨さを想起させる写真や文章は意図的に削除され、日常の平和な風景だけが内地に伝えられた[22]。それが日本軍による実効支配を背景とした、虚構ともいえる平和だとしても、その期間に多くの日本人が華北の史跡を観光目的でおとずれていたことも事実である。当時、雲岡石窟にも相当数の日本人観光客が来訪し、大同駅前から雲岡石窟への遊覧バスが毎日一回、日曜日には二回運行されていたという。[23]『北支』などが伝えた華北のイメージは、観光業の振興をうながし、華北交通にも一定の収益をもたらしたに相違ない。

その一方で、華北交通写真の撮影年月をみると、一九四二年半ば以降は写真が少なく、ややおくれて『北支』も一九四三年八月に停刊を余儀なくされる。戦線拡大の影響をうけて、華北の占領地におけるツーリズムは、それが本格化する前に終焉をむかえることとなった。そうした状況下においても、雲岡石窟をはじめ史跡調査に対する資金援助は少なくとも一九四四年まで確認することができ、困難ななかで文化事業への支援を継続した華北交通の矜持というべきものを垣間みることができよう。

おわりに

本章では、華北交通写真に含まれる史跡調査関係の写真について検討し、その撮影背景を考察した。東方文化研究所による雲岡石窟調査をはじめ、当時の華北でおこなわれた史跡調査に対しては、しばしば華北交通から調査費助成、人員派遣、交通手段の提供などさまざまな面で支援がなされた。それゆえに、華北交通のカメラマンがある程度自由に発掘現場を撮影し、それを『北支』に掲載することもできたと考えられる。水野清一や日比野丈夫らが『北支』にたびたび寄稿しているのも、華北交通からうけた支援に対する一種の見返りといってよい。

華北交通株式会社による史跡調査への援助は、南満洲鉄道株式会社のそれを先例として実施された可能性があり、さらにひろい視野でとらえるならば、東インド会社による発掘調査への資金援助といった類例を世界にもとめることもできよう。今後、こうした他の事例との比較考察を進めることで、華北交通写真の特徴をより鮮明にすることができるであろう。また、本章でとりあげなかった史跡関係写真のなかにも、学術的に重要な写真は少なからずあり、それらに対する個別の検討と総合的な考察は、機会を改めておこなうことにしたい。

参考文献

京都大学人文科学研究所『人文科学研究所五十年』、一九七九年。
長廣敏雄『雲岡日記——大戦中の仏教石窟調査』日本放送出版協会、一九八八年。
水野清一『東亜考古学の発達』古文化叢刊七、大八洲出版、一九四八年。

註

（1）水野清一『東亜考古学の発達』古文化叢刊七、大八洲出版、一九四八年。

（2）伊東忠太「支那山西雲岡の石窟寺」『国華』一九七・一九八号、一九〇六年。

（3）山根幸男「東方文化学院の設立」『東方文化事業の歴史』汲古書院、二〇〇五年（初出は「東方文化学院の設立とその展開」『論集　近代中国研究』山川出版社、一九八一年）。

（4）関野貞・竹島卓一『遼金時代ノ建築ト其佛像』上下冊、東方文化学院東京研究所、一九三四年。常盤大定・関野貞『支那文化史蹟』全一二巻二四冊、法藏館、一九三九～一九四一年。

（5）水野清一・長廣敏雄『河北磁県・河南武安響堂山石窟』東方文化学院京都研究所、一九三七年。同『龍門石窟の研究』東方文化研究所研究報告第一六冊、座右宝刊行会、一九四一年。

（6）坂詰秀一「日本考古学史拾遺――東亜考古学会・東方考古学協会と日本古代文化学会――」『立正大学文学部論叢』第九九号、一九九四年。吉開将人「東亜考古学と近代中国」『岩波講座「帝国」日本の学知』第三巻　東洋学の磁場、岩波書店、二〇〇六年。

（7）水野清一・長廣敏雄『雲岡石窟』全一六巻三二冊、京都大学人文科学研究所、一九五一～一九五六年。

（8）朝日新聞社編『大東亜建設博覧会大観』朝日新聞社、一九四〇年。

（9）横浜商工会議所創立百周年記念事業企画特別委員会百年史編纂分科会編「横浜商工会議所百年史年表」『横浜商工会議所百年史』横浜商工会議所、一九八一年。

（10）佐世保商工会議所「支那事変大博覧会」『佐世保商工会議所三十年史』一九五九年。

（11）鳥居龍蔵「下花園之北魏石窟」『燕京学報』第二七期、一九四〇年。同「北魏時代の下花園石窟寺」『鳥居龍蔵全集』第五巻、一九七六年。

（12）前掲「北魏時代の下花園石窟寺」六七三頁。

（13）劉建華「河北張家口下花園石窟」『文物』一九九八年第七期。

（14）日比野丈夫・小野勝年『五台山』座右宝刊行会、一九四二年（のちに平凡社東洋文庫に収録、一九九五年）。

（15）駒井和愛『邯鄲――戦国時代趙都城址の発掘』東方考古学叢刊乙種第七冊、一九五四年、一〇頁。

（16）水野清一・岡崎卯一ほか『萬安北沙城――蒙疆萬安縣北沙城及び懐安漢墓』東方考古学叢刊乙種第五冊、一九四六年。

（17）宮本敏行『山西学術紀行』新紀元社、一九四二年、二七八～二七九頁。

（18）前掲『東亜考古学の発達』七七頁。

（19）長廣敏雄『雲岡日記――大戦中の仏教石窟調査』日本放送出版協会、一九八八年。

（20）同上、一五頁。

（21）華北交通外史刊行会編『華北交通外史』一九八八年。

（22）貴志俊彦「グラフ誌が描かなかった死――日中戦争下の華北」『記憶と忘却のアジア』青弓社、二〇一五年。

（23）前掲『雲岡日記』二〇三頁。

第八章　華北交通写真にみる日本の「回教工作」と中国ムスリム表象

松本ますみ

〈写真1〉駱駝を使う中国ムスリム（回教徒）〔原板番号六六九五〕

〈写真2〉北京牛街清真寺の教長（イスラーム指導者）〔原板番号三七五七四〕

〈写真3〉「回教徒子弟ノアラビア文字授業」（張家口）［原板番号三四四六］

〈写真4〉清真料理屋のジンギスカン鍋看板［原板番号二四二八四］

華北交通写真にみる日本の「回教工作」と中国ムスリム表象

松本ますみ

はじめに

日露戦争以降、日本はイスラームと本格的に邂逅したといっても過言ではない。南満洲鉄道株式会社（以下、満鉄）が中心となって中国東北部を日本が実効支配していく過程の中で、現地の中国ムスリム（戦前「回民」と呼ばれ、現在では「回族」と民族認定される漢語を母語とするムスリム）と中央アジアからの亡命タタール人ムスリムが新たに日本人に「発見」された。日本にない宗教、キリスト教との神学上の類似点と相違点、日本思想との類似点と相違点、世界のムスリムが連帯感を持っていること、世界史的に重要であること、地政学的にもムスリム居住地は重要であること……。彼らの宗教や風習を「知り」、彼らの居住地にどんな資源があるかを知り、いかにそれらを「利用」し、支配していくかということは帝国日本にとってまったく新たな課題となった。

盧溝橋事件以降、史上初めて日本は中国文明の中心点を軍事占領した。軍事支配の下で撮られた華北交通写真であるが、その中には、占領地の「知」を網羅して広報として伝えようという意思が見える。特に、文化面では中国文化の真髄、珍奇なる文物、習慣、民衆を観察し記録し、宣伝しようとする企画者や撮影者の興奮が伝わる写真が多い。

珍しい風習や民衆像の典型としてあらわれるのが中国ムスリムを写した一連の写真であろう。清真寺（モスク）、阿訇（アホン、宗教指導者）、礼拝、風俗（沐浴や葬儀）、教育機関、産業（駱駝業、飲食業）、日本軍部が主導した傀儡団体「中国回教総聯合会」、ムスリム若年層を動員して訓練する回教青年団の様子など克明に記録されており、日本占領下華北におけるイスラーム研究史上、重要な発見といえる。

本章では、第一に日本の対中国イスラーム工作の概略を述べる。第二に、華北交通写真が写し出した華北の中国ムスリムについて、当時の状況を踏まえ解説する。また、華北交通写真収録の中国ムスリム表象が、当時の日本の「回教工作」の中でどのような位置を占めていたのか考察する。

一　盧溝橋事件以前の日本のイスラーム認識

日本のイスラーム研究の黎明期と満洲　日本が日露戦争以来中国のイスラームに対してどのような工作を行ってきたかに関してはさまざまな先行研究がある。[1]

日露戦争以前は、江戸時代、新井白石がカトリック宣教師シドッチから入手した断片的伝聞記述や[2]、明治政府成立以降、トルコとの外交関係の構築の上での必要性があったことを除けば、日本は西欧語の概説書の翻訳によって、断片的にイスラームに関する啓蒙的知識を入れていたに過ぎなかった。[3]

それを変えたのが日露戦争と満洲権益の確保である。日本陸軍は日露戦争直後からイスラームに着目し、研究・利用することを考えていた。[4]西欧列強の圧迫に対抗し日本の利権を確保するという戦略上の理由からである。後ろで思想的に支えたのは対外伸張を主張した国権主義者たるアジア主義者であった。

中央アジアからタタール人ムスリムのウラマー（イスラーム法学者）、イブラヒムが明治末期の一九〇九年に初来日し伊藤博文や日本軍関係者と会談したのも大きなインパクトだった。中国ムスリムは日本の最も良きパートナーたりうるというイブラヒムの話を聞いて、アジア主義者は日本の対外的国権伸張と対イスラーム戦略との関連性を初めて認識したといえる。内田良平や大原武慶、頭山満らアジア主義者の巨頭や犬養毅などの大物政治家の合意を得て、アジア主義とイスラームを関連付けることは一つのムーブメントとなる。[5]さらにイスラーム世界との交流は日本の資本家にとっては新ビジネスチャンスと認識されるようになっていた。[6]そんな中で、支那浪人の中にはイスラーム改宗者も出た。[7]

日本軍部もひそかにイスラーム研究に乗り出した。青島守備軍参謀部（一九一四―一九二二）はおそらく支那浪人であった大林一之に『支那の回教問題』（一九二二）という小冊子を書かせている。ここでは、「回教徒を煽動することが支那撹乱上最も有効」であったし、「反漢気分」の「少数回教徒の行動は支那の安定を脅か」し、中には「過激派」もいるので、「支那回教問題も其利用如何に依って極東問題の調整上有効なる一種の特性を発揮せしめんことを希望」すると報告されている。中国ムスリムと漢人の間に歴史上断続的に不協和音があることを前提に、日本は中国ムスリムを積極的に利用すべしとの提言であった。[8]

ボルシェビキ支配下のムスリム勢力の一部も日本に援助を求めた。一九二〇年に日本の影響下にあった中国東北部に越境して亡命したバシキール人活動家クルバンガリエフは、日本の政界財界と接触した。[9]彼は、「亜細亜人の亜細亜」建設や「亜細亜人相互の経済的連携」のため日本もムスリムと協力してほしい、と主張した。[10]同じ「アジア人」であることを日本人に心情的にアピールしようとしたのである。中国ムスリム宗教指導者も日本の有力者を頼って来日、[11]国運の先を見越した「先覚者」を自認する日本人アジア主義者の一部は、中国東北部に逃れ、日本の庇護を求めた在満タタール系ムスリムに対する同情心や共通の反共精神から、[12]公式・非公式にイスラームの調査と研究を始める。[13]イブラヒムが二〇世紀初頭に「予言」したように、イスラームを知ること、ムスリムと「親善」をはかること、産業貿易の発展をはかることは、日本が中国大陸をはじめとして資源豊富な中央アジアや中東に進出するために必須なことと認識されるようになった。[14]ソ連や西欧に権益の上で「先を越された」場所を日本が挽回することが求められた。特に、満鉄という足がかりを得た中国大陸で、現地の中国イスラームを知ることは、後背地でなおかつイスラーム地域である中央アジアやそこと地続きの中東に向けて布石を打つという意味で重要な国家プロジェクトとなった。

一九三二年の「満洲国」建国はこのプロジェクト遂行のために格好の機会を与えた。大陸の日本権益を確立させる基地であると同時に、ソ連・モンゴル人民共和国と長い国境線を接する「満洲国」は共産主義思想の浸透とソ連軍南下に対する緩衝地帯の役割を付与された。はるかタタールの地などから迫害を逃れシベリアを横断してやってきてハルビンなどの都市にあふれる亡命ムスリムの姿は、『満洲国』は反共の砦とともに宗教の擁護者」という日本側が流した言説を象徴的に補強するものであった。

五族協和の楽土と喧伝されたこの「満洲国」であるが、当時人口は約三〇〇〇万人。そのうち、ムスリム二〇〇万人、朝鮮人一〇〇万人、モンゴル人八〇万人、ロシア人一〇万人で、それ以外はほとんどが漢人とされた。[15]日本人は人口の一パーセントにも満たなかった。ロシア人のうち、タタール系（ムスリム）は二、三万人とされた。

日本人改宗ムスリム佐久間貞次郎は、「満洲国」の五族の中に「回」＝ムスリムが編入されなかったのは間違いで、為政者は「認識不足」であると主張した。[16]これは、大陸支配にあたりムスリムに何らかの優遇措置があった方が統治が上手くいくはず、という考えに基づくものであろう。また、「満洲国」には二〇〇万人の、「支那」には「五〇〇〇万人《ママ》」のムスリムが住むゆえ、満洲ムスリムは「日本に取《ママ》って支那回教徒を支配すべき戦略の拠点」であり、日本は「更に進んで新疆、中央亜細亜の回教徒を共産赤魔の桎梏より解放すべし」と主張する先鋭的な日本人改宗ムスリムもいた。[17]いずれも、ムスリムを積極的に日本のために利用しようという意図がみえる。ムスリムは赤化の脅威に対する「盾」であると同時に、日本の大陸進出の足がかりと見なされた。

ただし、一九三〇年代半ばまではイスラーム地域、宗教文化に関する写真は、日本人一般大衆向けメディアでの流通はほとんどなかった。満鉄編集の『満洲グラフ』にもほとんどムスリムに関する写真や文章の表象はない。それが全面的に変わるのが、盧溝橋事件を端緒とした日中全面戦争後の日本の華北占領後のことである。

二　盧溝橋事件以降の「回教工作」の本格化

中国回教総聯合会の成立　一九三七年七月七日、北京郊外で盧溝橋事件が発生、日本軍は数カ月のうちに北京を中心とした華北から内モンゴルに至るまで軍事占領し、戦闘は華中にまで飛び火した。「回教工作」に関しても、日本は新たな局面に突入した。目前にいる「五〇〇〇万とも八〇〇〇万とも」いわれる中国のムスリムに対する直接・間接「支配」の方策を練らなければならないという現実が立ち現れた。イスラーム地域を経済的にも軍事的にも支配し、覇権を確立したいというかねてよりの軍部や民間の野望を具現化するチャンスがやってきたわけである。

北京の茂川機関が華北で「回教工作」を引き受けることになった。茂川機関を取り仕切っていたのは、茂川秀和中佐（当初は少佐）である。茂川機関は日本陸軍の諜報組織であった土肥原機関の諸機能を引き継ぎ、北京と天津での謀略活動を一手に引き受けていた。その活動内容は、非合法のアヘンの取引や、様々な謀略を仕掛けることであった。もともと茂川はイスラームに関しては素人で、謀略活動のためにイスラームを取り扱うこととなったともいえる。一方で、一九二〇年代から中国大陸で活動を続けムスリムとして長いキャリアをもつ川村狂堂や佐久間貞次郎らの大陸浪人世代は、この諜報色の強い「回教工作」からは外されていた[18]。その意味で、華北占領当初は陸軍が中心となって、現地の状況に場当たり的に対応するかなり「付け焼刃」的な「回教工作」をしていたことになる。

茂川機関は一九三八年二月七日に中南海の懐仁堂で日本人顧問を配した中国回教総聯合会（以下、回聯）を結成させた[19]。劉錦標（満洲と華北間を行き来したイスラーム法学者）を中心とした十数人の「満洲」出身親日派中国ムスリムが回聯を仕切り、地元のムスリムの意図は必ずしも活かされなかった[20]。回聯は日本の傀儡組織となって、華北占領地全体のムスリムの組織化・統合・管理・拡充を図り、日本の軍事占領に有利に働くように現地ムスリムを動員する役割を担うことになる。

回聯の標語は、「堅決団結一致護教」「主張中日満提携」「絶対擁護新政府」「打倒萬悪共産党」[21]、回聯の「章程」にはアジアとの連携、ムスリムのネットワーク強化、教育の質強化とムスリムの貧困解消が謳われた[22]。

日本の国家戦略としての「回教工作」　一方、東京でも本格的な動きがあった。陸海軍と外務省が一九三八年四月に合同で設立した「回教及猶太問題委員会」は同年八月に「回教対策樹立ニ関スル件」を策定、日本の今後の中東、中央アジア、中国における回教政策の根本方針を定めた。[23]このうち「我回教政策樹立ノ基礎」には次のような注意点が列挙されている。すなわち「回教徒の団結力への着目」「反宗教的ボルシェビズムとの根本的矛盾」「反キリスト教、反欧州列強による侵略」「ムスリムの実行力と勇敢さ」「持たざる民族、持たざる国で日本と利害一致、マーケットとしても有望」「満洲事変以降の日本の欧米追従外交の放棄をムスリムが評価しアジアの友邦として見直していること」「イスラーム地域の地政学的重要性」などである。[24]そして、特に中国ムスリムに関しては次のように言及している。

> （ムスリムの）心中強力ナル反「ボルシェビズム」、反西欧主義思想ヲ有シ、他方我国ニ欽慕ノ情ヲ寄セツツアルコト……此際西欧諸国就中蘇英ノ勢力ニ依存スル抗日支那ノ迷夢ヲ醒シ、我大陸政策ノ実施ヲ容易ナラシメ東亜ノ安定ヲ確立スルニハ亜細亜ノ回教徒ト親善関係ヲ結ブコト緊急ノ要務タリ。[25]

すなわち、世界戦略の一環として、中国ムスリムを使って抗日中国＝漢民族の間に楔を打ち込むという分断統治が政策的にも画策されたといえよう。

この方針を受けて国策団体「大日本回教協会」が結成された。この団体は初めに軍部と外務省から提唱され、右派のアジア主義者を主に経済界や政界も巻き込んで、一九三八年九月に正式に創立をみた。その目的は、盧溝橋事件以降、「叫べば答んとする世界三億を超ゆる回教諸民族」を認識、実情把握、親善提携を促進することにあった。[26]

この一連の動きは、一九三八年七月一二日に五相会議で決定された「時局ニ伴フ対支謀略」にも、「回教工作ヲ推進シ西北地方ニ回教徒ニ依ル防共地帯ヲ設定ス」と明言されるように、西北のムスリム勢力を漢民族からなる抗日勢力から分離させようという戦略にもつながっていた。[27]いわゆる「回回国」構想である。

こうした動きに伴い、「回教」研究は日本の華北占領と日本軍による「治安の回復」とともに、日本でも中国大陸でも一大ブームを呈することになる。盧溝橋事件以前の一部のアジア主義者や軍人の興味から、国家戦略の域にまで躍り出ることになった結果、人類学者、歴史学者たちが大挙してこの新しい分野に投入され、補助金を与えられ、「日本のイスラム《ママ》学は欧米のイスラム《ママ》学とくらべると百年も二百年も遅れている」[28]という自覚のもとに、短期間のうちに夥しい量の業績を生み出していくことになる。たとえば、蒙疆や華北でイスラームに関して現地調査を行った旧帝大出の研究者の多くが戦後東洋史学、現代中国学、民族学、人類学、文化人類学、民俗学といった学界を牽引したことは特筆すべきであろう。岩村忍、野原四郎、竹内好、石田英一郎、仁井田陞、松田寿男、田坂興道、佐口透、小野忍、藤枝晃、今永清二、三橋富治男などの名前がここで挙げられるであろう。『朝日新聞』一九四二年一〇月一日付記事は「漢回は日本贔屓」（漢回とは中国ムスリムのこと）という見出しをつけ、帝国学術院蒙疆学術調査団員のムスリムは「東亜の盟主日本の指導に対して従順」という発言を伝えている。調査団員の中には、戦後文化人類学者として名をなす石田英一郎も含まれていた。しかし、以上挙げた研究者の中で石田を含めて戦後イスラーム研究を断念したものもまた多い、という事実も、学問と「時局の要請」をおこなった軍部との関わりを考察する上で特に意を留めるべきであろう。

「回教」についての雑誌企画を練り、カメラマンを派遣するという仕事をこなしていた『北支』編集当事者についても同じことが言える。彼らが「回教工作」という日本にとって重要なプロジェクトを使命感をもって記録・研究していたことは確かであろう。しかし、戦後に中国共産党研究に転じる野原四郎が述懐するように、日本人研究者や編集者は「中国民族の分裂を企てていた回教政策に対しても、透徹した批判的な態度をついにとることができ」なかったし、それは、「アジアの解放」を謳いつつもアジアの民衆を軍事力でねじ伏せたアジア主義者や軍国主義者のような「ウルトラ・ナショナリスト」と、思想の上でも行動の上でも歩調を合わせるということであった。[29]換言すれば、当時の日本人は知識人であれ、国策会社社員であれ、軍人であれ、被占領地に住む中国ムスリム、華北の漢人、蒙疆のモンゴル人の立場に自分を置き換えて物事を見る視点が欠けていたということである。日本が引きおこした戦争と帝国主義の暴力の只中における自らの置かれた位置を考えることができず無批判に軍事協力をしたということであろう。それが、戦中「回教」研究をおこなっていた竹内好をして、自省をこめた「アジア主義」研究に戦後向かわせしめる原動力ともなったのだとも思われる。

回聯と現地ムスリム　回聯は北京で、回教工作の前衛を期待されることになった。学校経営とカリキュラム支配、回教青年団の指導など、若年層の日本側への取り込みをも見越した活動を積極的におこなった。現地ムスリムの「協力」もあった。[30]

しかしながら、早くも当初計画から一年ほどの一九三九年の段階で、回教工作は「失敗」に終わったと日本軍は認識していた。[31]ムスリムの多くは占領者たる日本に熱心に協力したわけではなく、ましてや、「争教不争国」（宗教実践と学習には熱心であれ。天下国家の事には関わるな。）という教えの通り日本の支配には面従腹背的態度を崩さなかった。[32]それは、地上の支配者が誰に替わろうと少数者のムスリムは軍事力では勝てない、自分たちの伝統的宗教生活が守られればそれでよし、あわよくば生活水準が高まれば、という現実に根ざした選択であった。ムスリムは一般に漢語の非識字率が高い上に、日本側に呼応してくれそうな漢語がわかる知識層はほとんど国民党とともに中国奥地に逃避行を続け、抗日をアピールし続けていたからである[33]。

回教工作は、内モンゴル地区と華北地区とはその様相が異なっていた。内モンゴル地区では、日本はいわゆる蒙疆政権を打ち立てていたが、管轄は駐蒙軍司令部であった。「暫行回教工作要綱」に基づき回聯とは別組織の西北回教聯合会が作られ、中国西北部に向けて日本の軍事力の浸透を図るための工作がなされた。それは、西北地区に防共親日蒙の政権を樹立する計画のための前哨工作の一環でもあった[34]。しかしながら、日本軍が期待を寄せていた西北の回民軍閥の日本側への協力もなく、「防共回廊」西北地区の中国ムスリム籠絡をめぐる日本、国民党、中国共産党の三つ巴の工作[35]に日本は破れ、親日政権建設の青写真は実現を期待できなくなっていた。

三　華北交通写真と「回教」知識のパブリシティ

ムスリムを知り、広報するということ　以上述べたように、日本国内におけるイスラームの関心は日露戦争、第一次世界大戦、満洲事変、盧溝橋事件と日本による中国支配の拡大とともに進んだ。最初は一部のアジア主義者や職業軍人の関心事であったものが盧溝橋事件とともに国家戦略の一つとなり、それにつれ一般日本人に対するパブリシティと注意喚起も必要となってくる。

満鉄北支事務局が「支那事変」の安定化とともに発刊した『北支画刊』（一九三八年四月～一二月）と、華北交通の後続誌『北支』（一九三九年六月～一九四三年八月号）には、それぞれ「蒙古特集号」「回教特集号」がある。両誌におけるモンゴル表象についてはすでに概略したことがあるが[36]、特筆すべきは多くの場合「蒙古」と「回教」がタイアップ記事とされていることである。蒙疆の先に、はるかに西北、新疆、中央アジアのムスリムを見越して親日的独立国家を樹立するという国家戦略を裏書きしてのことである。また、蒙疆には意外なほど中国ムスリムが多く居住し、日本の軍事戦略・経済戦略に関わる物品や資源の流通・運搬を担っているという「新発見」の事実もムスリムに対する興味を募らせた。華北交通網の要衝に居住するムスリムへの強い関心がこのような写真群につながったといえる。

民俗学的興味から撮られた写真　華北交通写真で、「回教」に関してもっとも早期に撮られたものの一枚が張家口のモスク（清真寺）付属アラビア語学校（経堂）の光景であろう（扉写真3）。キャプションは「回教徒子弟ノアラビア文字授業」とあり、一九三八年六月荒木撮影となっている。この光景は、阿訇（アホン：イスラーム宗教指導者）が、棒をもちつつ、独特の節をつけてクルアーンを音読、詠唱させて覚えこませているもので、子どもは全員男子、ほとんどが回民帽と呼ばれる白い縁なし帽をかぶっている。いわゆる経堂教育の典型である。このころ、中国ムスリムの子弟はほぼ全員がこのような経堂（マドラサ）でアラビア語とクルアーンを学んだが、私塾や普通学校で漢語を学ぶ機会があるものはごくわずかであった。漢語を学ぶと漢化するというので、避けられる傾向があったからである。子供たちが音読しているのは、歴代の学生（ハリーファ）が書き写してきたクルアーンの写本である。『北支画刊』（六号、一九三八年九月）、『北支』（一九三九年一二月）の「回教特集号」に同じ写真が掲載されている。写本を使った経堂教育は、宗教と封建的なものを否定する文化大革命を機にほとんどなくなった。その意味では貴重な歴史の証拠写真となっている。

また、同日に撮られたと思しき写真（挿図1）は、沐浴（ウドゥー）の様子を撮ったものである。撮影場所は、善隣協会近くの張家口新民大街清真寺であろう。華北交通写真の前後の番号の清真寺の写真が、小林元の『回回』（一九四〇）の口絵[37]に載っている該寺と極似していることからわかる。その他、特徴的な建物として、厚和（現在のフフホト）の清真寺（挿図2）が異国情緒漂わせる建築物として『北支』（一九四二年九月）を飾っている。

経済的興味からの写真　内モンゴル包頭から張家口経由で北京までの陸運、特に駱駝運輸をおもに担ったのが中国ムスリムである[38]。駱駝運輸は鉄道輸送のライバルではあるが、かつては陸送の花形であった。また、その地域の生産様式と関連づけられ[39]、仁井田陞のいう駱駝業の「ギルド的性格」が、大いに注目された。さらには、日本にはない未知でエキゾチックな駱駝の隊商の写真や絵は、日本占領地のさらなる先にある「西域」への軍事進出の夢とあいまって、『北支画刊』『北支』に度々登場する。『北支』一九三九年九月号に掲載された張家口付近大境門外にひしめく駱駝隊の群れの写真には、駱駝は「皮革、羊毛、駱駝毛、天然曹達、塩」といった軍事物資や資源を新疆やモンゴルといった奥地から運んでくれる運輸手段であるとの説明がつけられている。ここの様子は幾度も写真に収められ（挿図3）、その壮観ぶりを読者に伝えた。当時は、三〇〇〇頭の駱駝が張家口で使役されていると記録され[40]、その重要な所有者、取引者、駱駝隊の引き手であった中国ムスリムは注目されることとなった。長城を超えて北京にたどり着いた駱駝の隊商の姿はもの珍しさもあって北京城門外（阜成門外、東直門外）をバックに日本人画家や工芸家の格好の題材となったが、その影の主役もまた中国ムスリムであった。挿図4、扉写真1はそのような

挿図1　「回教徒礼拝前情況」
［原板番号三四四三］

挿図2　厚和（フフホト）清真大寺
［原板番号二〇五四六］

ムスリムの生業の実態と、万里を遠しとせず移動し、貧困や寒さや被支配にもめげず働く人たちの哲学的まなざしを切り取ったものである。

食べ物への興味　ムスリムは漢人の好物の豚がタブーである、ムスリムは「清真菜」という特別の食べ物を食べる、という実態は華北の街角で撮られた多くの写真でもあぶりだされた。異文化の食生活の表象は特に一般読者の興味を引きやすいゆえ、華北交通写真には多くの食に関する写真が残されている。北京の屋台（挿図5）の爆肚とは羊や牛の胃をさっとゆでてタレで食べる料理である。こりこりとした舌触りが日本人には珍しい。モンゴル英雄を冠した「ジンギスカン鍋」とカタカナで書いてお勧めメニューに載せているのは（扉写真4）、北京の東安市場の清真食堂と思われる。「ジンギスカン鍋」は、戦後日本の北海道の名物料理となったが、このルーツの一つが特に日本人向けメニューとして北京の清真食堂にあったということが窺える。羊の焼肉とは当時の北京人にとっては奇異なメニューであり、現在もほとんど見かけない。

また、ムスリムの伝統料理である揚げパン（油餅、油香）を売る「清真」露天商の写真は、近衛文麿首相と汪精衛国民政府主席（親日政権）のイラストがある「中日共同防共」と書かれたポスターをバックにすることで、ムスリム＝防共というイメージを掛け合わせたものであろう。一九四〇年夏に北京で撮られたものと思われる（挿図6、『北支』一九四一年九月号掲載）。大同の清真露天商（挿図7）の主人は子どもである。

四　中国ムスリム青年の動員

回教青年団中央訓練所　日本肝いりの団体である回聯の中心メンバーは満洲出身のムスリムであり、北京や天津、河北、河南、山西など占領下の地元ムスリムはしぶしぶ日本の軍事統治に従ったといっても過言ではない。回聯は「民族復興」「反共」「生活向上」「宗教保護」「政治意識の向上」をスローガンとしたが、ムスリムの末端にまでその主張が浸透したとは言いがたい。一九四〇年の統計で、日本占領地の「北支那」のムスリム人口は六五五万五〇〇〇人、そのうち、アラビア語通暁者は二万人あまり、[41] 漢語識字者もごく少数にとどまった。逆にいえば、日本のイスラームに関するさまざまな指令は、ごく少数の漢語識字者を通してしか下せなかったということになる。だが頼みの綱のムスリム漢語識字者たちの多くは蔣介石の国民党とともに奥地に逃走し、徹底抗日を叫んでいた。

そのため回教工作を浸透させるために日本軍が期待を寄せたのが、若年層だった。彼らを訓練・教育することで

挿図3　張家口付近大境門外の駱駝隊
［原板番号二六一一三］

挿図4　北京に辿りついた駱駝隊
［原板番号八六〇二］

日本側に取り込もうという施策の一つが回教青年団の結成である。これは中国ムスリム青年を選抜して二カ月集中で「訓練」をおこなうというもので、対象は二〇～三〇歳の素行良好、健康で中華民国小中学校修了程度のものだった。ここでもやはり漢語識字者を対象としたのである。[42] 回聯の敷地内に一九三八年開所以来、一九四一年七月の段階で第八期、のべ五～六〇〇名が訓練を受けたという。[43] 二カ月後の卒業試験の中身は、一．防共学、二．日本語問題、三．陸軍礼節試験問題、四．歩兵操典題、五．内務規則試験問題、六．民徳綱要試験問題などであった。[44] 挿図8は「回教青年団」歩兵操典の射撃訓練の様子で、一九四一年三月、北京で西が撮影している。青年団員の帽子には「聖票」すなわち、回聯のシンボルである三日月と星をあしらった帽章がつけてあり、後ろで指導するのは、日本人顧問の高垣信造か日本人教官の橋口幸村であろうか。「回教青年ヲ日本主義的ニ鍛錬スル事ニ熱心ナル努力ヲ試ミテヰル」と報告にはある。[45] なお、回教青年団は、「青年団訓練所」（九期）、「回聯中央訓練処」（一〇期）と名前を変えている。写真は、青年団訓練所の九期の頃のものであろう。

回教青年団は、途中で人員の確保のため一八歳から二五歳に団員の対象年齢を変更している。一〇期が終わった段階の団員の構成は中学卒二〇パーセント、職業青年が約五〇パーセントで、訓練終了時に優秀な成績を収めたものは、日本側の就職の斡旋を受けて日本の協力者（すなわち、憲兵や警察機関や特務工作従事者）となっていった。中学卒二〇パーセントとは、ムスリム青年のうちでも、驚異的な学歴の高さを誇る集団であった。国民政府側の楊敬之は、これを「回教政権」樹立のための「偽回軍」作りの布石としている。[46] 抗日中国側からすれば、民族分断武断統治のコマに精英の学歴の高いムスリム青年が使われてしまうわけで、非常な警戒心をもってあたっていた。

回教青年団は教官でも給与は安く、訓練期間修了後もムスリム青年は仕事を斡旋してもらえないこともあり、また、一〇期青年が「満洲」に勤労奉仕で炭鉱に送られたこともあった。このことから見てもムスリム青年が磐石の信頼を日本側に寄せていたわけではなく、不信感をもったものも多かったはずである。

戦時下、日本国内・植民地・占領地で次々と青年団が組織された。まず日本国内で青年団に対する統制・支配が強化された後、日本軍占領下の現地青少年を対象に組織化と「訓練」がおこなわれた。「満洲国」では帝国協和会青少年団が、華北では華北政務委員会のもとで新民青少年団、華中では汪精衛政権のもとで中国青少年団が組織された。中国回教青年団は、こうした日本軍占領下での一連の青少年工作の流れの中に位置づけられる。[47] 東亜新秩序を担う親日派育成は占領地の現地若年層の組織化にかかっていたことになる。

興亜回教青年団（河南）　回聯が回教青年団を選抜し組織したのがお膝元の北京であったとすれば、そこから六七

挿図5　爆肚の屋台［原板番号四〇四七六］

挿図6　一九四〇年夏？　油香売り［原板番号四〇四五一］

○キロあまりも離れた河南の清化県（現在の焦作市）大辛荘では、「興亜回教青年団」が「友邦皇軍及回聯豫北区本部の指導のもと」に結成された。全村の回教青年が動員され、「防共陣線」を強固なものにすべく武装団結した」、とされる(48)。北京の回教青年団が選抜方式であったのとは大きく異なる動員方式である(49)。出没する共産党の軍事的・思想的影響を退けるということが結成の理由として挙げられている。彼らは日本軍から武器を供与され、日本軍教官の指導をうけ、厳格な訓練をおこなった。おかげで、共産ゲリラは「撃潰」され、共産主義宣伝もなくなったという。その様子の視察のため華北交通資業局の日系高級職員の西亨がやってきた、という記事『回教週報』がある(50)。挿図9、10の興亜回教青年団の写真の撮影者欄には「西」という記載があるが、記事にあるこの西亨こそ、挿図8の北京の回教青年団も撮影していた西ではなかろうか。彼は青年団の他にも清真寺の写真も撮っており、一時「回教専門家」として撮影していた節がある。

河南における日本の回教工作の全体像について、ある中国人研究者は次のように指摘する。すなわち、第一に各種回教青年団は、日本の軍事的制圧下、ムスリム同士を分化させ、ムスリムと漢人の関係を挑発し、「以華制華」政策の下で長期的に中国を植民化することを目的としていた、ということ。第二に回教青年団が引き起こした種々の共産党狩り事件は、ムスリムと漢人の関係を悪化させたこと。第三に日本は清末以降、ムスリムが政治的に不利な状況に置かれたことを利用して反共親日意識をあおり、ムスリムと漢人衝突事件が起こるべく火に油をそそぎ、軍事行動の口実としたのである(51)。

山東省回教徒反英防共大会　この大会を捉えたのが挿図11、12である。この写真が撮られたのは、山東省の省都済南の中心地の回民街入口にある済南清真南大寺と思われる。現在も同清真寺はほぼ当時の面影のままに残されている。一九三九年といえば、天津英租界遮断をめぐって反英運動が華北で煽動された年でもあるが、この回教徒反英防共大会もその一環で、一九三九年八月一三日に二〇〇〇人余りを集めて開催された大会(52)の写真で間違いないだろう。回聯の重要人物が式典に参加しているのが見てとれる。

注目すべきは、子どもが動員されている点である。女児を前列に、後列に学生帽を被った男児、そして一般民衆という順で三日月と星をあしらった「回聯旗」を振っているという構図である。さらには、神聖であるべき清真寺の大殿（礼拝殿）奥のマッカの方向を示すミフラーブが日章旗と五色旗で覆われ、役員複数がそれに尻を向け、本来土足厳禁の場所に土足で上がって式典に臨んでいたこともわかる。このような反英集会は日本の肝いりで同年六月より占領地で続々と開催されていたが(53)、回聯の地方工作を強化するイベントとしても開催されたことが分かる。

挿図7　清真の油香売りの子ども（大同）
［原板番号二六三五七］

挿図8　回教青年団訓練所
［原板番号三七六〇〇］

写真では大人も動員されていることがわかるが、かなり困惑の表情を浮かべていることも、この「回教工作」の民衆への浸透の度合いの低さを物語っている。ただし、これら写真は『北支』には掲載されていない。やはり普通のムスリムにとってイスラームに対する侮辱的会場設営に見えるこのような写真を載せることは、反発を招く可能性があり、そのことが掲載されなかった理由かもしれない。

上述の回教青年団、興亜回教青年団、山東省回教徒反英防共大会のいずれの写真も、弘報誌『北支』やその他メディアには掲載されていない。大衆動員に関しては、愛路少年団や愛路婦女隊が大きく誌面を割いて掲載されているのと著しく対比をなす。それは編集者側が回教工作の宣伝性や欺瞞性を写真でさらすことに躊躇し、自己検閲した結果とも受け取れる。

日本肝いりの学校　西北学院（西北中学）や、実践女子中学校など、日本占領下、中国ムスリムのために運営された近代学校の写真も華北交通写真には含まれている。その存在自体は当時の資料や記事、関係者の回顧録で知られているが、写真はほとんど残っていないため、貴重であるといえる。

中国ムスリムは漢語識字率が低かったので、二〇世紀に入ってから、漢語識字水準と国民意識を向上させるためにムスリム対象の近代的学校をつくろうという動きが特に都市部で活発化していた。中等学校レベルでは、一九二八年、北京（当時は北平）のムスリム集居地区である牛街に北平清真中学が創設された。理事長は、広西の回民軍閥の領袖白崇禧（一八九三～一九六六）、副理事長は西北の回民軍閥の馬福祥（一八七六～一九三二）と中国ムスリム界の軍事的実力者が顔を揃えての開学であった。この学校は一九三一年に西北公学と改称したが、それは中国西北部の開発が日本による東北部の喪失、すなわち「満洲国」の建国とともに着目され、西北振興のための人材養成が中国側の喫緊の課題となったからに他ならない。この学校は政府補助金と認可を受けた結果、一九三四年には西北中学と改称し、中国中のムスリム秀才の憧れの的となり、北平における最大のムスリムのための学校に発展した。ここでは、親国民党の愛国的ムスリム漢語識字者が育成された。

盧溝橋事件以降は、このような学校の性格から、西北中学の主な教員はみな国民党とともに武漢、重慶、蘭州などへと逃れた。回聯はこの学校を接収し、アフガニスタンで柔道教授経験のある高垣信造という武道家を起用し、監督させた。補助金も一〇〇〇元を与え、初中高で三〇〇人以上、付設小学校四箇所で一〇〇〇人以上が学び、その内六〇パーセントがムスリムであった。なお、北京市立牛街小学での授業風景も写真に記録されている。男女共

挿図9　興亜回教青年団教練
［原板番号三七六六一］

挿図10　大辛荘の興亜回教青年団
［原板番号三七六六一］

学でアラビア語（クルアーンの内容）を教えているのが見て取れる[54]（挿図13）。

一九三七年まで西北中学教務主任であった楊新民が一九四二年に校長が就任してから、西北学院は西北中学へと再び名称変更した。校舎も、牛街近くの広安門にあった回聯本部の一角に移転し、教員の質は向上し、教育環境は充実をみた[55]。さらに西北中学では、補助金が投入され、学費、宿舎費を安くして困窮学生の便宜を図った。西北中学で学んだ劉東声（一九二四年生まれ）によれば、「中日親善の教育など無」く、「植民地教育を受けているという自覚は無かった」という。当時、華北の日本の傀儡政権下の中学では、日本語は必修科目であったが、回聯のお膝元の西北中学では、おざなりであったということになる[56]。挿図14は、その中で貴重な日本語教育の様子である。青年男子のみが授業を受けていることがわかろう。

日本がてこ入れした女学校もあった。北京にはムスリム女子教育の向上を目指して馬福祥夫人が一九三六年に始めた「新月女学」という女学校があった。しかし、盧溝橋事件以降には戦乱のため閉校を余儀なくされた。回聯華北聯合総部はこの新月女学を改編し、「中国回教総聯合会付設北京実践女子中学校」として改めて一九三九年秋に開学した。校長は新月女学の校長であった楊新民がつとめた。北京に残留した楊は西北中学と新月女学双方の校長であったことになる。彼は日本に派遣された経験をもち、日本式女子教育の奥義を学び、その一環としていわゆる家政（裁縫、刺繍、編み物）など「実践科目」をカリキュラムの中心にすえた。ムスリム女子向けの学校らしくアラビア語も教える一方で、他方で、体育も重視した。『回教週報』の記事からもバレーボールを熱心におこなっていたことが窺える[57]。スポーツを通しての日本帝国・日本統制下中国への統合の試みである。ヘジャブなど着用していないことからも宗教色が薄い学校であったことが窺われる。ただし、一九四一年度は生徒募集に大変な困難をきたしていたことが『回教週報』の記事からもわかる。

また、牛街清真寺に隣接する清真女寺で礼拝する中年女性の姿も写されており、資料的に貴重である（挿図15）。ただし、撮影者も『北支』編集者も、女性のための専用モスクの存在という世界史的にも特異な現象が存在するという中国イスラームの特徴について、まったく説明できていない。通常、清真女寺は男子禁制であるが、日本人男性カメラマンが内部に入り、礼拝の様子を撮影するということは、当時のムスリム女性にとっては大きな衝撃をもって捉えられたと思われる。これでは民心を掌握することなどは難しかったであろう。

挿図11　山東省回教徒反英防共大会　済南清真南大寺
［原板番号二四五〇七］

挿図12　山東省回教徒反英防共大会　済南清真南大寺
［原板番号二四五〇六］

おわりに

中国ムスリムはその地政学的重要性から、満洲事変を経て、特に盧溝橋事件以降クローズアップされて語られることになる。それは日本軍の方針として、中国ムスリムを漢人から分断し、中央アジアから中東に抜けるルートを確保したいという壮大な構想に発展する。もちろん、現地の人々の意向、思惑や希望は軍事的圧制によって不可視にされた。また、中国ムスリムの存在論的に深遠な思想が尊重されたとはいい難い。いくら日本国家主導で「回教工作」が進んだとしても、ある集団の人々の思想の深淵さや、歴史の重みを短期間で理解するのは至難のわざで、やはり結局は表層的なものを知見とすることに終始した。

華北交通写真では、厚和（フフホト）、張家口、大同、北京、済南、河南清化などの鉄道沿線上に存在する中国ムスリムが撮影対象とされた。特に北京と張家口、厚和の写真が多いのは、いわゆる回教工作の重要拠点であったこと、またその結果、日本人カメラマンの撮影のために利便が図られたからということはいえよう。

中国ムスリムに関する民俗学的興味（宗教習慣、宗教教育、清真寺、清真食品）、青年の動員（回教青年団、興亜回教青年団、山東回教徒反英防共大会）、近代的学校など、日本人カメラマンの興味は、中国イスラームの伝統と日本による近代化、さらには日本の占領地の秩序維持への動員にあった。しかし、「以華制華」的な諜報色の強い日本式軍事教練の写真は公開されることはなかった。企画の段階で却下されたということであろう。

「回回国」構想の頓挫など回教工作は一九三九年には不首尾に終わったということを日本軍は認識していたが、華北占領地における工作は続いた。華北交通写真のムスリム関連写真は一九四一年まで撮影され続けたし、日本敗戦の一九四五年まで曲りなりにも回聯の活動は続いた。その活動は、まさに日本の華北占領遂行と「共産党ゲリラ狩り」のために中国ムスリムを利用し動員するという分断活動に他ならず、漢人と中国ムスリムが混住した中国華北社会に大きな亀裂と矛盾を残すことになった。その後始末を敗戦後日本軍や関係者がおこなったという話は、管見の限り知らない。

参考文献
小村不二男『日本イスラーム史』日本イスラーム友好連盟、一九八八年
坂本勉『日中戦争とイスラーム——満蒙・アジア地域における統治・懐柔政策』慶應義塾大学出版会、二〇〇八年

挿図13　北京市立牛街小学でのアラビア語授業。左側に女子生徒の姿が見える。［原板番号三七六〇八］

挿図14　西北中学における日本語の授業［原板番号三七六〇三］

Jonathan Lipman ed. *Islamic Thought in China-Sino-Muslim Intellectual Evolution from the 17th to the 21st Century*. Edinburgh University Press, 2016.

註

（1）坂本勉『日中戦争とイスラーム——満蒙・アジア地域における統治・懐柔政策』慶應義塾大学出版会、二〇〇八年。松本ますみ「佐久間貞次郎の対中国イスラーム工作と上海ムスリム——あるアジア主義者をめぐる考察」『上智アジア学』第二七号、二〇〇九年、一一五～一三四頁。安藤潤一郎「日本占領下の華北における中国回教総聯合会の設立と回民社会——日中戦争期中国の「民族問題」に関する事例研究へ向けて」『アジア・アフリカ言語文化研究』八七号、二〇一四年、二一～八一頁。島田大輔「昭和戦前期における回教政策に関する考察——大日本回教協会を中心に」『一神教世界』第六号、二〇一五年。澤井充生「中国回教工作と民族調査——戦前・戦中期の内モンゴルを中心として」『日本の日本の回教工作とムスリム・コミュニティの歴史人類学的研究』平成一五年度～二七年度科学研究費補助金基盤研究（C）研究成果報告書、二〇一六年。中生勝美『近代日本の人類学史——帝国と植民地の記憶』風響社、二〇一六年、四五五～四九六頁。

（2）山内昌之「日本のイスラーム」『岩波イスラーム辞典』岩波書店、二〇〇二年、七一頁。

（3）国立国会図書館の図書目録を見ると、一八〇〇年代後半には、わずかに世界史、東洋史の教科書や概説書の中に「回教」の項目が見えるだけである。たとえば、戸川残花『世界三大宗教』（博文館、一八九五年）では、回々教について、英語資料に基づき、二五三～二七八頁にわたって、ムハンマドの誕生からイスラーム帝国の形成を物語風に論述している。大原貞馬『世界小史：中等教育』（三木佐助、一八九八年）では、第六章「回々教国の勃興」の中で西洋史の文脈でイスラーム帝国の誕生について触れている。

（4）Esenbel, Selçuk. "Japan's Global Claim to Asia and the World of Islam: Transnational Nationalism and World Power, 1900- 1945." *The American Historical Review*, Vol.109, No.4, 2004, p.p.1140-1170.

（5）小松久男『イブラヒム、日本への旅』刀水書房、二〇〇八年、七一～八九頁。

（6）外務省外交史料館「南満洲汽船株式会社メッカ行き　回教徒ノ輸送計画ノ件　大正三年七月」JACAR（アジア歴史資料センター）Ref. 11092503800。

（7）小村不二男『日本イスラーム史』日本イスラーム友好連盟、一九八八年、七一～八九頁。澤井、前掲論文。

（8）馬茜「戦前日本対中国回民社会研究的開端：従戸水寛人到満鉄調査部」澤井充生編前掲研究成果報告書、一五六～一五七頁。

（9）西山克典「クルバンガリー追尋——国際情勢に待機して（1）」『国際関係・比較文化研究』第四巻第二号、二〇〇六年、三二五～三五〇頁。

（10）クルバンガリエフ「露領回教民族の現状　亜細亜人経済的提携の好機」『大阪毎日新聞』一九二一年五月三日。

（11）外務省外交史料館「一九．支那人回教教長講演ノ件　自大正十四年一月（学術関係雑件　第二巻）」JACAR（アジア歴史資料センター）Ref. B12082161500（B-3-10-3-60_002）。

（12）小村前掲書。

（13）アジア主義者は「有色人種」を「キリスト教」によって支配する欧米植民地主義を強く批判し「アジアの解放」を謳ったが、台湾や朝鮮の領有、中国東北部の利権といった自国の植民地主義に関しては正当化する二重基準を持っていた。台湾、朝鮮の自立を認めない彼らは皮肉なことに「未邂逅」のイスラームに興味をもち、「アジア解放」の糸口を探った。西欧植民地主義者や共産主義者が抑圧するムスリム「解放」のイニシアティブを日本が主導して図ろうとも訴えた。彼らの言説は文化的多様性を認めるようにみえるが、当時の日本の台湾、朝鮮支配をみればそれは不可能であったろう。その点を指摘するものは当時の論説にはなかった。

挿図15　牛街清真女寺礼拝の様子［原板番号二四二六一］

(14) 外務省外交史料館「二八．回教徒関係（民族問題関係雑件　第二巻）」一九三〇年七月、JACAR（アジア歴史資料センター）Ref. B04013196800。

(15) 佐久間貞次郎「満州回教民族と現在の動向」『イスラム』2、イスラム文化協会、一九三六年、四一頁。

(16) 佐久間貞次郎『回教の動き』春日書房、一九三八年、四二〜四三頁。

(17) 須田正継『大陸政策と回教問題』ヤニ・ヤポンモフビリー、一九三七年、一頁、一〇〜一一頁。

(18) 安藤前掲論文。

(19) 小村前掲書、九五頁。

(20) 牧夫「従北京回教会到中国回教総聯合会」中国人民協商会議北京市委員会文史資料研究委員会編『文史資料選編』第三二輯、北京出版社、一九八七年。

(21)『回教』第一巻第一号、六頁。

(22)『回教』第一巻第一号、七頁。

(23) 島田前掲論文。

(24) 外務省外交史料館「本邦ニ於ケル宗教及布教関係雑件（回教関係　第二巻）」JACAR（アジア歴史資料センター）Ref. B04012533600（I-2-1-0-1_2_002）、９１４〜９１７、33〜34コマ目。

(25) 外務省外交史料館「本邦ニ於ケル宗教及布教関係雑件（回教関係　第二巻）」JACAR（アジア歴史資料センター）Ref. B04012533600（I-2-1-0-1_2_002）９３０、42コマ目。

(26) 大日本回教協会『㊙大日本回教協会の使命に就て』一九三九年一月。

(27) 外務省外交史料館「一二．時局に伴う対支謀略（支那事変関係一件 第一四巻）」JACAR（アジア歴史資料センター）Ref. B02030538700（A-1-1-0-30_014）４コマ目。

(28) 野原四郎「回教圏研究所の思い出」『東洋文化』第三八号、一九六五年。

(29) 野原前掲論文。

(30) 牧夫前掲書。山崎典子「日中戦争期の中国ムスリム社会における「親日派」ムスリムに関する一考察——中国回教総聯」合会の唐易塵を中心に」『中国研究月報』第六五巻第九号、二〇一一年。新保敦子「日中戦争期における日本と中国イスラム教徒——中国回教総聯合会を中心として」『アジア教育史研究』七号、一九九九年、一五〜二六頁。新保敦子「日本占領下の華北におけるイスラム青年工作——中国回教青年団をめぐって」『早稲田教育評論』一四号、二〇〇〇年、一三二〜一五〇頁。新保敦子「日本軍占領下における宗教政策——中国華北のイスラーム教徒をめぐって」『学術研究教育・社会教育学編』五二号、二〇〇三年、一〜一五頁。

(31) 外務省外交史料館「満支回教徒工作ト西北関係（旅行報告）調査三一六五、一九三九年」JACAR（アジア歴史資料センター）Ref. B10070456800、４〜５コマ目。

(32) 王一之訳「回教同胞在抗戦中的地位」『突崛』第五巻第八号、一九三九年三月一三日。

(33) 拙稿「中国のイスラーム新文化運動」『現代イスラーム思想と政治運動』小杉泰・小松久男編、東京大学出版会、二〇〇三年、一四一〜一四五頁。

(34) 防衛省防衛研究所「回教青年指導要綱（陸支密大日記七三号）昭和一三年一二月一五日」JACAR（アジア歴史資料センター）Ref. C04120707300。

(35) 拙著『中国民族政策の研究』多賀出版、一九九九年、二七七〜二八〇頁。

(36) 拙稿「モンゴル人と「回民」像を写真で記録するということ——「華北交通写真」からみる日本占領地の「近代」」『アジア研究』別冊3、静岡大学、二〇一五年。

(37) 小林元『回回』博文館、一九四〇年。

(38) 佐久間前掲書、二六八頁。仁井田隆「北京の回教徒商工人と其の仲間的結合」『回教圏』第八巻第六号、一九四四年、二～二七頁。澤井充生「清真寺の地元有力者と駱駝業——蒙疆政権下の回民社会の事例から」『人文学報』第四九八号、二〇一五年、八七～一二四頁。

(39) 華北交通資業局資料室弘報係『蒙疆ノ鉄道』〈支那紹介資料〉第一五号、一九四二年、一頁。

(40) 佐久間前掲書、二六八頁。

(41) 興亜院連絡部編『北支に於ける文教の現状』興亜院連絡部、一九四一年、一八二～一八三頁。

(42)『回教』第一巻第二号、一九三八年。

(43)『回教週報』一九四一年七月二五日。

(44)『回教月刊』第一巻、第四号、一九三八年。

(45) 外務省外交史料館「満支回教徒工作ト西北関係（旅行報告）（調査三―六五）一九三九年」JACAR（アジア歴史資料センター）Ref. B10070456800、4コマ目。

(46) 楊敬之「日本回教政策之全貌（五）」『突崛』第六四号、一九四四年。

(47) 新保二〇〇〇年、前掲論文。

(48)「河南清化に反共回民青年団成立」『回教圏』第二巻第四号、一九三九年。

(49)『回教週報』第三七期、一九四一年五月七日。

(50)『回教週報』第四二期、一九四一年六月一三日。

(51) 宛磊「日偽分化豫省回族之組織与活動述論——基於北平敵偽《回教》週報之研究」『回族研究』第九九号、二〇一五年。

(52) 興亜宗教協会編『華北宗教年鑑』一九四一年、二八三頁。

(53) 防衛省防衛研究所「済南反英実行委員会の激励通電（天津英租界遮断　昭和一四年）」JACAR（アジア歴史資料センター）Ref. C11110795600。

(54) 小林前掲書。楊敬之前掲論文。

(55) 新保二〇〇〇年、前掲論文。

(56) 新保敦子「日本軍占領下の北京における少数民族と女子中等教育——実践女子中学に焦点をあてて」『一九二〇年代から一九三〇年代中国周線エスニシティの民族覚醒と教育に関する比較研究』松本ますみ編、平成二四―二六年度科学研究費補助金基盤研究（B）研究成果報告書、二〇一五年、六〇～七三頁。

(57)『回教週報』一三六期、一九四三年四月三〇日。

コラム◉華北交通の民俗写真

菊地　暁

華北交通弘報誌『北支』の巻頭を飾るグラビアには、枚挙にいとまがないほどの民俗写真が登場する。庶民の暮らしにまつわる事物を被写体とする写真を民俗写真と定義するなら、華北交通の事業や美術建築をモチーフとした写真以外のほぼ全てが民俗写真であるといっても過言ではない。試みに、「アチック・文化庁分類」と称される民俗文化財の一〇項目分類にあてはめてみると、ほぼ全ての項目にわたって関連する写真を見つけることができる（そもそも可視的な被写体になりにくい「⑤社会生活」を除く）。

①衣食住：水餃子、油炸餅、烙餅や季節の果物といった食べ物。北京の胡同、黄土の穴居、蒙古の包といった住まい。街中や村々の人々の装い。

②生産・生業：春の耕作から秋の収穫に至る季節の農事。漁業と製塩。牧畜。このほか、白酒、染色、絨毯、牛革、羊皮、草紙、毛筆、線香、燐寸、桐材、柳籠、窯業、鐵工、等々のじつに様々な製造業。

③交通運輸通信：北京の都市交通、駱駝などの内陸交通。運河による水運など。

④交易：市場や商店、水、お茶、果物、飴細工などの各種路上販売、諸職の招牌（看板）など。

⑥信仰：漢族の信仰のほか、ラマ教、回教、ロシア正教などの諸宗教。

⑦民俗知識：売卜者（占い屋）や雨救（雨乞い）など。

⑧民俗芸能：一人相撲やさるまわしなどの大道芸、各種の人形芝居など。

⑨人の一生（冠婚葬祭）：婚礼と葬送。

⑩年中行事：正月、蟠桃会、中元節、中秋節など。そのほか、堯廟祭、娘娘祭など各地の廟会。

かくも多様かつ大量の民俗写真が誌面を飾っていたわけだ。これはいかなる理由によるものだろう。

まず、民俗写真は月刊誌の誌面にアクセントを与える恰好の素材となる。春の耕作、秋の収穫、正月、中元節、中秋節といった風俗習慣の写真は、四季折々の時事ネタとして読者にアピールできるばかりでなく、年中行事であるがゆえにストックして反復利用することも容易である。グラビアの「埋め草」として使い勝手の良い素材だっただろう。

つぎに、読者のエキゾチシズムを刺激する上でも有効だった。沿線の異

一人相撲の人形［原板番号二〇〇一〇］

国情緒を宣伝して観光誘致をはかるのも鉄道弘報の大切な役割であり、昭和戦前期の鉄道会社は、内地・外地を問わずこの課題に取り組んでいた。漢族のみならず、モンゴル人、回民、白系ロシア人といった多様な民族を有する華北地域は、この面において豊富な素材を有し、じっさい、それらを有効に活用したわけだ。

そして最後に、弘報誌『北支』の使命が、華北地域の秩序安定を内外に訴えることにあったとするなら、庶民の日常を描く民俗写真は、まさにうってつけだった。現実には日本と国民党、共産党の三つ巴の戦闘があり、さらには匪賊による被害も絶えなかったからこそ、誌面では「平和な北支」が描かれなければならなかった。生活感あふれる市井の人々、その平穏無事なる様相は、統治の安定と正統性を伝える恰好のヴィジュアル・イメージだったろう。

ところで、これらの民俗写真を誰がどのように撮影したかはあまりよくわかっていない。『北支』寄稿者には、石田英一郎（民族学）、直江広治（民俗学）、水野清一（考古学）など、この方面の専門家の名前が見られるが、グラビア誌面に関与した形跡は見つかっていない。『北支』に「北京ごよみ」を連載した編集部（加藤新吉か）も歳時習俗に関心を抱いていたことは間違いないが、写真撮影への関与はこれまた不明である。関与がわかっているのは、写真家・坂本万七のみといってよいだろう。

坂本は、民芸運動の創始者・柳宗悦の指導のもと、数多くの工芸写真に取り組み、柳らが沖縄訪問団を組織した際も土門拳とともに随行写真家として活躍した。一九四〇年には民芸関係者と一緒に華北を訪れており、その際の撮影と推測される昭和一七年二月号「椅子をつくる」は『北支』グラビア頁では珍しく「坂本万七撮影」とクレジットが入っている。なお、『北支』昭和一五年一二月号「可園随筆」には、「最近の珍しい客は柳宗悦氏、矢代幸雄氏、河井寛次郎氏、濱田庄司氏、式場隆三郎氏、何れも美術工芸の調査に来られた人達」とあり、加藤新吉と民芸同人の交流を伝えている。

『北支』も五号（一九四三年）になると「愛路」、資源開発、交通政策といった総力戦関係の特集が続くことになるが、それでも、民俗的な写真はそれなりに掲載されている。それは、誌面にアクセントをつける配慮でもあり、また、写真ストックの有効活用でもあったのだろう。終刊号（昭和一八年八月号）の水運特集も、民船、運河、水上生活者など、水辺に生きる人々の姿を収め、プロパガンダ一色に陥ることを免れている。

とまれ、華北交通写真が占領下華北の民衆生活を伝える貴重なイメージ群であることは間違いない。今後のさらなる活用を期待したい。

「火判兒」旧正月十三日から十七日まで火を焚いて邪気を払う。
[原板番号二七五七九]

第九章　「支那」観光イメージの希求と発信

瀧下彩子

〈写真1〉泰山の「五嶽独尊」碑［原板番号二九九六四〇］

〈写真2〉長陵（明の十三陵）［原板番号二五五五九〇］

〈写真3〉北京の料理屋春陽楼が掲げる日本人向けのぼり［原板番号二〇九六］

〈写真4〉汽車弁当を食べる女性［原板番号二六五七一］

「支那」観光イメージの希求と発信

瀧下彩子

はじめに

日本人の中国に対する心情は、一九四五年の敗戦を境に大きく変化している。戦前、特に一九三〇年代の一般的な日本人にとって、中国は深遠な歴史と豊かな文化に憧憬を抱かせる大国であると同時に、同じ文字を用い歴史の時間軸の中で幾度か接近し、そして少し無理を押せば、あるいは手に入るかもしれないと無邪気に思えるような対象であった。そこには、今日の日本人が多少の差はあれ抱いている、中国に対する「怖れ」（それは敵意に転換することもある）のイメージはない。

一九三七年七月七日の盧溝橋事件を契機に、日本は戦線を拡大し、以降公然と華北侵略を開始する。なかでも鉄道や道路など交通手段の接収と管理は、兵員輸送の点から重要視された。この役割は、はじめ南満洲鉄道株式会社（以下、満鉄）が担うが、一九三九年四月に、日華合弁の体裁をとった華北交通株式会社（以下、華北交通）が設立され、華北の運輸業全般にわたって管理運営をおこなっていく。この華北交通については、従来、経済史の観点からその経営についての研究が進められてきた。高橋泰隆は、日本の国内資本が北支那開発株式会社を経由して投融資されることによって、華北交通が経営されていたことを明らかにするとともに、それぞれが借款鉄道として建設され、地方政権によって個別に運営・利用されてきたこれらの鉄道が、日本の華北占領によって統一的に経営されるに至ったことを指摘する。無論それは、国有鉄道としての統合的運用をめざす国民政府の方針に対し、日本が掣肘を加えた結果であった[1]。また、大陸における日本の植民地鉄道経営については、林采成の研究蓄積が注目される。林は、華北交通の成立事情とその運営実態について詳細に分析し、華北交通が日中戦争の初期において、日本戦時経済を支える能動的役割を果たしたと述べる。さらに、周辺産業および隣接地域の状況に視野を拡げ、華北交通によるインフラ整備の結果、華北が日本の経済圏に取り込まれることで輸送需要が生じ、輸送量が急増する様子を統計的に検証している[2]。以上のように、華北交通については、鉄道経営を中心とした運輸会社としての面に焦点をあてたアプローチがなされてきたが、旅客サービスのあり方や、日本国内にむけての旅客誘致など、観光業的側面に着目した研究は不充分である。

一九三七年の事変勃発の直後から、華北の鉄道を利用する旅客は急増傾向を見せ、満鉄北支事務局の役割が華北交通に移ると、年間四〇〇〇万人を超えるに至った。同時期のジャパン・ツーリスト・ビューロー（以下、ビューロー）の旅客斡旋統計を参照することで、華北を移動したこれらの旅客の中に、少なからぬ日本人旅行客が含まれていたことが判る。[3] 会社設立から間もない一九三九年六月に、華北交通が日本国内で刊行を開始したグラフ誌『北支』は、このような旅客の誘致に一役かったことだろう。

本章では、一九三七年末以降に中国に赴いた日本人旅行者の記録を資料とし、あわせて華北交通写真を適宜参照しつつ、旅行者の期待や華北での経験を読み解いていく。戦時中にもかかわらず、大陸旅行に出かけた日本人たち。彼らが切望した「支那」イメージ、その具体像について、華北交通写真は明瞭な輪郭を与えてくれるだろう。

なお、本文中において当時の日本人の中国観を特徴的に示す必要がある場合や、原文からの引用の際には、中国を「支那」と記した。北中国を指す語として統一的に「華北」を用いていることとあわせ、お断りしておきたい。[4]

一　事変直後の華北における旅客輸送

一九三七年七月末に華北へと戦線が拡大すると、退却する中国軍の破壊工作や、中国人作業員の逃亡などによって、華北の鉄道運輸は途絶した。満鉄は軍鉄道隊の指揮下に鉄道従業員を派遣し、占領地域における中国側機関の接収と施設管理、新設機関への人員派遣を担った。こうしてまずは非常時に対応した特殊輸送が開始された。管理事務の中心となったのは、華北における満鉄の出先機関として中心的役割を果たしていた天津事務所である。同事務所は、七月に臨時事変事務局、八月に北支事務局となり、一九三八年一月には北京に移転するとともに組織を拡大して、翌年四月に華北交通が創業するまで、華北の交通機関運営を管轄した。

日本の占領地域が拡大し、治安が若干の回復を見せると、京山線（旧北寧鉄路）を利用して華北に入り込む日本人が増加した。[5] 従来、山海関を境とした満鉄奉山線と北寧鉄路との連絡運輸は、両社合弁の東方旅行社を介在させることでどうにか実施されてきたが、三七年四月からは同社を

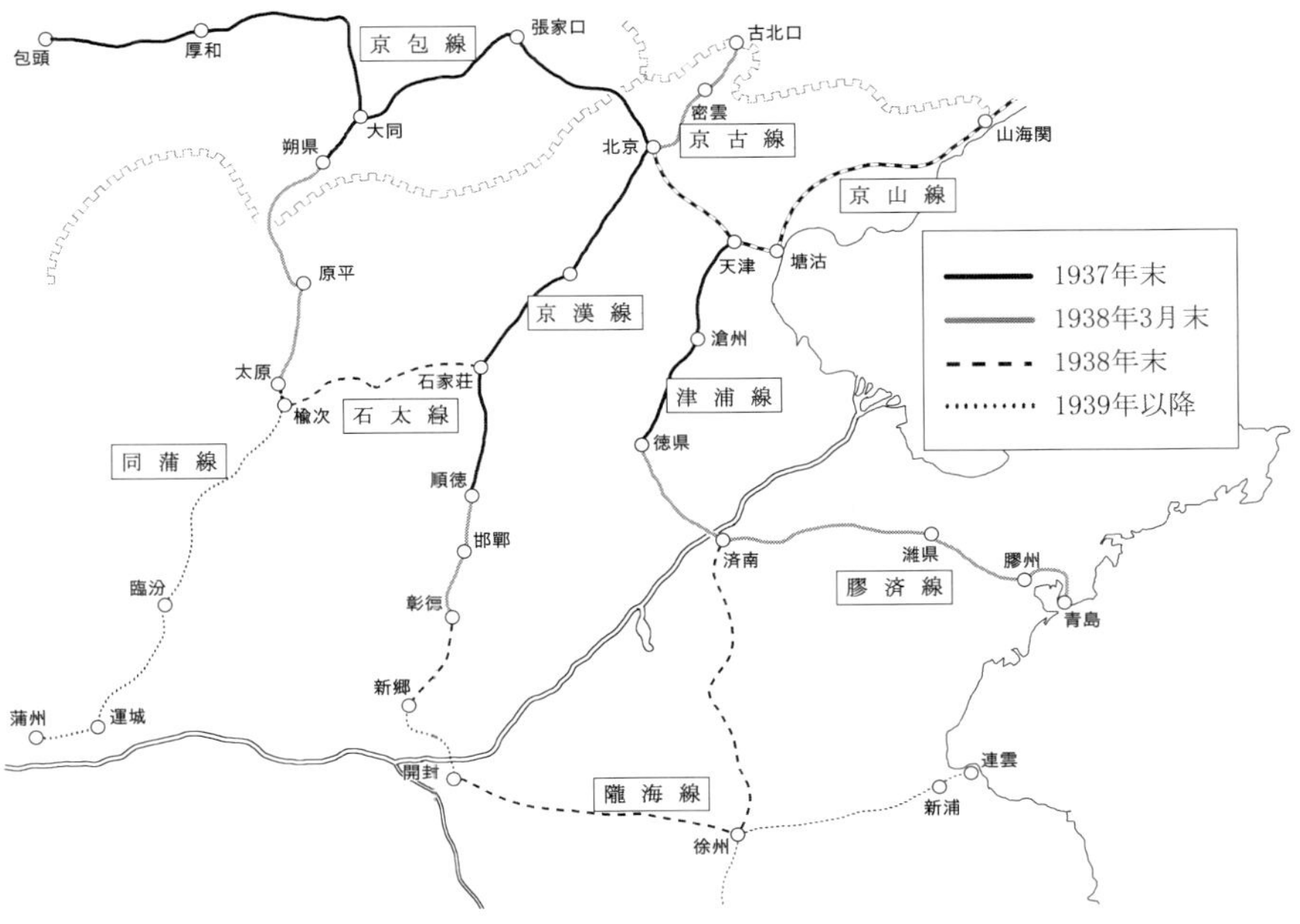

挿図1　華北各幹線の仮営業開始時期

廃除して直接に通車していた。事変による北寧鉄路の占有によって、その一元管理が可能となったわけである。否、このような一元管理を可能にするための華北分離工作であり、事変の勃発であったと言えるだろう。華北の幹線の中では、この京山線のみが特殊輸送のかたわら一般旅客営業をおこなっていた。それは、天津や北平への生活物資輸送にとどまる微々たる輸送量であったが、この通車を利用して満洲方面から日本人が流入しはじめたのである。

このような状況に追われる形で、三七年一〇月には「北支鉄道運営仮営業規則」が制定され、同月一五日に京包線の豊台―張家口間の仮営業が開始された。各線の仮営業時期を示した挿図1からは、幹線鉄道について、すみやかな一般旅客輸送の再開が求められていたことがうかがえる。蒙彊・山西地域への進出路となる京包線以外に、京漢線、津浦線といった主要幹線の一般旅客営業は極めて早い時期に開始された。抗日意識が強い山東においては、中国軍が撤退の際に膠済線に壊滅的破壊を与えたにもかかわらず、一九三八年三月末までに仮営業を開始している。さらに、北京から古北口を結ぶ京古線、新郷から開封に至る新開線が新規に建設され、それぞれ、一九三八年四月一日、一九三九年五月二二日に開通した。これらの鉄道と鮮満および内地との連絡運輸のために、一九三八年六月六日には日満支運輸協定準備打合会が開催され、鉄道省、朝鮮鉄道、満鉄北支事務局、鉄道総局のほか、大阪商船、近海郵船、大連汽船、が参加、一九三八年一〇月一日には「日満支連絡運輸協定」が締結された。(6)

旅客斡旋業務を行うビューローもまた、華北方面への旅行者に対応すべく業務体制の改編をおこなっている。一九三七年九月の承徳案内所を初めとして中国各地に案内所を開設するとともに、北支出張所をはじめて設置し、内外各地の鮮満案内所を鮮満支案内所と改称した。さらに、軍人見舞いに運賃五割引を適用するなどの活発な営業活動をおこなった。(7)

グラフ1は、『華北交通統計月報』五巻一号(一九四二年四月)の統計をもとに、一九三七年末から四〇年までの各幹線の一般旅客数の変遷を半年ごとに示したものである。一九三九年度下半期以降になると、治安の回復と華北交通の旅客誘致策によって、旅客数は著しく増加した。(8) 俯瞰的に見れば、林論文が指摘するように、華北が日満支経済圏に組み込まれ、輸送需要が生じたことが大きな要因と言えるだろう。

次のグラフ2では、右期間のうち一九三七年一〇月から翌年五月について幹線別の旅客数推移を積算数値で示した。折線の値は、一九三五年から三六年の同じ時期の京山線、京

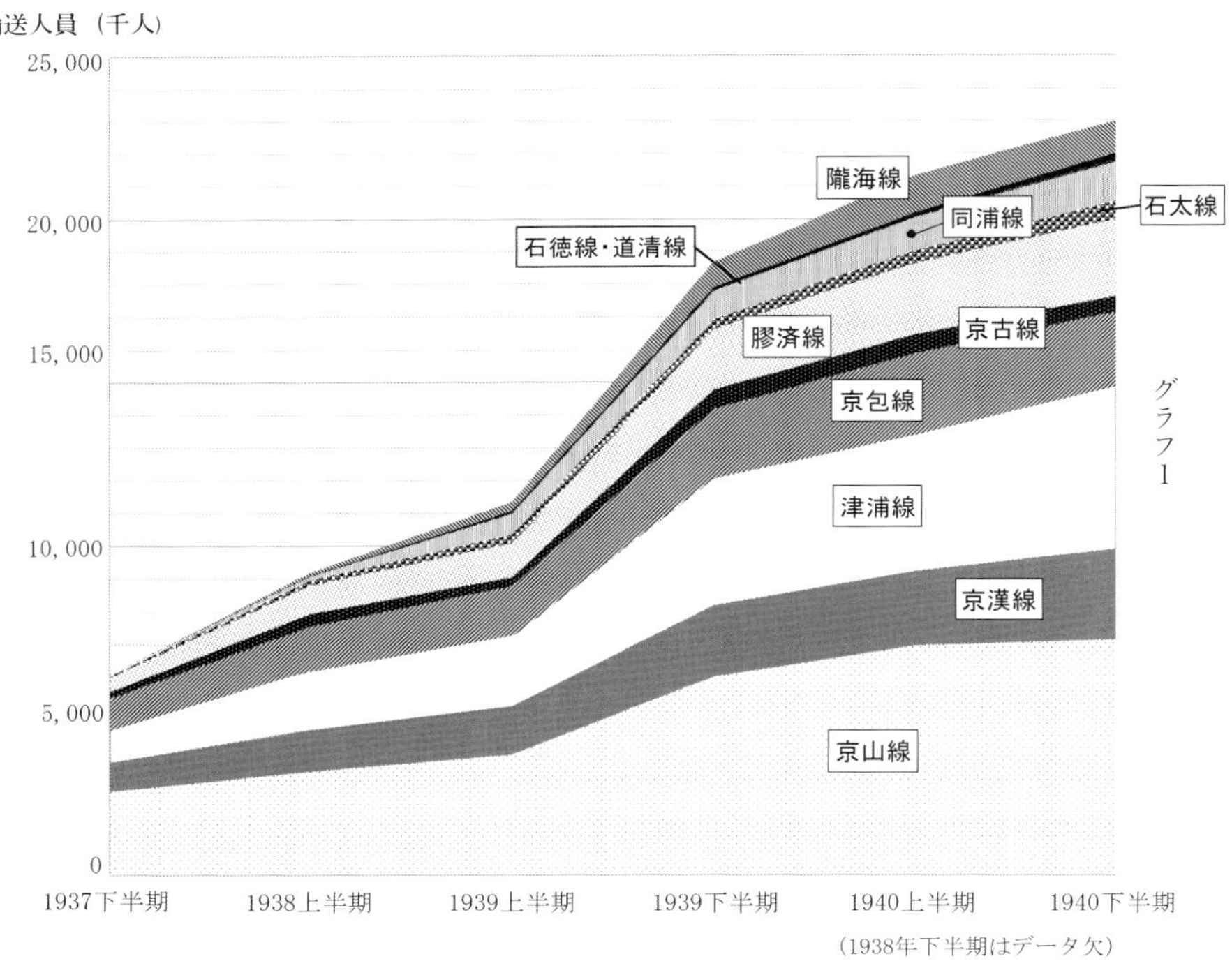

グラフ1

包線、膠済線の旅客数を、同様に積算であらわしている。[9] 一九三七年から翌年にかけて、各線の仮営業開始にともない、旅客輸送量が増加していく様子は明らかであり、それを下支えしているのが京山線の旅客数であることが見て取れる。また、これを一九三五年から三六年の旅客状況と比較した場合、事変によって落ち込んだ旅客数が、京山線、京包線については三八年三月にほぼ常態に復していることが判る。運行が再開された膠済線の旅客の増加も顕著である。

以上述べてきたように、華北の鉄道は、満鉄北支事務局の管理運営のもとで急速に一般営業に対応し、事変前の旅客数を回復していった。華北交通の設立時には、すでに安定的な旅客数を獲得していたと言える。次項では、このような旅客増加の背景について、事変後まもないこの時期に華北を移動した旅客、とりわけ日本人の旅行実施の背景と旅行の実態を明らかにする。

二　満洲観光から中国観光へ——華北を跋渉する日本人

一九三七年末からの中国大陸における日本人旅客取扱数の急増については、前述のようにビューローの統計資料にもあらわれている。戦前日本人の植民地ツーリズムについては、従来の研究において、戦跡や軍隊への訪問を通じて日本人の国家意識を高めたことに焦点があてられている。特に、紀元二六〇〇年（一九四〇年）を控えたこの時期の日本人の、大陸における「皇軍慰問」や「戦跡巡礼」は、全国民をまきこんだナショナリズムの祭典の一翼を担うものであったとの見方もある。[10] これに対して筆者は、視察や慰問といった旅行目的を押し立てて華北旅行に出かけた日本人の心情の根底には、戦前の日本人が抱いていた中原の文物や歴史に惹かれる強い憧憬が存在したと推論し、一見ナショナリズムに突き動かされたかに見える旅行者たちに「本音と建て前」があることを指摘したい。ここではまず、一九三七年以前の満洲観光に当時の日本人が抱いた印象を紹介し、その対比として、「支那」観光に期待された要素を鮮明化したく思う。

満洲観光に不満をもらす旅客たち　一九一〇年代後半から三〇年代にかけて、日本では庶民にも手の届く海外旅行として、朝鮮半島と満洲への旅行が、台湾旅行とならんで盛んであった。

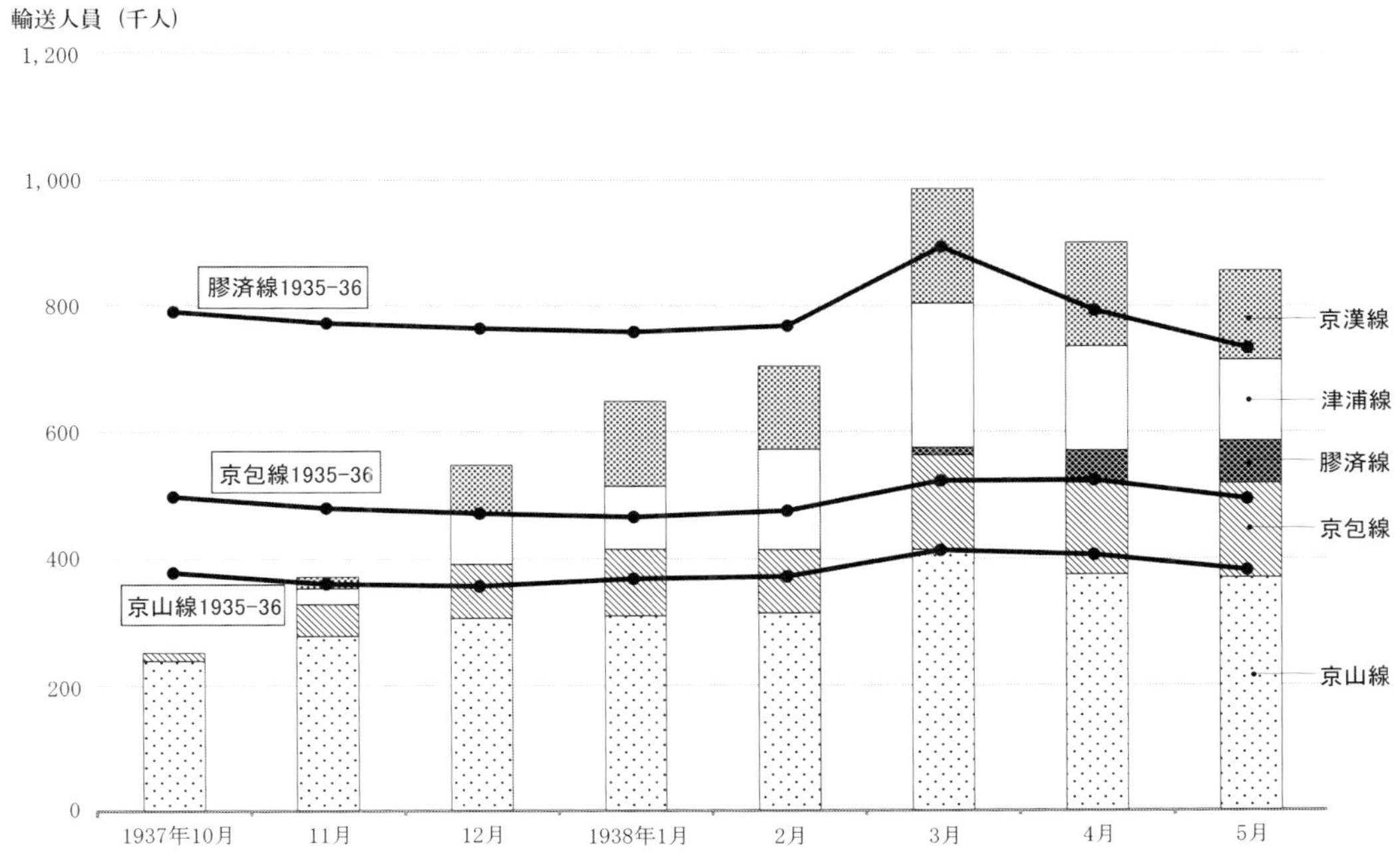

グラフ2

はじめ、一般国民には満洲は行楽地として認識されず、満鉄は旅客誘致に苦慮した。しかし、一九二〇年代になると、日本国内での登山や温泉旅行ブームにあやかり、満鉄は、満洲の温泉を整備して直営の和式旅館や高級ホテルを建設し、三大温泉として大々的に売り出した。以降、満洲三大温泉をハイライトに、千山などの周辺観光地や戦跡訪問をもりこんだ満洲ツアーは人気を集めるようになり、満鉄とビューローを中心に「鮮満旅行」の環境が整備されていった。三〇年代になると、満洲事変の勃発にともなう対日感情の悪化や、折りからの不況によって旅客数は激減したが、すでに満洲の行楽地のイメージは国民の意識に定着していた。

しかし、この満洲観光に対して、日本人旅行者は、無い物ねだりともいえる視線を向けていたふしがある。不満とされた点は二つあった。そのうちの一つは、満洲はしょせん「支那」ではない、という当然の事実に起因するものである。現在の日本人とは比べものにならないほど漢詩漢文に慣れ親しみ、自ら詩作することすらあった戦前期の日本人にとって、中国のイメージといえば、歴史の表舞台である「中原」の地名や文物であった。その認識をもって見れば、満洲は塞外の地にほかならない。

明治から大正時期の詩人・劇作家として知られる木下杢太郎（本名・太田正雄）は、一九一六年に皮膚科部長として奉天医院に赴任した。満洲に「支那的異国趣味」を期待した木下は、その荒涼たる風景に裏切られ、「此の灰色無奇の奉天の地には支那の文化に対する興味を刺激せられる機会は何一つもない」と悲嘆にくれる。[11] 瀋陽故宮や陵墓などは、木下の「支那的異国趣味」を満足させる対象ではなかったのだろう。彼が求めていたのは、長安や洛陽といった中原の古都がはなつ中国らしさだったのである。そこで木下は、一九一八年三月に単独で洛陽・龍門石窟への旅行を敢行する。それは、まさしく「支那」への渇望を満足させる旅となったのだが、現地の生活上の不便や衛生上の問題に耐えられず、木下は奉天に「逃げ帰って」くるのだった。[12] もともとロシアが進出していた満洲の主要都市に、日本は都市計画によって石造りやコンクリートの重厚な建築物の市街を築いた。奉天医院の医科部長として中流以上の生活レベルにあったであろう木下は、内地の日本人よりも西洋風かつ近代的な都市生活を送っていた可能性がある。洛陽あたりの生活環境は受け入れ難かったに違いない。ところが皮肉なことに、旅行者が満洲観光に抱いたもう一つの不満は、この西洋的近代性にあった。

夏目漱石は一九〇九年に満洲と朝鮮半島を旅行し、随筆『満韓ところどころ』にその様子を記している。大連ヤマトホテルで休憩していた漱石を、友人であり当時満鉄総裁だった中村是公がたずねてくる。漱石は中村是公に、「おいこの宿は少し窮屈だね　浴衣でぶらぶらする事は禁制なんだらう」とたずね、そんなことを言うなら遼東ホテルにでも行けといなされてしまう。十数年後にやはり満鉄の招待で旅行をした田山花袋もまた、近代的な満洲の旅行環境に慣れることができない。

田山花袋の紀行文『満鮮の行楽』（一九二四年）には、積極的に日本の満洲経営を讃える表現が多く、満洲旅行を快適に楽しむ様子が綴られ、日本の軍国主義的侵略に迎合しているとの批判もあるほどである。[13] しかし、そのなかの「旅舎と女中と」と題する短い一節で、花袋はこの旅行についての真情を吐露している。田山花袋のぼやきは、食堂車のメニューからはじまる。この当時、朝鮮鉄道では刺身と吸い物のついた懐石弁当が供されたことが知られているが、安東をすぎて満鉄に入ると、食材の関係で洋食か中国料理をとらざるを得ない。さらに列車でもホテルでも椅子に座らなければならないことに、旅人は苦痛を感じていた。「だって日本人には矢張り座る方が好いよ」という花袋の主張は、長く大連に住む友人にはすでに理解しがたいものである。ホテルの清潔さと安全性、何よりも自由気ままであることを快適さととらえ、「女中などというるさいものはいないし」と言う友人と、「ところが、君、その女中が必要なんだよ」という花袋の感覚は延々擦れ違いを続ける。花袋のぼやきを聞いた友人は、満洲のホテルなどで嫌がられる旅行者像を思い出し、思わず、「酒を持つて来い、酌をする女中を呼んでこいツていふお客が観光団の中などによくあるさうだよ」とコメントしてしまう。そのような酔客の要求とは別の次元で、高踏的な旅の姿を論じていたらしい花袋は、やや鼻白んだ様子で、以下のようにこの話をしめくくる。

矢張、海外だな。女中とか、晩酌とかいふことなどはもう問題にならなくなつてゐるんだな？　こんなことを考へると私はさびしい気がしたね[14]？

満洲旅行では満たされなかった日本人の中国イメージとは、『史記』や盛唐の詩、その他読み聞きかじった中国の故事古典から想像するところの、古く深い文化を持つ国の薫りであった。加えてそこに、内地同様の日本的な行楽の姿をのぞんだのである。しかし、事変前の中国旅行は、前述した奉山鉄道と北寧鉄路の通車の問題からもわかるように移動の便にすらこと欠く状況であった。また、宿泊や食事にともなう衛生環境が整わず、日本人が快適に旅を楽しむ環境は整っていなかった。中国本土への旅行を望む人々は、旅行記やガイドブックを読み、また、身近に中国旅行の経験者がいればその体験談を聞き、古色蒼然たる歴史と文化の国の姿に想いを馳せるとともに、下痢や、宿屋の南京虫、恐るべき便所の構造などについて先入観を育んでいったのである。

中原への扉、開かれる　一九三七年七月以降、山海関をこえた日本軍が戦線を拡大すると、鉄道をはじめとする諸機関を軍と北支事務局が接収管理しはじめたことで、華北には日本人進出の条件が整った。このような「北支明朗化」は、華北にまなざしを向ける中流階級以上の日本人には、待ち望んでいた機会であった。

> 「中原に鹿を追《ママ》[逐]ふ」の中原こそ、正にこの黄河の流域であったことは確かで、しかも支那人が自らの国を中国と呼ぶ中国こそ、またこの中原であったことは明かである。(15)([ ]内は筆者補記)

『実業之日本』が三八年新年号の附録に記したこの一文は、新鮮な経済的市場である華北が、同時に歴史と文物に彩られる中原の地として認識されていたことを示している。一九三九年六月に、神戸商工会議所北支産業視察団に参加した一議員は、淄川炭鉱で『聊斎志異』の作者蒲松齢の生誕地であることを想起し、新京市街の景観に「長安の大道直きこと矩の如し」との感懐を抱く。(16)当時の日本にあっては、中国の古典と歴史は、決して一部の知識人の教養ではなかった。

とはいえ、まず華北に押しかけたのは、不況横溢する日本から脱出して一山あてようという人々であった。一九三七年一二月に満鉄門司鮮満案内所が発行したガリ版刷りのパンフレットには、日本人であふれかえる天津の異常な状況が記されている。

> 天津、北京共に時局関係にて市況極めて旺盛にして　特に天津は食料雑貨の配給並輸送多忙を極め　従つて旅館タクシー業者も其の受容に応じ切れざるの状態にて事変前僅に一万五千の邦人数は今日既に三万以上に達したるものと推定され(17)(以下略)

このパンフレットは中綴じ六頁のもので、仮営業が開始された鉄道や飛行機、汽船の時刻表、天津と北京の旅館と観光情報が記載されている。のちに華北を訪れたある産業視察団メンバーは、済南や天津に繁盛している旅館が多いことに驚き、「事変勃発後未だ秩序が治まらざる時早くも都会に入込み、支那人の廃居の跡を○○《ママ》の了解を得て借入れ、安価に修理して多数の部屋を造つて旅館となし、或は土地の買入れをなして地価の騰貴で儲ける等」の人々であるとの説明をうけた。(18)華北の都市にいち早く流入したこれらの人々は、遠からず大挙して訪れる日本人旅行者をあてこみ、旅館、食堂、娯楽施設などを開業したのであろう。二十数年前、日本軍が占領した青島や済南の景気を、昔話に聞いた者もいたかもしれない。

挿図2　中国家屋に「桜正宗」の樽を嵌めて入口とした飲食店［原板番号二三七三］

挿図3　丸ビルのネオンを模した飲食店［原板番号二三七六］

華北交通写真には、これら天津や済南で営業をおこなっていた日本人向けの旅館や飲食店、そこでくつろぐ日本人の様子をおさめた写真が多く見受けられる。特に、バーや居酒屋などでは、挿図2に示すように中国人家屋を改造して日本風のデコレーションをほどこしたものが多く、店内においても日本的サービスの提供に努めていたと思われる。前項で述べたように、中国を旅する日本人旅行者は、内地同様の住環境やサービスを受けることを強く望んでいた。一九三七年末までに華北入りした日本人は、このような需要に応えることで他者に先んじ、成功の道をつかもうとしたのである。また、語弊を怖れずに付け加えるならば、挿図5に一例として示したように、このようなサービスには女性従業員の存在が欠かせなかった。一九三八年以降に華北を訪れた日本人たちは、バーやお座敷で働く女性が極めて多いことに驚いている。

南京が陥落し、北平が北京とあらたまって中華民国臨時政府が発足すると、本格的な旅客の移動がはじまった。当時の時節柄、物見遊山で大陸に出かけることはのぞましくないため、旅行の目的は「視察」または「慰問」であり、旅行や観光という用語そのものが避けられている。これらの視察団、あるいは慰問団の内訳は、教育関係と実業関係が大半を占めていた。たとえば、一九四〇年について、東京と大阪のビューロー鮮満支案内所が斡旋した八五団体のうち、府県教育会その他の教育関係視察は四〇団体、商工会議所あるいは実業団などの視察は二〇団体であった[19]。

戦前期に府県教育会がおこなった大陸視察旅行については、宋安寧の研究があげられる。宋は、視察旅行の頻度や、府県の所在地によって、いくつかの異なる事例をとりあげ、その視察の記録を分析している。一九三七年以降の教育会の視察については、視察目的と視察地が従来のそれから変化していることに着目し、満洲移民事業との関連から、拓務省が教育会の満洲・朝鮮視察を移民視察に転換させたことを指摘する[20]。ただ、宋の研究は満鮮視察を対象としたもので、視察先に華北が含まれる事例を意識的にとりあげたものではない。その意味では、一九三七年を境に「鮮満」旅行が「鮮満支」旅行となることを意識した研究は、従来あまり為されてこなかったのではないかと思われる。

視察団はたいてい帰国後に視察報告書を作成しており、そこには、団員、日程、視察地、視察内容や団員の所感などが記され、この時期の視察旅行の状況を知ることができる。視察目的を記載した前文などには、「支那の山野に重大任務を全ふせる皇軍将兵に慰問の微衷を致すため」「本視察団の任務を全うすべく」といったもはや定型文と化したかのような表現が必ず用いられており、これらの報告書に視察を正当化するアリバイ的な役割が期待されていたことが推測される。「遊覧と云ふ名称が真剣に或は視察し或は巡拝せんとする我等の気分に添はざりしも[21]」

挿図4　飲食店内［原板番号二三七〇］

挿図5　給仕の女性たち［原板番号二三七七］

という一視察団員の言葉がよく物語るように、これらの視察報告書では、訪問があくまでも「視察」であり「皇軍慰問」であって、行楽目的の旅行ではないのだという主張とも遠慮ともつかない表現が随所に見られる。

　そしてまた、このような報告書に記録を残すためにも、彼ら視察団の最重要目的である「皇軍慰問」は、訪問した各都市で必ず実行された。現地の関係者の面子のためにもそれは必須の儀式であったはずである。一例として、一九三八年三月に組織された大阪商工会議所中北支経済視察団の北京での慰問の様子を見てみたい。

　一行はまず、「軍司令部将校と会見、慰問の辞を述べ」、その後に「寺内最高司令官と面会、（中略……副会頭、議員、経済部長が）交々商都三百万市民を代表して銃後の赤誠を披瀝し経済界の事変下に於ける決意を語」り、その後三〇分にわたって時局談を交換した。翌日、寺内寿一は返礼として、昼食会に一行を招いた[22]。大阪商工会議所が極めて特殊な視察団であったとは考えにくいことから、おそらく視察団の慰問のたびに、このような行事があったと思われる。各視察団の報告書によれば、このような慰問が、各都市の軍司令部や特務機関でおこなわれた。

　一九三七年一二月に、個人で華北に乗り込んだ国家主義者田村甚蔵の場合、現地で司令部や前線を慰問するだけでは飽き足らず、帰国後には陸海軍・内務省を訪ね、「愚見を開陳して其善処有らん事を求め、向後更に機会を捕へて南支方面及び海軍の慰問を決行」することを訴えたという[23]。

　ちなみに、この田村甚蔵が張家口で面会した従軍看護婦高橋たね子[24]は慰問団について以下の様な啖呵を切っている。

> 本当に慰問すると言ふ気が有るならアンナに群をなし列を造つて歩るくにも及ぶまい。（中略）みんなあの様な態度に出るのを見ては名を慰問に藉りて実は北支見物が主たる用件と見做されても一言の弁解も出来まい[25]。

これは、一九三七年一二月初旬に北支那派遣軍を慰問した衆議院議員の慰問団への皮肉である可能性が高く、この時期の視察団や慰問団の実態を示唆して興味深い。

　以上のように、事変直後の一旗組にはじまり、各種の視察団や慰問を希望する個人など、一九三七年末から三八年にかけて、雑多な多くの日本人が華北に殺到した。その結果、一九三八年後半になると満鉄と鉄道総局は、ついに以下の様な注意を呼びかけるに至った。

> 軍首脳の方々は最高機関としての計画運営に就て、夫々多忙な仕事に一分一秒を惜しまれている状態であるか

ら、その方々を煩はすことは遠慮すべきであらう。(中略……それよりは奥地前線の将兵慰問をすべきである)慰問品の携行は自由意思とは云へ、是非実行して欲しいものである。個人旅行者でも、例へば八達嶺の万里長城見学に赴くにしても、同地を警備する将兵諸士への慰問品を多少なり携行すること。(26)

前線の将兵を慰問すべきとの主張は、先にあげた高橋たね子も口にしており、軍や兵站病院の現場では、司令部に対する形式だけの慰問に、不満が高まっていたと思われる。慰問品については、「自由意志」と言いつつさらに具体的な指示が続く。

八達嶺には我が皇軍将兵が凡ゆる困苦と闘ひつつ(中略)、駅と隧道入口と頂上の三箇所に分駐しているから慰問品は三個携行すればよい。(27)

八達嶺は当時から万里の長城を見渡せる観光スポットとして知られていたが、三七年以前には日本人が気軽に観光することは難しかった場所である。『北支』もまた、たびたび美しい万里の長城の写真を掲載しているが、その素材として、華北交通写真には膨大な枚数の長城の写真が残されている。空撮を含む様々な地点から撮影された写真のなかには挿図6のような縦横比を強調した全景写真なども見られる。華北交通写真には、日本人が好んだ華北の風景として、ほかにも泰山・曲阜や雲崗石窟などの写真が見られるが、長城を撮影した写真の枚数は群を抜いて多く、その人気の高さがうかがえる。朝鮮や満洲の旅行では見ることのできなかった長城を一目と大勢の旅客が押しかけたことであろう。

『北支旅行の手引き』には、このほかにも、旅行の携行品、撮影禁止の場所、持ち帰ってはならない物についてなど、多岐にわたる注意事項が記されており、慰問や巡礼といったイメージからはあまりにもかけはなれた、日本人旅行者の無軌道ぶりが推察されるのである。この諸注意の文章は、その後も、『鮮満支旅の栞』や『満支旅行案内』に転記されている。(28)

文部省もまた、一九三八年一一月、各県教育会に対し、鮮満支視察については「是非必要だと認める以外のものは許さない」と通達した。宋安寧の指摘によれば、ちょうどこの時期、帝国教育会では華北視察旅行を計画していたのだが、この通達を受けて方針を変更した。(29)その変更とは、視察旅行を取りやめるのではなく、軍部や興亜院の意向に添う新たな視察目的を定めるというものである。これなどはまさしく、「名を慰問に藉りて実は北支見物が

挿図6　山海関　角山長城より
[原板番号三七五〇〇]

主たる用件」の好例なのではなかろうか。結局、帝国教育会は、紀元二六〇〇年を記念して開催される「興亜教育会」の開催準備のため「日満教育会」開催を斡旋する、という目的のもとに視察旅行をおこなった。

この時期のツーリズムを後押しした背景として、もうひとつ忘れてはならないのは、体位向上運動である。一九三八年一月、政府は事変と国民の体位向上について次のように発表し、遠足・旅行・登山などを奨励した。

> 近年我が国民の体位が低下の傾向にあることは壮丁検査の結果等によりて察知することができる。（中略）特に事変に直面しては強健なる身体の必要なることは戦場に奮闘して居る将兵の実情に鑑みても痛感せらるところ。(30)

この方針に応じて関連書籍などが多数出版され、「体位向上」は一種のブームとなった。なかでも鉄道省は、国内の推奨ハイキングコースのパンフレットなどを作成し旅客を誘致した。これにより登山愛好家が急増したとされる。(31)

登山愛好者の間では、事変前から満鮮や台湾での登山がおこなわれており、京都大学の大興安嶺遠征などが大きく報じられていたが、『日本山岳会会報』を見ると、一九三八年以降に中国関係の記事が目立つ。扱われているのは主に蒙彊や山西省の自然である。

一九三八年　「冬のチャハル綏遠」「支那の山とその国民性」
一九三九年　「山岳と戦争」「支那奥地事情」「蒙彊の秋」
一九四〇年　「山西省境」「熱河の山」
一九四一年　「内蒙紀行」

万里の長城も登山の対象であり、山海関近くの角山長城や、古北口の親子望楼は名所として知られていた。華北交通写真の中には登山の様子を撮影したものも数点あり、この中には、角山に登山した若者の記録が残されている（挿図8）。この写真には落書きの下や上部の梁にも日本語の文字が見え、以前から角山に登る日本人が多かったことが判る。

> 入営ヲ前ニ
> 現役志願（二十才）　角山寺登山記念　昭和十二年九月二十六日

挿図7　西茅山に登山する男性［原板番号三一六六〇］

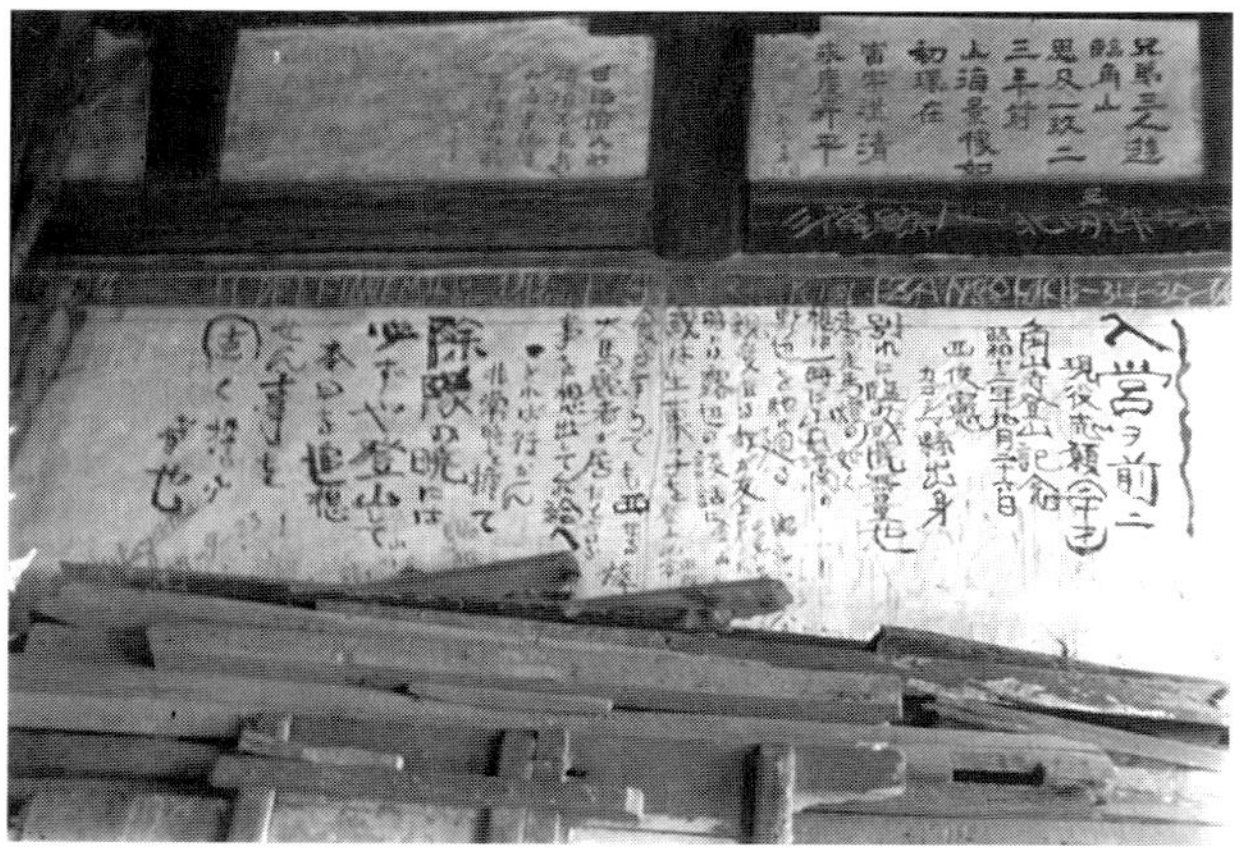

挿図8　角山寺の落書［原板番号三一四四］

●●●（氏名）　カゴシマ県出身
別れに臨み感慨無量也
走る走馬灯の如く
想は一時に山海関の
野辺を馳廻る
親愛なる我が友よ
時には露辺の談話に
或は生菓子を食ひ乍らでも●なる
大馬鹿者が居たと言ふ
事を思出してくれ給へ
　　されば行かん
　非常時を担て
除隊の暁には　必ずや登山して　本日を追想せん事を固く誓ふ者也（●は筆者伏字）

一部の登山愛好者にとって蒙彊や山西の山並みは魅力的なものだったと思われるが、視察団の一覧や視察内容を見るかぎりでは、日本からの登山関係の旅行者がいたことは考えにくい。しかし、この入隊前の青年のように、華北に在住する日本人の中に、中国での登山やワンゲルを楽しんだ者は少なからず存在したと思われる。そして、彼らもまた華北を移動したおびただしい日本人旅行客の一人として数えることができるだろう。

以上見てきたように、日中戦争の開始によって日本が華北に戦線を拡大すると、多くの日本人が視察や慰問を謳って（もしくはたて前として）、華北に流れ込んだ。旅客の急激な増加は、京古線すなわち旧北寧鉄路を中心とした旅客運輸統計に如実に表れており、国内の鮮満案内所の資料とあわせて、満洲から京古線経由で華北に進出した日本人が多かったことは明かである。また、これらの人々の内訳は、事変直後は投機目的の一旗組が主体であり、やがて治安が回復すると、教育関係と実業関係の視察団が増加した。華北の旅行者の中には、日本から大陸に渡った旅客だけでなく、華北域内を旅行した人々も存在したと考えられる。これらの旅行者の内的動機は、華北——中国文明の本色ともいえる中原を包括する地域——が見せる史乗からの誘いであった。

大正から昭和初期にかけて、「鮮満観光」が手の届く海外旅行となる一方、その先にある華北への敷居は高く、「支那」のイメージは、旅行記や体験談、当時はまだ不鮮明だった写真などによって、ゆっくりと醸されていった。日中戦争の勃発を契機に、イメージに満たされた人々は、現実の華北の地に立ち、今度はその発信者となるのである。

三　「支那」イメージの発信とその再生産

華北交通は、日本国内に向けて精力的に華北の情報を発信した。それは、一つには鉄道交通会社としての旅客誘致のためであり、また国策会社としては日本の華北経営の成功を広く宣伝する必要があったからである。かつて、メディアが未発達な時代に同様の使命に迫られた満鉄は、有名作家や漫画家らを招待旅行にまねき、帰国後に紀行作品を発表させ、満洲経営を宣伝するという方法で一定の成功をおさめている。一九三九年四月に発足した華北交通が選んだ手段は、写真であった。すでに本章でも参照してきた印象的な写真の一部は、三九年六月に創刊した月刊グラフ誌『北支』の本文に用いられ、また旅行パンフレットなどにも使われている。これらの写真が大量に日本にむけて発信されるのと並行して、華北から帰国した旅行者たちがもたらした情報もまた、様々な形で内地を経巡った。

旅行者たちの華北旅行の印象は二つに大別される。一つは、すでに論及してきたように、日本人が希求するところの深淵な歴史と文化の国の偉大な姿である。また、情景の獲得という点において、写真というメディアは極めて有効な手段であったと考えられる。華北交通が日本人向けに発信した大量の写真は、刊行物やパンフレットを通じて、国内の日本人にも擬似的な華北旅行を可能とした。斉魯の故地である山東の風姿、元・明・清の古都北京の威容、万里の長城や明の十三陵、雲崗の石窟寺院（扉写真1、2参照）。それらを目の当たりにした旅行者たちは、イメージにすぎなかった「支那」をついに現実のものとして掴み取ったことに充足する。旅行者たりえない多くの日本人には、撮影者と編集者のメッセージを付加された情景が与えられた。挿図9に示した紀元二六〇〇年の元日を記念する長城の写真はその好例と言えよう。鮮やかに切りとられた景勝地や中原の歴史の故地を、日本に居ながら見ることができる、そのこと自体が日本の華北進出の成功を強く印象付けたはずである。

この頃数多く発行された華北についての書籍の中に、桑原隲蔵の『考史遊記』（弘文館、一九四二年）がある。桑原隲蔵は、一九〇七年からの二年間、公費で清に留学した。その報告書と写真は内部資料だったが、それが一九四

挿図9　「万里の長城の日の出　皇記二千六百年元日」［原板番号二五九一一］

二年に公刊されたのである。刊行に際しては、当時ガラス乾板によって撮影された写真が用いられ、三〇数年以上前の中原の文物の姿が鮮やかに復元された。陝西省、山東省、蒙疆の史跡や碑碣について、東洋史学草創期の大家桑原隲蔵の解説に豊富な写真が付され、中原歴史文物指南としてこれ以上質の高い旅行記はない。本書の発行は、華北への関心の拡大や旅行者の増加を背景としていると考えられるだろう。

旅行者たちは、中国の歴史や文化を崇拝する一方、旅行環境に冷静な目をむけ、意外なことに気付く。曰く、列車では三等車でもつかみ鼻や痰吐きはあまり見かけない。大都市の旅館の設備は内地と何らかわりなく快適である。張家口や大同でも支那家屋を用いているが日本式旅館を経営している。総じて旅館では、刺身・吸い物・煮物などをそろえようとするが、大同や石家荘あたりで出た干物や塩鮭のほうが美味しかった。奥地で刺身など出されるよりも、油で煮たり炒めた支那料理のほうがお腹に良いくらいである。二年前に華北を旅行した人と話したが、十年前の話のようであった……等々。要するに、「支那」は彼らが考えていたよりも、清潔で快適になっていたのである。旅行者にとって、それは日本が華北を占領したおかげ、にほかならなかった。

このようなコンテクストは、『北支』の写真選択にも見られる。挿図10、11に示すように、華北の現状として、女性の社会進出、衛生班の活躍と清潔な列車内、明るい工場や労働者、健全な学校と子供達、といった写真を提示することで、日本軍が占領する前の華北を、前近代的な社会、不潔な環境、産業の後れ、貧しい子供たち、といった負のイメージで満たすことができる。そこには明確に、中国人が支配する中国を貶める意図があった。

鮮満支視察旅行について、宋安寧が指摘するように[32]、旅行者の心情には、古典文化や歴史への尊重や憧憬と、現実在の中国と中国人に対する蔑視が同居している。それは、一九一〇年代から二〇年あまりの時間をかけて鮮満観光が一般化するなかで培われたものだった。敬うべき古い歴史の国、にもかかわらず日清戦争では日本が勝利したという事実、さらに先達の旅行記や身近な旅行者のみやげ話が、満洲とその向こうに見え隠れする「支那」のイメージを増幅させた。中国に対する憧憬と蔑視がないまぜになった日本人の先入観は、日中戦争がはじまるまでに、時間をかけて形成されたものである。

対して、事変後の華北については、この過程が急激な速さで進んだ。一九三七年末以降、個人的な愛国心から所属団体の体面まで、あらゆる理由で華北に流入した人々は、その情熱や義務感によって多くの視察記や旅行体験談を発表した。華北に関心を持つ人々はそれを貪欲に消化して自らも旅行者となり、また帰国して情報の発信者となった。こうして、日本国内が中国イメージの八卦炉と化す中、『北支』や『北支画刊』をはじめ写真をふんだんに用いた書籍が刊行されるようになった。メディアが未発達だったころと異なり、美しく、かつ芸術的に計算された

挿図10　京山線食堂車［原板番号三二五七］

挿図11　旅客案内嬢［原板番号一八〇七〇］

写真は、多くの日本人に鮮明で意図的な「支那」像を与えた。ここにおいて、憧憬と蔑視はひとつの筋書きに集約される。すなわち、かつては文明の源であった中原の栄光は、日本の援助＝侵略によって華北に回復された、とのストーリーである。

おわりに

盧溝橋事件の後、日本が華北へと戦線を拡大するにともない、軍鉄一体の体制のもとで、満鉄北支事務局は接収した鉄道や関係機関の管理にあたった。華北の各鉄道のうち、奉天から山海関を経て北京へと通車する京古線のみが一般旅客営業をおこなっており、この線を利用して華北に流入する日本人が増えはじめたため、他の鉄道についても早期に営業を再開することが求められた。各鉄道が順次仮営業を開始すると、京包線、京漢線、津浦線などの幹線を中心に旅客運輸量は急速に回復を見せる。これは、一九三七年末頃から、日本人の華北旅行が急激に増加したことも一因だった。

はじめ、京古線を利用して天津などに流入した日本人は、簡易な旅館や食堂を経営しはじめ、やがてこのような日本旅館等は、張家口、大同、石家荘、済南などにも広がり、後に訪れる視察団体などの受け皿となった。治安が回復すると、軍隊の慰問や現地視察を目的に、個人や団体で華北を訪れる旅客が増加する。従来の研究では、このような旅客の増加について、国家主義の高揚との関係から説明がなされているが、彼らの目的がむしろ物見遊山に近かったことは、当時から指摘されている。慰問に名をかりた旅行者のうかれぶりは、当局がパンフレットを発行して注意をうながすほどであった。

戦前の日本人にとって、中国の歴史や古典は、今よりもなじみ深い教養であり、歴史の舞台である中原＝華北への旅行は、強烈な魅力を放っていた。しかし、三〇年代までは、満洲側から華北への列車連絡もスムースではなく、移動手段や旅行環境が未成熟であることから、一般人の華北旅行は困難であった。これを可能にしたのが、日中戦争による華北占領である。インフラ整備が進む一方で、日本人経営の旅館や飲食店が進出し、移動手段と旅行環境が整備されると、その情報は日本国内に還元され、さらなる旅客の増加をうながした。旅行者たちの中国観は、中国の古い歴史や文化への尊崇と、日清戦争以来の蔑視感情が増幅され、複雑に同居するものである。だが、日本占領後の華北を旅することで、この先入観はあらたな筋書きに造り変えられ、更新される。それは、日本の占領によってより良く生まれ変わる華北、というものであった。

一九三七年から四二年にかけての日本から大陸への旅客の移動については、各種統計資料が残されており、これらを利用することで、満洲・朝鮮および華北・華中を対象とした旅客の動きについて、より詳細に分析することも可能と思われる。この作業によって、事変以後の大陸をめぐるツーリズムの特性を、視覚的に表現できると推測するが、それは別稿にゆずりたく思う。

　華北交通が刊行した『北支』『北支画刊』といったグラフ誌は、時に「支那」趣味のエッセンスにあふれた中原の史跡や文物を紹介し、時に近代的で清潔、そして文明的な現在の華北を、美しい写真とともに紹介して、読者に鮮明な華北像を与える。政府が進める「体位向上」という行楽の免罪符を得た旅行者たちは、「一度は見てみたかった支那」「今日あるべき支那」のイメージを与えられ、いごこちのよい風景を映し出すスクリーンの内側を旅していく。その虚像の皮膜のなかを行くかぎり、旅人たちが、真実の中国の姿、中国人の心情を知ることはない。

註

（1）高橋泰隆「日中戦時下の中国鉄道支配」『日本植民地鉄道史論』日本経済評論社、一九九五年。

（2）林采成「日中戦争下の華北交通の設立と戦時輸送の展開」『歴史と経済』四九巻一号、二〇〇六年一〇月。なお、林は「戦時期華北交通の人的運用の展開」（『経営史学』四二巻一号、二〇〇七年六月）で、華北交通の運営実態に関し、職員の構成や戦争の進展にともなう人的運用の変化といった側面から分析している。

（3）拙稿「旅先としての華北」『華北の発見』本庄比佐子・内山雅生・久保亨編、汲古書院、二〇一四年、一六六頁。

（4）「華北」は、一九三七年以前において一般的な用語ではなく、日本の華北分離工作進展にしたがい、漸次用いられるようになったとの指摘もある（前掲『華北の発見』七頁、本庄比佐子）。たとえば華北交通の社名について、一部の新聞では会社成立の直前まで「北支交通会社」と記載している。「北支交通会社設立具体案漸く成る」（『大阪毎日新聞』一九三九年二月二一日）、「北支交通会社成立 十七日から業務開始――：資本三億円」（『大阪時事新報』一九三九年四月一四日）など。

（5）『事変と北支鉄道』満鉄北支事務局、一九三八年七月、二～三頁。

（6）以上は、『華北交通株式会社社史』華北交通社史編集委員会編、華交互助会、一九八四年、『日支事変後ノ北支蒙彊交通復旧概況 附北支ニ於ケル満鉄機関小史（支那紹介資料第五号）』華北交通株式会社総裁室資業局資料課弘報、一九四〇年、前掲『事変と北支鉄道』による。

（7）前掲「旅先としての華北」一六四頁。

（8）前掲『華北交通株式会社社史』二二〇頁。

（9）前掲『事変と北支鉄道』七～二六頁による。なお、三五年一〇月～三六年二月の膠済線については旅客数の記載がなかったため、便宜的に三六年三～五月の旅客数の平均値で代替した。

（10）荒山正彦、高媛、ケネス・ルオフらの研究がある。

（11）木下杢太郎「むだごと」『読売新聞』一九一九年一二月一六日。

（12）木下杢太郎「満洲通信　第二十一信」『アララギ』一九一八年五月。

（13）馬京玉「花袋の紀行文学と歴史小説との接点としての一方法――『満鮮の行楽』を手がかりに」『花袋研究学会会誌』二〇号、

二〇〇二年三月。
(14) 以上、『満鮮の行楽』一九二四年（『定本花袋全集』第二八巻、臨川書店）。
(15)「北支進出案内」『実業之日本』新年号附録、一九三八年一月。
(16) これは『唐詩選』にある儲光羲の「洛陽道」の一節「大道直如髪」ではないかと思われ、前掲の「中原に鹿を追ふ」の誤字と同様に、古典についての理解が中途半端であるとも言えるが、ここではこのような詩句が想起されること自体に注目したい。
(17)『北支旅行情勢』満鉄門司鮮満案内所、一九三七年一二月一日、一頁。
(18)『北支産業視察記』神戸商工会議所北支産業視察団、一九三九年、三三頁。
(19) 日本国際観光局満州支部『満支旅行年鑑・昭和一六年』博文館、一九四一年、二九七～三〇〇頁。鮮満支、北支、中支を行き先とした視察団を集計の対象とした。
(20) 宋安寧「満洲移民地視察のための小学校教員の「満鮮視察旅行」」『研究論叢』一九号、神戸大学、二〇一二年一二月、など。
(21)『満鮮北支教育視察報告書』愛知県立私立青年学校協会、一九四〇年、五五頁。
(22)『中北支に於ける皇軍慰問並に経済視察報告』大阪商工会議所中北支経済視察団、一九三八年、六頁。
(23) 田村甚蔵『北支皇軍慰問に使して』皇民社、一九三八年、三二頁。田村甚蔵（一九〇二年～没年不詳）は北海道帯広の木材商、国家主義者。東方会に所属して中野正剛に師事し、旧北海道庁舎建て替え反対運動に際し、皇民社を組織した（自叙伝『頭突一発』）。
(24) 特志看護婦の高橋たねではないかと思われるが不明。
(25) 前掲『北支皇軍慰問に使して』七～八頁。
(26)「軍隊慰問に就て」『北支旅行の手引き』満鉄・鉄道総局、一九三八年一〇月、五頁。
(27) 同上「守備兵慰問と慰問品携行に就て」
(28)『鮮満支旅の栞』満鉄、一九三九年、一五三頁。『満支旅行案内』博文館、一九四二年、二二九～二三〇頁。
(29) 宋安寧「帝国教育会主催の中国大陸視察旅行」『社会医システム研究』二四号、立命館大学、二〇一二年三月、一〇三～一二九頁。
(30)『国民精神総動員と小学校教育』（「国民精神総動員資料」第九輯）内閣、一九三八年、四三頁。
(31) 西本武志『十五年戦争下の登山——研究ノート』本の泉社、二〇一〇年。
(32)「兵庫県教育会による小学校教員の「支那満鮮視察旅行」に関する研究」『社会システム研究』二一号、二〇一〇年九月。

第一〇章　『晋察冀画報』からみた中国共産党の華北イメージ

梅村　卓

〈写真1〉創刊号の表紙（『晋察冀画報』第一期、一九四二年）

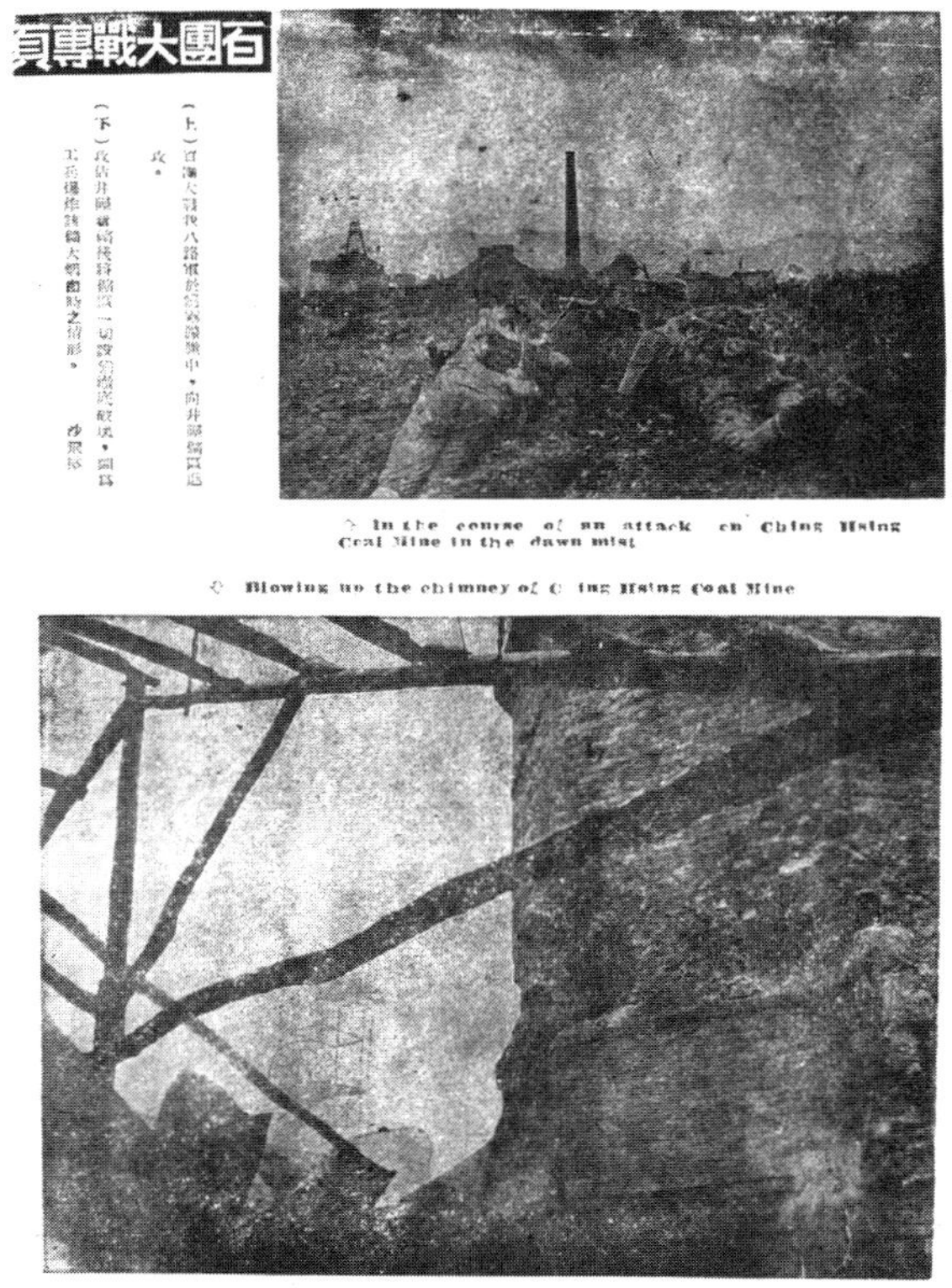

〈写真2〉「井陘炭鉱の襲撃」（『晋察冀画報』第一期、一九四二年）

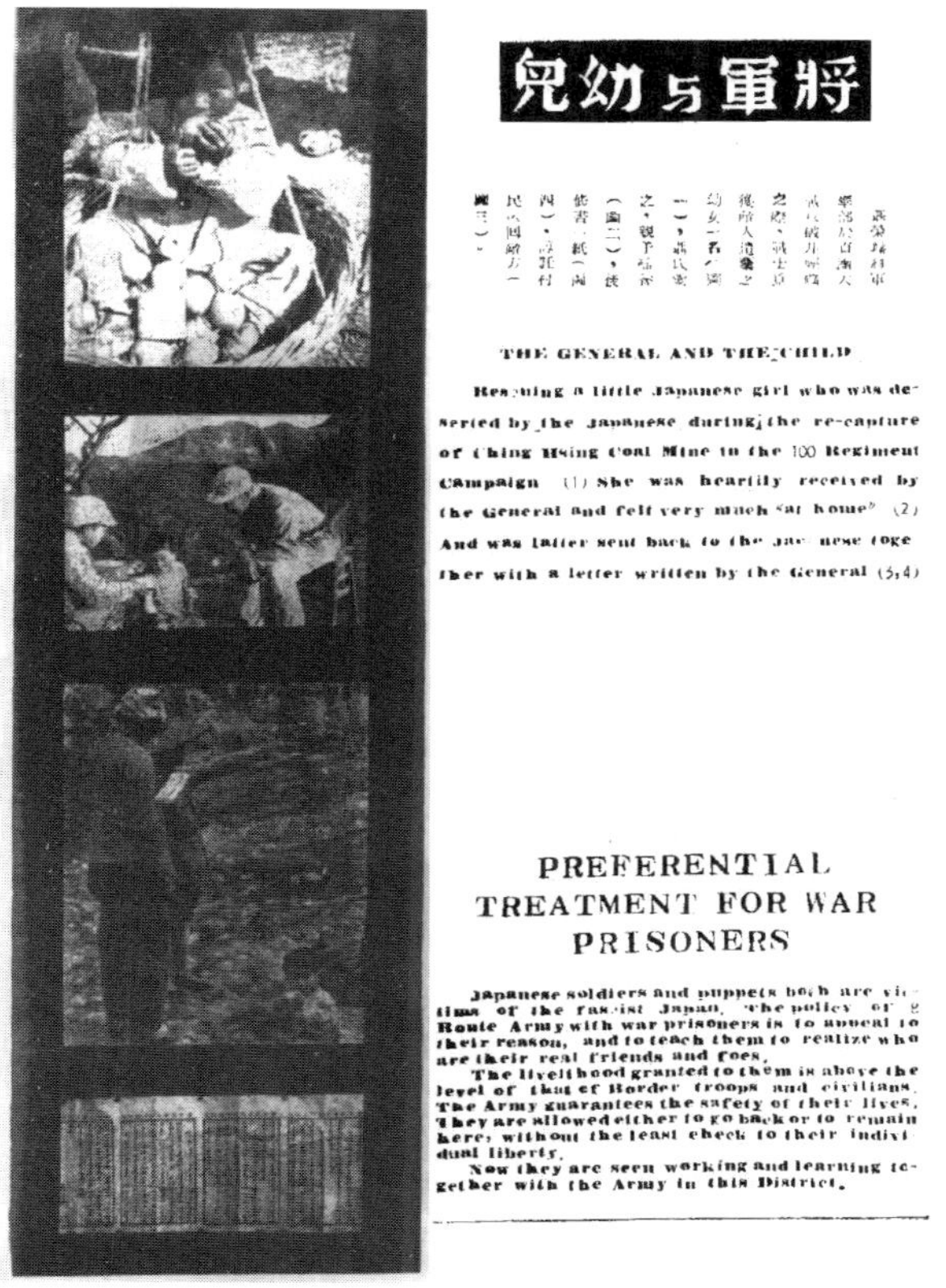

将軍与幼児

THE GENERAL AND THE CHILD

Rescuing a little Japanese girl who was deserted by the Japanese during the re-capture of Ching Hsing Coal Mine in the 100 Regiment Campaign (1) She was heartily received by the General and felt very much "at home" (2) And was latter sent back to the Japanese together with a letter written by the General (3,4)

PREFERENTIAL TREATMENT FOR WAR PRISONERS

Japanese soldiers and puppets both are victims of the fascist Japan. The policy of 8 Route Army with war prisoners is to appeal to their reason, and to teach them to realize who are their real friends and foes.

The livelihood granted to them is above the level of that of Border troops and civilians. The Army guarantees the safety of their lives. They are allowed either to go back or to remain here, without the least check to their individual liberty.

Now they are seen working and learning together with the Army in this District.

・13・

〈写真3〉「将軍と幼児」（『晋察冀画報』第一期）

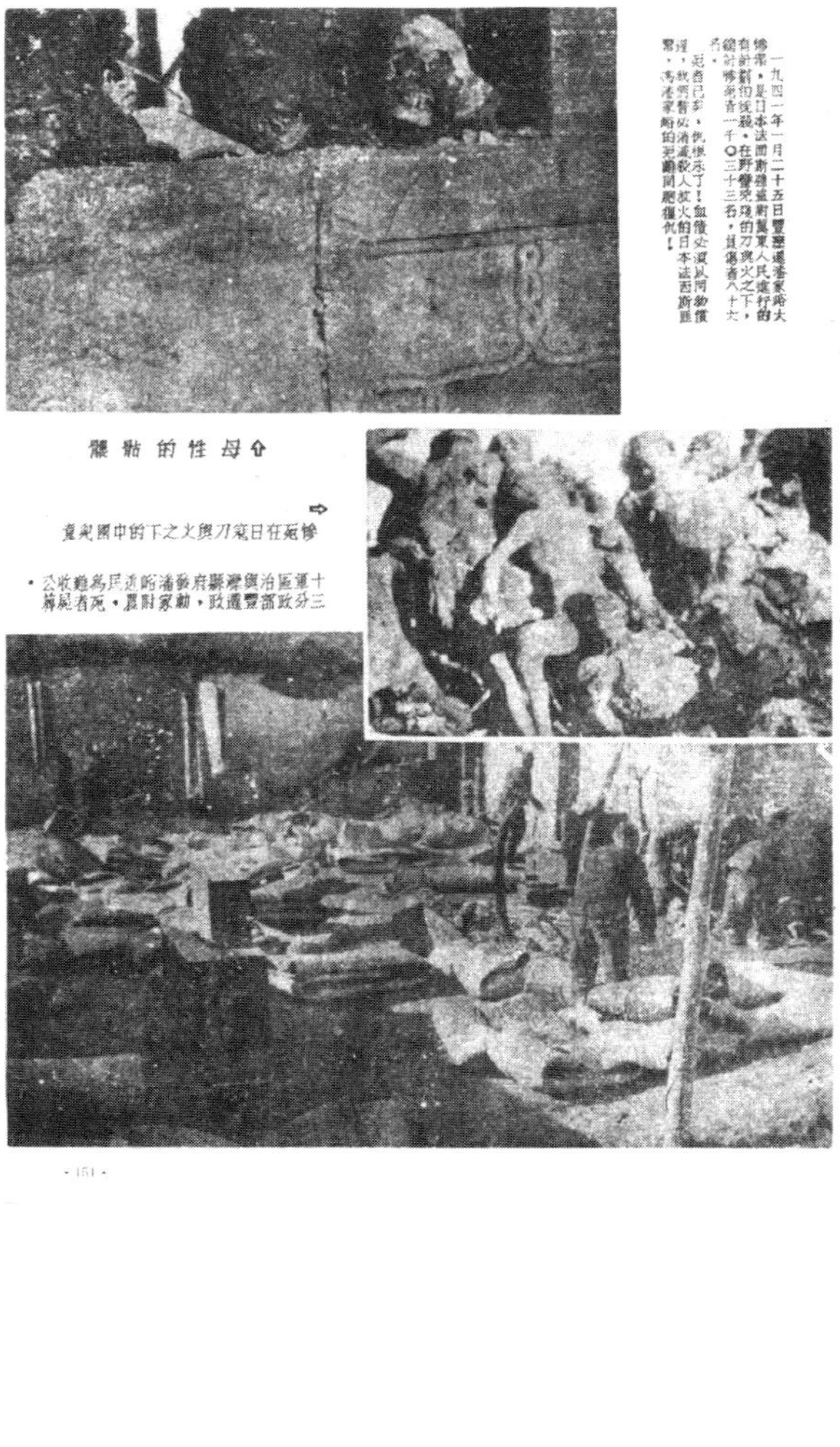

一九四一年一月二十五日豐潤潘家峪大慘案，是日本法西斯强盜對冀東人民進行的有計劃的屠殺。在野蠻兇殘的刀與火之下，總計慘死者一千○三十三名，負傷者八十六名。

死者已矣，仇恨深了！血債必須以同數償還，我們誓必消滅殺人放火的日本法西斯匪幫，為潘家峪的死難同胞復仇！

⇧母性的骷髏

⇨慘死在日寇刀與火之下的中國兒童

十三軍分區政治部與豐灤遷縣政府發動潘家峪附近農民為死難者收屍公葬。

・151・

〈写真4〉「日本軍の残虐行為」（『晋察冀画報』第三期、一九四三年）

『晋察冀画報』からみた中国共産党の華北イメージ

梅村　卓

はじめに

本章では、他の章が華北交通写真を分析対象としているのとは異なり、中国共産党（以下共産党と略）の宣伝雑誌『晋察冀画報』の分析を通して、中国側の華北イメージの一端を明らかにしたい[1]。

『晋察冀画報』とは、共産党が一九四二年七月七日に根拠地で初めて発行した画報である[2]。晋察冀、すなわち晋察冀辺区とは山西省（晋）、チャハル省（察）、河北省（冀）にまたがる共産党の根拠地であり、抗日戦争（中国側の呼称）の最前線に位置していた。当時共産党は、党中央所在地の延安を含む陝甘寧辺区のほか、全国の各地に辺区と呼ばれる根拠地を築き、抗日勢力の一角を担っていた。

『晋察冀画報』が創刊された七月七日は中国側の呼称では「七・七事変」、すなわち盧溝橋事件の勃発した日である。足かけ八年続いた抗日戦争が始まった日であるが、もちろんこれは偶然ではない。抗日戦争五周年を記念するため、創刊日をとくに七月七日に合わせたのである。この共産党初の画報の出版は、初の従軍カメラマンとして著名な沙飛の提案で実現した。晋察冀画報社の社長にはその沙飛が、副社長にはやはりカメラマンとして著名な羅光達[3]が就任した。『晋察冀画報』は国内に対する宣伝だけでなく、国際的な宣伝も重視しており、画報タイトルには欧文タイトル「ZINGCHAGI XUABAO」が付され、外国に送付されたとされているが、冊数や購読者など詳細は明らかではない。

一般に共産党の根拠地は辺境に位置し、物資の制約は深刻であった。晋察冀辺区もその例外ではなく、抗日戦争の最前線ということもあり、紙やカメラ、印刷機材などの供給は極めて制限されていた。しかしそのような状況の中でも、共産党は『晋察冀画報』の発行に力を入れていたとみられ、創刊号の発行部数は一〇〇〇部にのぼる。発行の時期は不定期であり、抗日戦争中に発行したものは創刊号（一九四二年七月七日）から第八期（一九四五年四月三〇日）までである。派生品として一ページから数ページの簡易的な号外、旬刊なども存在する。『晋察冀画報』の発行部数の推移は不明であるが、創刊号こそが最も力を入れて出版されたこと、発行が不定期であったことから、おそらくは創刊号の一〇〇〇部が最大部数であり、その後は減少したのではないかと推測される。日中戦争後の一九四五年一二月に第九・一〇合併号を出版すると、その後は正規の画報の発行は止まり、一九四七年一〇月に第一一期が「復刊号」として出版され第一三期までが出版された。一九四八年五月には晋冀魯豫辺区[4]の『人民画報』と合併し、改めて『人民画報』（現在の『人民画報』の前身）となった。以上が簡単ながら『晋察冀画報』の創刊から人民共和国建国までの過程である。

共産党が各根拠地で発行した画報の多くは、『晋察冀画報』から人材や機材が枝分かれされて発行したものであり、画報出版の経験も継承されていることから、『晋察冀画報』は画報研究の上で非常に重要な位置を占めている。しかし共産党メディアの研究自体、日本ではまだほとんど蓄積がなく、『晋察冀画報』についてもわずかに沙飛に関する研究がある他は先行研究がない。[5] ただ中国でも『晋察冀画報――一個奇跡的誕生　中国紅色戦地撮影紀実』をのぞいて、『晋察冀画報』それ自体に関する研究はほとんどないのが現状となっている。

本章では、主として一九九〇年に出版された『晋察冀画報影印集』や沙飛の写真集を用い、共産党側からみた「華北」イメージについて検討するが、それはあくまでも「共産党側からみた華北」であって、「中国側」を代表するものではないことに留意する必要がある。当然ながら国民党のイメージであれば国民党の画報を分析しなければならないし、国民党、共産党系以外の画報も存在する。中国側の総体的な華北イメージについては、今後更に研究を深める必要があるだろう（コラム「中国国民党の華北イメージ」参照）。

なお『晋察冀画報』は印刷状態が総じて悪く、本章で使用する挿図画像は、紙面の雰囲気を重視して現物から直接とったものを除き、多くは王雁『沙飛撮影全集』（長城出版社、二〇〇五年）から用いた。

一　『晋察冀画報』の創刊と特徴

『晋察冀画報』の特徴の一つは、速報性を重視していないことである。当時の『支那事変画報』や『写真週報』などの日本側の画報がリアルタイムの「皇軍の勝利」を報道しているのに対し、『晋察冀画報』の紙面からは速報性を重視する姿勢が見られず、特集に合わせて過去の写真を掲載することが多い。例えば一九四二年発行の創刊号は、抗日戦争の一九三七年から百団大戦時期（一九四〇～四一年）の写真を掲載している。これは物質的、人的条件が限られているため、継続的にリアルタイムな報道を維持することができなかったことも背景となっている。『晋察冀画報』の発行の主体が晋察冀軍区政治部であることからも分かる通り、主な宣伝の対象は、抗日戦争の前線である晋察冀辺区の軍事的勝利や日本軍の侵略などであった。この点で、平和な華北を強調し、兵士の死を決して写さなかった華北交通写真や『北支』とは大きく異なっている。共産党軍や政府が抗日を担っていることや、日本の残虐性をアピールするため、『晋察冀画報』には生々しい死体の写真も数多く掲載されている（扉写真4）。創刊号に掲載された聶栄臻[6]の題辞は、『晋察冀画報』の担う役割について以下のように述べている。

> 五年の抗戦において晋察冀の人々は結局何をしたのか？　全ての生き生きとした事実をこの小さな画報の中に示し、全国の同胞に、彼らが敵の後方で如何に決然と英雄的に祖国を防衛しているかについて伝える。同時に全世界の正義の人々に、彼らが東方で如何に困難のなかで日本侵略者に抵抗しているかを伝えるものである。

聶栄臻が述べているように、共産党にとって戦争の「現実」を国内に宣伝することはもちろん重要であるが、海外に宣伝するなど外国人に見られることを意識していることがとくに注目される。なかでも創刊号は各記事や写真のキャプションに英語の訳文を付している（扉写真3）。この英語の翻訳は輔仁大学の学生が担当し、晋察冀辺区を訪れた燕京大学の教員ウィリアム・バンド（William band）とマイケル・リンゼイ（Michel Lindsay）が監修している[7]。バンドは「この画報の目的は世界に境界地区における八路軍の成果を伝えることであり、私はこれを熱烈にサポートする。画報の内容は、私からすれば非常に正直でフェアーである。控えめに言っても、軍がこの地域で達成した驚くべき成果である」と創刊号に文章を寄せている。

英文翻訳が付されたのはこの創刊号だけであるが、晋察冀辺区という中国の一地域の、しかも一〇〇〇部程度の発行部数に過ぎない画報が、このように海外に目を向けていたことは注目に価しよう。画報ではこの他、各号に「国際朋友」に関するコーナーを設け、ベチューン[8]など晋察冀辺区を訪れた外国人について伝えている。また『晋察冀画報』は投降した日本兵や日本人反戦同盟[9]の宣伝にも、多くのページを割いている。実際に日本兵が『晋察冀画報』を見て影響を受けたかは疑問だが、少なくとも日本兵が見ることを想定し感化する効果を期待していたことがうかがわれる。

『晋察冀画報』がかくも海外への宣伝を重視している背景には、国際共産主義運動の理念の他に、日本軍の圧力に日々さらされ死と向い合っていた晋察冀辺区にとって、決して国内でも国際的にも孤立していないことをアピールし、支援を要請することが急務だったからであろう。

カメラマン沙飛と戦争報道　画報の発行には、多くのカメラマンや製版などに従事する技術者が必要であるし、撮影工作に対する党や社会の理解が前提として必要となる。しかし当時の華北においては、カメラマンなどの人的資源は絶対的に不足していたし、写真やカメラに対する社会の理解もほとんどなかった。ある共産党幹部は「大衆は全くカメラを見たことがなかった。カメラで撮ろうとすると、彼らは恐れ、これが吸血の機械であり、彼らの血を吸うと思っていた」と回想している。[10] 共産党軍将兵の文化的水準も低く、撮影経験のある者はもとより、カメラを見たこともないものが多く、写真の持つ宣伝の意義を理解している者は少なかった。[11] このような状況の中で『晋察冀画報』の発行が可能となったのは、一つには沙飛という優れた人材を得たからである。ここで『晋察冀画報』にとって重要な人物である沙飛について簡単に紹介しておきたい。[12]

沙飛は元の名を司徒伝といい、生家は広州の商人の家系である。司徒家は文化、教養方面に優れた人物を輩出しており、親族には無線電技術者や映画人などもいる。沙飛自身も広東の無線電学校を卒業後、国民革命軍の通信兵となり北伐軍に参加した。その後無線電報局に勤めるかたわら、新婚旅行のために買ったカメラに強い興味を持ち、一九三五年六月司徒懐の名で、写真撮影グループの黒白映社[13]に加わっている。同時期上海で美術専門学校に入学し、木版画を縁に魯迅と交流を持った。魯迅の死に際してはそのデスマスクを撮影して、カメラマンとして全国的に名を馳せた。

沙飛は当時から政治的な題材を積極的にカメラにおさめていた。一九三六年一一月の雑誌『生活星期刊』では「南澳島——日本人が南進する目標の一つ」が掲載され、日本の侵略を批判する愛国的な写真を発表した。沙飛の撮影活動に対する姿勢がよく分かる文章に、一九三七年八月一五日の『広西日報』に寄稿した「撮影と救亡」がある。

沙飛はこの文章のなかで以下のように写真の持つ意義を述べている。

> 「民衆を呼び覚ます」ことは、当面の国家と民族の滅亡を救うための急務である。だが、今日に至っても非識字者が依然として全国の人口の八〇パーセントを占めている状況では、単なる文字で国難を宣伝しても絶対に良い効果を収めることは出来ない。撮影は即ち上述のような種々の優れた特質を備えているから、今日国難を宣伝する最も力強い武器となる。

沙飛が当時の中国では数少ない撮影の専門家であり、また写真の撮影を通じて国難に貢献しようとするその意思をうかがい知ることが出来る。

一九三七年九月、沙飛は李公朴が全国各界救国連合会の名義で創立した全民通信社[14]の記者となった。そして記者の代表として八路軍に随行して取材することになり、山西省の五台山付近に駐屯していた一一五師を取材し、八路軍に関わる写真やニュースを数多く発表した。沙飛の活躍は、一一五師の政治委員を務めていた聶栄臻の目にとまった。聶栄臻はこの後晋察冀辺区を創始してその指導者となったが、非党員であった沙飛を一九三七年一二月に晋察冀辺区の機関紙『抗敵報』（晋察冀辺区の機関紙「晋察冀日報」の前身）の編集部副主任に任命し、一九三九年には晋察冀軍区政治部宣伝部新聞撮影科長とした。党員ではない者が党機関中枢の幹部となるのは異例なことであった[15]。沙飛から撮影技術を学ぶことにより、羅光達ら後進の撮影幹部も養成された[16]。沙飛はまさに中華人民共和国の撮影史を語る上で欠かすことの出来ない人物といえよう[17]。

『晋察冀画報』の創刊　沙飛は八路軍に従軍し、多くの写真を撮影したが、それがすぐに共産党メディアに掲載されたわけではない。写真を新聞や雑誌に掲載するためには、写真の引伸しや製版に関する機器や技術が必要となる。沙飛と羅光達は一九三九年元旦に写真の展示会「敵後抗日根拠地——晋察冀撮影展」を開催し、写真の宣伝への活用に道筋をつけることに成功した。そして一九四一年四月一四日、晋察冀軍区の機関紙「抗敵三日刊」が試験的に周郁文の銅版写真「辺区人民は反共内戦に反対する」を掲載した。これは晋察冀のメディアが報道写真を掲載した最初であるとされている[18]。その後四月一七日の「晋察冀日報」でも沙飛と羅光達の写真が掲載された。

以上のような技術的経験の蓄積を経て、一九四一年五月、軍区政治部主任の朱良才が沙飛や羅光達を招集し、正式に画報準備組の成立を宣言した。画報発行の費用や人材は軍区が便宜を図ることとされたが、費用はともかくとして物資の欠乏は深刻であった。『晋察冀画報』で党支部書記を務めた裴植によれば「画報社が物を買うのには苦労するが、それらを保護するのはもっと大変なことだった。良い印刷用インクは黄金よりも貴重だった」のである。裴植は晋察冀画報が発行できた要因に「第一、沙飛が居たこと。第二、聶栄臻の支持を得たこと。第三に、北平天津に近く、印刷機材があり、技術労働者がいたこと」を挙げている[19]。総じて共産党の根拠地は物資が欠乏していたが、晋察冀辺区は地理的要因により比較的条件が良かったともいえる。

一九四二年三月、『晋察冀画報』のプロトタイプである『晋察冀画報時事専刊』が試験的に発行され、「志願義務兵役制の偉大な勝利」「在華日人反戦同盟支部の最近の活動」などの報道写真を掲載した。この『時事専刊』は約一〇頁の簡易的なものであるが、その内容の多くが創刊号へと引き継がれたことを考えると、試験的に出版したものと位置づけることができる。

そして一九四二年五月一日、八路軍晋察冀軍区は晋察冀画報社の成立を正式に宣言し、沙飛が画報社の社長と編集・校訂係長を兼任することになった。画報社にはカメラマンが不足しており、画報として掲載する写真が絶対的に不足していた。そのため沙飛は『晋察冀画報』の創刊号に掲載された写真のうち、その多くを自らが撮影しなければならなかった。創刊号の写真約一五〇葉のうち、約半数が沙飛の撮影した写真であった。沙飛自身の署名つき写真はそれほど多いわけではない。沙飛は孔望、眼兵など複数のペンネームを使い分けて写真を発表したほか、無署名にした写真もある。これは沙飛署名の写真が多くなることにより、画報を沙飛一人で発行したかのような印象を与えないためであった。

沙飛は正式な発行へ向けて編集作業だけでなく、物資の調達にも心を砕き、銅版や高級紙、色付き油墨や製版・印刷機器を各所で調達した。しかし高価な機械はなかなか用いることができなかったため、極めて原始的な技術も利用された。『晋察冀画報』の創刊号にはその発行作業を写した写真があるが、太陽光を利用して露光していたことが分かる（挿図1）。こうして深刻な物資や技術の不足のなか、一九四二年七月七日、『晋察冀画報』の創刊号が出版されたのである。

二　『晋察冀画報』の紙面と華北イメージ

八路軍と華北社会　日本にとってゲリラ戦術を駆使する共産党軍は厄介な存在であった。日本のメディアでは華北を支配する正統性を主張するためにも、日本による華北の発展や平和的な安定が強調されることになる。したがって共産党の八路軍は「共匪」として討伐されるべき対象であり、華北の「平和と安定」を脅かす存在として表象される。華北交通写真のなかには、コーリャン畑に潜む匪賊の討伐の様子（挿図2）や、「匪賊の本拠地となって廃墟となった街」などの写真が残されている。これらの写真の「匪賊」とは必ずしも共産党を指すとは限らないが、共産党を含めた「匪賊」が華北を脅かす敵として描かれたのである。

一方『晋察冀画報』では、八路軍が日本の侵略から華北を防衛するものであり、大衆に歓迎され積極的に支持されていることが強調される。挿図3は『晋察冀画報』第四期に掲載された写真である。「辺区人民は勝利し帰還した八路軍を熱烈に歓迎した」とのキャプションが付されている。筆者が見るかぎり、沿道の大衆には笑顔はなく、手の上げ方もどこか投げやりな様子である。日本軍はもちろん現地社会で支持されていたわけではないが、八路軍

挿図1　創刊号の製版の様子（『晋察冀画報』第一期、一九四二年）

挿図2　「匪賊」の討伐［原板番号四九八九〇］

とて必ずしも現地大衆に歓迎されていたわけではない。大衆にとっては、日本の工場での労働など、日本の支配のもとで日々の糧を得ているという現実があった。あるいは共産党よりも国民政府に対して帰属意識を持つ者、そもそもどのような勢力に対しても不信感を持つ者などもいただろう。

挿図4は創刊号の特集「血肉の関係　辺区人民と人民の軍隊（子弟兵）」に掲載されたもので、「百団大戦で我軍が勝利して帰還し、道の両側に並んだ民衆が歓迎し、功績のあった指揮官や兵士に花を贈った。胸に花を飾った者は、奪取防衛した英雄である」とのキャプションを付し、共産党と華北社会の密接な「血肉」の関係がアピールされている。この写真は後に『晋察冀画報』の写真を再構成して発行された『八路軍と大衆』にも転載され、「八路軍の作戦は大衆を守り、大衆は心底八路軍を熱愛している。写真は百団大戦に勝利して帰還し、婦女が勇士に花をさしているところである」とあり、より大衆の八路軍への「熱愛」を強調するものになっている。

共産党が華北大衆と密接な関係を築く必要がある背景の一つには、大衆を兵隊として動員しなければならなかったことがある。抗日戦争を維持するためにも、兵士の補充は常に急務であった。当時の晋察冀辺区は長引く戦闘を維持するために、一九四二年三月に「志願義務兵役制」を実施したばかりであった。当時の中国において徴兵は非常な困難が伴い、また希望者を募集して軍を維持するなどということはほとんど不可能であった[20]。「志願義務兵役制」も「志願」と名が付いてはいるものの、実質的には強制性の強いやり方であった。しかし建前としては、大衆が勇躍して自ら軍に参加するのでなくてはならない。したがって紙面では八路軍に加わることは名誉なことであり、社会から尊敬されること、多くの大衆が既に自ら進んで入隊していることをアピールすることになるのである。

戦闘の勝利と生産施設の破壊　晋察冀辺区は日本軍との最前線に位置しており、その攻撃の矢面に立たされていた。晋察冀を守りぬいたとはいえ、一九三七年から一九四五年までの足かけ八年の抗日戦争において、共産党軍が優勢であった時期は決して長くはない。当然その中には、日本が勝利した戦闘や共産党が大きな損失を被った戦闘も数多くある。しかし後述するような日本の残虐行為を強調する特集は例外として、『晋察冀画報』では共産党軍の敗北を報道するニュースや写真は、全くと言ってよいほど掲載されていない。紙面には共産党の戦力や戦闘の成果を誇示する記事や写真にあふれている。挿図5は日本軍に勝利して鹵獲した戦利品の紹介である。鹵獲した武器などについて、実に詳細な数量を挙げ共産党の勝利を強調している。

共産党の主な攻撃対象となったものに、日本が華北で建設した生産施設がある。共産党にとって日本が経営する生産施設は、中国への経済的侵略を象徴するものであった。とくに華北で多く産出される石炭は、日本の軍事的侵

挿図3　八路軍を歓迎する大衆（『晋察冀画報』第一期、一九四二年）

挿図4　血肉の関係（『晋察冀画報』第一期、一九四二年）

略にも用いられることから、共産党の攻撃目標となっていた。一九四〇年八月から一二月、共産党は晋察冀辺区において「百団大戦」と呼ばれる軍事作戦を展開した。その主な攻撃対象は、石太線、平漢線、津浦線といった各鉄道と井陘炭鉱であり、経済的な損失を与えることに主眼が置かれていた。この百団大戦は、共産党が抗日戦争中に成功させた作戦として宣伝され、公式党史でも高く評価されている。

日本側の史料では、例えば八月二二日から二三日には「石太線（炭鉱線も含む）は全面的に破壊を受け、井陘—娘子関、陽泉—蘆家荘間は軌道や駅施設、とくに橋梁は根本的に破壊された（井陘炭鉱も根本的破壊）[21]」などと記されている。一九三七年一一月に井陘炭鉱に赴任した技術者の宮島庚子郎は、井陘炭鉱が度々「匪賊」の襲撃を受け、石炭掘りに専念できなかったと回想している。炭鉱には新坑と本坑があったが、三七年一二月だけでも双方合わせて一六回の襲撃を受けていた。その宮島が最も激しかったと回想している襲撃の一つが、百団大戦時のものである。[22]共産党の宣伝通りにその成果を過大視することはできないが、日本側の史料でも少なからぬ損失を被っていたことがうかがわれる。

井陘炭鉱の破壊は、共産党の軍事作戦の成果として『晋察冀画報』創刊号で大きく取り上げられた。実際に軍に従いその光景をカメラに収めたのは沙飛である。扉写真2上部の画像は、井陘炭鉱の新坑をまさに攻撃しようとしているシーンであり、二人の兵士の背後から新坑の煙突を臨む写真である。下の画像はその新坑に爆薬をセットし、爆破しようとしているシーンである。この爆破の結果、新坑の機械が破壊され生産設備に大きな被害を与えたのである。ただ前述の宮島庚子郎の関連資料によれば、井陘炭鉱のうち本坑は守り抜いたことだし、新坑の設備も比較的早く復旧に成功したことから、炭鉱は致命的な損失を被ったわけではなかった。

日本の生産への攻撃は、井陘炭鉱だけでなく石炭輸送にも用いられる鉄道に対しても向けられていた。画報には正太線の橋梁を爆破した様子や鉄道のレールを撤去し持ち去ろうとしているシーンも掲載されている。日本のメディアは触れていないが、共産党の襲撃が頻繁におこなわれ、それなりの損失を与えていたのである。

以上のような戦争による日本側の被害は、華北交通写真や『北支』には描かれることはなかった。日本側のメディアでは描かれなかった不都合な事実が、たとえ宣伝によって強調された一面的な事実であったとしても、共産党側のメディアによって補完することが可能となるのである。

『晋察冀画報』を通して見ていると、共産党が日本との戦いで圧倒的に優勢であったかのような錯覚に陥る。むろんこれは意図的に作られた戦勝ムードであり、第二次世界大戦末期に、敗退を続けながらも勇ましい勝利しか伝えなかった日本側メディアと共通するところがある。共産党が大衆工作を効果的に進めるためには、共産党の強大

挿図5　戦利品の紹介（『晋察冀画報』第一期、一九四二年）

さをアピールし、その統治が永続することを信じさせる必要があった。当然ながら、共産党が弱く負けることが目に見えているとすれば、進んで味方となる大衆は居ないからである。

三 『晋察冀画報』に描かれた「敵」と「味方」

井陘炭鉱への襲撃に関連して、『晋察冀画報』には「将軍と幼児」という非常に有名な写真がある（扉写真3）。「幼児」とは共産党軍によって井陘炭鉱で保護され、日本軍に引き渡された栫美穂子さんである。華北交通の駅員として井陘炭鉱駅を守備していた栫さんの両親は共産党軍によって殺害され、彼女は現場に取り残されたのである。不憫に思った共産党軍は「幼児」を本拠地まで連れて行き、「将軍」の聶栄臻に引き合わせた。この聶栄臻と栫さんの対面のシーンが「将軍と幼児」であり、幼児が籠に乗せられ大人にあやされている様子が掲載されている。この特集頁の下部には一通の手紙が掲載されている。これは「幼児」を日本軍の野営地に送り届ける際に、聶栄臻が「日本軍指揮官・将校・兵士諸君」に宛てて送った手紙である。[23]

この手紙は、戦争の責任が日本の支配層にあると指摘し、日本人が「翻然と覚醒し、中国の将兵・人民と共に心を一つに合わせて解放のために共に戦うことを心より希望したい」と結ばれていた。つまり日本軍を捨てて共産党に味方するよう呼びかけたのである。「幼児」を救った共産党の「善意」はもちろんあるとしても、それを対外的なプロパガンダに利用しようという意図があったことも確かであろう。

日本人捕虜の宣伝への利用については、ベチューンのエピソードが手がかりになる。ベチューンは医師として医療に携わるかたわら、沙飛とともにカメラで晋察冀を撮影し、宣伝にも従事していた外国人である。ベチューンは共産党関係者だけでなく、日本人捕虜の治療にもあたっていたが、捕虜を手術して治すと、回復後の捕虜の写真を撮影していたという。そして晋察冀の司令部に対し、捕虜に日本の親族へ手紙を書かせ写真とともに郵送させること、手紙と写真を印刷し日本軍占領地や対外的に散布する宣伝品とするよう提起していた。[24]

つまり『晋察冀画報』に掲載された日本人の写真は、対敵宣伝、対外宣伝に用いるために戦略的に撮影されたものである。このようなプロパガンダに利用された撮影対象の中で、最も象徴的なものは投降した日本人兵士や日本人反戦同盟に関するものである。創刊号には「敵偽帰誠（敵と「傀儡軍」が正道へと立ち戻った）」として、投降した日本人兵士（挿図6）や反旗を翻して共産党軍に加わった「傀儡軍」の様子が掲載されている。

このような対敵宣伝の意図は、紙面の中で全く隠されてはいない。むしろ赤裸々にこれがプロパガンダであるこ

挿図6　投降した日本兵を歓迎する反戦同盟（『晋察冀画報』第一期、一九四二年）

とが明らかにされている。すなわち「我々は捕虜や正道に立ち戻った敵軍と『傀儡軍』を優待すると同時に、敵軍と『傀儡軍』の内部に対して更に広範な宣伝を進め」、「多くの日本軍兵士が我々の宣伝品を目にし」、「八路軍の捕虜優待を深く知り、進歩的な日本の兄弟が八路軍の中で反戦や反ファシスト工作を行っていることを知り」、「日本軍や小隊長が我々に続々と投降する事件が起こって」いると述べられているのである。紙面では敵陣に拡声器で呼びかける様子や、手紙のやり取りをする様子も描かれている。

共産党に投降した日本人兵士や日本人反戦同盟の人々は、非常に人間味あふれる存在として描かれた。挿図7は反戦同盟が野球の試合を披露しているシーンである。その他にも彼らが劇を演じている写真や、日本軍に対して、食糧や反戦の宣伝ビラを入れた慰問袋を送る様子なども描かれている。共産党にとって彼らは「友人」であり、その存在をアピールすることにより、敵軍を動揺させることを目論んでいたのであろう。

以上のように、投降した日本兵は共産党にとって「友人」であったが、日本軍自体は当然ながら侵略者として憎悪の対象であった。したがって日本軍の残虐行為は、共産党の支配の正統性を確立する上でも強調されなければならなかった。

『晋察冀画報』では、家屋を破壊され嘆き悲しむ大衆の様子（挿図8）や日本軍よって虐殺された焼死体（扉写真4）などが残酷な形で描かれ、「血の債務は必ず同じように贖われる。我々は殺人・放火を犯した日本ファシストどもを必ず消滅させなければならない」との文章が添えられた。日本軍が焼き殺した児童の焼死体と母親の髑髏を並べ、見る者の感情に訴えかける構成になっている。

平和が強調される華北交通写真と比べ、共産党にとっての華北は第一に日本軍と戦う最前線の戦場であった。そして暴虐な日本軍の侵略から華北を守ることとが、共産党の華北支配の正統性となる。したがって海外に日本軍の残虐性をアピールするためにも、日本軍の残酷さを示す写真は包み隠されることなく、あるいは若干の物語性を付与されて『晋察冀画報』の紙面に掲載されたのである。

『晋察冀画報』のなかの「国際朋友」　ここでは「国際朋友」のなかでも、すでに考察した日本人以外の外国人や外国勢力について考察してみたい。晋察冀辺区は日本との戦いの最前線にあるため、アメリカやソ連が支援した重慶のように国際的な援助が期待できた地域ではない。しかし『晋察冀画報』を見ると、晋察冀を多くの外国人が訪れ支援していたかのような印象を受ける。もちろん訪れた外国人については事実ではあるが、画報の紙面の多くを割くほどに晋察冀が国際支援の場であったわけではないだろう。晋察冀の共産党組織としては、いつ終結するか分か

挿図7　野球を披露する反戦同盟（『晋察冀画報』第一期、一九四二年）

挿図8　日本軍による家屋の破壊（『晋察冀画報』第一期、一九四二年）

らない日本との戦いの中で、多くの外国人から支持される反ファシスト陣営の一員であることをアピールすることにより、決して晋察冀が孤立していないことを宣伝し、より多くの助力を得る必要があったと考えられる。

前述のウィリアム・バンドとマイケル・リンゼイは、画報創刊号の出版後に他の根拠地へと移動したが、創刊号には彼らがまず「国際朋友」として紹介されている。記事は、この五年の間に欧米の進歩的な人士が数多く辺区を訪れ、様々な面で協力してくれていること、とくに太平洋戦争後に日本統治下の北京・天津から逃れてきたが、辺区の軍民は反ファシスト戦線の友人としてこれを歓迎していることなどが述べられている。なお個人として画報で最も大きく扱われているのは、ベチューンであろう。創刊号の当時すでに亡くなっていたベチューンを「国際的な反ファシストの偉大な戦友」とし、スペイン内戦での事績やデスマスク、記念墓などが紹介されている（挿図9）。

華北において最も身近に存在した外国人は、朝鮮人であるかもしれない。日本軍の進攻によってその統治下の朝鮮人も流入していたし、共産党の影響下にある朝鮮人たちも存在した。国民政府により朝鮮人たちをもとに朝鮮義勇隊が組織されていたが、親共産党派が前線の華北に移動し、一九四一年に華北朝鮮青年連合会が結成された。合わせて朝鮮義勇隊華北支隊も組織された。挿図10は華北朝鮮青年連合会晋察冀分会の成立大会の様子である。朝鮮人たちは日本語ができたために、日本人反戦同盟の日本人とともに、日本軍に対する宣伝ビラなどの宣伝品の制作や散布、反戦の呼びかけを任務としていた。

共産党にとって親しい外国勢力といえば、やはりソ連が想起されよう。実際のソ連は国民政府を正統政府と認め支援もしていたが、共産党にとっては同じ社会主義勢力であるソ連の支持がぜひとも必要であった。誌面に現れるソ連は、八路軍の表象と共通性を持っている。つまりソ連軍は強大であり、中国の抗日戦争の支援者、全世界の反ファシスト勢力の指導者として描かれる。党中央の延安ならばともかく、一地方組織の晋察冀がソ連の動向を注視していたことは興味深い。

アメリカは画報で触れられることは多くないが、創刊号にはアメリカの中国駐在武官のエヴァンズ・カールソン(Evans Carlson) が晋察冀辺区を訪れ、八路軍を前に講演している様子が掲載されている。カールソンはアメリカが中国に派遣した海軍士官であり、エドガー・スノーと出会ったことにより、共産党に興味をもち、華北を視察に訪れたのである。親共産党のアメリカ人は、アメリカで共産党への理解を広める上でも歓迎すべき存在であった。

いま一人、晋察冀を訪れたアメリカ人を挙げるとすればバグリオ (Baglio) がいる。バグリオはアメリカ第一四航空中隊のパイロットであり、当時の階級は中尉であった。一九四四年に太原近くで日本軍に撃墜され、パラシュートで降りたところで共産党軍と遭遇して保護を受け、約三カ月の間、晋察冀辺区や中央の延安を訪れた。画報の

挿図9　ベチューンの追悼大会（『晋察冀画報』第一期、一九四二年）

挿図10　華北朝鮮青年連合会晋察冀分会の成立大会（『晋察冀画報』第一期、一九四二年）

中のバグリオは抗日戦線を担う共産党の実力に感銘を受け、辺区の各機関を視察している（挿図11）。その中には晋察冀画報社も含まれていた。記事によれば、軍区で開かれた歓迎会において、彼は晋察冀の軍隊と大衆の努力や勇敢さを称賛し、「私は（部隊に——著者注）帰って必ずここでの状況を友に知らせ、第一四航空隊が中国の戦争を助けるよう促そう。必ず日本ファシストを叩いて最後の勝利を獲得し、決して戦争を途中で抜けだしてはならない」と語っている。晋察冀での戦いに、アメリカの助力を得たいという共産党の意図を見て取ることができる。

建設者としての共産党　侵略者であり破壊者である日本軍に対して、『晋察冀画報』では共産党が華北を守るものであり、建設者であることが強調された。挿図12は壁に貼られた共産党の綱領を読む大衆の姿である。共産党の理想像としては、華北社会は共産党による新たな秩序を受け入れ、大衆は自ら進んでそれを学ばなければならない。その共産党の理想像が象徴的に描かれた写真であろう。このような「為政者の布告を読む大衆」という構図は満洲国の写真にも見られるが、当然ながらそれは大衆の自然な姿ではなく、宣伝のために意図的に作られた写真に他ならない。この写真にも同様のことが指摘できるのではないだろうか。当時の農村の識字率と共産党の立ち位置を鑑みれば、農民がこのような難しい綱領を読むのはまず不可能であるし、そもそも進んで読もうとする動機も無いであろう。

共産党による秩序の確立は、新たな政権組織の成立に象徴される。挿図13は第一回晋察冀辺区参議会の様子である。一九四三年一月二〇日に出版された『晋察冀画報』第二期の表紙は、まさにこの辺区参議会である。壇上には孫文の肖像と青天白日旗が掲げられ、共産党が統一戦線の正統な一員であることが強調されている。出席した議員は多くが農民の代表であり、その素朴さがよく表れているのと同時に、農民が主役となって華北社会が作られるという新たな秩序のイメージが示されている。前述した綱領の布告と政権組織の建設によって、晋察冀の社会が共産党の統治下に入ったことがアピールされているのである。

では経済的な建設はどうであろうか。日本軍の残酷さを示す際には破壊された家屋の写真が掲載されるが、建設者としての共産党をアピールする際には、逆に共産党軍による家屋の再建の様子が掲載される（挿図14）。生産においても、大衆の収穫作業を手伝う八路軍兵士や、八路軍を主とした開拓作業（挿図15）などの写真が掲載されている。とくに八路軍が荒野を切り開き、生産を拡大するシーンがよく選ばれている。華北交通写真では日本の手による華北経済の発展が強調されているが、共産党側も同じく共産党による華北の建設を描いているのである。

挿図11　晋察冀辺区を見学するバグリオ（『晋察冀画報』第六期、一九四四年）

挿図12　綱領を読む大衆（『晋察冀画報』第一期、一九四二年）

おわりに

以上、いくつかのテーマに分けて『晋察冀画報』の内容について検討してきたが、最後に『晋察冀画報』の華北イメージから何を見出すことが出来るのかについてまとめてみたい。

本書の他の論考で示されているように、日本側の華北交通写真にみられる華北イメージは、日本による華北社会の安定と平和が強調されるなど、日本側のある種の「神話」や「幻想」であった。そして『晋察冀画報』の華北イメージもまた、必ずしも客観的な華北ではなく、日本側とは異なる意味で「神話」や「幻想」に他ならないと言えるのではないだろうか。

本章でこれまで考察した晋察冀辺区の共産党による華北イメージを総合すれば、共産党は日本軍の侵略から華北の大衆を救う存在、新たな華北社会を建設する存在であり、自主的な軍への参加がみられるように大衆から熱烈な支持を受け、晋察冀辺区はソ連、アメリカや、多くの民間の外国人から国際的な協力を得ている世界の反ファシスト陣営の一角である。

以上のような共産党のセルフイメージは、共産党のメディアである『晋察冀画報』によって創り出されたものである。『晋察冀画報』は、晋察冀辺区の共産党が置かれた歴史的環境を背景に、共産党の宣伝方針に従って編集されたものであり、そのイメージを強調して伝える媒体であった。それゆえ、日本側と同じく意図的に強調された部分と語られない部分がある。すなわち、日本側＝虚像、共産党側＝真実というように単純化することはできない。『晋察冀画報』は、共産党が「革命の物語」を創出する一つの道具となったのである。

参考文献

『「晋察冀画報」影印集』北京出版社、一九九〇年
王雁『鉄色見証——我的父親沙飛』社会科学文献出版社、二〇〇五年
王雁『沙飛撮影全集』長城出版社、二〇〇五年
蔡子諤『沙飛伝』中国文聯出版社、二〇〇二年
田湧・田武『晋察冀画報——一個奇跡的誕生　中国紅色戦地撮影紀実』金城出版社、二〇一二年

挿図13　晋察冀辺区参議会（『晋察冀画報』第一期、一九四二年）

挿図14　家屋を再建する八路軍（『晋察冀画報』第一期、一九四二年）

註

（1）日中戦争時期の共産党の他のメディアには、以下のようなものがある。活字メディアでは、党中央機関紙としては延安で発行された『解放日報』、重慶その他の地域で発行された『新華日報』があり、晋察冀辺区の党機関紙『晋察冀日報』など各根拠地でも多くの新聞が発行された。雑誌では八路軍本部が発行した『八路軍軍政雑誌』や、本稿で考察する『晋察冀画報』のほか、終戦直前の一九四五年七月に『晋察冀画報』から人員や機材を割いて発行した『冀熱遼画報』などの画報がある。また共産党は活字メディアだけでなく、延安のラジオ放送「延安新華広播電台」、映画組織である「延安電影団」など、ラジオや映画といった視聴覚メディアも用いて「抗日戦争」を少しでも有利にするために宣伝活動を行った。

（2）共産党は『晋察冀画報』出版の前にプロトタイプである『晋察冀画報時事専刊』を一九四二年三月二〇日に出版している。『晋察冀画報』と比べ、ページ数が少なく簡易的なものである。

（3）共産党で二人目の従軍カメラマンと言われ、後に別働隊を率い『冀熱遼画報』を出版、その後共産党軍とともに東北へ移動し、『東北画報』を発行した。

（4）現在の山西、華北、山東、河南省にまたがる共産党の根拠地。

（5）沙飛は共産党初の従軍カメラマンとしてよく知られている。沙飛については蔡子諤『沙飛伝』中国文聯出版社、二〇〇二年、王雁『鉄色見証――我的父親沙飛』社会科学文献出版社、二〇〇五年、劉亜「沙飛和晋察冀画報」『軍事記者』二〇〇三年第四期、蔣斉生「沙飛和晋察冀画報」『中国記者』一九九二年四期、日本語では姫田光義「カメラで戦った中国人――沙飛の愛と悲劇の生涯」『季刊中国』九六号、二〇〇九年、桐畑米蔵「晋察冀辺区の聶栄臻とカメラマン・沙飛のこと――日本人遺孤・栫さんと沙飛と事件と彼の家族たち」『季刊中国』一〇五号、二〇一一年、などがある。

（6）晋察冀辺区の最高指導者。創刊号の冒頭には「晋察冀抗日根拠地の創造者であり指導者」とのキャプションをつけた肖像が掲載され、神格化されている。これが後に整風運動下にあった党中央で問題視され、『晋察冀画報』にも毛沢東の肖像と毛を神格化する文言が掲載された。

（7）ウィリアム・バンド（一九〇六～一九九三、中国名は班威廉）は燕京大学に留学しケンブリッジでPhDを取得した後、一九四四年まで燕京大学で物理学部長を務めた。マイケル・リンゼイ（一九〇九～一九九四、中国名は林邁克）は燕京大学の教授。日本の真珠湾攻撃の後、バンドとリンゼイ夫妻らは北平から晋察冀辺区にやってきた。聶栄臻の希望により、八路軍のために無線電の訓練班を主宰し、技術を伝えた。リンゼイはその後延安に常駐して、共産党を擁護する報道を世界に発信したジャーナリストとしてもよく知られている。リンゼイ自身も晋察冀や延安で共産党や現地社会の様子をカメラに収めており、後に写真集を出版している。Michael Lindsay, The unknown war : North China 1937 ~ 1945, Bergstrom & Boyle Books, 1975（中国語版『八路軍抗日根拠地見聞録――一個英国人不平凡経歴的記述』国際文化出版公司、一九八七年）。リンゼイの写真集の華北に対する眼差しについては、本稿で充分に論じることはできないため、稿を改めて考察したい。

（8）ベチューンは晋察冀辺区で治療に当たった著名な医師。死後は共産党により「国際朋友」として盛んに称揚され、ベチューン記念病院などが作られた。

（9）共産党軍によって捕虜となった日本兵による反戦団体。日本軍に対する対敵宣伝を担った。

（10）晋察冀軍区新聞撮影科の記者白連生の回想。田湧・田武『晋察冀画報――一個奇跡的誕生　中国紅色戦地撮影紀実』金城出版社、二〇一二年、八頁。

（11）共産党の従軍カメラマンの一人である盧耀武は、回想の中で「撮影工作への配慮は高級指導機関の狭い範囲に限られ、下層の多くの指導者が気を配ることはなく、連や旅（軍の単位）クラスの指導者も例外ではなかった」と述べている。盧耀武「背着相機上前線――記抗日戦争中我在一二九師的業余撮影活動」『撮影文史』一九九五年第三期。

（12）沙飛の経歴については、沙飛の娘王雁による伝記、前掲『鉄色見証――我的父親沙飛』に多くを依拠している。その他沙飛に

挿図15　八路軍の開拓作業
（『晋察冀画報』第一期、一九四二年）

ついては前掲「沙飛和晋察冀画報」「沙飛和晋察冀画報」『沙飛伝』などを参照。

(13) 一九三〇年に上海で成立したこの時期では最大の撮影団体。中国文化を称揚するとともに、中国の国際芸術界での地位を向上させることを目的としていた。著名な会員には栄毅仁、画家の葉浅予、共産党幹部としてカメラマンや映画人として活躍した呉印咸などがいる。

(14) 李公朴は通信社設立の際に、共産党の周恩来と協議している。その経緯から、全民通信社は民間の通信社ではあるものの、共産党に近い組織であったといえる。

(15) 沙飛が正式に共産党の幹部となったのは、一九四二年一一月のことである。

(16) 沙飛や羅光達の他に『晋察冀画報』で活躍したカメラマンには、石少華、趙烈、葉曼之、周郁文、張進学、裴植などがいる。

(17) ただし沙飛が注目されるようになったのは比較的最近のことである。その背景には、晩年に日本人留用医師を殺害した罪により処刑され、反党分子として認識されていたことが挙げられる。それゆえ、長い間沙飛について語ることは避けられていた。改革解放の後、一九八六年に遺族の訴えにより再審がおこなわれ、当時の沙飛は精神病を患っており、通常の判断力が無かったとされ名誉回復された。これにより沙飛の撮影した多くの写真も、ようやく日の目を見るようになったのである。なお二〇一六年四月、ハーバード大学で"Sha Fei : The Photographer Who Shaped Modern China"と題した国際シンポジウムが開催されている。

(18) 前掲『沙飛伝』二六九頁。

(19) 裴植の回想。前掲『鉄色見証——我的父親沙飛』一四四～一四五頁。

(20) 戦時の中国における徴兵と復員の問題については、笹川祐史・奥村哲編『銃後の中国』(岩波書店、二〇〇七年)を参照。

(21) JACAR(アジア歴史資料センター)Ref. C13032211700、一〇〇団大戦資料(一．鉄道被害状況　二．石太線匪襲事件の回想)、防衛省防衛研究所。

(22) 宮島庚子郎「井陘時代」(九州大学記録資料館・産業経済資料部門編『石炭研究資料叢書』二〇〇九年二月)。なお当該史料については、島根大学の富澤芳亜氏からご教示いただいた。

(23) これらの「将軍と幼児」をめぐる写真や手紙は、二〇〇八年に日中友好協会の主宰で開催された沙飛展でも展示された。沙飛展が日本で開かれた経緯について触れておくと、一九八〇年五月二八日に新華社が「日本の女の子　君はいまどこに？」と題する記事を発信し「人民日報」や「解放軍報」に掲載され、「将軍と幼児」の「幼児」の「今」に注目が集まった。日本でも五月二九日の「読売新聞」がこれを「興子ちゃん姉妹、今どこに(当時幼児は興子と呼ばれていた——著者注)戦火に救った孤児・聶将軍四〇年後の呼びかけ」と転載し話題となった。その結果幼児は栫(一九四〇年当時は加藤)美穂子さんと判明し、日中友好を志す人々の間で友好の象徴となった。その写真を撮影した沙飛の写真展は、東京をはじめとする全国で開催された。なおこの事実については前掲「晋察冀辺区の聶栄臻とカメラマン・沙飛のこと——日本人遺孤・栫さんと沙飛と事件と彼の家族たち」を参照。

(24) 前掲『晋察冀画報　一個奇跡的誕生』三三～三九頁。

コラム●国民党のメディアと華北

梅村　卓

国民党は政権政党であったことから、メディアの構造は共産党と比べてより複雑であった。党直属のメディアだけでなく、民間の多くのメディアに対しても資本関係から強い影響力をもっていたからである。ここでは、国民党直属のメディアについて紹介する。

国民党中央直属の党機関紙としては、一九二八年に創刊された『中央日報』がある。当初上海で創刊されたが、すぐに首都の南京で発行されることになった。さらに一九三七年一二月に南京が陥落すると、最終的には戦時首都の重慶で復刊された。『中央日報』には、「中央画刊」という「副刊（特集）」があり、簡易的な『画報』としてその時々の時事ニュースに関わる写真が掲載された。日中戦争時期には、戦争に関わる写真が数多く掲載されており、日本軍に虐殺された住民の遺体や破壊の様子が写しだされている（画像）。また『中央日報』には、広西、貴陽、昆明、成都、安徽など多くの地方版もあり、国民党を代表する宣伝メディアであった。

国民党は、『中央日報』以外にも、幾つかの中央機関紙を発行していたが、その一つが一九二九年に北京で創刊された『華北日報』である。この新聞は政治、経済、党務関係のニュースが中心であったが、「華北画刊」、「現代国際」、「辺疆周刊」などの特集も組まれていた。日中戦争が始まると日本側に接収され、『武徳報』として発行された。興味深いのは、終戦後に『華北日報』は再刊され、日本語新聞『東亜新報』の機材を用いて日本語版が創刊されていたことである。この日本語版は、国民政府の対日政策を宣伝するため日本人の捕虜や住民に提供され、日本人の移送の終結にともない停刊した。

国民党のラジオは、南京の中央放送局がアジア最大の出力を誇り、また雲南、江西、山東、河南などにも公営の放送局が設置され、全国的な放送網が組織された。一九三六年、戦争の気運が高まるなかで、陳果夫を委員長とする中央放送事業指導委員会による統制が強まり、番組内容が規制されたほか、中央放送局の中継放送が義務付けられ、党や政府の宣伝が強化された。日中戦争後は、『中央日報』と同じく重慶に移転し放送を継続した。国民党は、ラジオを通して中国の立場に立った戦局や情勢の報道を行ったほか、日本人捕虜を用いて対日宣伝放送を行ったことが良く知られている。

国際的な宣伝については、董顕光が主管となった国際宣伝処がその業務を担った。国際宣伝処は一九三六年二月に党直属の機関となり、国際的な同情と支援の獲得を目的として、海外向けに『戦時中国』(China at War)、『中国通迅』(China Communication)、『現代中国』(Contemporary China) などの雑誌を発行した。

以上のようなメディアを通した日中戦争時期の国民党の宣伝方針は、共産党とほとんど大差ないものと考えられる。つまり、①日本軍の侵略と残虐行為を報道することにより、大衆の敵愾心を煽ること、②中央政府と最高指導者の蒋介石の政策や主張の正しさを強調すること、③抗日戦争の英雄的な事績を宣伝することにより、抗戦の士気を高揚させること、④国際的な宣伝を広く行い、その同情と支援を要請すること、⑤対敵宣伝をおこない敵の士気を挫き動揺させること、などである。

華北関係の報道は良く分からない部分も多いが、日中戦争初期には、華北が主戦場になっていたことから、『中央日報』でも上記のような宣伝方針に基づいて盛んに報道や宣伝がおこなわれた。例えば、盧溝橋事件の際には、日本が意図的に起こした事件でありすべての責任は日本にあること、日本軍が華北で罪もない大衆を大量に虐殺していること、国民党軍が英雄的に抵抗していることなどが繰り返し伝えられた。

ただ共産党が晋察冀辺区を設立し、まさに華北が共産党にとっての最前線となっていたのに対し、国民党は山西や山東の一部を除いて華北を日本軍に占領され、前線も南部へと移行していた。もちろん、国民党が華北において何もしていなかったわけではない。一九三九年には鹿鐘麟を総司令とする「冀察遊撃戦区」を設定し、共産党と同じくゲリラ戦を重視する姿勢を見せていたし、山東省の一部では根強い抵抗を続けていた。しかし山西の閻錫山が現地の日本軍と停戦したこともあり、総体として国民党主導による抗日は華北において低調であったと考えられる。

以上のような推移を背景にして、国民党メディアの関心が華北以外の地域にあったことは、ある意味で当然のことであろう。それゆえに、国民党の華北イメージを考察することは、非常に困難となっているのである。現在の研究状況からすれば、中国側の華北イメージを考察するためには、とくに共産党メディアに対して注意を払わざるを得ない。総体的な華北イメージを明らかにするためには、今後国民党メディアに対する研究を深める必要があろう。

「中央画刊」第一一五期（『中央日報』南京版、一九三七年七月一八日）

むすびにかえて——加藤新吉と京大人文研

菊地　暁

二〇〇八年、京都大学人文科学研究所（以下、人文研）の本館が東一条（吉田牛ノ宮町）から本部構内（吉田本町）に移転した。これにともない、北白川小倉町の分館にある制度史研究室（旧・歴史地理研究室）に置かれていた「地理、民族資料写真」は、ネガやカードを収めるスチール製キャビネットごと吉田本町に運び込まれ、人文研図書室書庫の一画に所蔵されることとなった。この写真の主要部分が「華北交通写真」である。

華北交通写真が質量ともに類を見ない貴重なコレクションであることはいうまでもない。にもかかわらず、資料として重大な問題がある。いつ、誰の手で、どのように人文研に収められたのか、移管の具体的プロセスが皆目わからないのだ。資料がいかにしてそのように存在するのかを解明することが資料批判であるとするならば、資料批判が不完全といわざるをえないのが現状だ。

もとより、手がかりがないわけではない。写真の送り手である華北交通株式会社については、『華北交通外史』（一九八八年）に「故加藤新吉資業局長が終戦後苦心して持ち帰り、進駐軍の没収を免れる為に秘かに京大人文科学研究所に寄託された約三万点余のネガ」という記述がある[1]。これに従うなら、進駐軍の没収を免れるため、すなわち占領期（一九四五―一九五二年）に、華北交通資業局長・加藤新吉が寄託したということになる。

一方、人文研側の記録に現れるのはやや遅れる。『京都大学人文科学研究所要覧』（以下、『要覧』）七号（一九六四年）の「研究資料」の項に、「地理学資料」として「中国に関する地理、民族資料写真五〇、〇〇〇点がある」とあり[2]、この五万点の写真が華北交通写真の約三万点に『亜東印画集』の約二万点を加えた点数であることから[3]、遅くとも一九六四年までには人文研に移管されていたことが確認できる[4]。

それでは、中国大陸で撮影されたネガとそのプリントが日本国内に持ち込まれるのは戦中なのか戦後なのか。どちらにしても物資移送が困難な時期だが、どのような手段を取ったのか。そしてそれを担ったのは誰なのか。二つの記述の周辺にはなお多くの謎が残されている。

結論を先に述べると、移管の時期、手段、関係者について、いくつかの状況証拠を挙げられるものの、現時点で決定的証拠はつかめていない。そこで、参照した資料を確認し、それによって今後の課題を明らかにすることを以て、本論集のむすびにかえたい。いうなれば「敗戦の弁」である。

＊

華北交通株式会社に関してはいくつかの社史類があるが、写真の移管経緯についてはとくに言及がない。それゆえ、写真群それ自体や『北支』をはじめとする掲載媒体、関係者にまつわる資料等を地道に精査していくほかはないだろう。まず取り上げるべきは、『北支』編集長、加藤新吉（一八九六－一九五四年）である（挿図1）。

加藤については、遺著『三奈木村の生いたち』（一九五八年）(5)、『加藤新吉遺稿集』（一九九〇年）(6)、および遺稿集編者・安陪光正による論考が最も詳しい(7)。

加藤新吉は、一八九六年福岡市薬院町に生まれる。父・新次郎（一八五四－一九三三年）は福岡県三奈木村（現朝倉市三奈木）出身、三奈木黒田家の旧臣の家に生まれ、福岡県会議員、県会議長、衆議院議員、三奈木村長などを歴任した人物である。新吉は幼少期を三奈木村で過ごし、朝倉中学を経て、明治大学法科を卒業、一九二〇（大正九）年、南満洲鉄道株式会社に入社する(8)。

入社後は人事課、文書課、情報課などを歴任。図書館運営にも携わっていたようで、満鉄奉天図書館長・衛藤利夫の著書『韃靼』に序文を寄せている(9)。一九二九～三〇年には欧米に留学、帰国後に欧米の交通政策に関する論考を発表する。満洲事変から「満洲国」建国をへて満鉄改造が問題となる時期には、『協和』の巻頭言をしばしば執筆、満鉄解体案に反対する論陣を展開している(10)。たとえば、『協和』一九三三年二月一五日号巻頭言「満鉄を護れ」の一節。

> 我同僚よ、使命に忠実であれ。満鉄を害なはんとする者ある場合之と戦ふに勇敢であれ。世論なるものは往々にして盲動する。時に理由なき沈黙を守り時に狂気染みた叫喚を発する。正義の擁護者として必ずしも期待できない。正義は常に世に勝つとは限られぬ。正義をして勝利をなさしむるものは力である。正義を支持すべき我等の団結の力がこゝに於て先づ要求せらるるのである(11)。

筋金入りの満鉄マンというべきか。

一九三七年に日中戦争が始まり、一九三八年に華北交通株式会社が設立されると、一九三九年、満鉄から華北交

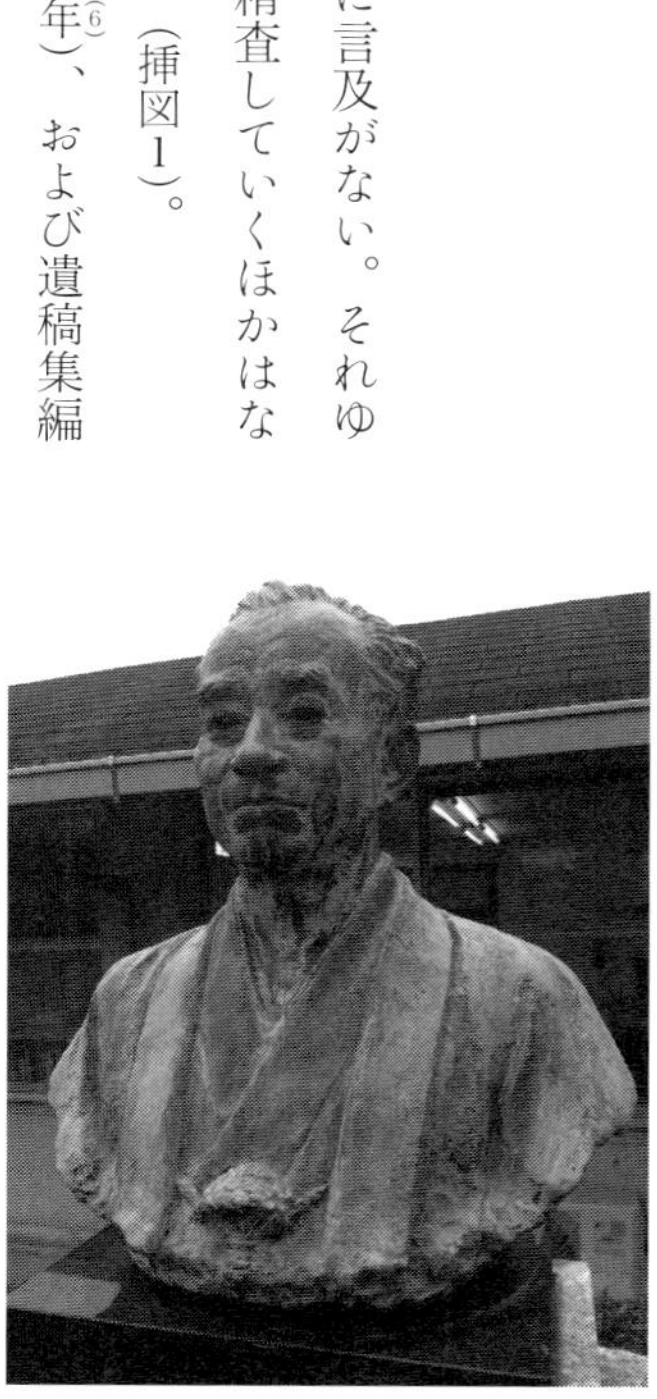
挿図1　加藤新吉銅像。三奈木公民館にて。一九八一年作（筆者撮影）。

通に派遣された加藤は北京に転勤、資業局次長、後に局長となる。資業部とは、業務、交通、資料の三課を設けた部署であり、(12)ここで加藤は『北支』の創刊（一九三九年）から休刊（一九四三年）まで編集長を務めることとなる。自らも健筆を振るい、自身が寓居する清の大官の邸宅「可園」にちなんだ「可園雑記」、寓居の位置する北京東城にちなんだ「東城記」を連載、北京の風物近況を博識と同情をもって活写した。以下は「東城記」の一節。

東城には、在住日本人の生活の中心と目すべきものが二つある。その一つは北京神社。北京神社は東単から東へごみごみした胡同を通り抜けて城壁に突き当たつたところにある。由来、北京の東南部は日本人の古き、且、主たる居住地、従つて神社はたまたまその一角に建てられてゐる訳である。神社の造営は支那事変以後のことに属するのだ、境内はまだ完成してゐない。灰色の土の上に、黄塵の吹き巻く裡に、むき出しの神社が建つてゐる。それも大陸らしい、と見れば見られないこともないが、余りに殺風景を極めてゐる。氏子は、神域の蔚葱を期せざるべからずといふので、松とか桜とかを植ゑる。が、容易に活着しない。それはあたかも、祖国の生活や思想をその儘大陸に生かさうと努力してゐる日本人の現下の姿に似てゐる。(13)

北京あるいは中国大陸における日本人のあり方を鋭く突いた指摘だろう。(14)

また、北京における加藤邸は、豊富な蔵書にあふれ、文化人たちのサロンとなっていた。知遇のある学者、芸術家は枚挙にいとまがなく、珍しいところでは、一九四一年八月に北京を訪れた歌人・釈迢空こと折口信夫（一八八七―一九五三年）も加藤邸に宿泊している。

一九四五年一〇月一一日、華北交通株式会社は国民政府に接収され消滅する。(15)最後の職位は無任所の参与だった（挿図2）。加藤は「在北京日本人自治会を結成し、推されて事務局長となり、在留同胞十万の引揚げ業務、生命財産の保護、中国政府筋との折衝」にあたる。(16)蔣介石政権首脳部からの「国民政府の顧問になってもらいたい」という要請も丁重に固辞したという。(17)結局、引揚者を最後の一人まで見届けた後、最終の引揚船で帰国。佐世保に上陸した一九四六年六月八日は、ちょうど五〇歳の誕生日だった。郷里三奈木にたどり着いた時の様子は次のように回想されている。

想えば、加藤さんが戦後間もなく、北支からこの村に引揚げて来られた時は文字通りからだ一つであった。くたびれた協和会服にリュックを背負い、ビッコをひき村の長い、白い道をたどって来られる姿を見て人々

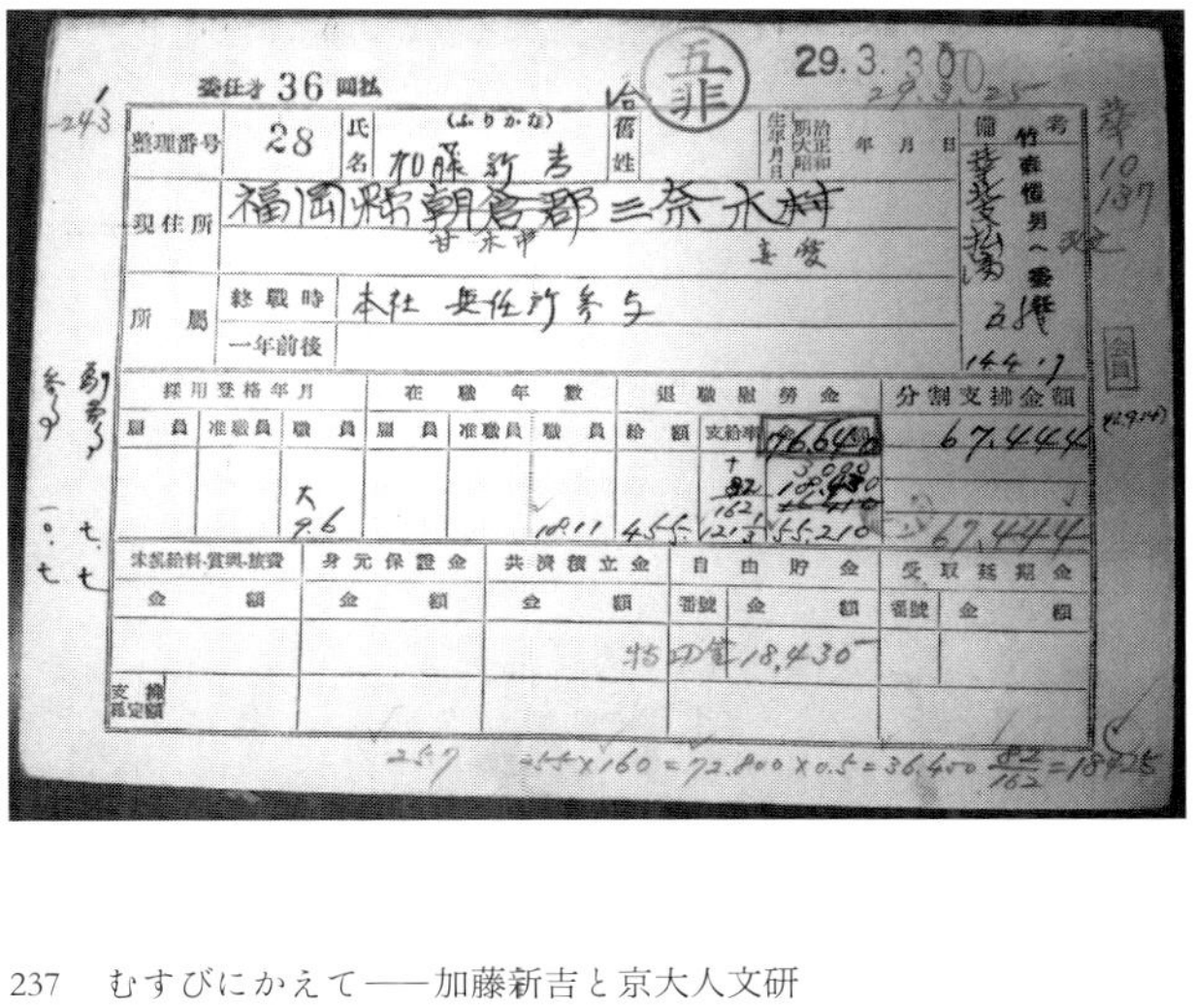

挿図2　加藤新吉の人事カード。「五非」印は華北交通への出向を示す。満鉄会所蔵。

はあれが満鉄の「ちんば加藤」としてかっては盛名を恣にした偉材で、また華北交通に招ぜられたのちも、北支の交通政策に、経営に縦横の才幹を振った人かと我が眼を疑った[18]。

一九四七年、加藤は衆望を担って村長に選出され、郷土再建に奔走することとなる。「加藤村政の面目は、確実な資料に基づく自主的な施策であるところにあった[19]」。加藤は満洲・華北での経験を総動員してこの課題に当たるが、注目すべきは、次代の郷土を担う人材育成の充実であり、そしてそのための郷土史研究の実践である。そのため、一九五〇年に全焼に見舞われた三奈木小学校も即座に再建に着手し、自ら設計図の線を引いて尽力。一九五一年一〇月に竣工した小学校には、新たに「三奈木歴史館」が設けられ、加藤自らも展示の企画や解説を担当している（挿図3、4、5）。

こうした取り組みのなかで執筆された『三奈木史稿』は、加藤の没後、『三奈木村の生いたち』（一九五八年）として公刊される。村政と郷土史を一体のものとする加藤の姿勢が、序文に端的に現れている。

> 昭和二十二年、わたくしは三奈木村長に公選されたが、頼るべき村の資料がなくて困った。またわたくし自身、組織的に村の研究をしていなかったので、村政の計画執行に支障が多かった。青少年諸君が社会科の勉強のために村の事を聞きに来るのに対して、正しい答のできないのも不本意なことであった。わたくしは早速、村の研究に着手したが、村政の余暇をみての勉強であったので、はかどらなかった。〔……〕わたくしは自分の研究の結果に必ずしも自信をもっていない。その中には実に多くの誤りを含んでいると思っているが、広く教えを請うて訂正を加えるためにも、若い研究者に一つの手がかりを提供する意味でも、研究の結果は記録して置くべきであると考えている。

一九五〇年、加藤は村長在職のまま西日本新聞社取締役となったが、四年後、体調不良のため辞任、そして一九五四年一月二一日、脳出血のために福岡に客死する。享年五八歳。葬儀は自らが再建した小学校の講堂で催され、「村長さん」に対する「あどけない小学生代表の弔辞には満堂の会葬者が泣かされた」という[20]。墓は三奈木小学校を見下ろす岩船寺に設けられ、戒名塔には「加藤新吉居士」と刻まれている（挿図6）。

＊

挿図3　三奈木歴史館の外観（『三奈木村の生いたち』より）。

ところで、人文研側にはどのような資料が残されているだろうか。写真の移管を確認できそうなものは、紀要の彙報欄[21]、所内報[22]、要覧[23]、等々が考えられるが、先に挙げた『要覧』七号（一九六四年）が初見となる「地理、民族資料写真」という記述のほかは、華北交通写真に関する文言はとくに見られない。会議録等の非現用文書も同様である。要するに、写真の移管経緯を示す直接的な記録は現時点では見つかっていないということだ。

唯一見つかったのは、「華北写真（引伸）目録」と題された簿冊である（挿図7）。写真が移管されて後、台紙カードにない写真を新たにネガから引き伸ばして作成した際のものと推測されるが、残念ながら日時や担当者の記載を欠いている。ただし、「人文科学研究所」用箋が使われていることから、一九四九年の人文研発足後のものであることがわかる。他の非現用文書と比較しても、一九五〇年代に作成された簿冊と考えて問題ないように思われる。

このように、移管の記録は皆無に等しいわけだが、しかし、華北交通と研究所の接点は確認されている。それは、水野清一（一九〇五～七一年）、長廣敏雄（一九〇五～九〇年）らによる雲岡石窟調査（一九三八～一九四四年）である。戦後、『雲岡石窟』全一六巻三二冊（一九五一～五六年）として刊行され、学士院恩賜賞（一九五二年）の栄に浴したこのプロジェクトには、華北交通株式会社から多大な援助が与えられており、その中心となったのが加藤新吉だった（第七章参照）。

たとえば、水野清一の遺品の中に、調査時の渡航関係書類が含まれているが、その一つ、昭和一五年一一月一一日付で在北京日本帝国総領事館警察署長宛に滞在期間延長を願い出た「渡支事由証明証」には、加藤新吉が保証人に名を連ねている（挿図8）。植民地や占領地における学術調査が、軍隊、行政府、国策会社等と無縁に実施されることはあり得ないが、それにしても加藤の支援は破格といえるだろう。

こうした恩義があればこそ、人文研が華北交通写真を受け入れることになったと推測される[24]。じっさい、加藤は自ら研究所を訪れていた。一九四七年六月一五日、朝倉郡甘木青年団文化座談会における加藤の講演では、以下のように述べられている。

> わたくしは今度の旅行中、京都の東方文化研究所［後の人文研］を訪ねて旧知の学者諸氏に会い、そこの出版物の一つを所望して宅へ郵送して置きました。それは龍門石窟の研究という本で水野清一、長廣敏雄の両氏の実地調査報告、なかに仏蔵、造像記などの写真が沢山入っている。実はこの本も北京に置きざりにした惜しい本の一つで、時に仏像も眺めたいし、また拓本も失ってやりかけの六朝書体の勉強もできないので、かたがた水野さんに無理を云って一本を貰った訳です[25]。

挿図4　三奈木歴史館の内部（『三奈木村の生いたち』より）。

この訪問の正確な日程は不明だが、帰国して一年以内に京都を訪れ、水野ら研究所員と面談していたことがわかる。想像を逞しくすれば、この際に華北交通写真の移管についての相談がなされたと推測することも可能だろう。

受入の窓口となったのが水野・長廣ら雲岡調査に参加した考古学者たちだったとして、じっさいに所蔵されたのが考古学研究室ではなく歴史地理研究室だったことも、資料の性格を考えれば無理のない展開である。歴史地理研究室の長である森鹿三（一九〇六～八〇年）と水野は、二人とも神戸出身で一〇代前半から交友があるという気心の知れた間柄、しかも大学時代には「京都帝国大学民俗学会」の中心メンバーとして活躍し、歴史学、考古学、地理学、民俗学、人類学、等々を学際的かつ貪欲に摂取した仲間だった。[26] そうした環境に学んだ水野が華北交通写真の資料的価値を把握し、森と諮って歴史地理研究室に受け入れたと想定することに別段不都合はないだろう。そしてその実務を担ったのは、森の下で講師・助教授を務めた日比野丈夫（一九一五～二〇〇七年）だったと思われる。[27]

ところで、一九四四年刊の水野清一『雲岡石仏群』の「序文」は次のように記されている。

> 毎年現地軍、大使館、現地政府、それから華北交通株式会社、大同炭鉱株式会社その他の絶大なる支援をうけて、昨年暮までに六回の現地調査をはつた。［……］雲岡石窟の調査はまだをはつてゐない、なほつゞいて現地作業を必要とする、けれども、それに関する学術報告書は、大東亜省の深甚なる配慮のもとに逐次刊行する手筈になつてゐる。［……］われわれ調査人としては、この石仏の古典的意味がひろく理解されて、その大らかな雲岡精神が蒙古民族に浸透し、大東亜の各地に瀰満する日を期待してゐるのである。[28]

当時の学術書として珍しいことではないが、占領地の軍、官、国策会社への謝意、そしてこの研究が「大東亜」に資することが述べられている。

対して、一九五一年より刊行の始まる水野清一・長廣敏雄『雲岡石窟』の謝辞は、全く様相を異にしている。

> かうした困難な調査中に、各方面からしめされた有形無形の援助ははかり知れないものがある。身は軍籍にありながらも中国の古典文化にふかい理解をもった人たち、繁忙な公務に従事しながらもわれわれの調査に充分の理解をもった人たち、また中国の民間人であってわれわれの誠意をくみとってくれた人たち、さういふ人たちの厚意と援助なしには、たうてい、かうまで順調にすゝまなかったとおもふ。なかでも、黒田重徳、森一郎、

挿図5　現在の三奈木小学校。校舎は建て替えられているが、中央部が三奈木歴史館のデザインを踏襲している（筆者撮影）。

挿図6　加藤家墓戒名塔。「加藤新吉居士」と刻まれている。墓は近年改葬されている（筆者撮影）。

佐々木敬介、加藤新吉、荒木章諸氏の名はわすれることができないものがある。[29]

加藤の名前があるものの、華北交通への言及はない。軍に属しようが官に属しようが、学術調査への「理解」に根ざした支援者として謝意が示されている。考えてみれば、報告書の刊行が始まった一九五一年はいまだ占領下にあり、軍や国策会社との関係を表立って述べることははばかられて当然だろう。ましてや、当時の所長である貝塚茂樹（一九〇四～八七年）が吉田茂首相との直談判で刊行予算を獲得、その首相がサンフランシスコ講和条約の際、報告書を携えて渡米して戦時下における文化事業の水準の高さをアピールするために用いたことを踏まえるならば、[30]「華北交通」を引っ込めておく必要は確かにあったのかもしれない。

ちなみに、一九五四年一月の加藤の葬儀に駆けつけた研究所員は長廣だった。その後、遺著『三奈木村の生いたち』の編集にも協力し、長廣の追悼文「一つの墓碑銘――序にかえて」は同書の巻頭に収められている。

加藤新吉さんがなくなられたという電報をボクは京大の研究室でうけとった。ボクは肉親の死にもおとらぬショックをうけた。いま三奈木村の盛大なそして心温まる村葬に参列して加藤さんが三奈木村の村長の現職のまま死去されたその、まだ血のかよっている足跡みてきた。加藤さんはりっぱな文化人だった。知識人だった。［……］小学校の記念館には発掘物が整理して陳列され児童たちに村の歴史が現在の彼等の生きかたにつながっていることを教えている。加藤さんは郷土の歴史いな日本の歴史と現在の生活との否定できない結びつきを覚悟していた。これは加藤さんの一生の総決算になってしまった。[31]

＊

以上から、華北交通写真移管の大まかな経緯は推測できたように思う。すなわち、『華北交通外史』にある通り、寄託したのが加藤新吉だという文言が正しいのなら、加藤に最も近かった人文研側の人物は水野清一、長廣敏雄ら雲岡調査隊メンバーをおいて他になく、そして「進駐軍の没収を免れる為」に寄託したという記述に従えば、その時期は加藤が帰国した一九四六年六月以降、講和条約が発効する一九五二年四月までということになる。しかる後、写真は歴史地理研究室に所蔵され、一九六四年の『要覧』七号に「地理、民族資料写真」としてその姿を現すことになった。このようなプロセスを想定することが可能だろう。

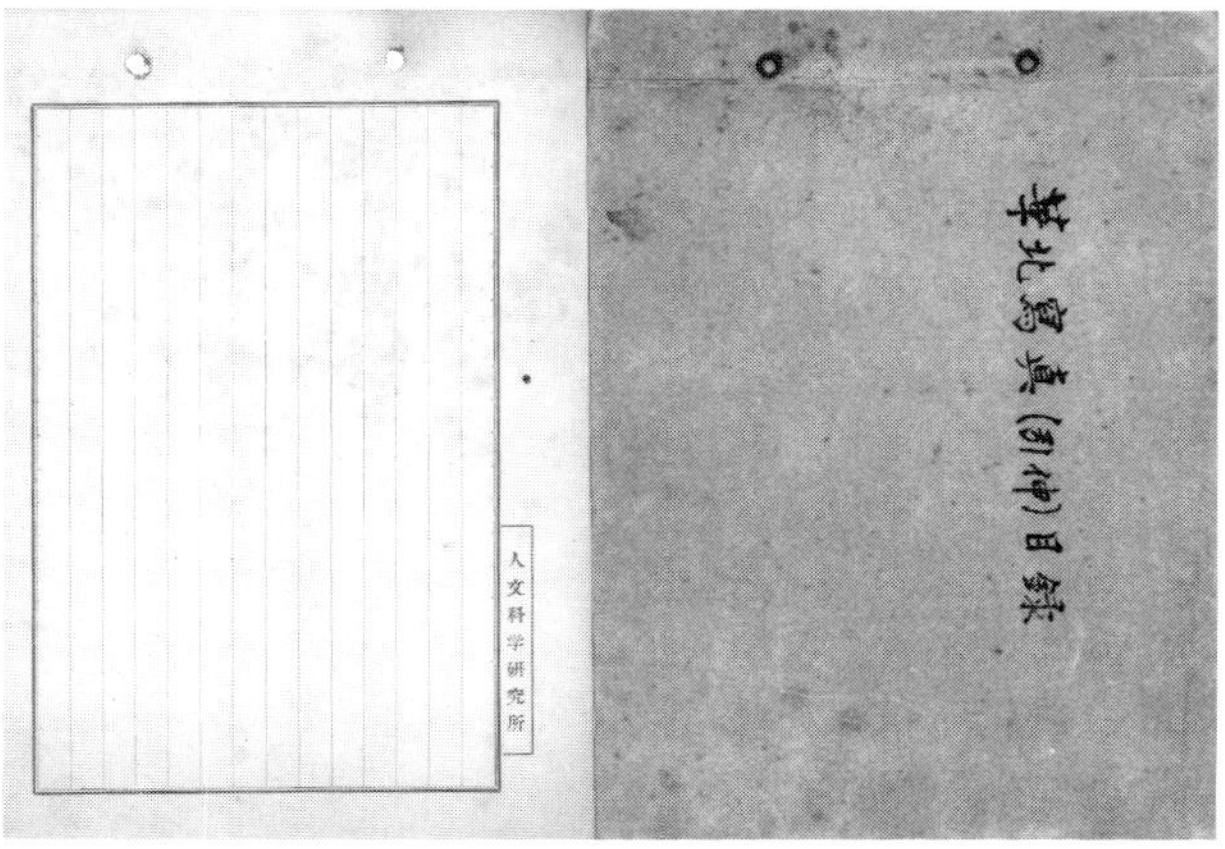

挿図7　華北写真（引伸）目録表紙（京大人文研所蔵）。

　とはいえ、前提とした『華北交通外史』の記述をどこまで信じてよいかも、一応注意しておくべきだろう。というのも、先に引用した加藤が「文字通りからだ一つ」で帰国したという記述（『三奈木村の生いたち』所収）は、「約三万点余のネガ」を「終戦後苦心して持ち帰」ったという記述と矛盾するからだ。引揚時の荷持は厳しく制限され、まして、兵要地誌などの軍事情報に転化し得る地図や写真の持ち出しは、厳重に警戒されていたはずである。さらには、華北交通写真を用いた『北支』が東京で印刷されていたことを踏まえるなら、印刷に必要な写真等はもともと日本国内にあり、それが疎開等によって東京大空襲を免れ、そこから人文研にもたらされたと考えたほうが蓋然性が高そうだ。[32]

　もう一点検討すべきは、華北交通写真の存在が人文研において長らく「忘却」された、もしくは利用された形跡が見当たらないのはなぜなのか、という点である。

　これに関して、まがりなりにも人文研スタッフである筆者個人の記憶を辿ってみたい。一九九九年四月、日本部助手に着任した筆者は、博士論文で「民俗写真」について研究したこともあって、『要覧』に記された「地理、民族資料写真」の存在が当初から気になっていた。とはいうものの、これがどこにあるのか見当もつかず、親しい同僚もよく知らなかった。当時、東一条の本館四階には「地理学資料室」なる部屋があり、ここにあるのかとも考えてみたが、不文律の多い組織だったので、その部屋にどうやったら入れるのかすら分からなかった。

　その後、東一条から吉田本町への本館移転が決まったのを機に、人文研に残された資料の所在と由来を探る「人文研探検」なる共同研究班（二〇〇七〜〇九年度）を組織し、事務倉庫に残された非現有文書その他の整理に努めることとなった。[33]

　そんなある日、廊下ですれ違った金文京所長に「華北交通写真を知らないか」と尋ねられた。所長は、「中国抗戦時期木刻運動」の研究により二〇〇八年度人文科学研究協会賞を受賞した三山陵氏より、人文研に華北交通写真があるはずだと尋ねられたという。これが華北交通写真の存在を筆者が知った瞬間だった。そして後日、移転後の書庫に収められた写真を初めて実見する。貴重な写真であることは瞬時に分かったものの、どう扱ったものか皆目見当もつかなかった。

　さらに後日、華北交通社員・芳賀千代太氏のご子息にして日本における民俗写真の第一人者・芳賀日出男氏が関西に来られた際、人文研にお招きして写真を見ていただいた。氏も貴重な写真であることを確認し、保存対策を施すようにとのアドバイスをいただいた。当時の手帳によると、二〇一〇年六月一日のことである。だが、筆者にはどうにもできないまま時は流れ、結局、貴志俊彦氏の登場によって事態が動き出したことは、本論集の巻頭言に記

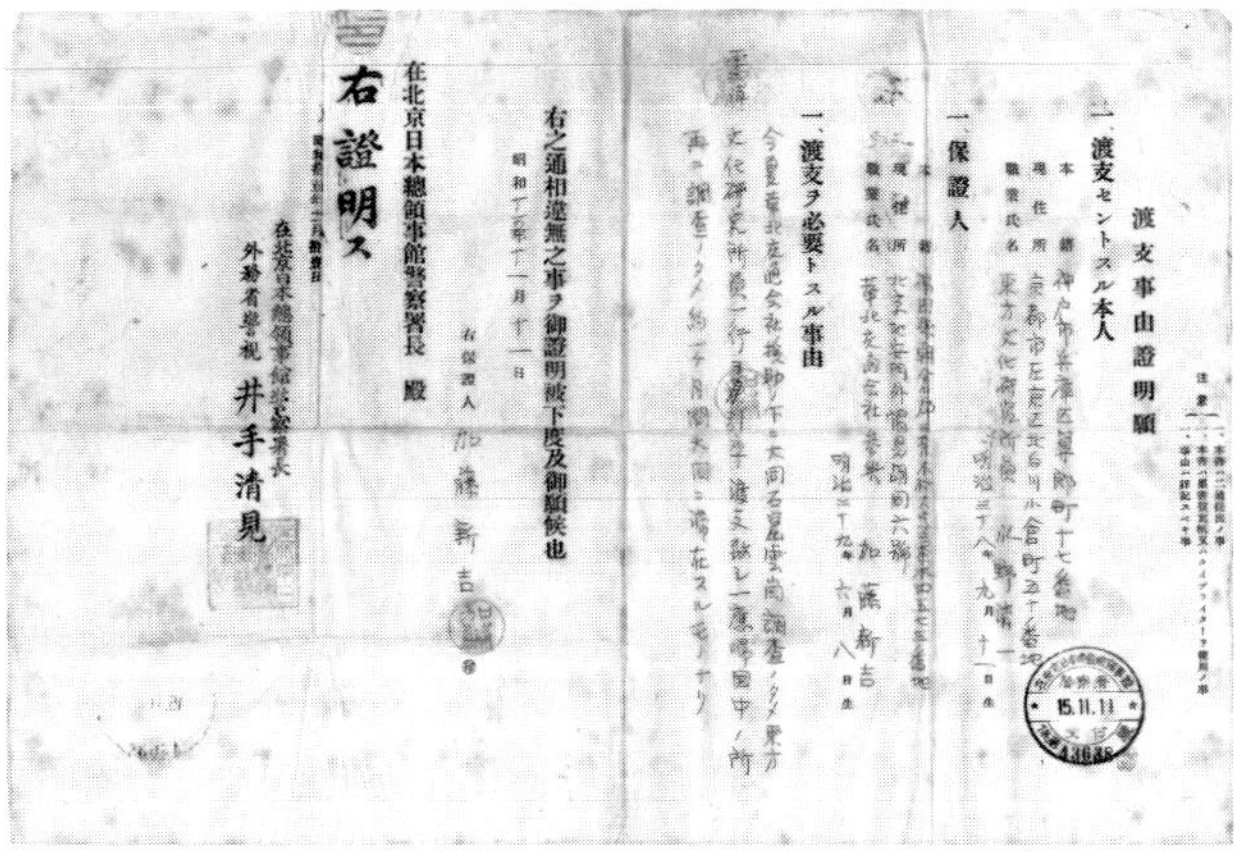
渡支事由證明願
一、渡支セントスル本人
一、保證人
一、渡支ヲ必要トスル事由
右之通相違無之事ヲ御證明被下度及御願候也
昭和十五年十一月十一日
在北京日本總領事館警察署長　殿
右證明ス
在北京日本總領事館警察署長
外務省警視　井手清見

挿図8　昭和一五年一一月一一日付「渡支事由証明証」。加藤新吉が水野清一の保証人となっている（個人蔵）。

された通りである。

長々と個人的な回想を連ねてしまったが、ここに華北交通写真の消息が示されているように思う。すなわち、「戦争協力の証拠」などとして意図的に忌避されたものではない、ということである。七号以降の『要覧』が引き続き「地理、民族写真資料」の存在を記載し続けたことが、その証左だ。

華北交通写真を受け入れた水野、長廣ら人文研の第一世代は、一九三〇～四〇年代に自分で撮影した中国の写真を所持していたわけで、少なくとも学問的にはそのほうが使い勝手が良かっただろう。誰が撮ったか分からない写真は、学問的資料としては使いづらい。その後も、そもそも存在が周知されていなかった、あるいは、知っていても興味を示す研究者がいなかったため、結果的に華北交通写真の長きにわたり「忘却」されることとなった。はなはだ陳腐な結論になってしまったが、これが事実に一番近いのではないか、とも思う。

ともあれ、華北交通写真がようやく陽の目を見ることは慶賀に堪えない。このコレクションに残された鮮明なイメージの数々が——たとえ演出を含むものであれ——日中近現代史をより立体的に浮かび上がらせていくこととなろう。泉下の加藤新吉も喜んでくれるに相違ない。一抹の苦笑とともに。

註

(1) 華北交通外史刊行会編・発行『華北交通外史』一九八八年、四八五頁。
(2) 京都大学人文科学研究所編・発行『京都大学人文科学研究所要覧』七号、一九六四年、三六頁。
(3) 『亜東印画集』については東洋文庫ホームページ (http://www.tbcas.jp/ja/lib/lib3/) 参照。
(4) ちなみに、『要覧』六号（一九六一年）には「地理、民族資料写真」の記載はない。とはいえ、それがただちに、この時点で写真がないことの証拠となるわけでもないだろう。
(5) 加藤新吉『三奈木村の生いたち』加藤村長遺稿集出版委員会、一九五八年。
(6) 加藤新吉著・安陪光正編『加藤新吉遺稿集』私家版、一九九〇年。
(7) 安陪光正「中国・雲岡石窟にて——加藤新吉のことなど」『西日本文化』三六五号、二〇〇〇年。同「加藤新吉の理想とした教育」『西日本文化』三八三号、二〇〇二年。このほか、安陪光正氏より書簡による御教示をいただき、また、満鉄会情報センター専務理事の天野博之氏より資料を紹介していただいた。記して感謝する。
(8) ちなみに、二人の弟も満鉄に入り、さらに末弟は満洲国通社に入社している。
(9) 衛藤利夫著、加藤新吉序『韃靼』朝日新聞社、一九三八年。
(10) これについては上記の天野博之氏より御教示いただいた。天野氏の著書『満鉄を知るための十二章——歴史と組織・活動』（吉川弘文館、二〇〇九年）にも言及されている。
(11) 加藤新吉『思茲在茲』私家版、一九三四年、一二〇～一二一頁より引用。

(12) 華北交通社史編集委員会編『華北交通株式会社社史』社団法人華交互助会、一九八四年、一二一頁。

(13) 加藤新吉「東城記　その六」『北支』五巻二号、一九四三年、四一頁。

(14) ちなみに、これが加藤の『北支』誌上における最後の署名記事であり、この後、遠山正瑛「北支と鎮守の森」(五巻六号)という加藤批判記事が掲載される。何らかの「筆禍」があったのかもしれない。

(15) 前掲『華北交通株式会社社史』七〇六頁

(16) 安陪前掲「中国・雲岡石窟にて」一四頁。

(17) 安武誠一「加藤さんの面影」、前掲『三奈木村の生いたち』所収、二〇〇頁。

(18) 篠原雷次郎「加藤新吉氏の葬儀に列して」、前掲『三奈木村の生いたち』所収、二〇七頁。

(19) 中村義夫「あとがき」、前掲『三奈木村の生いたち』所収、二一二頁。

(20) 安武誠一「加藤さんの面影」、前掲『三奈木村の生いたち』所収、二〇四頁。

(21) 『東方学報』(一九三〇年創刊) および『人文学報』(一九四九年創刊)。

(22) 東方文化研究所『彙報』(一九四〇〜四五年を確認、創刊・廃刊年は未詳) および人文科学研究所『所報』(全五一号、一九四九〜五七年)。なお、後者は「所報人文」と通称される『人文』(一九七一年創刊) とは別物である。

(23) 京都大学人文科学研究所編・発行『京都大学人文科学研究所要覧』(全一五号、一九五一〜九七年)。なお、一九九七年以後も『要覧』と称する刊行物が制作されるが、号数表記がなく、形態も異なっている。

(24) なお、華北交通職員だった地理学者・須藤賢が戦後の一時期 (一九四六年五月〜一九四七年三月)、東方文化研究所に所属している。須藤を通じて華北交通写真が研究所にもたらされた可能性も皆無ではないが、加藤とのつながりという点から考えれば、雲岡調査グループの筋はゆるがないように思う。

(25) 前掲『加藤新吉遺稿集』九三〜九四頁。

(26) 菊地暁「民俗学者・水野清一――あるいは「新しい歴史学」としての考古学と民俗学」『帝国を調べる　植民地フィールドワークの科学史』坂野徹編、勁草書房、二〇一六年。

(27) 日比野の遺品は人文研退職後に学長を勤めた大手前大学に寄託されたが、蔵書が中心で、華北交通写真の受け入れに関連する資料は含まれていない。なお、日比野には談話をまとめた『東洋学の半世紀』(なにわ塾叢書、一九九〇年) があり、戦前の中国体験が興味深いが、加藤への言及はない。

(28) 水野清一『雲岡石佛群』東方文化研究所、一九四四年、ノンブルなし。

(29) 水野清一・長廣敏雄「序」『雲岡石窟：西暦五世紀における中國北部佛教窟院の考古學的調査報告：東方文化研究所調査　昭和十三年―昭和二十年』第一巻、京都大学人文科学研究所雲岡刊行会、一九五二年、xiv 頁。

(30) 菊地暁「『雲岡石窟』を支えるもの――京都・雲岡・サンフランシスコ」『10＋1』四八号、二〇〇七年。

(31) 長廣敏雄「一つの墓碑銘――序にかえて」、前掲『三奈木村の生いたち』所収、ノンブルなし。なお、この文章は一九五四年一月二九日付「朝日新聞」九州版に掲載した文章を転載したものである。

(32) たとえば、戦時中に東京から彦根に疎開し、戦後に京都大学に移管された民族研究所旧蔵書、通称「民研本」のような例がある。菊地暁「民研本転々録――民族研究所蔵書の戦中と戦後」、泉水英計編『国際常民文化研究叢書 四 第二次大戦中および占領期の民族学・人類学』神奈川大学国際常民文化研究機構、二〇一三年。

(33) 菊地暁「資料の行方――探検してわかったこと、わからなかったこと」『人文』五七号、二〇一〇年。

(34) 芳賀千代太および芳賀日出男氏については、菊地暁「距離感――民俗写真家・芳賀日出男の軌跡と方法」(『人文学報』九一号、二〇〇四年) 参照。

第二部　資料

随筆・加藤新吉（『北支』連載コラムより）

◉北京の日本人

北京の西部並に北部、所謂西城並に北城に多数日本人が住むといふことはそれこそ北京の歴史始つて以来の出来事である。北支事変始るまでの日本人の居住区域は東城のほんの一部、東軍牌楼を中心とする一小部に限られて居た。それが今日になると、市内到る処其声を聞かざるはなく其声を見ざるはなき盛況である。

事変の直前に於ける在留邦人八百、過去に於て邦人の事業最も華やかなりし時でさへも三千人。今や五万と云ひ六万と数へる。勿論この外に、子女の教育の為に故郷に残り、或は住宅が無い為に来るべくして来られぬ家族がある。而かも汽車は日々千人の日本人を北京の駅に吐き出す。仮にその一割が留るとしても月にして三千人、年には三万六千人、正に亜細亜民族の興隆時代、それを指導する日本人の飛躍時代である。

北京邦人の頭痛の種子は住宅難である。家はありましたかといふのが日本人同志の挨拶である。高いの安いの、広いの狭いの、さては遠い近い等すべて問題ではない。日本人は小さく狭く住むのが好きかと支那人が怪しむ位、このところ小間切住宅が簇出する。支那人から二三軒借りて小間切にして又貸をすると月に数百円浮上る、安月給で働くなんてをかしくて、といふのが日本人中間家主の肚の裏である。

日本人はどうしても畳を入れる。ゆかあげ坪十二円、畳一畳六円、八畳で百円はかゝる。風呂と手洗と便所とのお粗末な設備に私の場合は六百円かかつた。而も一月にして壁は落ち天井は破れ風呂釜は漏り扉は一枚も閉まらなくなつた。一二年で儲けて帰る気だと聞いては文句も云へない。その癖、昭和営繕商会などと立派に聖代の名だけは冠つて居る日本人である。

日本人に家を貸すことを支那人はひどく嫌がる。半は気候風土に対する無智、半は他国文化を尊重する気持の欠如、もつと端的に云へばどうしても住むことの必要と儲けたい欲望とから無闇な改造をするからである。東単牌楼から東四牌楼に到る大街及其東側の胡同の如きは、もう北京ではなくなつたと言ふ人がある。そこでは新しいペンキ塗やネオンの看板が巾をきかせ、胡同の入口といふ入口には旅館、料理屋カフエー、質屋、何れも日本名だけを並べた広告門がそり返つて居る。

さる日本人が、俺は泥の壺を提げて北京近郊の民家を昔の色に直して歩くと敦圉いた。近郊特に線路に面した壁といふ壁が老篤《ロート》目薬、仁丹、若素《わかもと》、中将湯、森永牛奶糖《ミルクキャラメル》等の広告でいち早く塗り潰されて居るのだ。北京在来の色調も情緒も斯くて滅び、北京の都雅も閑寂も吹き荒ぶ亜細亜の嵐に失はれると老北京人は長歎息して已まない。

嵐に立つ日本人は極て多忙である。こゝ一二年で儲けねばならず、二三年の任期中に功を立てねばならぬとすればそれも道理、支那人を押退けて走りまはる。支那人は呆れて見てゐるだけだ。だが、済南、青島、上海を占領しても忽ち逃げ帰つた日本人だ、どうせ長くはないと思つて居る。蒙古百年、満清三百年、今度もせいぜい百年の辛抱と彼等が考へてゐないと誰が保証し得るか。大陸民族と島国民族との気の長さ加減は、梯子なら段がちがひ算盤なら桁がちがふ。

（『北支』昭和一四年八月号）

◉民心

済南を南へ下ること幾何もなくて車窓に泰山を仰ぐ。山上に白亜造の測候所が見える。大正の末年、私が渤海を二周して二度こゝに登つた其頃にはなかつたところのものだ。

其頃、孔子登つて天下を小なりとした所を伝へる碑、泰の無字碑、道教の碧霞元君廟などが頂上にあつた。すべて今もあるであらう。これに測候所を加へて、古き信仰と新しき科学とが雑居してゐる訳だ。

泰山は東嶽であり岱宗であり支那五嶽の首位に居る。古の帝王は山上に天を祭り山下に地を祭つた。之を封禅といひ、之を行ふことは王者の特権であつた。諸侯を会してこの盛儀を行ふは敬天畏命の信仰告白と共に、蓋し大に其威武を示す機会であつたらう。

儒家に従へば、万物を創造し照鑑する天は自に代つて民に臨むべき有徳の一人を選ぶ。之を后とも王とも帝とも天子ともいふ。天子とは天の子となり以て民の父母となるもの、王者とは天の代官であり天命を受けて初て其位に即くものである。が、天に口なし民をして言はしめるのであるから、民心の帰する所即天命の降る所、民心を把握した者が王者になるのである。

時代によつて儒教が重んぜられたり排けられたり、孔子廟がたゝき壊されたりまた造られたり、夫子もさぞや迷惑であらう。今、儒教がいかに民心に作用してゐるかを私は知らない。寧ろ儒よりも仏よりも支那民心の機微に触れるものは道教ではないかと思ふ。同じ天を説いても道家のいふ天の神様が最も大衆に判り易く、それだけ有り難くも恐くもあるらしい。本来儒家の敬天思想と不可分と思はれる泰山の霊域に碧霞元君廟が建ち、其出店の東嶽廟が各地に出来たのも、その結果かと思はれる。が、さればと云つて天命とか民心の帰趨とかは問題でないとはいへない、すべては武力が解決する等といふ断言は勿論早計である。

民心の帰趨が何に依て決るか、どうすれば民心の把握ができるか、それは理窟ではない。日本及日本人のあらゆる努力にもかゝはらず、支那の民心は…に向つて居る。彼は今次の事変によつて過去の歴史的人物の誰よりも民心を把握した。儒家者流の解釈に従へば、民心此に帰し天命既に降る。…以て王たるべしといふことになるかも知れない。南京を捨て漢口を逃れ今や重慶に余喘を保つといふ敗将に民心が帰するとは、之を皮肉と解すべきであるかそれとも機微と謂ふべきであらうか。

南京政府及国民党の国民教育及抗日訓練を徹底させたもの、漠然たる観念を確乎たる意識に変質発展させたものは今次の事変である。未曾有の刺戟が未曾有の変化を支那に齎らしたと私は考へる。形の上では、近代化された沿海商業支那とは凡そ縁遠い存在であつた奥地の古き農村支那が其面目を一新しつゝある。国民意識の確立と奥地開発の促進と相俟て支那は一大飛躍を遂げるであらう。

日本民族は支那の刺戟に因て、支那民族は日本の刺戟に因て成長し発展する、だから日支は善隣なのである。兄弟が喧嘩しつゝ強くなる如く両民族は戦ひつゝ強くなる。そこに、興亜の明日があらう。今更後悔しても始まらない、後悔することでもない。

（『北支』昭和一五年二月号）

●日中戦争勃発三周年

七月七日支那事変の三周年が来た。早くも三年、と理解観念せらるべきである。桃栗三年、どんな小さな実でもそれが結ぶまでに三年はかゝる。況や支那事変は興亜の百年戦争の一過程である。その美果は我々の孫か曾孫が収むべきもの、五年や七年で何ができるか。にも拘らず、三年もかゝつたのにと、溜息まじりに呟く人もないではない。気の短い話である。

事変勃発の当初、北支に逃られた兵隊の一人が自分の乗つてきた列車に附いてゐる満鉄の社紋を見て、これは何かと聞いた。次に満鉄とは何かと聞いた。彼等の輸送の任に当つてゐた満鉄社員は大いに憤慨すると一緒にがつかりしてしまつた。もう少しで泣くところだつたと語つた。これらが今から三年前の話である。事変が三年経つても済まぬと悔む人に較べればまだこの呑気な兵隊の方が頼もしいのかも知れぬ。

日露戦争の際の国民的興奮と緊張、それはやつと小学校に入つたばかりの子供だつた私にもひしひしと感ぜられたし、今でもはつきりと思出すことができる。が、その戦果、満鉄、千粁に足らぬ鉄道に対しては我々の記憶に依れば国民的関心が甚だ少なかつた。満鉄といふ名は其後殆ど全く忘れられてゐたし、たまたま思出された時には伏魔殿だの温室だの何とかの走狗だのと軽蔑された。支那側の迫害は勿論何時ものこと、それにも増して情ないのは日本の識者と称する者の満州放棄論であつた。さうした環境に於て、満鉄社員は彼等が信じて　明治天皇の御遺産とするところのものを譲り通した。実に三十年悲運の満鉄を支へ続けた。東亜の今日あるその賜なりといふも過言ではなからう。

満鉄がいさゝか日本朝野に知られたのは満洲事変以後の事に属する。而かも知られた時が日本人によつて邪魔にされ出した時であつた。我等は満鉄の功績を認める、が今や其使命は果された、解消すべきである、などとは言はれ始めた。かくて手を毟ぎ足を毟がれつつある満鉄である。結局まだ満鉄は其真価を理解されないのである。

満鉄既に然り、華北交通を誰も知らないに不思議はない。字を見た人は支那のバス会社だらうと思ふのも亦不思議ではない。これは北支の鉄道と自動車と水運との総合経営に当る国策会社です。何と馬鹿気た説明であるか。之を聞く方でもあゝさうですかと済まして答へるだけの話である。而かもこの知られず認められざる華北交通の社員は事変の三年を迎へてもう三年経つたかと今更の如く考へる。二三十年、尠くとも十年は踏まれても蹴られてもじつと我慢して鉄道を摑んで離さないんだと覚悟してゐる者には、あつといふ間に経つてしまつた三年である。思ふに華北交通とはさういふ社員をもつ会社だと説明さるべきである。

一歩を踏出せば敵地である。衣食住すべて間に合せである。六畳に十人の社員が寝てゐるといふのも稀有な例ではない。勿論家族とは別居である。満洲事変以来面壁ならぬ別居九年といふ社員も居る。殉職既に六百人、その同僚の屍を越えて進むといふのが彼等の信条であり日常である。華北交通とはさうした三万の邦人社員をもつ会社であると何時かは理解されねばならぬ。

（『北支』昭和一五年八月号）

●中国人の日本人観

中国人の日本人に対する感情や観察を取纏めたものが最近北京の某所から発表された。それに拠れば、彼等の日本人に対する心情は甚だ穏かでない。嫌悪、反感、敵意、侮蔑、さういつたものが露骨にぶちまけられてゐる。

嘗て知人が排日青年の一人に日本人のどこが悪くて排斥するのかと聞いたら、どこもこゝも嫌でたまらぬと答へたさうである。人間の蛇に対する如き嫌悪はまことに始末がわるい。彼等の日本人に対する感情が若しさうした種類のものとすれば、日本人が死滅しない限り問題も亦消滅しない。現に、と云つても其儘受取れる話ではないが、日本の男と支那の女とは死滅した方がいゝと云つた中国の紳士がゐる。併しさうした中国人にしても、理想や意思ではどうにもならない感情、蛇に対する如き嫌悪から日本人に反発するといふのは寧ろ特例と見るべきであらう。

日本人を闖入者と解することから生ずる敵意、相互の接触から生ずる摩擦特に利害関係の衝突、此等はより一般的且有力な阻隔の原因である。就中、敵意は主として日本及日本人の意図が正しく理解されない結果で、その除去は至難である。国民政府及国民党の抗日教育、その結果としての国民意識の確立を説く者は次の時代を待つ他はないとさへいふ。教育のみが人を改造し国家を改造する。我方としても五十年百年を期して教育宣撫に力を注ぐ必要があらう。

相互の摩擦と利害の衝突とは、之亦今日の事態に於て、他が好むと否とに拘らず進んで指導的立場をとらねばならぬ現状に於て、旧き秩序に安んじ又は諦めて住んでゐた彼等の中に招かれざる日本人の多数が割込まねばならぬ必要の下に於て、一応已むを得ない。たゞその摩擦と衝突とは相手方を理解することに依つて著しく緩和される。其意味に於て、支那を識らぬといふことは日本人の致命的欠陥である。

ところで更にも一つ致命的なものは好かれない上に、嫌はれる上に、侮蔑されるその原因である。これは主として支那に来てゐる日本人を指したのであるが、恐るべき優越感をもち指導者と号してゐる癖に、背徳、無教養、呆れてものがいへないと罵つてゐるのである。日本民族を優劣二種に別け、優種は中国人の子孫、劣種は原住日本人の子孫とし、今日支那に来てゐるのは概ね原住劣種の子孫とさへ解釈する彼等、自ら優秀文化民族を以て任ずる彼等がいふだけなら、天狗の鼻の衝合せと思つても済む。が、環境の変化に基く日本人変質の結果ではないかと自ら疑ひ且寒心するやうな事実があり、為に大いに大陸経綸が妨げられてゐるとすれば笑つては済まされない。

思ふに、他を指導するより玆に自を教育する必要があるやうである。支那を認識する前に日本人たる自覚の必要があるやうである。或は優越意識を捨てることだと説く人もあるが、既にやりかけた大陸経営がそれなしにやり遂げられるであらうか。自ら卑うして郷に従ひ他を真似て他に似たところでそれだけの話。大国民的自覚と教養との欠除、光栄ある日本人らしくないところに問題は在るのである。君等は大陸に出て荒んだんだらうとだけで済まされはしない。島国を出ると同時に変質するやうな国民教育自体、即刻に建直される必要があるのである。（『北支』昭和一五年一〇月号）

●客と北京の食

この頃の可園の朝は小さいお客様で賑ふ。鵯も毎朝来はじめた。北京は小鳥の天国と謂はれるだけあつて、名も知らぬ小鳥が群れてゐる。その名を知りたいものだと思ふ。

こゝに住んですぐ可園佳客帖を備へて置けばよかつたのに、つい取紛れて備へなかつたことは残念である。可園は必ずしも名園ではない、主人は全くの無名人であるが、北京が名所であるばかりに可園にもいろいろの佳客が来往する。銘々自署して貰つて置いたらよき記念になるであらう。

最近の朝の珍らしい客は柳宗悦氏、矢代幸雄氏、河合寛次郎氏、濱田庄司氏、式場隆三郎氏、何れも美術工芸の調査に来られた人達。吉田璋也氏、この人は式場氏と同窓の医学博士で軍医として応召され、目下石門地方で民芸の指導をして居られる。私は此一行の所望に応じて或日朝食を差上げた。支那風の朝食を試みたいといはれる儘にふだんのものを差上げただけの話である。

献立はまづ粥、米や粟や玉蜀黍の粥を交る交る作らせることにしてゐるがこの朝のは小豆を入れた粟粥、普通は白砂糖を加へてたべる。饅頭、餡の入つたのと入らぬのと二種。白菜湯、火腿即支那ハムで味をつけた白菜のスープ。油炸果、かりん糖に似た感じの軽い油揚、其儘嚙つてもよく白菜湯に入れてもよい。廿日大根と葱、これは塩又は支那味噌をつけて生の儘嚙る。以上、民具として使はれてゐる安物の赤絵の碗や皿に盛つた。その碗や皿は欠けてゐたり、割れたのを鎹で接いであつたり、甚だ失礼な話であるが、これもふだんづかひを其儘使つた。

正直に云つて北京人の朝食がほんとはどんなものであるか私もよくは知らない。たゞ、北京で二十年も厨子（賄方）をしてゐる男に家の賄一切を委せてゐるので、彼の出すもの即北京の朝食なるべしと心得てゐるのである。私が嘗て或る料理を作れと言つたところ自分は北京の厨子だからそんな南方料理は作りませんと断つた。そんな頑固な男の作る料理だから一々説明はなくとも北京のお総菜だと思つて、私達は朝晩たべてゐるのである。

朝の十時頃、可園の門を出て地安門へ歩いて行くと、油の瓶をさげ、ちよつぴりの味噌を入れたむき出しの碗をかゝへ、或は一二本の生葱や廿日大根を持つた人々に遭ふ。地安門外の朝の市から朝食の材料、習慣としてほんの其都度の必要だけを買つてかへる人達である。胡同では饅頭売や油炸果売が呼声を立てゝゐる。それをみても、北京人は大体同じ頃同じものを食つてゐるんだなと思ふ。尤もこの時間を北京人は旧来の儘に九時と心得てゐるのであつて、胡同の家の朝食は其頃に始るらしい。

召南に「羔羊の皮、素糸五紽せり、退食公よりす、委蛇たり委蛇たり」といふは、鶏鳴と共に朝廷に出て執務した官吏が家に朝食に戻る様を歌つたものだといふ。作者は其妻、惚々と夫を眺めたところとみれば更に情緒があらう。が、それは兎も角、京師の遅い朝食は蓋し伝統的なものかと思はれる。必ずしも芝居が遅いから、麻雀が長いからといふ近代的理由だけではないであらう。尤も単なる想像、別段研究した訳ではない。

（『北支』昭和一五年一二月号）

●住宅難

可園の住民一斉に追ひたてを喰つてこのところ大いに参つて居る。

可園は初め大阪の某といふのが借りてこれを新来の日本人に分割貸與をした。その頃の持主は嘗ての大総統馮国璋の第何番目かの夫人だといふことであつた。ところが、何時だか知らないが持主が変つた。買主は支那の物持、買値は十五万円といふ噂であつた。まだ買つてはゐない、これから高く売る為に借家人を追ひ立てるのだといふ噂もあつた。たしかに二十五万円で売に出てゐると説をなす者もあつた。其他さまざまの道徳途説が実に面白かつたが、面白がつてゐる間に手きびしい追ひ立てを喰ふことになつてしまつたのである。

去年の夏頃かと思ふ、総括借家人の差配から追ひ立ての話を聞いた。その前後から、支那人の一団、日本人の一組、日支混合の一隊など次々に可園を見に来た。私の借りてゐる一廓にも無断で侵入し、無遠慮に室内をのぞき込んだりする者があつた。私自身も何度か腹を立てゝ抗議したことがある。実は売家だから見よといふものですからと恐縮して去つた連中もある。軍の力でたゝき出せばわけはないですよと聞えよがしの捨てぜりふを残して行つた奴もある。馮か某か知らぬが売物に出してゐるらしいことを我々は推した。

年末近くなつて個々の居住者が領事館警察に呼ばれ、空け渡すやうにとの注意を受けた。可園は新なる買主の手に移り、買主自ら住むといふ話であつた。また、居住者の移転先に就いては買主が世話をする旨申し出てゐるとのことであつた。さういふわけなら立ち退かねばなるまいと私は思つた。出ろ出ろと常に生活の本拠を脅やかされるのは閉口である。が、出ようにも行先がない。借家がない、あつても支那人は日本人には貸さぬといふ。北京の日本人は殆ど家を探すことを諦めてゐるのである。華北交通三万の日本人従事員、そのうち七千家族が日本および満州に別居して居る。北支にはそれ程住宅が払底してゐるのである。買主が適当な家を探して呉れるといふのであつたら快く出ると私は警察官に答へた。

一日、買主と警察官と差配人との間に話が纏つて自分は手を引くことになつた、と差配人から告げられた。とたんに我々は誰から借りて誰の家に住んでゐるのか判らないことになつた。そこで、一夜可園住居者大会といふと大袈裟であるが、隣組の回覧板をまはして、私の書斎兼客間の暖炉を囲んで常会を開いたのである。目下の居住者は華北交通社員六、弁護士一、大倉組、華北電々、日華工業等の社員六、計十三戸。家賃、水道料、電燈料其他の処置を申し合はせ、立ち退き問題の代表者に老弁護士氏、隣組々長として日華工業氏を煩はすことに決めた。

二月、警察からの要求に依つて再び集会、人事相談係の警官と家主代理と称する支那人列席、三月初までに立退期日を決定報告せよと請求された。誰からの請求ですかと聞いたら、龔といふ人、その人が買つて住むのですかと聞いたら、自ら三十何人の家族を引き具して移り住むのだとのことである。そこで可園隣組常会がまた近く開かれるわけであるが、さて、十三家族何処へ行く。厄介な問題である。

(『北支』昭和一六年四月号)

●太平洋戦争勃発

何はさて措き、対米英宣戦布告、その初頭に於ける赫々たる戦果は、近来最大の感激である。開戦以来ここに十二日、北支在留日本人の顔は悉く輝いてゐる。心が弾んで手の舞ひ足の踏むところを知らぬ有様である。と同時に生活の緊縮、消費の節約があらゆる邦人の家庭に於いて更めて強調されて居る。可園の隣組に於いても国債購入とか献金とか、ささやかながら奉公の誠を致すべき方法に就いて、話が進められて居る。

八日、開戦の朝、少し早目に出勤するに当つて、私は厨子に「大戦争が始まつたぞ」と珍らしくにこにこしてみせた。勿論、彼には何の事やら判らなかつたらしく、無表情な顔をしてゐたのであるが、午後になつて「老爺がにこにこした訳がわかつた」と家人に告げたさうである。尤も其時には我々はまだ赫々たる戦果に就いて知る所がなかつたのであるから、にこにこの意味が、どの程度に判つたか、頗る疑問である。小報といふ四分の一頁大の大衆新聞を読んでゐる彼は、今日では一応の経過を知つてゐるが、日本の勝利を信じてゐるかどうかはまだ判らない。

北京の支那人、特に有識と称せられ又は自ら有識を以て任じてゐる連中は容易に日本の報道を信じない。特に初頭の戦果が余りに大きいので却つて信じられないらしい。由来彼等は英米を偉大なりとし、日本より遥に強しと思ひ込んでゐる。支那事変前、青島港に於て日本軍艦を見学した廿九軍の将校連が、大いにびつくりしながら「日本の軍艦がこれ位だから米国のはもつと大きいぞ」と囁き合つた話である。かういふ連中に、日本の最後の勝利が信ぜられないのは当然であるが、かく思ひ込ませたに就いては、日本人にも責任がないことはない。

私の知人の一人は、外交部長王正延の口から「日本との面倒な交渉は英米大使を煩はすに限る」といふ話を直接聞いた。天津や上海の日本租界は英米のそれに比して極度に貧弱である。英米の文化施設は日本のそれに較べて格段に優れて見える。北京ロツクフエラー医院の偉容は同仁医院と露骨な対照をなす。形のみならず遣り方もひどく違ふのである。事変後北京に住む日本人が、家屋払底で仕方なく小さな家に住むと、大きい家に住む力がないからだと支那人は解するのである。私の知人が支那官僚の家族と共に自動車に乗つて、それを可園の門にとめた。すると官僚の太々はどうしてもここは違ふと頑張る。「日本人がこんな門のある家に住む筈がない」それが彼女の主張であり、実にはつきりさう言つたといふのである。彼等の対日理解、評価、認識は凡そこんなものである。

此頃、私は満州から持越した毛皮——と云つても実用品のカラクウルの外套をきてゐる。が、それにも拘らず、車夫共は大いに敬意を表して、決して賃銀の前交渉をしない。行先を告げると黙つて走り出す。普通の外套だと縦令それが上等でも賃銀をきめなければ乗せない。毛皮がものをいふのである。事大思想の支那人には、地図の上で、支那でやつてゐる事で、偉らさうに見える米国が尊敬されるのである。だが斯うした支那人の事大思想、特に日本及び日本人に対する認識が改められる日もさう遠くはないであらう。

（『北支』昭和一七年二月号）

●太平洋戦争一周年

大君は神といまして神ながら思ほしなげくことのかしこさ
神怒りかくひたぶるにおはします今し断じて伐たざるべからず
畏くて涙流れぬ神ながら御怒り深きみ言聞きつゝ

この程釈迢空氏から贈られた新刊の歌集「天地《あめつち》に宣《の》る」の首にこの歌がある。大東亜戦争一周年、宣戦の大詔を拝した朝のあの筆にも口にも盡しがたい感激をふたゝび新にする。

事変五年、戦争一年、北支は、北京はどう変つたであらうか。或は変らなかつたであらうか。変らないと見る人もある。変つたといふ人もある。

皇軍の南方に於ける赫々たる戦勝が北支の人心に著しい影響を與へたことは事実である。併し、殆ど海を知らぬ大陸民族に、海戦及其戦果はほんたうの意味がわからうとは思はれない。戦艦、空母の撃沈に就いて彼等と話してみても、その刺戦や理解や認識は至つて微弱であり浅薄である。

支那事変が事変であつて戦争でなかつたことは、日本の実力の行使及其実力に対する認識を不徹底なものにしたと一部の人は考へてゐる。事変は支那人を戦敗者たらしめず、彼等自身現に負けたとは思つてゐないらしい。大東亜戦争に於ける彼等の立場は頗る朦朧として居る。たゞ何となく魅力のあるのが「最後の勝利われにあり」といふ重慶の宣伝である、と識者はいふ。

事変当初、飛行機の音がすると大急ぎで外に出て空を仰ぐ彼等であつた。蔣軍の飛行機を空頼みにしてゐたのである。この頃、一度、米機が冀東に現はれてからは、また空を仰ぎ始めた彼等である。さういふ意味でなら、人心は大して変つてはゐない。

北京の街頭にはまだ物がある。木綿も石鹸も菓子もあると日本から来る人は吃驚する。物がある間は戦争ではないとも謂へる。が、此頃急速に乏しくなつてきた。物価は鰻上りで止る所を知らぬ。停止も統制も相手が風馬牛の支那人ではきゝめがない。「日本人が来たから生活が苦しくなつた」と彼等はこぼす。この頃では「戦争だから」と言葉だけは改めた由。言葉は変つても内心はなかなか変らない。

北支の食糧は由来麦粉と雑穀、米は喜ばれない。汪政権下に馳せ参じはしたものゝ、米食に閉口して辞めてきたといふ男も居る。北方人には五斗米を蹴とばす先哲の亜流も珍らしくない。がその亜流先生も麦粉には膝を屈し頭を下げる。開灤炭鉱の英人経営者はそのこつを知つてゐた。濠洲と加奈陀から自国船でふんだんに麦粉を運んで、炭掘りを粉まぶしにして、意の如く扱つてゐた。

大東亜戦争のこの方、この麦粉が来ない。北支を賄つた英国系の麦粉の杜絶は、かなりの痛ごとである。

腹がへると猫も虎になる。聖戦を説き民族的自覚を促しても、さつぱり通じない連中が多い。だから、厄介である。

猫はまだ虎に変つてはゐない。だが、変らないといふ保証はない。霜をふんで堅氷いたる、そんなことを考へねばならぬやうになつただけ既に変つたといへよう。日本国民の実力の発揮が今切実に要求される。

（『北支』昭和一八年一月号）

※各項タイトルはこのたび便宜的に編者が付した。

原寸復刻・弘報冊子『華北交通』（昭和一五年九月発行）

加藤新吉編輯『華北交通』（華北交通叢刊一五）一九四〇年九月二〇日・華北交通株式会社刊

目次

華北交通
山西の黄土層

華北交通の歌

華北交通社員會編

一

皇天の啓示かしこみ
善隣の義に勇むもの
　おほいなり　華北交通
民族の提携かたく
わきあがる興亞の希望
　われら　ねがはくば
建業の礎石とならむ

二

東方の秩序あらたに
昭明の日を來すもの
　おほいなり　華北交通
生命の躍動ここに
よみがへる大地の文化
　われら　さきがけて
奉公の至誠に生きむ

三

開拓の使命あふぎて
交通の利を興すもの
　おほいなり　華北交通
水陸の建設しるく
ひかりあり天與の資源
　われら　こぞりたち
共榮の樂土を成さむ

古北口附近の萬里の長城—京古線

目次

埋藏量四百億瓲の大同炭田露頭—同蒲線

北支・蒙疆の概念

境域

北支 東は渤海と黃海に臨み北と西は長城線を越えて蒙古高原に連なり、南は秦嶺山脈と淮河河谷に劃らるゝ西高東低の平野。黃河水系による冲積土と黃土とに蔽はる。

蒙疆 北にゴビ沙漠、東に大興安嶺西は新疆省を越えて中央亞細亞に連り、東南を長城線に劃らるゝほゞ一千メートル以上の高原。

面積

北支 四十三萬三千平方キロ

（但し前揭境域に據る正確な數字なきため、こゝでは河北・山西・山東の三省に限る——以下同じ）

蒙疆 六十一萬五千平方キロ

日本は六十七萬五千平方キロ滿洲は百三十萬平方キロ

人口

北支 八千三百六十萬人

一平方キロ 一九五人

蒙疆 六百萬人

一平方キロ 一〇人

日本は九千八百萬人・一平方キロ一四五人、滿洲は三千八百萬人・一平方キロ二八人

政府

北支 華北政務委員會 北京

長蘆　鹽田—京山線

蒙疆　蒙古聯合自治政府　張家口

通貨

北支　中國聯合準備銀行券　日本金圓と等價

蒙疆　蒙疆銀行券　日本金圓と等價

石炭　一千七百億瓲

埋藏　瀝青炭七〇%・無煙炭三〇%、日本は百七十億瓲、滿洲は八十億瓲

産出　一千六百萬瓲（年産）

鐵鑛　一億五千萬瓲

埋藏　純分平均五〇%、日本は七千萬瓲、滿洲一億二千萬瓲

耕地對總面積　河北四五%　山東四四%　山西二三%　蒙疆九%

農民　總人口の八割五分

産鹽　百十餘萬瓲（年産・以下同）日本は六十萬瓲滿洲は九十萬瓲

棉花　三百五十萬擔（擔は約百斤）

紡績　綿糸六十五萬梱（能力）　綿布一千三百萬反（能力）

小麥　一億三千萬擔

高粱　七千六百萬擔

牛　四百六十萬頭（飼育數・以下同）

緬羊　六百四十萬頭

山羊　五百四十萬頭

豚　九百五十萬頭

苦力　百萬人（滿洲向移住）

貿易　輸出　一億元（一九三九年度、日本向は八千三百餘萬元）

輸入　五億七千萬元（一九三九年度、日本より三億五千萬元）

鐵道　五千五百キロ（現狀）

自動車路　一萬一千キロ（現狀）

水運路　三千三百キロ（現狀）

華北交通創業調印式

華北交通の特質

華北交通株式會社は支那事變の最も輝かしい戰果の一つであり、國民血肉の結晶である。わが大陸政策の據點たるべき使命を負うて、日華蒙協力の上に創設された特殊會社である。華北と蒙疆における水陸交通の綜合經營によつて、東亞興隆の先驅となるべき責務を負うてゐる。近代の交通機關は國家社會の動脈であり、産業文化開發の礎石であるが、特に華北蒙疆の現狀においては、直ちに國防の幹線であり防共の城砦でもある。建設作業と軍事行動とが同時に行はれねばならぬ今日に在つては、その整備の如何は直ちに國家の消長、社會文化の盛衰に影響する。東亞新建設の理想達成のため、大陸交通が擔ふべき任務の特に重大なる所以である。

華北交通會社は日華合辦の株式會社であるが、從來列國が利權吸收の手段として慣用したいはゆる合辦會社とは全くその本質を異にし、飽くまで全民族への惠澤、あらゆる意味における興亞の建業を日華共同の目標とする合辦組織である。

十一萬の全從業員はこの使命を體して勇奮力行、すでに挺身殉職せる

向つて右二人目より大村滿鐵總裁、王克敏元臨時政府行政委員長、故大谷北支開發總裁、左より二人目宇佐美華北交通總裁　昭和十四年四月十七日北京にて

六百の同僚の屍を踰えて敢然責務の完遂に邁進してゐる。兵匪の妨碍と自然の災害とに加へて資材の不足は益々甚だしく、しかも委託された交通諸機關は極めて不備不完全であるが會社創業一年後における實績は各部門とも急速の上向線を示し著々舊來の面目を一新しつゝある。また人的には多數の中國從事員を包擁し、愛路村の尨大な中國民衆を指導するなど、交通網を媒體として民族の融和提携を實踐してゐる。

華北交通は東に滿洲、朝鮮を結び南は中南支に連り、西は中央アジアにも及ぶべき東亞交通の中樞に位置し、大東諸族活躍興隆の大舞臺を形成してゐる。

その三億の資本は北支那開發株式會社の一億五千萬圓（現物）南滿洲鐵道株式會社一億二千萬圓（現金）と華北政務委員會三千萬圓（現金）との出資に成り、如上の使命を帶びて國有鐵道その他の運營に任ずるのであるが、經營上生ずることあるべき損失は政府の保證に據らず總て會社の負擔となる。換言すれば華北交通の經營は東亞の福祉の爲に、且、會社の計算に於てなされるのである。こゝに亦華北交通の特色がある。

經營はなほ多難を豫想せらるゝが天與の資源と稠密な人口に立脚する以上、前途の洋々が期待される。

黄土地帯を走る列車

鐵道

5.500キロ

鐵道は會社業務の根幹である。

事變直前における舊北支鐵道總營業キロの九六パーセント即ち五千七百キロは既に華北交通の經營下に入り、殘るは隴海線の開封以西のみとなつた。會社創業の昭和十四年四月より一ヶ年餘にその營業線は約七百キロを伸長してゐる。全線殆んど戰爭の災禍を蒙らざるものなく、舊鐵道從事員は逃亡して慘憺たる狀況にあつた事變直後に比すれば隔世の感を禁じ得ない。しかもその間、戰時輸送の大任を果しつゝ或は既存施設を修理擴充し、或は新鐵道を建設し、著々舊來の面目を一新する傍ら、運輸實績をも急速に向上せしめてゐる。

旅客營業キロ程

京山幹線（北京—山海關）　四二三キロ
京古幹線（北京—古北口）　一四四キロ
京漢幹線（北京—小冀）　六二四キロ
新開線（小冀—開封）　八七キロ

北支蒙疆鐵道略圖
北支鉄道總粁數 六千二百キロ
〃 營業粁數 五千五百キロ
包頭
厚和
張家口
古北口
京包線
京古線
大同
口泉
平旺
北京
大台
通州
坨里
周口店
琉璃河
高碑店
西陵
保定
保定南站
天津
塘沽碼頭
唐山
京山線
北戴河
山海關
渤海
陽明堡
原平
忻縣
甲子灣
西銘
太原
白家莊
王門溝
楡次
井陘炭礦
鳳山
微水
南張村
石門
石太線
京漢線
津浦線
汾陽
東觀
平遥
來遠
同蒲線
順德
德縣
濟南
張店
鉄山
金嶺
淄川
博山
坊子
坊子炭坑
膠濟線
青島
六河溝
豊樂
彰德
臨汾
楚旺
新鄉
小冀
陳莊
兗州
濟寧
黃海
運城
風陵渡口
潼關
鄭縣
開封
隴海線
臨城
徐州
趙墩
大浦
連雲碼頭
新浦
昭和十五年七月一日現在

鋪設列車—京包線

津浦幹線（天津—蚌埠）　八三四キロ
臨趙線（臨城—趙墩）　一〇三キロ
京包幹線（豐台—包頭）　八一七キロ
大臺線（西直門—大臺）　六七キロ
膠濟幹線（靑島—濟南）　三九四キロ
博山線（張店—博山）　四〇キロ
石太幹線（石門—太原）　二四九キロ
同蒲幹線（大同—蒲州）　八三四キロ
甲子灣線（忻縣—河邊）　四一キロ
東潞線（東觀—潞安）　一七九キロ
道淸幹線（淸化—遊家塡）　七八キロ
隴海幹線（連雲—開封）　五〇一キロ
その他各枝線　二五九キロ

新線建設と改良工事

硝煙彈雨に挺身し物的人的資材の不足に抗して敢行された新鐵道の建設は、通州・古北口間、大同・寧武間、小冀・開封間、包頭・石拐子間の四線と南部山西省開發の使命をもつ東潞線——東觀・潞安間であつて延長計六百キロに達してゐる。さらに石炭を首めとする戰時重要資源の對輸出の急務に應ずる新線が計畫され或は既に建設されつゝある。

破壞された路盤、驛舍、橋梁等諸施設の修復作業のうち、八達嶺隧道の啓開作業、黃河、淮河兩鐵橋架設工事の如きは斯界驚異の神速を以て完成され、昭和十四年夏の大水害も豫想外の短時日で復舊された。また

華北交通會社社屋―北京

從來狹軌幅であつた石太全線と同蒲線の北部、太原・大同間は標準軌幅へ改築されて著しく輸送力を增大した。殘る狹軌區間は同蒲線の南部のみである。

輸送の躍進

戰火の創痍未だ癒えず、兵匪の妨碍、自然の災厄絕えず、資材の不足加はるなど、惠まれざる惡條件の下において、輸送實績は營業線の伸長に伴ひ躍進の一途を辿つてゐる。

試みに昭和十四年十月より翌年三月迄の半ケ年における貨客輸送量を見れば、貨物發送噸數は千六百餘萬噸で、前年同期に對し三二パーセント、事變前に較べれば二五パーセントと何れも增加を示してをり、旅客數も千六百二十餘萬人で前年より八〇パーセント、事變前より七六パーセントの激增ぶりである。

昭和十五年度はさらに路線の補强貨車繰の圓滑化、一車當りの增積などにより更に一段の飛躍を期し、特に日本向石炭の增送には萬全を計つてゐる。

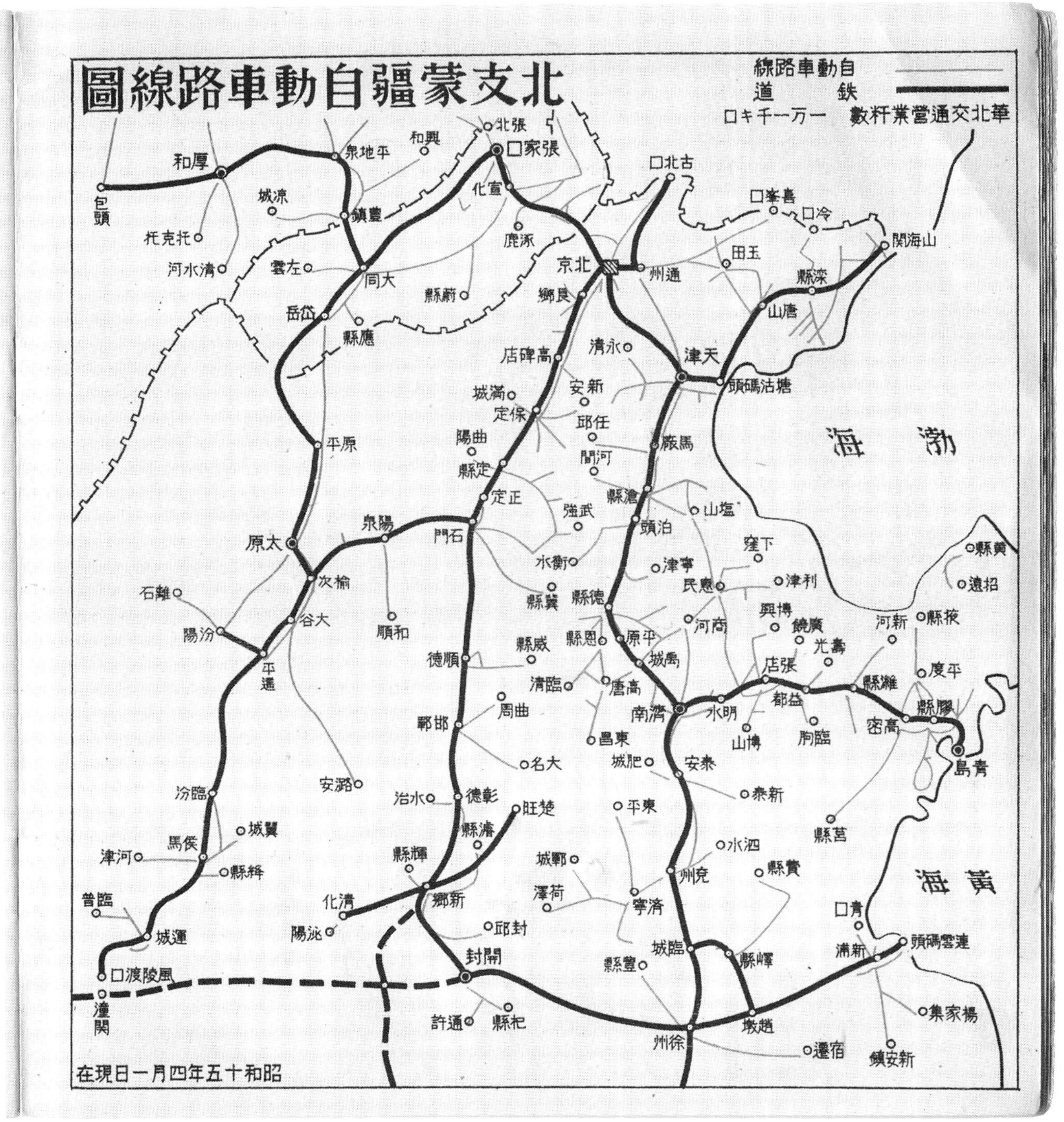
北支蒙疆自動車路線圖
自動車路線
鉄道
華北交通營業粁數　一万一千一キロ
包頭
厚和
平地泉
興和
張北
張家口
古北口
喜峯口
冷口
山海關
宣化
涼城
豐鎮
托克托
涿鹿
清水河
左雲
大同
北京
通州
玉田
灤縣
蔚縣
良鄉
唐山
岱岳
應縣
高碑店
永清
天津
塘沽碼頭
新安
滿城
保定
任邱
曲陽
定縣
河間
馬廠
原平
正定
武強
滄縣
塩山
陽泉
石門
泊頭
下窪
太原
衡水
寧津
利津
黄縣
招遠
榆次
離石
冀縣
德縣
惠民
大谷
汾陽
和順
博興
廣饒
新河
掖縣
威縣
恩縣
平原
商河
壽光
順德
禹城
平遥
臨清
高唐
張店
濰縣
平度
益都
曲周
邯鄲
濟南
明水
膠縣
東昌
博山
臨朐
高密
青島
大名
肥城
泰安
潞安
臨汾
彰德
水冶
楚旺
東平
新泰
翼城
浚縣
侯馬
河津
絳縣
輝縣
鄆城
泗水
莒縣
兗州
費縣
臨普
清化
新鄉
菏澤
濟寧
青口
運城
沁陽
封邱
臨城
嶧縣
新浦
連雲碼頭
風陵渡口
開封
豐縣
潼関
通許
杞縣
趙墩
徐州
宿遷
楊家集
新安鎮
渤海
黄海
昭和十五年四月一日現在

華北交通バスの集團輸送—天津近郊

自動車 11.000キロ

北支蒙疆の鐵道延長は六千二百餘キロであるから全支鐵道延長一萬三千キロのほゞ半ばに達するが、その面積百平方キロに對する割合は〇・六キロ、人口一萬人當りを見ても〇・七キロに過ぎない。面積に對しては日本の十分ノ一、人口に對しては五分ノ一で、カナダや濠洲はもとよりブラジルにも及ばぬ現狀である。北支は古來陸運を主とし、河北省の如きは北方文化交通の中心で鐵道も支那第一の延長を持つてゐるが、それでも面積百平方キロに對して僅かに一・五キロ、辛うじて英領印度の程度に過ぎない。かやうに鐵道密度の低い地方ではその補助或は代行機關として自動車の役割が重大である。

北支に於ける自動車運輸は道路の不備のため發達を阻害されてゐたが舊國民政府は軍事上の必要に基いて旺盛に新道路を建設したゝめ、支那事變の直前にはほゞ系統的な路線網を形成し、通車可能道路は約二萬四

華北交通バスに群る人たち

千キロに達し、約二千輛の自動車で凡そ一萬キロを運行してゐた。事變と共に之等の自動車は悉く支那軍に徴發或は燒却せられ、道路も破壞されたもの多く、支那側の自動車運行は殆ど停止してゐたのである。之より先き日本側では昭和十年六月、滿鐵によつて山海關・建昌營一四一キロの運營を開始し、逐次冀東地區と蒙疆の一部に經營路線を伸長せしめてゐたが、その當時は道路の不備橋梁の流失、其他の故障、或は民間業者の反對、兵匪の襲擊等に遭ひ、この國策の尖兵は苦心慘澹を極めた。事變後は軍の進攻につれて運行範圍を擴大し、滿鐵の資本と人とによつて華北汽車公司と蒙疆汽車公司の兩會社が創設され、銳意路線の復舊と伸長に努力してゐたが、華北交通會社の創立によつて華北汽車公司の事業は之に包含された。蒙疆政府はその特殊事情により、別に蒙疆汽車公司を創設し、約四千キロを經營せしめてゐる。

經營路線一萬粁突破

華北交通創立當時四千餘キロの自動車路線は一ヶ年後の昭和十五年六月には一萬一千キロに達した。しかも最近においては毎月一千キロ近くの伸長ぶりである。その主要路線は百四十餘線、今や北支の自動車事業は殆ど全く華

山海關にて

北交通の經營下に在る。

自動車は近年各國とも著しい發達を遂げ、軍備としても極めて重要視されてゐるが、歐米諸國においては鐵道との競爭及び之との調整が煩はしい問題になつてゐる。華北交通は滿洲における滿鐵と同じく鐵道、水運と共に綜合的に一貫經營して各の機能を有機的に發揮せしめようとするものである。現在その輸送は人よりも物を主とし旅客四、貨物六の割合であつて、華北交通の自動車が如何に地方物資の集散に寄與しつゝあるかを窺ふことができる。昭和十四年度は未曾有の水害のため一時全路線運行の不能に陥つたが、なほ旅客約六百七十萬人、貨物約二十五萬瓲を運送し、前年度に三倍する成績を收めた。自動車の開通によつて事變以來萎縮してゐた奥地物資の出廻りを促進し、聯銀券の流通範圍を擴大せしめてゐること、さらに之に伴ふ民心の安定、防共治安上の効果など直接間接の好影響は測り難いものであらう。

道路建設の進捗につれて自動車路線も逐次延長され貨客の輸送を飛躍的に増大せしむる計畫である。これに備へて華北交通は四ヶ年一千名の計畫で主として中國人の自動車從事員を養成し、著々この遠大な計畫の實現を期してゐる。

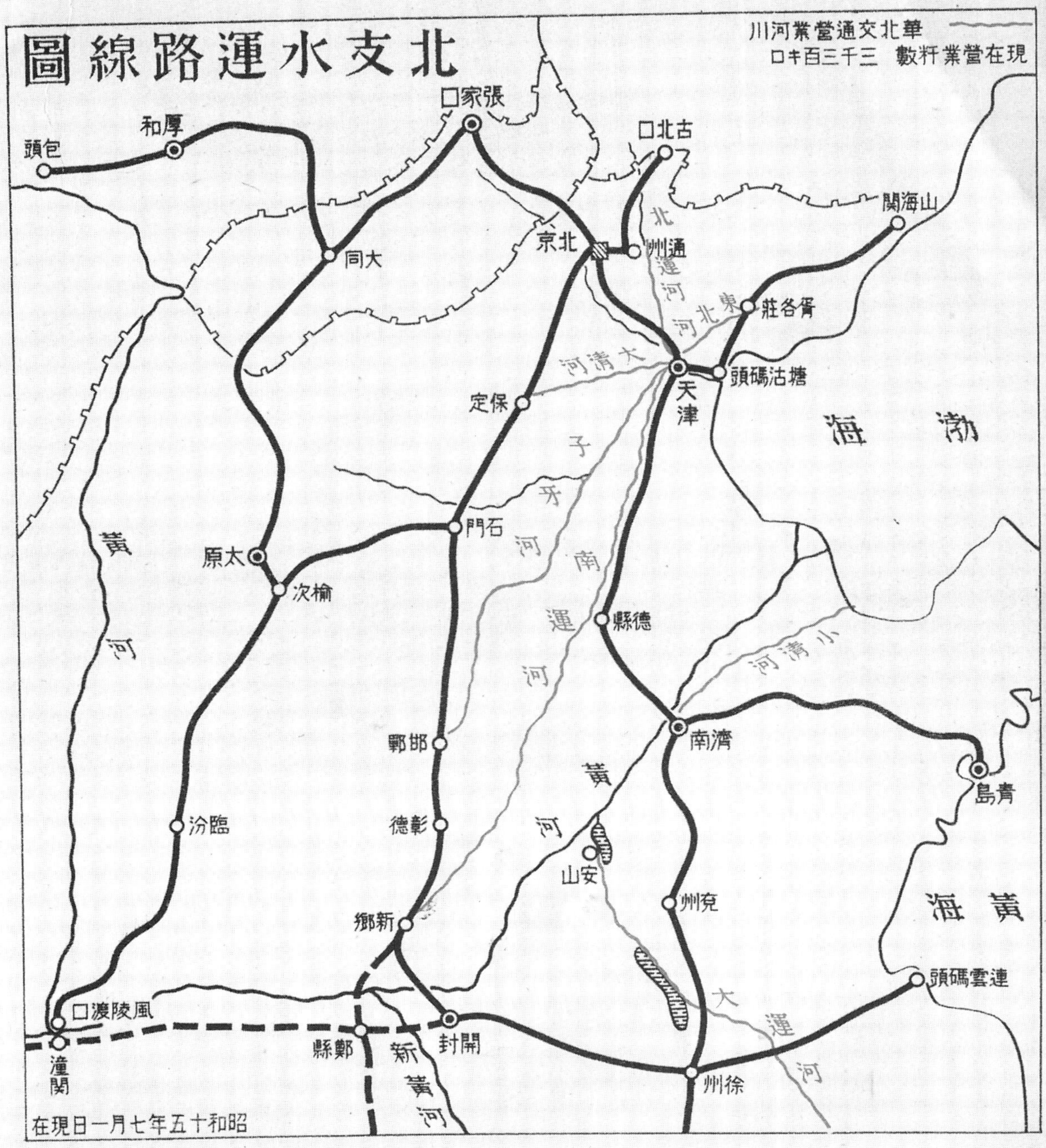
北支水運路線圖
華北交通營業河川
現在營業粁數 三千三百キロ
包頭
厚和
張家口
古北口
山海關
大同
北京
通州
北運河
胥各莊
東北河
大清河
天津
塘沽碼頭
保定
渤海
子牙河
石門
太原
楡次
南運河
德縣
小清河
濟南
青島
黃河
邯鄲
彰德
臨汾
安山
兗州
新鄉
黃海
連雲碼頭
風陵渡口
潼關
鄭縣
開封
新黃河
徐州
大運河
昭和十五年七月一日現在

衞河・京漢線新鄕附近

水運 3.300キロ

支那では古來內國水路がその交通の中樞をなし、南北運河をはじめ人工的に開かれた運粮河も多い。歷史を見ても文化の發展した時代には治水工事が盛んに行はれてゐる。南船北馬とは謂ふが、北支にも天津や濟南を中心にして縱橫に水運路が開け運航可能の河川は五千キロに達し、しかも未だ鐵道や自動車の密度が低いので地方的には重要な輸送路となつてゐる。試みに事變前におけるその運輸實績を一瞥すれば、鐵道による天津發着貨物が年約百九十萬瓲であるに對して水運によるものは百三十五萬瓲で、殆ど陸上交通に比肩すると共に、陸運と海運との連絡機關として重要な地位を占めてゐる。鐵道と自動車に水運を加へた水陸交通の一貫的、綜合的經營は最も合理的であり、能率的である。華北交通のねらふところも亦そこにある。

昭和十四年六月天津の英佛租界封鎖に關聯し、天津特三區埠頭外二埠頭の營業開始によつて水運經營に着手した華北交通會社は、逐次經營路

大運河の繁興街碼頭

線を開拓して翌十五年初には八百キロに伸長、ついで同年四月には中國內河航運公會の業務を繼承して河川行政事務を代行することになり一般民船の統制指導に乘出した。更に同五月からは從來の汽機船の外に民船による貨物運送を開始、民船千五百隻を動員し、數十隻から成る大船團を編成して定期的に運行してゐる。

運營路線も急速に伸長し同六月には三千二百キロとなつた。交錯する之等の河川を通じて國內深く新時代の息吹きを傳播せしめ、地方產業の開發と治安の確保を促進してゐる。

主なる經營河川は

大淸河（天津—保定）　二一六キロ
子牙河（天津—邯鄲）　七五五キロ
南運河（天津—新鄉）　一、〇六九キロ
小淸河（北關—羊角溝）　二七六キロ
大運河（安居鎭—淮安）　五六五キロ
北運河（天津—通縣）　一四三キロ
東北河（天津—苘各莊）　一三九キロ

このうち大淸河は月五回、子牙河は三回、南運河は六回、鐵道との連絡を考慮してそれぞれ定期運行を行つてゐる。昭和十五年五月から同十一月に至る半年間の輸送計畫によれば定期配船五十萬噸、臨時四十六萬噸、計九十六萬噸を目指し、異常な意氣込みを示してゐる。

港灣

北支の主要港としては秦皇島、塘沽、天

連雲港

津、威海衞、芝罘、龍口、青島と連雲の八港を數へ得るが、現狀は何れも設備貧弱で、北支經濟、文化の發展を期するためには今後港灣の大擴充を行ひ、陸運と海運との有機的聯關を計る必要がある。戰時日本が今日最も必要とし且つ北支蒙疆に豐富に埋藏されてゐる石炭、鐵をはじめ鹽、羊毛、皮革、棉花等のいはゆる戰時產業資源を旺盛に日本へ輸出し、同時に開發資材の諸物資の輸入を活潑ならしむるためには、海陸運輸の全機構の整備が先決條件であり之等を一貫綜合して經營の妙味を發揮せしむることが刻下の急務とされてゐる。

昭和十四年六月天津、塘沽及び北砲臺の三碼頭を開設した華北交通は同年十二月連雲碼頭の運營を開始しついで翌十五年七月には白河河岸の新河碼頭の建設と塘沽碼頭の擴充工事を完成、同九月には塘沽碼頭下流一キロにも鑛石專用の碼頭を完成するなど、港灣經營に手を伸ばしつつ既存施設の整備に努めてゐる。

天津と塘沽の兩碼頭は雜貨を主とし、北砲臺と新河は石炭、鐵鑛石の對日輸出に備ふるものである。連雲港は隴海線の起點で廣大な背後地を持ち、且つ、日本への最短距離に在り、港灣の條件にも惠まれてゐるので、その將來を期待されてゐる。

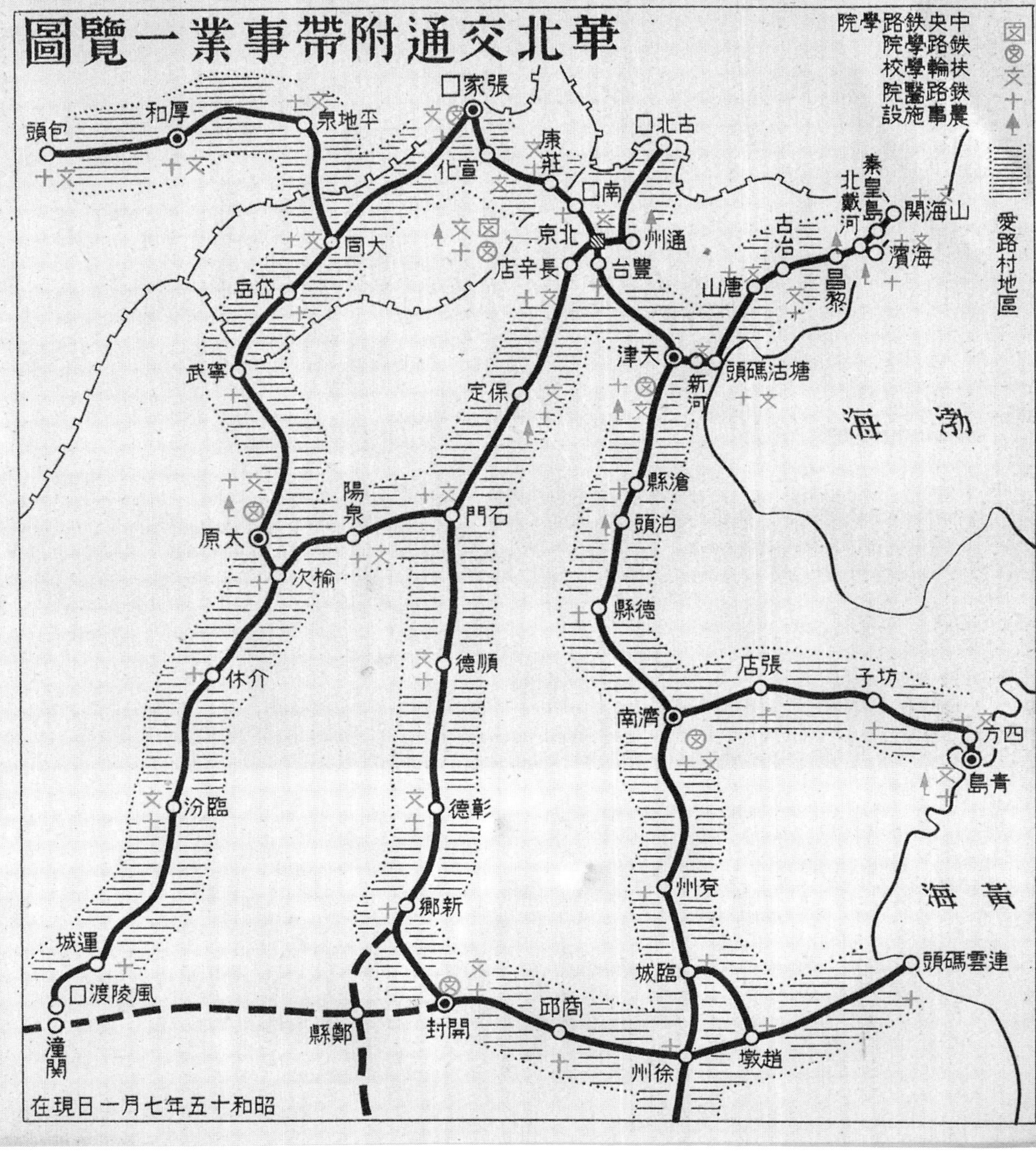
華北交通附帯事業一覧圖
中央鉄路學院
鉄路學院
扶輪學校
鉄路醫院
農事施設
愛路村地區
包頭
厚和
平地泉
張家口
宣化
康莊
南口
古北口
大同
北京
通州
長辛店
豐台
岱岳
寧武
秦皇島
北戴河
山海関
古冶
海濱
唐山
昌黎
天津
新河
塘沽碼頭
保定
渤海
滄縣
陽泉
石門
泊頭
太原
榆次
德縣
介休
順德
張店
坊子
濟南
四方
青島
臨汾
彰德
兗州
黄海
新鄉
運城
風陵渡口
潼関
鄭縣
開封
商邱
臨城
連雲碼頭
徐州
趙墩
昭和十五年七月一日現在

華北交通女警

警務

北支蒙疆の治安は皇軍の奮闘によつて確保されつゝあるが今なほ共産系を主とする多數の敵匪が蟠居し執拗に鐵道沿線に出沒して鐵道の破壞治安の攪亂を企圖してゐる。その被害件數は鐵道關係だけで毎月百件を超える。交通會社は管下水陸交通網の警備、保安に當るため本社に警務部を、各現場には警務段を特設し日華社員から成る多數の警務從事員を配置してゐるのである。之等の從事員は時に武裝して直接敵及び敵性に對抗する傍ら、沿線愛護村民の指導者となつてその育成に任ずるのである。さらに、女性による犯罪防止のため主要驛には中國人の女警を配屬し、又北京には警備犬育成所や通信補助として傳書鳩育成所を設け、各地に優秀犬や鳩を配置するなど、萬全を計つてゐる。

勿論、直接の警備には皇軍の指導協力を受けるのであるが、交通會社自體がかゝる尨大な警備機構を持つてゐることは大陸交通の著しい特徵であり、日本はもとより諸外國にもその例を見ない。華北交通の經營の苦心の一つも此處に在るのである。

愛路列車—隴海線

愛路村

華北交通は多數の警務從事員と巨額の警備費を以て、交通路の保全に當つてゐるが、警備力には自ら限度がある。敵は巧みに民衆を獲得し、之を使嗾して執拗に路線の妨碍、治安の攪亂を企圖してゐる。鐵道がいかに頑張つても、民衆の協力なくしては交通の萬全を期し得ない。日支事變勃發直後、滿鐵が占領地の鐵道沿線に、逐次鐵道愛護村を組織したのは、滿洲に於ける經驗と實績に基くものである。華北交通も之に學んで鐵道路線ではその兩側各十キロ、自動車路と水運路線とはその兩側各五キロの地帶內に在る村落を網羅して愛路村を設定してゐる。而して現在指導しつゝある愛路村の總數は八千箇村、その人口は三千萬に達してゐる。各村の村長は行政村長に委任し、その下に班長や戶長を置いて細胞組織を構成する。驛を中心とする數ケ村が集つて地方愛路區を結成し、その區長は驛長である。村長の輔佐役となつて一切の指導訓練に當るのは華北交通社員たる警務段員で

愛路村民に食糧配給—京包線

ある。

「以民護路」或は「一民愛路　萬民享福」等の標語を掲げて行はれる愛路工作は、直接には民衆自體の手によつて交通路を防衞せしむるのを目的とするが、抗日意識を打破して親日に轉向せしめ、併せて民生の利福向上を計り、延いて沿線の產業開發に資すべき遠大な理想に根ざしてゐるのである。このため交通會社は、村民の思想善導に努むる旁ら、無償で多量の優良種子や樹苗を配布したり施療施藥班を巡回せしめたり、或は廉賣品と演藝班を滿載した愛路列車を運轉し、或は農業實驗區を設けて農事の改良指導を、問事處を置いて村民の日常萬般の相談相手になるなど、村民の福祉厚生のため凡ゆる手を盡してゐる。

之等の愛路工作は實施後未だ日が淺いに拘らず、その效果は著しいものがある。線路の巡察や警備警戒等に積極的に奉仕協力する者は一ヶ月實に八萬人に上り、過去一ヶ年間に彼等が齎した匪賊情報は一萬五千件鐵道事故を未然に防止したもの七百五十件を算へ、華北交通からその篤行を表彰された者二千餘名に上つてゐる。これこそ現實に民路の合作、日華提携を實踐しつゝある注目すべき實績である。

愛路少年隊—京漢線

愛路少年隊と婦女隊

愛路村民の先頭に立つて勇敢に活躍するのは少年隊である。十一歳から十七歳までの少年がカーキ色の制服と隊杖に身を固め颯爽と行進する樣は微笑ましく頼もしい。彼等は現實に兇器を持つ敵に對抗するので訓練も軍隊式に嚴格である。匪賊情報の通報連絡、防衞作業、線路の巡察さらに手旗信號や電話器の操作などすべて用語は日本語によつて華北交通の若い警務段員から熱心な指導を受けてゐる。また餘暇には共同作業圃で農業の實習を勵み、日本語を習ひ、明日の中國を擔ふべき優良な國民にと鍛へられてゆくのである。この少年隊は現在一萬五千名。

少年隊の外に村の中堅として青年隊と婦女隊の組織がある。華北交通は、因襲に捉はれてゐた中國の若い女性達に、日本語を教へ手藝や料理など女性の嗜みを深めしむるやう努めてゐるが、彼女達は進んで施療施藥班の手助をしたり施米の世話をするほか、時には身の危險をも省みず線路の巡回や敵情の通報にさへ協力する者も多い。

扶輪學校生徒の體操―北京

扶輪學校

華北交通會社は鐵道と自動車と水運との單なる經營會社ではなく、併せて大陸の土地と住民とを開拓し啓發すべき使命を持つてゐる。會社が鐵道沿線各地に巨費を投じて經營してゐる扶輪學校の如きはこの使命に基く理想の現れに外ならない。事變前の中國鐵道も扶輪學校を設けてゐたが、事變と共にすべて閉鎖されたのを次々に開校し内容の充實を計つてゐるのである。昭和十五年六月の開校數は三十校で、その生徒數は約八千五百人。初級四年、高級二年の二部制で初級の入學適齡は八歳から十二歳。學科は普通公民教育の外に交通の實務訓練をも行ひ、次の時代と交通とを擔任すべき人物を作るのが目的である。各學校には大抵華北交通社員の日本人教員が一名乃至四、五名配屬されてゐて日本語を教へ、實務訓練には現業の社員が當つてゐる。近く扶輪中學も開設の豫定である。扶輪學校の開設されるところ民心の安定著しいものがあり、多數の中國小國民が親日教育を受けて成長してゐることは頗る注目せらるべきである。

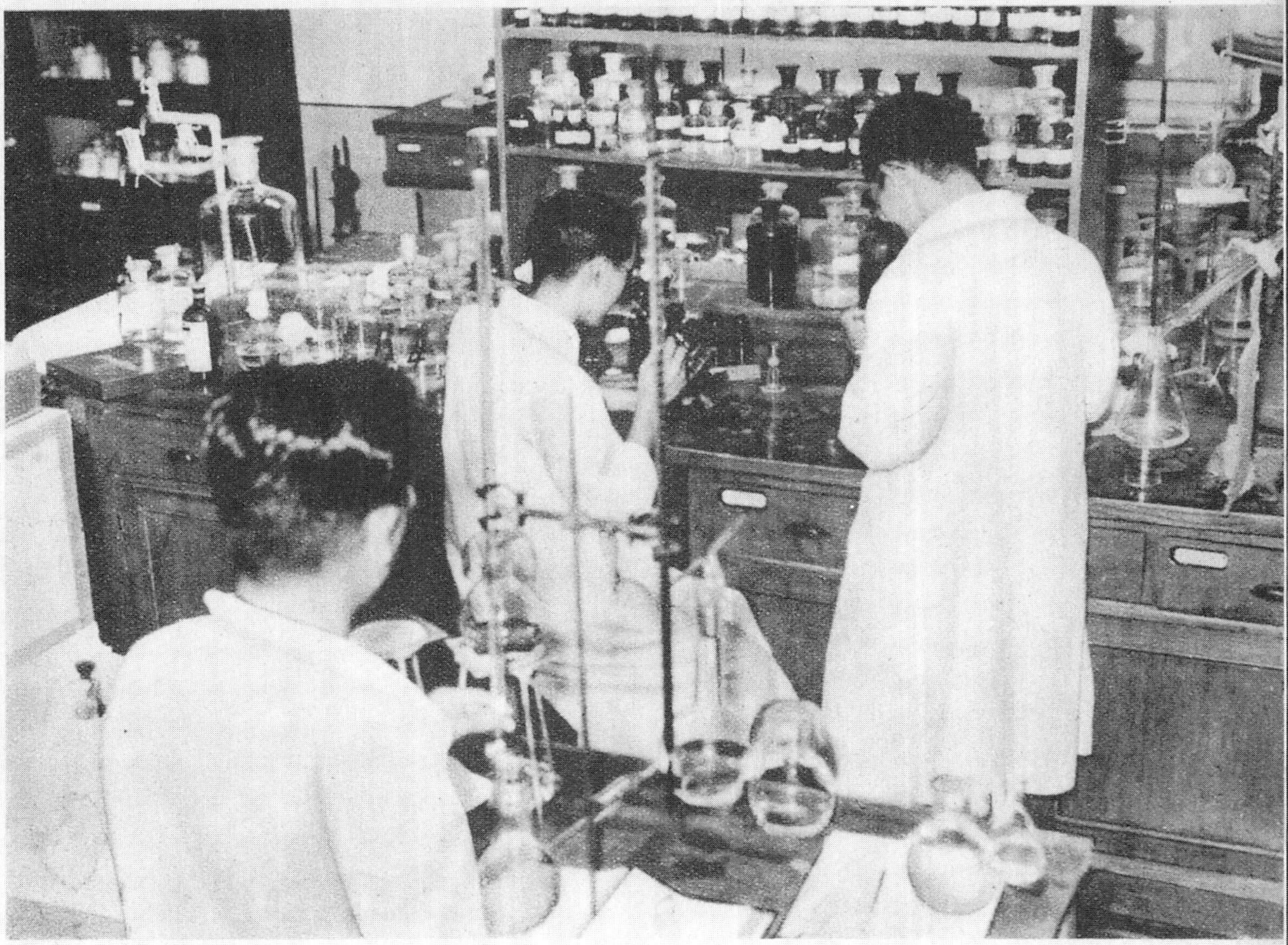

華北交通保健科學研究所—北京

研究機關

農事　住民の八割強は農民であり、耕しうる土地は残りなく利用してゐるが永い封建的桎梏のもと、軍閥政客の苛斂誅求と自然の災害に虐げられて、土地は痩せ農民は疲弊のどん底に呻吟してゐる。冲積土と黄土から成る土壤は元來肥沃で且つ耐旱性の作物に適し、小麥、棉花、高粱、粟など相當の産量を有するが、治水灌漑の未解決と收奪農法との爲むしろ退化減收の傾向にある。特に增産を切望される北支棉花は、粗毛品が約七割を占め、日本紡績工業の期待に添ふには凡て今後の改良に俟たねばならない。

之等舊來の北支農業に科學の息吹を與へ、民生の福祉向上を計ることは華北交通の國策的使命の一つである。その使命に基いて經營されてゐるのが通州農事試驗場、各地の鐵路農場、園藝試驗場等の農事施設であり、充實した技術員の陣容と機構とによつて最も有力な科學的農事指導機關となつてゐる。通州農事試驗場はすでに土地に適する數十系統の優良棉花種子を得、之を各地に配給するほか單位面積の增收策や特用作物

華北交通通州農事試驗場―通州

等の研究を進めてゐる。この間かの通州事件に遭ひ、滿鐵派遣の同所指導員は何れも北支開發の礎石として悲壯な殉職を遂げてゐる。

衛生

氣候風土と文化程度を異にする大陸での生活には不慮の災厄が伴ひがちである。しかも北支蒙疆の自然條件は、日本内地に比して相當酷烈であり、刺戟性に富んでゐる。またその衞生狀態も劣惡で、殊に傳染病や風土病の流行は寒心すべき狀況にあるに拘らず豫防衞生の權威ある研究機關は絶無であつた。華北交通がその特殊使命に基いて設置した保健科學研究所はかゝる環境に適應する生活の科學化特に自然環境と肉體的生活の關係、氣候風土の人間の活力に及ぼす影響衣食住と日本人の體質との調和、病菌の防衞など、いはゆる科學的生活の設計を目指すものである。素より社員のみを對象とするものではなく一般社會にも寄與すべき豫防醫學の殿堂である。目下同研究所では環境衞生の適否試驗、上下水道の衞生試驗、地方病の調査研究、生理化學的試驗調査、ワクチン其他細菌製劑、血清の製造、獸醫學試驗、その他各部門に亘り眞摯な研究をつゞけてゐる。なほ之等の外に華北交通が直接交通經濟に關係ある諸調査研究も行てゐるがこゝには省く。

東海ホテル—青島

東海ホテルのテラス—青島

觀光施設

民族の興亡、文化隆替の悠久なる歷史をもつ北支蒙疆は、至る處史蹟を藏し、また地理的景觀にも惠まれてゐる。例へば北京の內外城に散在する名所舊蹟をはじめ萬里長城、大黃河、黃土地帶、內蒙の景觀など世界的觀光資源として有名なものも多い。華北交通は將來に備へて之等大小の觀光地の保持に努むる旁ら、未開發のものに對しても調査を進めてゐる。なほ現在は時局柄一般の渡支は制限せられてゐるが、最小限度の需要に應ずるため次の諸施設を設定經營してゐる。

東海ホテル　青島灣會泉岬の尖端にあり、諸施設完備し、六階八十一室を有する內容外觀ともに堂々たる臨海ホテルである。夏期は主として外人避暑客が充滿する。

海濱賓館　北支有數の海水浴場たる京山線北戴河の海濱にあり、室數二十二、夏季邦人客で賑ふ。

連雲ホテル　隴海線の終點、連雲港に臨む白堊の近代建築で室數二十五、目下內部の充實を計つてゐる

東方賓館　滿支國境の山海關にあり滿鐵との共同經營で室數九。

北京市内を走るバス

投資事業

華北交通は鐵道、自動車、水運を總攬する旁ら關係事業への投資をも行ひ之等を指導培養しつゝある。

自動車事業　蒙疆汽車公司——蒙疆の特殊事情により蒙疆特殊法人として獨立組織されたもので資本金六百萬圓、蒙疆における自動車路線約四千キロを經營してゐる。華北交通は之に對して四百萬圓を出資し、その全從事員は華北交通の非役社員扱として派遣の形をとるなど、密接に連絡交流し得る態勢を保持してゐる。

天津交通股份有限公司と靑島交通株式會社——共に資本金二百萬圓、市内バスの經營に當るもの。華北交通は目下夫々半額を出資してゐる。

車輛製作事業　華北車輛株式會社——交通器材の充實を計るため華北交通の靑島、山海關兩工廠を基礎とし、之に日滿の車輛會社の參加を得て設立されたもので資本三千萬圓、華北交通出資額は八百萬圓。

この外、靑島水道會社にも一部投資し、その他設立計畫中の關係會社にも應分の出資を豫定してゐる。

社員の

事變と同時に滿鐵社員が各部門から一齊に出動した狀況は宛も軍隊の出動と同じであつて、命令一下二十四時間内に勢揃ひし毛布、水筒など最少限度の必要品をかつぎ勇躍山海關を越えてきたのである。そして直ぐ沿線の中間驛に配屬される。殆んど寢るところもないくらゐ、無論食物も必要品もあるわけではない。驛舍の土間にアンペラを敷き或は列車内にゴロ寢の生活である。鐵道の諸施設は殆んど戰禍を蒙り、數キロに亘つて線路を撤去された路盤、破壞された驛舍、轉覆した機關庫等枚擧に遑なく、黄河や、淮河の大鐵橋をはじめ大小の橋梁は隨處に爆破せられ、隧道は閉塞され電線は切斷されてゐた。此等を修理復舊せしめつる。今日、事變以來僅かに三ヶ年にして當初の慘澹たる交通路を殆ど完全に修復せしめ、著々舊來の面目を一新せしめつゝある事實は、日夜苦鬪をつゞけてゐる交通從事員の膏血の結晶に外ならず、既に六百名が大陸交通の礎石として散華してゐる。また、家族を滿洲や日本に殘して今なほ別居をつゞけてゐる日本人社員は一萬三千名を數へてゐる。日本人三萬のうち有家族者を二萬人とすれば過半數が一家離散の生活をつゞけてゐるわけである。住宅をはじめ學校衞生等の諸施設は早急に充足せられ得るとは思はれず、また內地歸還や勤務地の交替を期待し得るものでもない。しかも北支の特殊な經濟事情のため物價、物資の問題は深刻に

天津水害に於ける華北交通社員の活動

前線の驛を守る社員

氣魄

つ、皇軍の進撃に對應して神速果敢なる未曾有の大輸送を敢行したのである。一方作戰行動と產業開發の要請に基く新鐵道の建設、軌幅改築の工事が推進された。この間、敵はわが兵站線の遮斷を目指して執拗に妨碍を繰返す。大水害は全域に襲來して交通路を寸斷する。さらに惡疫の流行、寒風熱暑、物的人的資材の不足等交々加はり、その辛酸は言語に絶するものがあつた。

戰線が擴大し占領鐵道が延長するにつれて鐵道人も奥へ奥へと進む。特に自動車路の伸長と水運業務の開始に伴つて國內の奥深く挺進する。まことに皇軍と形影相伴ひ鐵兜と共に進むものは華北交通の社旗であ

社員の生活を脅しつゝある。さらに治安は、皇軍の肅淸によつて漸次良好に向ひつゝあるとはいへ未だ武裝兵匪は數十萬を算へ、各地に蟠居して反抗をつゞけてゐる。社員の物心兩面の犧牲はなほ當分つゞくものと覺悟せねばならない。然しながら華北交通社員は、殉職同僚六百の屍を踰えて進み、子孫と共に建業の礎石として大陸に墳墓を定むべき不退轉の決意を固めてゐる。支那事變第一回論功行賞にあたつて榮譽ある旭日章、瑞寶章を拜受せる社員は九十名に上り、そのうち靖國神社合祀の光榮に浴した者七名、在滿各忠靈塔への合祀者百十九名を數へてゐる。(昭和十四年九月末現在)華北交通會社は、かゝる社員を有する特殊會社である。

華北交通の社員十一萬

人事制度

十萬社員のうち三萬の日本人はその技術と良心的科學的經營の手腕とをもつて七萬の中國人を指導し、日常業務を通して民族の融和提携を實踐する——華北交通の人事の理想はこゝにある。會社機構が尨大であり且つ業務部門が鐵道、自動車、水運をはじめ學校、農事、醫院など極めて複雜多岐であり、しかも各種の民族を抱擁してゐるので、その人事制度が頗る複雜性を帶びてゐるのは當然である。

資格　社員制としては、日・華の別なく傭員、雇員、職員の三段制であり、職員中の高級社員には參事副參事の待遇名が與へられる。なほ別に事務囑託と、中國人には工役といふ勞働者階級がある。指導的立場にある日本人は比較的上層の職員級が多く、中國人は逆に工役階級が絶對多數で上層者は尠い。採用後の資格は中等學校程度以下の出身者は傭員、專門學校以上者は職員であるが、特に前歴ある者或は特殊技能ある者は別に詮議される。

進退　採用には定期と臨時とがあり、中等學校以上出身者や特殊技術者を定期に多量に採用するのが定期採用で、これは大陸交通として使命を同じくする滿鐵會社との共同銓衡によつてゐる。傭員、雇員は一定の勤續期間を經て業務に熟練すれば、試驗又は銓衡によつてそれぞれ雇員、職員に登格せしめられる。また在職のまゝ入隊するとき、或は社命により直接會社に屬しない業務に從事する場合等には非役として特殊な人事、給與の取扱を受ける。

養成　大陸交通を擔ふに足る人物を養成するた

鐵路學院自動車科

鐵路學院電信科

め扶輪學校を直營するほか會社は各鐵路局所在地（天津・北京・張家口・濟南・太原・開封）に鐵路學院を、北京には更に中央鐵路學院を設けて日・中從事員の教育に努めてゐる。鐵路學院は普通科と速成科に分れてゐて、普通科は十五歳から二十歳迄の社員中から試驗によつて入學せしむるもので、修業年限は一ヶ年半、現場業務の技術習得を目標にしてゐる。速成科は四ヶ月間で、主に中國人を收容し日本語に力を入れてゐる。現在その生徒數は日華合せて約二千人。中央鐵路學院は鐵路學院の卒業生または二十六歳以下の優秀社員の中から選拔して入學せしむる。本科、豫科、專科、速成科等の別があり、專攻部門は會社の業務部門に對應して多數に別れてゐる。修業年限は各科、又は日・中人の種別によつて區々であるが、交通業務に關する各般の專門的知識と技術とを修めしめ將來の中堅社員を作るのが目的である。現在の生徒數は約千三百名。

之等の生徒は就學中も一定の給與を受け、すべて附設の寄宿舍に入れられて規律あり統制ある自治制の下に訓練されるのである。國策の先驅的使命を負うて大陸交通に從事する者は、優秀な技術家であると共に頑健な肉體と不撓の精神の保持者でなければならない。鐵路學院は之等の理想的交通戰士を養成するための道場なのである。

この外、會社は一般社員に對しても種々の恩典を與へて、日本人には支那語を、中國人には日本語を奬勵してゐる。日・中の協力によつて大業の完成に邁進するためには、先づ相手を知らねばならぬからである。新入社員には相當の期間各箇所の業務實習を課するほか北支蒙疆の概念を把握せしむるための講習會を開催するのもその一つである。また青年社員の優秀なる者は給費生として東亜同文書院大學や南滿工專附設高等技術員養成所等に入學せしめてゐる。さらに幹部養成のため日本や歐米への留學制度も研究されてゐる。

社員體操―濟南

給與と待遇

華北交通社員の本俸額は滿鐵と同一標準に在り、他の諸會社に比して寧ろ低額である。但し母國を離れて大陸に在勤する日本人社員には在勤地の諸事情を考慮して待遇上の均衡を計るため種々の附帶給與を設けてゐる。

基本給與　いはゆる本俸であつて總ての給與金算出の基準となる。從つて實際の給與額は、この基本給に應じて支給される在勤手當、家族手當等と本俸とを加算されたもので、現在その月收は本俸額の三倍强、つまり本俸五十圓の職員の月收は百五十圓以上となる。この基本給與は職員に對しては月俸、雇、傭員は日給によつて支給される。本俸は原則として年一回、その成績を考慮して昇給される。

附帶給與　在勤地の狀況に應じて所定率の在勤手當が補給され、家族を有つ月俸百五十圓未滿者には家族數によつて家族手當が支給される。定期賞與は每年六月と十二月の二回、また語學の習得者や特別の功績ある者には臨時に奬勵金が支給される。社宅外に居住する者には住宅料を、家族と別居する者には別居手當がある。また社員や家族の旅行には私用でも會社所管全線と滿鐵全線の乘車パスを支給し、その他の關係運輸機關も協定によつて割引證を發行する。之等の附帶給與の外に、時局による物心兩面の困難に酬いるため、戰時手當を臨時補給してゐる。また會社は所定の勤續年數を經たる者には相當額の退職手當を支給すると共に、退職手當金の受取を延期したる場合には一種の預金制度として之を預り、高率の利子を附するなど、半生を社業に献げたる者の退職後の生活についても配慮してゐる。

華北交通消費生計所—北京

北戴河社員休養所

厚生施設

社員の生活に安定を與へ後顧の患なく社業に邁進せしむるため、表面上の給與の外に衣食住の各部門に對する廣汎な厚生施設を經營してゐる。基本給額は割合に低額であるが之に附帶する所謂物的給與の豐富な點は滿鐵と共に華北交通社員待遇の著しい特色をなしてゐる。

消費生計所　生活必需品の配給所である。北支蒙疆の全域に散在する日華從事員竝にその家族に圓滑に諸物資を配給するため主要地五十數箇所に分配所を設け、中間驛勤務者には定期的に配給列車を運行し、地方の物資入手難を緩和してゐる。生計所はその建前上營利を度外視してゐるので、一般市價より相當安價に配給し品質も確實で、その配給高は一ヶ年約三千萬圓に達する。この老大な商品が安價に流通することによつて、特殊經濟事情にある北支の物價、物資問題の調整に間接的に寄與するところ甚大であらう。また日用廉價品を滿載した厚生列車を全線に運行し、沿線の愛路村民達にも恩惠を與へてゐる。生計所の從事員は千五百餘名。

住宅　大陸交通の完成に一生を献げ此處に骨を埋めようとする者には、確固たる生活の本據が必要である。全社員を洩れなく社宅に收容することを理想として會社當局は極力奔走してゐるが、時局下種々の事情のため住宅の建設は遲々として進まず、日本人社員の大多數は今なほ家族との別居を餘儀なくされてゐる。そのため別居者には單身の住宅料と家族住宅料の外に別居手當を支給し社宅外居住者には所定の住宅料を支給する。長期に亙る生活上の不自然はやがて精神的にも肉體的にも影響して大業の遂行を妨げることを慮り、會社は各地に留

鐵路醫院―濟南

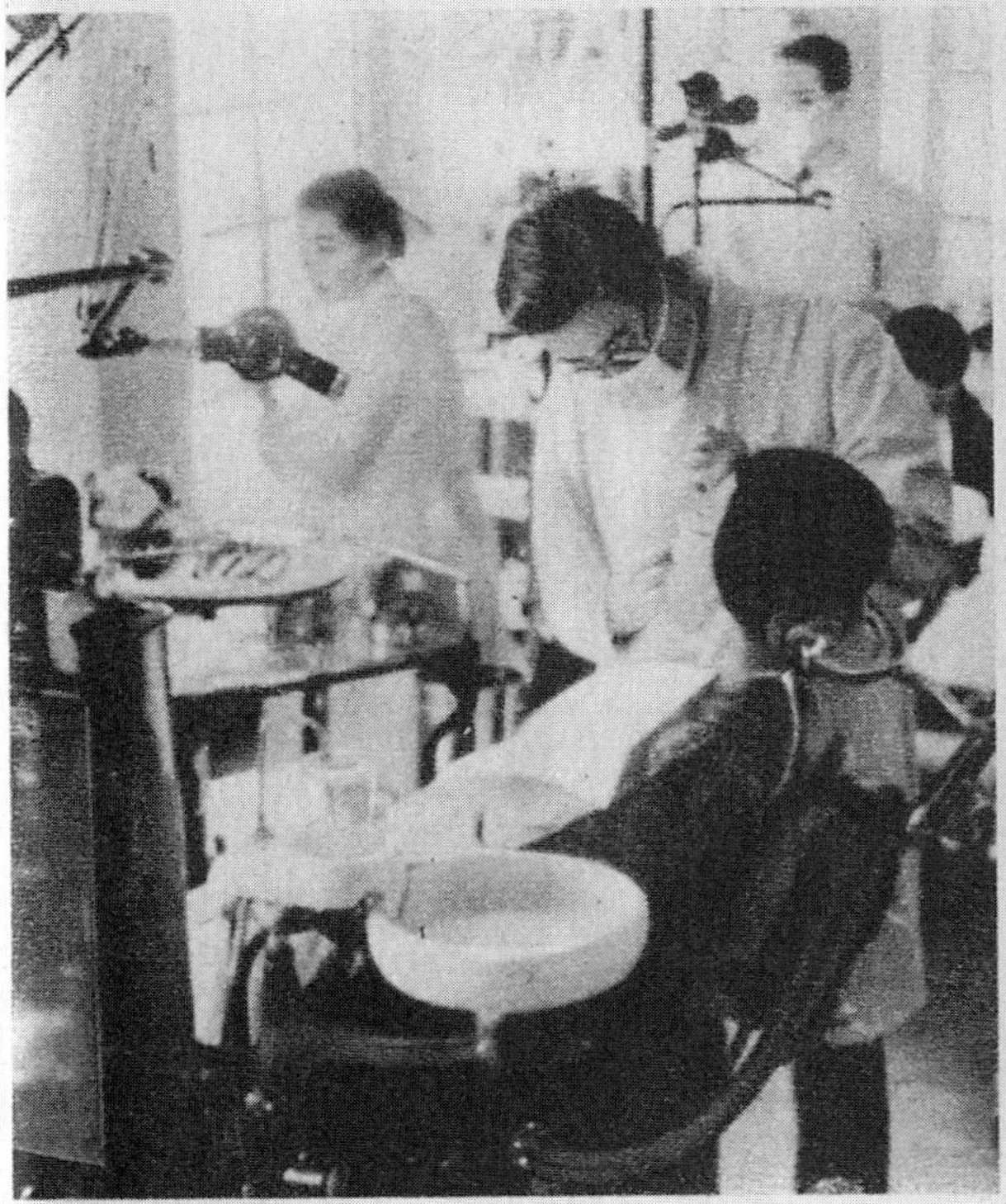

鐵路醫院―北京

守宅係を設けて懇切周到な世話をし溫情ある斡旋をなしてゐる。

共　濟　社員の醵金と會社の補助金とを合せて基金となし、社員並に家族の不幸を輕減するための互助的機關である。社員の治療費は全額を共濟で負擔する、だから社員は不慮の病傷に襲はれても安んじてその治療に專念し得る。家族の治療費もその金額に應じて三割乃至六割の給付を受ける。この他にも扶助金、特症手當、特症旅費、弔慰金、年功金、罹災金、病傷救濟金、葬祭料、分娩手當等各種の給與種目があつて、その合理的な運用はこの種制度の代表的なものとされてゐる。

病　院　主要八都市に鐵路醫院を、沿線三十六都市に同分院を設置し、前線には隨時診療班を巡回せしめて社員と家族の診療に當る旁ら、醫療施設に惠まれぬ地方では軍屬や一般の需めにも應じてゐる。また愛路村工作の一として無料で施藥施療を行ひ、中國民衆の日本への信頼依存の觀念を醸成しつゝある。鐵路醫院は各科完備し北支における最も近代的な綜合病院であり、數百名の醫師と優秀な設備とを配して大陸の保健衞生に貢獻してゐる。

その他　積極的に社員の體位向上を目指して體育を奬勵し、或は各鐵路局所在地には社員圖書室を設け中間驛には巡回書庫を廻し、或は隨時講演、講習會等を開いて智德情操の向上を計つてゐる。また、中國人社員子弟のため扶輪學校を直營するほか、邦人小中學校にも相當額の補助金を支出し、その充實に資してゐる。別居家族に對しては前述の如く面倒を見、留守宅の移轉から分娩、子弟の入退學、通夜、葬儀まで日常萬般の世話に當つてゐる。なほ、二十五歳以下の日本人社員はすべて鐵道靑年隊に編入し、大陸交通を擔任すべき人物の錬磨を父兄に代つて行ふなど、社員公私生活の向上のために深い親心を拂つてゐる。

鐵道青年隊のブラスバンド

前線同僚に慰問袋をおくる華北交通婦人社員

華北交通社員會

綱領

我等　東亞民族ノ興隆ヲ期ス
我等　大陸交通ノ完成ヲ期ス
我等　公私生活ノ向上ヲ期ス

華北交通會社の特殊使命を擁護し之と表裏一體、唇齒輔車の關係に在つて社業の推進に當らうとする日華社員を打つて一丸とした自治團體である。如上の三綱領を掲げ昭和十四年四月十七日會社創立と同時に結成、名實共に共同の使命達成に邁進する態勢を整へてゐる。

事業の主なるものは月刊機關誌「興亞」の發行、講演及び講習會の開催など品性情操の涵養、體育上の諸行事團體訓練、第一線同僚の慰問、生活合理化運動、良書取次、社員宿泊所の經營その他會員の福祉增進に關するものゝ外、一般公共社會事業にも隨時協働し貢献してゐる。なほ、大陸交通完成の理想を同じうする滿鐵社員會とは常に密接なる連絡協調を保つてゐる。

次にその組織を概述すれば、數箇の分會によつて各地に聯合會を結成し、各分會から選出された評議員を以て各地別に聯合會評議會を開き地方的問題を處理する。さらに評議員の互選による中央評議員を以て最高決議機關たる中央評議會を組織し、中央評議員から幹事を互選して執行機關たる幹事會を組織する。また、全會員中から本會の代表者たる幹事長を選擧し、そのスタッフたる各部々長と幹事とを以て本部役員會を構成し會務を分掌せしむる。本部は本社所在地の北京にあり、聯合會は、北京第一、北京第二、天津、濟南、青島、張家口、太原、開封、東京の九箇所、評議員約七百名、中央評議員約六十名、幹事約十五名の厖大な陣容であり各分會を基礎にして全會員を横斷的に組織統制し、一糸亂れぬ活躍ぶりである。その收支總豫算は會費制其他で年約三十萬圓。

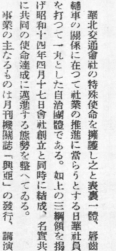

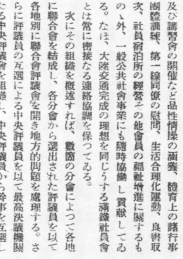

華北交通婦人社員の茶の湯講習

華北交通運動會—北京

華北交通十萬の日華社員がその座右銘として服膺する「社訓」と我等が日常高唱する「鐵道青年隊行進歌」を左に掲げる。本誌冒頭の「華北交通の歌」と併せて、以て會社の使命と社員の士氣とを窺ふに足るであらう。

社訓

一 善鄰協和ノ大義ヲ宣揚スヘシ
一 大陸交通ノ使命ヲ達成スヘシ
一 滅私奉公ノ職責ヲ完遂スヘシ
一 修身齊家ノ常道ヲ躬行スヘシ

華北交通摘要

創立・昭和十四年（民國廿八年）四月十七日
組織・舊中華民國臨時政府の特別法による中國法人の株式會社
事業・華北における鐵道、自動車水運並に之に附帶する諸事業、蒙疆における鐵道竝に附帶事業
資本・三億圓、拂込濟二億一千萬圓
株數・六百萬株、一株五十圓
社債募集限度・拂込額の三倍まで
營業年度・十月一日から九月末日
定時株主總會・每年十二月
社員・十萬（日人三萬、華人七萬）
重役・總裁一人、副總裁二人、理事五人以上、監事三人　總裁、副總裁は株主總會で選任し政府の認可を要する、任期は五年。理事と監事は株主總會で選任し任期は理事四年、監事三年

鐵道青年隊行進歌

一
戈壁《ゴビ》の砂漠に風荒れて
黃塵空を蔽ふとも
大地を踏んでゆるぎなく
隊伍堂々進むべし
我等鐵道青年の
見よ堅剛の意氣と熱

二
黃河の水のゆくところ
興亡古來常なきも
歷史を玆に更めて
世紀の樂土うちたてむ
我等鐵道青年の
誇れ高遠の大理想

三
ヒマラヤの嶺高からず
タリムの盆地遠からず
若き先驅の力もて
やがて征くべしカスピ海
我等鐵道青年の
聽け遠大の建設譜

四
今し亞細亞の朝ぼらけ
旭日燦とかがやけば
若き生命の火と燃えて
五色に映ゆる舊山河
我等鐵道青年の
おゝ榮光の大使命

會社の組織

總裁 宇佐美寛爾
副總裁 殷同
同 後藤悌次
理事 杉廣三郎 周培炳 山口十助 新井堯爾 •太田久作 孫瑞林 佐原憲次 陶尙銘
監事 張萬祿 吉田浩
顧問 伊澤道雄 平井喜久松

總裁室
總務局 庶務課 文書課 秘書役
人事局 人事課 計畫課 厚生課 保健課
主計局 資金課 資材課
資業局 業務課 交通課 資料課
企畫委員會
防衛委員會
經理部 主計課 會計課 管財課 審査課 購買課 倉庫課 用度事務所
運輸部 旅客課 貨物課 配車課

自動車部 運轉課 車輛課 運輸課 技術課
水運部 碼頭課 內水課 管理課 築港課
工作部 工作課 機械課 工廠課
工務部 工線課 保線課 改良課 建築課
建設部 電氣課 水道課 計畫課 工事課
警務部 警備課 保安課 愛路課
鐵路外事警察班
（北京）警備犬育成所
監察室
輸送委員會
參與
東京事務所
中央鐵路學院
消費生計所
建設事務所
鐵路醫院
保健科學研究所
包頭公所
鐵路局（天津・北京・張家口・濟南・太原・開封）

總務處 保健處
經理處 營業處
輸送處 自動車處
水運處 工作處
工務處 電氣處
警務處
鐵路辦事處（徐州）
青島事務所
鐵路監理所（十三ヶ所）
鐵路學院（天津・北京・濟南・張家口・太原・開封）
扶輪學校（各鐵路局管內計三十校）
自動車營業所（各鐵路局管內計二十二箇所・同支所三十箇所）
碼頭事務所（連雲）
航運營業所（八ヶ所—同分所六十箇所）
鐵路工廠（九ヶ所）
鐵路醫院（天津・北京・張家口・濟南・太原・開封・青島・石門—同分院三十六箇所、巡回診療班十班）
農事試驗場（通州）
鐵路農場（十一ヶ所）
園藝試驗場（一ヶ所）
林業所（一ヶ所）
用品庫（三ヶ所）
乘車券印刷所（三ヶ所）
直營旅館（三ヶ所）
站（六百）列車段・機務段・檢車段・工務段・電氣段・警務段・水上警務段・自動車警務段・電氣修理廠
碼頭（三ヶ所）
營繕事務所（北京・營繕所五ヶ所）
自動車修理廠（四ヶ所）
愛路村（八千ヶ村・人口三千萬）

北支蒙疆に關する問合せは

東京鮮滿支案內所 銀座二丁目 電 京橋 二八二一・二八二二
大阪鮮滿支案內所 堺筋安土町 電 本町 一七〇〇 一七〇一
名古屋出張所 中區榮町一丁目 電 本局自四七一一至四七一三
敦賀駐在員事務所 驛前大通り
門司鮮滿支案內所 門司驛前 電 自三一四〇、至三一四二
下關出張所 驛前
長崎駐在員事務所 萬屋町七丁目 電 一九六二
新潟鮮滿支案內所 古町通り 電 四七八八
小樽鮮滿支案內所 稻穗町六丁目 電 二七八八
華北交通東京事務所 虎ノ門滿鐵ビル內 電 赤坂 自二九三三 至二九三五

昭和十五年九月十五日印刷
昭和十五年九月二十日發行
北京東長安街華北交通株式會社
編輯兼發行人 加藤新吉
東京市牛込區市ヶ谷加賀町一ノ十二
印刷人 杉山退助
東京市牛込區市ヶ谷加賀町一ノ十二
印刷所 大日本印刷株式會社
北京市東長安街
發行所 華北交通株式會社

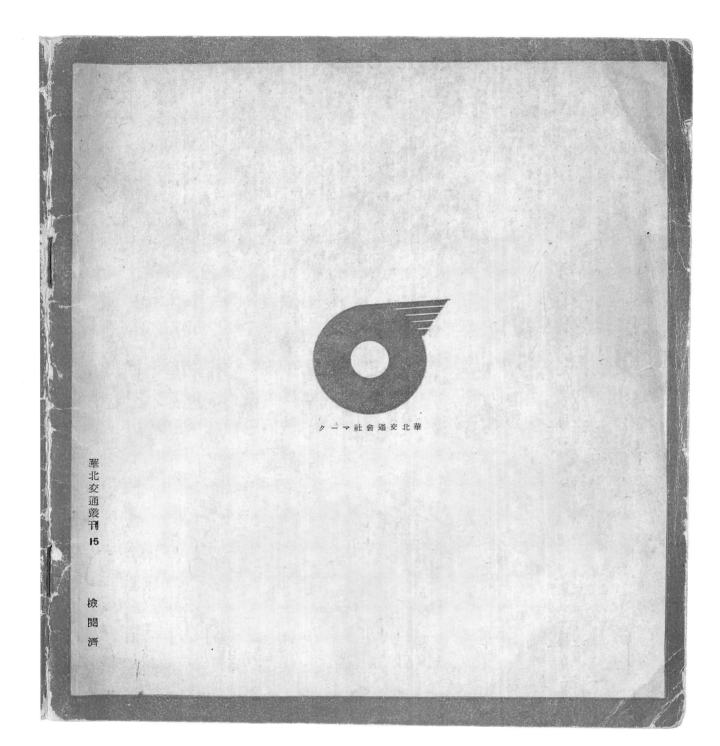

華北交通會社マーク

華北交通叢刊 15

檢閲濟

弘報グラフ誌『北支画刊』『北支』『華北』総目次

『北支画刊』

満鉄北支事務局編・平凡社発行（一九三八年四月〜一九三九年三月）

『北支』

第一書房刊（一九三九年六月～一九四三年八月）

六月創刊号（一九三九年六月一日発行）

【北京の少女】……表紙

●写真頁
- 季節の花……1
- 塩 その一……3
- 塩 その二……3
- 山西縦貫……7
- 愛路列車来る……9
- ランダルマを逐ふ……11
- 北京の水……13
- 天津の水……15
- 門頭溝の朝……17
- 働く女……19
- けだものの登場……21
- 邦人日常断片（ぺきんせいくわつだより）……23
- 大きな歴史 小さな歴史……29
- 北支蒙疆主要物産図絵……華北交通株式会社創立……31

●記事頁
- 北支に於ける通貨統制……朝倉美奈雄……34
- 北支蒙疆資源の話……小島徳三……36
- 可園雑記……加藤新吉……38
- 日支外交の序幕……服部亮英……39
- 北京の漫描……玫塊楼主人……41
- 初夏の珍味四題……黄子明……43
- 支那芝居雑観 一……石原厳徹……44
- ほくし・ふじん・さろん 台所経済、旗袍と洋装……45
- ペキン・コドモ・クラブ よくなる北支、にちようび、ラクダ……46
- 伝書鳩……47
- 北京ごよみ 六月……49

●広告
- 疲労恢復に強力ビタミンB剤 オリザニン 三協株式会社……33
- 元気になる！強くなる！ 森永ミルクキヤラメル 森永製菓株式会社……34
- 鎮咳鎮痛新薬 ネオベフェクチン 発売元：東洋製薬貿易株式会社……36
- ジュピター複写紙 株式会社原田商店……42
- カユミ止 蚊よけチック スキー 光栄商会……44
- イチジク浣腸 イチジク製薬株式会社……46
- 月刊雑誌セルパン 第一書房……49
- 寄生性・瘙痒性 皮膚病治療剤 ムナバール 発売元：（株）長兵衛商店、製造元：日本染料製造株式会社……裏表紙裏
- 衰弱を去り強駆をつくる 補血強壮ポリタミン 発売元：（株）武田 製造元：武田栄養化学株式会社……裏表紙

昭和一四年七月号（一九三九年七月一日発行）

【耕牛】……表紙

●写真頁
- 金魚……1
- 金魚 その二……3
- 伸び行く鉄路……5
- 動く資材 苦力 その一……7
- 動く資材 苦力 その二……9
- 動く資材 苦力 その三……11
- けだものの登場……13
- 北支の農村……15
- 土の団欒……17
- 土に生きる……19
- 青空を截る……21
- 支那近代女性……23
- 大きな歴史 小さな歴史 法門寺……25

●記事頁
- 鉄路愛護村匪賊情報連絡図……27
- 蒙疆 羊……29
- 蒙疆 羊 その二……31
- 北支の農村 一……みづの・かをる（華北交通資業局調査役）……小島徳三……34
- 北支蒙疆資源の話……加藤新吉……36
- 可園雑記 二……村川駿介……38
- 東文学社……森太郎……39
- 支那新聞広告談義……黄子明……41
- 日本の障子……42
- 美しき北京……北林透馬……43
- 支那芝居雑観 二……石原厳徹……44
- 北京婦人夏の服装……45
- 日満支をつなぐ写真報告の第一線に さくらフィルム〔小西六写真工業株式会社〕……47
- 伝書鳩……49
- 北京ごよみ（七月）……

●広告
- 厚生保険に強力ビタミンB剤 オリザニン 三協株式会社……33
- 国産第一位 無敵！ムッソリーニペン／新生国策 ペン付 クラウン万年筆 （株）澤井商店……38
- 強力殺虫剤 日伊英仏 アース 木村製薬所……40
- みんななかよく げんきになろう 森永ミルクキヤラメル 森永製菓株式会社……42
- ワシ ゲンキニナル ヨイオク……44
- カユミ止 蚊よけチック スキー 光栄商会……46
- 寄生性・瘙痒性 皮膚病治療剤 ムナバール 発売元：（株）長兵衛商店、製造元：日本染料製造株式会社……裏表紙裏
- 腸疾患 治療と予防に ビオフェルミン 発売元：（株）神戸衛生実験所 製造元：（株）武田……裏表紙

昭和一六年一月号（一九四一年一月一日発行）

昭和一六年二月号（一九四一年二月一日発行）

昭和一六年七月号（一九四一年七月一日発行）

昭和一六年八月号（一九四一年八月一日発行）

田長兵衛商店、製造元：(株)神戸衛生実験所　裏表紙

昭和一六年九月号（一九四一年九月一日発行）

夏日……表紙

●写真頁

曠原横断　一　広野横断……1
曠原横断　二　汽車と轎車……3
大地を踏んで……
好朋友（ハオポンユウ）……7
白塔遠望・北京北海公園五龍亭より……
山蛯虎……9
北支のくだもの……13
石炭を日本へ……15
子供……17
油炸鬼と油炸餅……19
愛路自動車来了……21
開封の繁塔……23
唐時代女性の服装……25
現代女性の服装……27
雪景山水図　高鳳翰筆……29
真鍮細工……31

●記事頁

夾竹桃……村上知之　34
山東八路軍と文化陣線
……島英夫（満鉄北支経済調査所員）　36
北支の鉄道保健……村瀬渉（華北交通総務局参与）　38
北支畜産の展望…坂本種夫（華北交通資源局局員）　40
油炸檜……黄子明（在北京中国人）　42
津浦鉄道沿線の歴史景観
……小野勝年（華北交通資業局嘱託）　43
可園雑記……加藤新吉　46
北支暢談……47
北支・蒙彊の統計　14　水運……49

●広告

無敵！国産第一位　ムッソリーニペン／新生国策イリヂュウム白金ペン付　クラウン万年筆…(株)澤井商店　33
鎮咳鎮痛新薬　ネオベフェクチン
……発売元：東洋製薬貿易株式会社　36
陰嚢疹　特効新薬　エキセ／カユミ止　蚊よけチックスキー……光栄商会　38
疫痢と便秘に　イチジク浣腸
……イチジク製薬株式会社　42
さくらフヰルム　躍進日本の代表的フヰルム
……〔小西六写真工業株式会社〕　44
夏まけする人に　ハリバ……(株)田辺元三郎商店　46
寄生性、瘙痒性皮膚病に　ムナバール……発売元：(株)稲畑商店、製造元：日本染料製造株式会社　裏表紙裏
下痢腸内異常発酵に　アルシリア錠
……発売元：(株)武田長兵衛商店　裏表紙

昭和一六年一〇月号（一九四一年一〇月一日発行）

蒙古の喇嘛塔……表紙

●写真頁

黄土地帯をゆく列車……1
収穫……3
愛路祭……5
指導者教育……7
子供……9
天壇にて……11
瓦……13
北支のくだもの　葡萄・林檎・梨……15
中秋節……17
烙餅のつくり方……19
青島　1……21
青島　2……23
南宋・元代の女性の服装……25
支那服と成衣局……27
山水図　梅瞿山筆（清代）……24
民芸品……31

●記事頁

測石站舎炎上（一）―石太線匪襲事件の回想―
……渡辺庄治　34
黄河と小越平陸……石川順（大毎東日北京支局長）　38
北支の果樹
……みづの・かほる（華北交通資業局調査役）　40
烙餅と蟹……勝又温子（支那料理研究家）　42
支那の女と服装……藤原英比古　44
棺異聞……小幡義治（東亜新報経済部次長）　46
可園雑記……加藤新吉（華北交通資業局長）　48
支那関係図書紹介　1　一、自然地理関係……49

●広告

無敵！国産第一位　ムッソリーニペン／新生国策イリヂュウム白金ペン付　クラウン万年筆…(株)澤井商店　33
鎮咳鎮痛新薬　ネオベフェクチン
……発売元：東洋製薬貿易株式会社　39
素晴しい色！美しい文字　王冠インキ
……(株)澤井商店　41
疫痢と便秘に　イチジク浣腸
……イチジク製薬株式会社　43
顔剃後に！アレ止に！傷一切に！　ペルメル
……大日本除虫菊株式会社　45
さくらフヰルム　躍進日本の代表的フヰルム
……〔小西六写真工業株式会社〕　47
今月の新刊……第一書房　48
寄生性、瘙痒性皮膚病に　ムナバール……発売元：(株)稲畑商店、製造元：日本染料製造株式会社　裏表紙裏
体力強化に　ポリタミン
……発売元：(株)武田長兵衛商店　裏表紙

昭和一六年一一月号（一九四一年一一月一日発行）

旧気象台（北京）……表紙

●写真頁

北支の鉄道建設 ───────────────────────────────────── 1
竹藪 ───────────────────────────────────── 7
柏山の甕 その一 ───────────────────────────────────── 9
柏山の甕 その二 ───────────────────────────────────── 11
易県 ───────────────────────────────────── 13
北支のくだもの 柿 ───────────────────────────────────── 15
シラムレン その一 ───────────────────────────────────── 17
シラムレン その二 ───────────────────────────────────── 19
明末、清初の婦人の服装 ───────────────────────────────────── 21
北支の塩はかうして造る ───────────────────────────────────── 23
中流黄河の結氷 ───────────────────────────────────── 25
京戯「打魚殺家」 ───────────────────────────────────── 27
一羊図 ───────────────────────────────────── 29
柳枝細工 ───────────────────────────────────── 31
●記事頁
蒙古行 ⋯⋯⋯ 中西一介（在北京、日本大使館書記生） ───── 34
愛路厚生船の話 ⋯⋯⋯ 加藤福次（華北交通水運社員） ───── 37
北京 秋の感覚 ⋯⋯⋯ 佐藤俊子（作家） ───── 39
京戯「打魚殺家」に就て ⋯⋯⋯（田村俊子） ───── 39
吾が家の食器 ───── 41
中国店舗の特殊性 ⋯⋯⋯ 山崎勉（北支那開発産業部員） ───── 43
測石站舎炎上（二）─石太線匪襲事件の回想─ ⋯⋯⋯ 吉田璋夫（新民会中央総会専門委員） ───── 44
渡辺庄治（華北交通社員） ───── 46
可園雑記 ⋯⋯⋯ 加藤新吉（華北交通資業局長） ───── 48
支那関係図書紹介（2）気候 ───── 49
●広告
無敵！国産第一位 ムッソリーニペン／新生国策イリヂュウム白金ペン付 クラウン万年筆 ⋯⋯⋯（株）澤井商店 ───── 33
素晴しい色！美しい文字 王冠インキ ⋯⋯⋯（株）澤井商店 ───── 36
鎮咳鎮痛新薬 ネオベフェクチン 発売元‥東洋製薬貿易株式会社 ───── 39

敗軍の将一陳済棠 ───── 40
さくらフヰルム 躍進日本の代表的フヰルム ⋯⋯⋯【小西六写真工業株式会社】 ───── 42
疫痢と便秘に イチジク浣腸 ───── 45
本誌御購読につき急告！ 第一書房 ───── 48
寄生性、瘙痒性皮膚病に ムナバール 稲畑商店、製造元‥日本染料製造株式会社 ───── 裏表紙裏
体力強化に ポリタミン 発売元‥（株）武田長兵衛商店 ───── 裏表紙

昭和一六年一二月号（一九四一年一二月一日発行）
●写真頁
印花粗布 ───── 表紙
冬来る ───── 1
北支に於ける日本人 ───── 3
北支に於ける日本人 北京西郊新都市建設 ───── 3
北支に於ける日本人 若き建設戦士 ───── 9
蝋八粥 ───── 11
鉄道工場 ───── 13
苦力帰る ───── 15
豚と兎 ───── 17
円明園 ───── 19
海州 ───── 21
菊と棗 ───── 23
新民会指導の下に ───── 25
昭君墓 ───── 27
清朝の婦人の服装 ───── 29
印花粗布の製造 ───── 31
●記事頁
王昭君の故事 ⋯⋯⋯ 石原厳徹（華北交通資業局参与） ───── 34
北支と淡水魚の養殖 ⋯⋯⋯ 奥野忠雄（滋賀県醒井養鱒場長） ───── 36

紅軍長征夜話 ⋯⋯⋯ 小山内匠（共産八路研究家） ───── 38
華北労工協会とは ⋯⋯⋯ 小松健三郎（新民会嘱託） ───── 40
冬至祀天の礼 ⋯⋯⋯ 石橋丑雄（北京市公署観光科専員） ───── 42
長城行 ⋯⋯⋯ 小野勝平 ───── 44
可園雑記 ⋯⋯⋯ 加藤新吉（華北交通資業局長） ───── 48
支那関係図書紹介（3）二、経済地理関係 ───── 49
●広告
無敵！国産第一位 ムッソリーニペン／新生国策イリヂュウム白金ペン付 クラウン万年筆 ⋯⋯⋯（株）澤井商店 ───── 33
鎮咳鎮痛新薬 ネオベフェクチン 発売元‥東洋製薬貿易株式会社 ───── 37
米飯を完全に栄養化 エビオス錠【大日本麦酒株式会社】 ───── 41
素晴しい色！美しい文字 王冠インキ ⋯⋯⋯（株）澤井商店 ───── 43
さくらフヰルム 躍進日本の代表的フヰルム ⋯⋯⋯【小西六写真工業株式会社】 ───── 45
疫痢と便秘に イチジク浣腸 ───── 46
本誌の御購読に就て 第一書房 ───── 48
寄生性、瘙痒性皮膚病に ムナバール 稲畑商店、製造元‥日本染料製造株式会社 ───── 裏表紙裏
体力強化に ポリタミン 発売元‥（株）武田長兵衛商店 ───── 裏表紙

昭和一七年一月号（一九四二年一月一日発行）
●写真頁
天壇 ───── 表紙
正月 ───── 1
初市と歳暮売出し 正月の2 ───── 3
大晦日 正月の3 ───── 5
街頭風景 正月の4 ───── 7
支那の住宅 一 ⋯⋯⋯ 撮影‥坂本万七 ───── 9
支那の住宅 二 ⋯⋯⋯ 撮影‥坂本万七 ───── 11

317 『北支』総目次

第四巻第二号（一九四二年二月一日発行）

第四巻第三号（一九四二年三月一日発行）

第四巻四月号（一九四二年四月一日発行）

第四巻第五号（一九四二年五月一日発行）

第四巻第六号（一九四二年六月一日発行）

第四巻七月号（一九四二年七月一日発行）

第四巻八月号（一九四二年八月一日発行）

第四巻九月号（一九四二年九月一日発行）

●写真頁

●記事頁

●広告

第四巻一〇月号（一九四二年一〇月一日発行）

●写真頁

●記事頁

●広告

第四巻一一月号（一九四二年一一月一日発行）

●写真頁

第五巻八月号（一九四三年八月一日発行）

船団輸送 ... 表紙

●写真頁

- 運河 ... 1
- 灌漑 ... 2
- 民船 ... 3
- 造船・修理 ... 5
- 運河の経済的意義 ... 6
- 水路の護り ... 7
- 運河に発した街 ... 9
- 運河に生きる ... 11
- 船に育つ ... 13
- 操船 ... 15
- 輸送機械化 ... 17
- 水路の浚渫・改良 ... 19
- 〔運河〕 ... 21
- 〔運河沿岸〕 ... 23
- 〔運河をゆく船団〕 ... 25

●記事頁

- 黄河……小林悟一郎（華北交通華北事情案内所員） ... 26
- 北支の舟運……永野宗（華北交通資業局員） ... 29
- 水上警務聞書……堀田香苗（華北交通天津鉄路局員） ... 32

- 疫痢と便秘に　イチジク浣腸　イチジク製薬株式会社 ... 36
- 第一書房新刊　第一書房 ... 38
- 二基ズルホンアミド純正剤　ポレオン錠　華北蒙疆鉄道略図　商店、製造発売元：日本染料製造株式会社　裏表紙裏
- 一手販売元：（株）稲畑
- 砒素駆黴剤　サビノールナトリウム
- 商店、製造発売元：日本染料製造株式会社　裏表紙裏
- 一手販売元：（株）稲畑
- 疲労恢復　強力メタボリン錠　製造発売元：（株）武田長兵衛商店　裏表紙

『華北』

華北交通株式会社東京支社発行（一九四四年二月〜同年十二月）

第一巻第一号（一九四四年二月一〇日発行）

〔らくだと中国の小学生（写真は起床のトランペットの情景〕 ... 表紙

●写真頁

- 小学校　Ⅰ ... 1
- 小学校　Ⅱ ... 5
- 扶輪学校 ... 7
- 中学校　女学校 ... 9
- 専門学校　大学 ... 11
- 青少年団 ... 13
- 日本語を学ぶ ... 15
- 蒙古の女学校 ... 17
- 現地の日本国民学校 ... 19
- さまざまな学校 ... 21
- 興亜学校 ... 25

●記事頁

- 扶輪学校とは……横山充志 ... 26
- 中国児童の時局認識―扶輪学校の綴方集より―……下田要 ... 28
- 扶輪学校経営の苦心……立山茂正（元扶輪学校職員） ... 30
- 古代中国教育の史的性格と貢挙制度……小林悟一郎 ... 32
- 中国児童の赤裸な解答に聴かう ... 35
- 華北教育の現状……渡辺近夫（華北交通社員） ... 38
- 華北蒙疆鉄道略図〔一覧〕 ... 40
- さくらフヰルム　さくら印画紙　小西六写真工業株式会社 ... 41

●広告

- 疫痢と便秘に　イチジク浣腸　イチジク製薬株式会社 ... 29
- 結核は　ハリバで防げ　天津　田辺公司 ... 29
- 中耳炎　扁桃腺炎　化膿性急慢性に依る諸疾患　トリラッ　クス錠　製造発売元：東洋製薬化成株式会社 ... 38
- 最新男性賦活ホルモン　セキマイン　製造発売元：大日本製薬株式会社 ... 34

清帮と水運……田中整 ... 34
鉄道警備の展望……直木久太郎 ... 36
定県実験区工作……多田貞一（北京大学講師） ... 38
華北蒙疆鉄道略図 ... 41

●広告

- 二基ズルホンアミド純正剤　ポレオン錠　第一書房新刊　第一書房 ... 40
- 商店、製造発売元：日本染料製造株式会社　裏表紙裏　一手販売元：（株）稲畑
- 砒素駆黴剤　サビノールナトリウム
- 商店、製造発売元：日本染料製造株式会社　裏表紙裏　一手販売元：（株）稲畑
- 疲労恢復　強力メタボリン錠　武田発売品　裏表紙裏
- 合成エステル型女性ホルモン　オイペスチン錠　武田発売品　裏表紙
- 疫痢と便秘に　イチジク浣腸　イチジク製薬株式会社 ... 34
- 最新男性賦活ホルモン　セキマイン　製造発売元：大日本製薬株式会社 ... 33
- 夏負けせぬよう　さくらフヰルム　躍進日本の代表的フヰルム　〔小西六写真工業株式会社〕 ... 32
- 中耳炎　扁桃腺炎　化膿性急慢性に依る諸疾患　トリラッ　クス錠　製造発売元：東洋製薬貿易株式会社 ... 28

第一巻第二号（一九四四年三月一〇日刊行）

第一巻第三号（一九四四年四月一〇日刊行）

第一巻第七号（一九四四年九月一日発行）

第一巻第八号（一九四四年一〇月一日発行）

おわりに

大学には、未公開あるいは公開準備中の文化資源が、じつは膨大に所蔵されている。今日は、限られた予算と人手を駆使しながら、それらをいかに社会に還元し、また教育に活用するかが問われている。

本書でとりあげた「華北交通写真」は、戦後七〇年間、さまざまな理由のもとで公開に踏み切れなかった文化資源のひとつである。ところが、この写真群は、マスコミ各社が保存している写真を除けば、類をみない膨大な量と、特異な質を有している。なんとなれば、写されているのは、日中戦争のさなかにもかかわらず、戦闘や軍隊生活ではなく現地の風俗だが、それ故に弘報宣伝写真として国策との関連を明確に示しているのだ。植民地や外地にあったこうした写真のほとんどは終戦によって内地に持ち帰れなくなり、また終戦時に内地にあった膨大な資料の多くも、機密を葬るために焼却された。「華北交通写真」は、例外的に残されたきわめて珍しい史料なのである。

戦後約七〇年間、京都大学人文科学研究所に眠っていたこの写真群を、私たちの世代でなんとか日の目をみせたい、そしてこの資料を世界に公開することで、よじれた歴史認識問題を解決するための知的インフラ整備に微力ながら寄与したい、そういう思いで六年前に「華北交通写真」のデジタル化プロジェクトが始まった。しかし、京都大学の学内でさえこの写真群の公開に対する理解は容易には得ることができなかったし、デジタル化する資金の調達はさらに難航続きであった。京都大学の人文科学研究所や地域研究統合情報センターにも理解してくれる研究者があらわれ、資金面でも日本学術振興会による科学研究費補助金などを活用することができたことは誠に幸運であったと思う。これらの諸機関、そして関係者には、あらためて御礼を申し上げたい。

「華北交通写真」は、紙焼きされた写真のほか、奇跡的にもネガが保存されていた。これらのネガは、現在日本カメラ博物館で、資料保存と研究利用のための作業が進められている。同館の意欲的な試みとして、二〇一六年一二月に企画展「秘蔵写真 伝えたかった中国・華北――京都大学人文科学研究所所蔵 華北交通写真」が開催される。私たちが心より願った「華北交通写真」の社会への還元が、こうした企画展の開催と、国書刊行会から本書を出版できたことで、実現することができた。あらためて、関係諸機関に御礼を申し上げたい。

多くの人々の理解と協力によってようやく成された写真群の公開によって、学術研究がさらに進み、日本と世界の未来へつながる考察が深まることを願ってやまない。

貴志俊彦・白山眞理

編著者略歴（掲載順）

石川 禎浩（いしかわ よしひろ）

一九六三年生まれ。京都大学大学院文学研究科修士課程修了。博士（文学）。京都大学人文科学研究所附属現代中国研究センター長、教授。

【論文執筆】

白山 眞理（しらやま まり）

一九五八年生まれ。千葉大学大学院融合科学研究科博士後期課程単位取得退学。博士（学術）。一般財団法人日本カメラ財団調査研究部長。

主要著書：『〈報道写真〉と戦争』（吉川弘文館、二〇一四年）、『名取洋之助と日本工房――1931-45』（岩波書店、二〇〇六年、共著）、『戦争と平和――〈報道写真〉が伝えたかった日本』（平凡社、二〇一五年、共著）など。

貴志 俊彦（きし としひこ）

一九五九年生まれ。広島大学大学院文学研究科博士後期課程単位取得満期退学。京都大学地域研究統合情報センター教授、日本学術会議連携会員。

主要著書：『満洲国のビジュアル・メディア――ポスター・絵はがき・切手』（吉川弘文館、二〇一〇年）、『東アジア流行歌アワー――越境する音 交錯する音楽人』（岩波書店、二〇一三年）、『日中間海底ケーブルの戦後史――国交正常化と通信の再生』（吉川弘文館、二〇一五年）など。

富澤 芳亜（とみさわ よしあ）

一九六五年生まれ。広島大学大学院文学研究科博士後期課程単位取得満期退学。島根大学教育学部教授。

主要著書・論文：『近代中国を生きた日系企業』（大阪大学出版会、二〇一一年、共編著）、『日本の青島占領と山東の社会経済 一九一四～一九二二年』（東洋文庫、二〇〇六年、共著）、「第一次世界大戦期の博山炭鉱における日本商」（『近代中国研究彙報』第二八号所収、国立国会図書館分館東洋文庫、二〇〇六年）など。

萩原 充（はぎわら みつる）

一九五五年生まれ。北海道大学大学院経済学研究科博士後期課程単位取得退学。博士（経済学）。釧路公立大学経済学部教授。

主要著書・論文：『中国の経済建設と日中関係――対日抗戦への序曲 一九二七～一九三七年』（ミネルヴァ書房、二〇〇〇年）、『近代中国を生きた日系企業』（大阪大学出版会、二〇一一年、共編著）、「戦後中国の鉄鋼業建設計画に関する一考察――大冶鉄廠の復興計画を中心に」（『社会経済史学』七五巻五号所収、社会経済史学会、二〇一

○年）など。

太田 出（おおた いずる）
一九六五年生まれ。大阪大学大学院文学研究科修了。博士（文学）。京都大学大学院人間・環境学研究科教授。
主要著書：『中国近世の罪と罰――犯罪・警察・監獄の社会史』（名古屋大学出版会、二〇一五年）、『太湖流域農村の歴史学的研究――地方文献と現地調査からのアプローチ』（汲古書院、二〇〇七年、共著）、『中国農村の民間藝能――太湖流域社会史口述記録集2』（汲古書院、二〇一一年、共著）など。

山本一生（やまもと いっせい）
一九八〇年生まれ。東京大学大学院教育学研究科博士課程修了。博士（教育学）。上田女子短期大学幼児教育学科専任講師。
主要著書・論文：『青島の近代学校――植民地教員ネットワークの連続と断絶』（皓星社、二〇一二年）、「帝国日本内を移動する教員」（『日本の教育史学』五二号所収、教育史学会、二〇〇九年）、「中華民国期山東省青島における公立学校教員――「連続服務教員」に着目して」（『史学雑誌』一二三編一一号所収、史学会、二〇一四年）など。

瀧下 彩子（たきした さえこ）
一九六四年生まれ。お茶の水女子大学大学院博士課程単位取得退学。東洋文庫研究員。
主要著書・論文：『日本の青島占領と山東の社会経済：一九一四～二二年』東洋文庫、二〇〇六年、共著）、『華北の発見』汲古書院、二〇一四年、共著）、「戦前期満洲の三大温泉：旅行案内に見る旅館施設等の変遷」（『近代中国研究彙報』三五号所収、東洋文庫近代中国研究班、二〇一三年）など。

向井 佑介（むかい ゆうすけ）
一九七九年生まれ。京都大学大学院文学研究科博士後期課程中退。京都府立大学文学部准教授。
主要著書・論文：『シルクロード発掘七〇年――雲岡石窟からガンダーラまで』（臨川書店、二〇〇八年、共編著）、「仏塔の中国的変容」（『東方学報』京都第八八冊所収、二〇一三年）、「墓中の神坐――漢魏晋南北朝の墓室内祭祀」（『東洋史研究』第七三巻第一号所収、二〇一四年）など。

松本 ますみ（まつもと ますみ）
一九五七年生まれ。新潟大学現代社会文化研究科博士後期課程。博士（学術）。室蘭工業大学工学研究科教授。
主要著著・論文：『イスラームへの回帰――中国のムスリマたち』（山川出版社、二〇一〇年）、MATSUMOTO Masumi and SHIMBO Atsuko, "Islamic Education in China: Triple Discrimination and the Challenge of Hui Women's Madrasas". In SAKURAI Keiko and Fariba Adelkhah eds. *The Moral Economy of the Madrasa*, London: Routledge, 2011, MATSUMOTO Masumi, "Secularization and Modernization of Islam in China: Educational Reform, Japanese Occupation, and the Disappearance of Persian Learning". In LIPMAN, Jonathan ed., *The Islamic Thought in China: Sino-Muslim Intellectual Evolution in the 17th–21st Centuries*, Edinburgh University Press, 2016.

梅村卓（うめむら すぐる）

一九七五年生まれ。上智大学文学研究科博士後期課程単位取得退学。博士（史学）。茨城大学非常勤講師。

主要著書：『中国共産党のメディアとプロパガンダ——戦後満洲・東北地域の歴史的展開』（御茶の水書房、二〇一五年）、『増補改訂　戦争・ラジオ・記憶』（勉誠出版、二〇一五年、共著）、「李兆麟暗殺事件をめぐる記念とプロパガンダ——戦後東北における中国共産党の支配戦略」（『東洋学報』第九五巻第三号所収、東洋文庫、二〇一三年）など。

菊地暁（きくち あきら）

一九六九年生まれ。大阪大学大学院文学研究科博士課程修了。博士（文学）。京都大学人文科学研究所助教。

主要著書：『柳田国男と民俗学の近代——奥能登のアエノコトの二十世紀』（吉川弘文館、二〇〇一年）、『身体論のすすめ』（丸善、二〇〇五年）、『今和次郎「日本の民家」再訪』（平凡社、二〇一二年、共著）など。

【コラム執筆】

西村　陽子（にしむら　ようこ）

一九七六年生まれ。中央大学大学院文学研究科博士後期課程単位満了退学、博士（史学）。東洋大学文学部史学科准教授。

北本朝展（きたもと　あさのぶ）

一九六九年生まれ。東京大学工学系研究科電子工学専攻修了。博士（工学）。国立情報学研究所コンテンツ科学研究系准教授。情報・システム研究機構人文学オープンデータ共同利用センター準備室長。

永井　靖二（ながい　やすじ）

一九六六年生まれ。朝日新聞大阪本社社会部員、福井総局デスクなどを経て、朝日新聞社編集委員。

杉村　使乃（すぎむら　しの）

一九六九年生まれ。日本女子大学文学研究科英文学専攻博士課程後期単位取得満期中退。共立女子大学文芸学部准教授。

京都《きょうと》大学《だいがく》人文《じんぶん》科学《かがく》研究所《けんきゅうしょ》所蔵《しょぞう》　華北《かほく》交通《こうつう》写真《しゃしん》資料《しりょう》集成《しゅうせい》
《論考編《ろんこうへん》》

二〇一六年一一月二五日初版第一刷発行

編者　貴志《きし》俊彦《としひこ》・白山《しらやま》眞理《まり》

発行者　佐藤今朝夫

発行所　株式会社国書刊行会

東京都板橋区志村一—一三—一五　〒一七四—〇〇五六

電話〇三—五九七〇—七四二一（代）

ファクシミリ〇三—五九七〇—七四二七

URL：http://www.kokusho.co.jp

印刷所　株式会社エーヴィスシステムズ

製本所　株式会社ブックアート

ISBN978-4-336-06090-7〈論考編〉

ISBN978-4-336-06088-4〈全二冊揃〉（分売不可）